混凝土面板堆石坝应力变形特性研究

徐泽平　著

黄 河 水 利 出 版 社

内容提要

本书在总结作者长期从事混凝土面板堆石坝数值计算分析研究成果的基础上，结合国家科技攻关项目和重点科研项目的研究，对混凝土面板堆石坝的应力变形特性进行了系统的研究，分析、探讨了混凝土面板堆石坝在各种情况下的应力变形规律及其相关影响因素。其中，涉及了面板堆石坝的数值计算分析方法、面板堆石坝的应力变形特性和面板堆石坝的离心模型试验等多方面的内容，既有理论分析和论述，也有具体工程的应用实例。本书可供从事水利、水电工程设计、施工、科研等部门的工程技术人员参考，亦可作为高等院校相关专业师生的教学参考书。

图书在版编目(CIP)数据

混凝土面板堆石坝应力变形特性研究/徐泽平著.
郑州:黄河水利出版社,2005.12
ISBN 7-80621-983-8

Ⅰ.混… Ⅱ.徐… Ⅲ.混凝土面板堆石坝-应力-变形-特性-研究 Ⅳ.TV641.4

中国版本图书馆 CIP 数据核字(2005)第 130741 号

出 版 社:黄河水利出版社
地址:河南省郑州市金水路 11 号 邮政编码:450003
发行单位:黄河水利出版社
发行部电话:0371-66026940 传真:0371-66022620
E-mail:yrcp@public.zz.ha.cn
承印单位:河南省瑞光印务股份有限公司
开本:787 mm×1 092 mm 1/16
印张:15.5
字数:355 千字 印数:1—1 500
版次:2005 年 12 月第 1 版 印次:2005 年 12 月第 1 次印刷

书号:ISBN 7-80621-983-8/TV·430 定价:38.00 元

序

混凝土面板堆石坝是近几十年来发展起来的一种新的土石坝坝型，具有安全性好、适应性广、施工方便、就地取材、投资省、工期短等一系列优点，并为国内外坝工界同仁所公认，且在国内外水利水电工程中得到广泛应用，它正在成为一种极具竞争力的比较坝型，在很多情况下还会成为首选坝型。

中国自1985年开始用现代技术修建混凝土面板堆石坝，至今已经过20年历程。与国外相比，起步虽晚，但起点较高，发展很快。根据2004年底的不完全统计，已建成和在建的坝高大于30m的混凝土面板堆石坝有150座左右，其中坝高大于等于100m的有37座。已建成的天生桥一级面板堆石坝，坝高178m，居世界第二，而其库容、坝体体积、面板面积、泄洪流量等指标均居世界同类工程之首。在建的水布垭面板堆石坝，坝高233m，为目前世界第一。坝高220m的江坪河面板堆石坝也已开工建设。中国混凝土面板堆石坝的数量、规模、技术难度都已居于世界前列。

中国在混凝土面板堆石坝的建设过程中，一方面紧跟世界先进潮流，引进国外先进技术，另一方面也十分重视自主的科学研究和技术开发。多项国家重点科技攻关项目、国家自然科学基金重点课题及水利水电行业重点科技课题，组织了全国的科技力量，对混凝土面板堆石坝建设中的关键问题，进行了大量和系统的科学研究，取得的成果应用于工程实践，推动了科技进步，使混凝土面板堆石坝的建设由经验和判断为主逐渐转向与理论分析和试验研究相结合的途径，开始迈出了坚实的步伐。

根据已建成的大量面板堆石坝的运行实态，由于坝体变形和不均匀变形引起的面板断裂、接缝张开、止水失效，并导致大量渗漏，影响工程的正常运行，甚至影响大坝安全或溃决，是其主要问题，对于高坝尤为严重。因此，大坝和面板的应力变形分析及其预测受到坝工界的普遍重视，成为研究的重点课题。本书作者针对混凝土面板堆石坝的应力变形特性问题，从分析方法、试验手段以及设计和施工等方面进行了系统、全面的分析，研究了混凝土面板堆石坝在各种情况下的应力变形规律及其相关影响因素，是这方面科研工作的重要代表之一。

本书作者在系统总结堆石材料工程特性的基础上，对其相关影响因素和分析模型进行了归纳和总结，并从工程实用的角度，对分析模型的应用进行了评述，同时还在试验资料的基础上，对堆石材料模型计算参数的统计分析进行了初步的探索。在面板堆石坝数值计算分析方法上，作者对面板堆石坝数值计算分析中接触面和接缝系统的模拟算法进行了较为系统的研究，提出了采用界面单元模拟面板与坝体堆石之间非连续接触界面的改进算法，并利用离心模拟试验对此计算方法进行了验证。对于涉及面板堆石坝应力变形特性的各方面影响因素（包括河谷形状、深厚覆盖层、堆石的压实标准、施工顺序及蓄水过程等）进行了系统的分析研究，从应力、变形分析的角度，对面板堆石坝，特别是高面板堆石坝设计、施工的基本准则提出了相关的建议。此外，作者还对面板堆石坝的离心模拟试验技术进行了深入的研究，较为系统地研究了面板堆石坝离心模型试验的方法，并完成了百米级坝高、深厚覆盖层上面板砂砾石坝施工期和蓄水期的离心模型试验。同时，还对数值计算分析的结果与离心模型试验的结果进行了对比分析，体现了数值分析模型与物理模型相结合的研究思路。

在面板堆石坝的设计和施工中，大坝和面板结构的应力变形特性是关系到坝体安全和运行性状的一个重要问题。以往的面板堆石坝应力变形分析研究虽取得了一定的成果，但有关面板堆石坝应力变形特性方面的系统研究成果尚不多见。本书是作者20年来从事面板堆石坝工程科研工作的总结，其中不乏创新性的研究成果，不但具有重要的学术意义，同时也具有较大的工程实用价值。我相信本书的出版对混凝土面板堆石坝技术更为理性化，及其推广应用，将起到积极的作用。

2005年10月

前　言

混凝土面板堆石坝是目前坝工建设中最富竞争力和最具发展前景的坝型之一。从国内外面板堆石坝的研究来看,早期的面板堆石坝设计主要是以经验并结合工程师的判断为主,系统性的科研工作不多。近些年来,随着面板堆石坝技术的发展,面板堆石坝的设计正逐渐从经验判断转向以理论分析和试验研究为指导的阶段。

对面板堆石坝而言,坝体的应力变形特性是关系到坝体安全和运行性状的一个重要问题。在我国的面板堆石坝工程实践中,虽然取得了一定的成绩,但也有一些失败的教训。沟后面板砂砾石坝的垮坝事件、株树桥面板堆石坝面板的塌陷以及天生桥面板堆石坝的大量结构性裂缝等问题,都提示着我们切不可对面板堆石坝的应力变形问题掉以轻心。近些年来,随着面板堆石坝坝高的不断增加、坝址地形条件的日趋复杂,工程中对面板堆石坝应力变形分析的理论和分析手段也提出了越来越高的要求。对于高面板堆石坝,如何正确预测坝体在各种工况条件下的变形趋势并在此基础上优化坝体的设计、确保面板受力的均匀,已成为面板堆石坝设计中的一个关键问题。

本书主要结合作者近些年来在面板堆石坝方面所做的一些研究工作和相关工程咨询的经验,阐述面板堆石坝应力变形分析的方法、原理,并分析、探讨混凝土面板堆石坝在各种情况下的应力变形规律及其相关影响因素。书中除介绍了数值分析的方法外,还介绍了大型土工离心模型试验的研究方法,同时在此基础上,对采用数值模型和物理模型相结合的方法解决混凝土面板堆石坝应力变形分析的思路进行了研究和探讨。作者力图从理论分析和工程实践两方面对混凝土面板堆石坝的应力变形特性进行系统的论述,从而为工程设计和施工提供有益的参考。

本书的部分研究工作得到国家电力公司重点科研项目的资助和国家科技攻关项目的支持。在编写过程中,得到了中国水利水电科学研究院岩土所同仁们的大力支持。作者特别感谢汪闻韶院士、杜延龄教授、张文正教授、蒋国澄教授、朱思哲教授等岩土所老前辈所给予的关心与指导。

书中不当之处,请读者给予批评和指正。

作　者

2005年8月

目　录

中篇　面板堆石坝的应力变形特性研究

下篇 面板堆石坝的离心模型试验研究

第 1 章 绪 论

1.1 引言

混凝土面板堆石坝(CFRD:Concrete Faced Rockfill Dam)是以堆石体为支承结构并在其上游表面设置混凝土面板作为防渗结构的一种堆石坝[1,2]。从 1895 年美国建成 54m 高的 Morena 坝至今,混凝土面板堆石坝的建设和发展经历了一个多世纪的发展历程。根据库克(J.B.Cooke)的观点[3,4],堆石坝的发展进程可以划分为三个阶段:1850~1940 年是以抛填堆石为特征的早期阶段;1940~1965 年为从抛填堆石到碾压堆石的过渡阶段;1965 年以后为推广碾压堆石的现代阶段。早期的面板堆石坝由于采用抛石填筑,坝体的填筑密实度不高,坝体的沉降变形较大,混凝土面板难以适应和承受较大的坝体变形,因而导致水库蓄水后严重的面板开裂和大量的库水泄漏,但坝体的运行是安全的。因此,一般认为,抛填式混凝土面板堆石坝的合理最大高度大致为 60m[5]。由于抛填式面板堆石坝的上述问题,使得这一坝型的发展在 20 世纪 40~50 年代处于停滞状态。1960 年美国土木工程师协会的论文集[6],发表了美国一次堆石坝学术会议的论文和讨论文章。在 C.M.Roberts 的讨论文章[7]中,介绍了 1958 年完成的 Quoich 坝采用碾压式堆石筑坝的例子,这是最早采用薄层碾压堆石的工程实例。而在同一次会议上,Terzaghi 也强调指出[8]:抛填堆石的压缩性远大于碾压堆石,随着坝高的增大,堆石高压缩性的有害影响随坝高的二次方而增加。因此,在修建高坝时,应优先采用分层碾压堆石代替抛填堆石。20 世纪 60 年代后,面板堆石坝完成了从抛填堆石向碾压堆石的过渡。1971 年澳大利亚建成高 110m 的 Cethena 面板堆石坝,奠定了现代混凝土面板堆石坝的技术基础。此后,1980 年建成了巴西的 Foz do Areia 坝,坝高 160m;1985 年建成了哥伦比亚的 Salvajina 坝,坝高 148m;巴西的 Segredo 坝,坝高 145m;Xingo 坝,坝高 140m;1993 年墨西哥建成的 Aguamilpa 坝,坝高 187m,是当时世界最高的面板堆石坝。经过多年的发展和技术改进,面板堆石坝的设计和施工方法日趋成熟,在世界范围内的应用也日益广泛。从目前已建成坝的运行状况来看,大多数坝的运行性状良好,因而面板堆石坝正逐渐成为一种极富竞争力的土石坝坝型。

中国以现代技术修建混凝土面板堆石坝始于 1985 年[1]。第一座开工建设的是湖北西北口水库大坝,坝高为 95m,而第一座完工的是辽宁关门山水库大坝,高度为 58.5m。中国的现代混凝土面板堆石坝建设与国外相比,起步虽晚,但起点高、发展快。根据国际大坝委员会的统计,截至 2001 年,中国已建成或在建的面板堆石坝有 105 座[9]。1999 年建成的天生桥一级水电站大坝,坝高为 178m,在当时同类坝型中列居亚洲第一、世界第二;而目前正在建设中的清江水布垭面板堆石坝,则是目前世界上最高的混凝土面板堆石坝,坝高达到了 233m;同时,还有坝高 179.5m 的贵州洪家渡面板堆石坝和坝高 185m 的贵州三板溪面板堆石坝等一批高混凝土面板堆石坝陆续开工建设。

1.2 国内外研究现状综述

综观现代面板堆石坝的发展历史,国内外坝工界普遍认为其经历了以下几个里程碑的发展过程。

(1)库克1982年在太沙基讲座上作了题为“堆石坝的进展”的报告[3],报告中论述了混凝土面板堆石坝和心墙土石坝的发展过程,并以阿里亚坝为例介绍了混凝土面板堆石坝的最新工程实践,同时还列举了高混凝土面板堆石坝的主要设计特性。

(2)1985年美国土木工程师学会(ASCE)在美国的底特律召开了混凝土面板堆石坝学术讨论会,会议的37篇论文介绍了当时国际上的大多数碾压式混凝土面板堆石坝,并讨论了其设计、施工及运行特性[11]。这次会议对推动面板坝的发展有着极其重要的意义,而该会议的论文集也成为了现代混凝土面板堆石坝的第一个系统性文件。

(3)1987年,ASCE期刊的岩土工程分册出版了面板堆石坝专辑[12],专辑中发表了库克和谢腊德对1985年面板堆石坝会议的总结文章,以及45篇讨论文章和25篇总结讨论。文中介绍了会议上公开发表的各面板坝的运行资料,提出了设计和施工方面的意见,对现代面板堆石坝的实践经验和发展趋势给出了评价,同时还给出一些经验性的技术规定。

(4)在1988年的第16届国际大坝会议上(美国旧金山),特设了一个非土质防渗体堆石坝专题,主要讨论混凝土面板和沥青防渗体堆石坝的工程问题[13]。会议中发表了高兰(Khao Laem)、希拉塔(Cirata)和利斯(Reece)等面板堆石坝的工程资料,讨论了面板堆石坝变形分析和周边缝自愈性止水等问题,另外库克还提出了面板堆石坝的分区建议。

(5)1991年至1992年,国际大坝委员会的“水力发电与坝工建设”期刊分别发表了两期混凝土面板堆石坝专辑[14,15],主要介绍了塞格雷多、辛戈、阿瓜米尔巴、圣塔扬娜、克罗蒂、雅肯布等面板堆石坝的工程资料。

(6)1993年在北京召开了国际高土石坝学术研讨会,此次会议以面板堆石坝为主,会议收录论文103篇,内容涉及了几乎当时国际上所有的面板堆石坝的资料[16]。这次会议被认为是继底特律ASCE面板堆石坝会议之后面板堆石坝工程界的第二次重要会议,在面板堆石坝的发展中具有重大的意义。

(7)2000年9月,在第20届国际大坝会议期间召开了第3届混凝土面板堆石坝国际研讨会[17],会议内容广泛,除介绍了中国的水布垭、天生桥、洪家渡和白溪等面板堆石坝的工程资料外,还介绍了巴西艾塔面板堆石坝施工中采用挤压式边墙的经验。

从国内外面板堆石坝的研究来看,在面板堆石坝的发展初期,国外混凝土面板堆石坝的设计主要以经验并结合工程师的判断为主,系统性的科研工作不多。近些年来,随着面板堆石坝技术的发展,巴西、墨西哥、澳大利亚等国家分别结合其工程建设的需要,在坝料试验、变形分析和止水结构等方面展开了一系列科研工作,面板堆石坝的设计正逐渐从经验判断转向以理论分析和试验研究为指导的阶段。从面板堆石坝应力变形分析的手段上看,国外的面板堆石坝数值计算分析相对较为简单,初期主要以线弹性分析和平面分析为主,近些年来也开始有部分工程采用了非线性计算分析,其计算方法主要为有限元法和有限差分法[17]。中国从1985年的第一座面板堆石坝开始,分别在“七五”、“八五”和“九五”

期间结合面板堆石坝工程的建设,就材料特性、数值分析和模型试验等课题进行了系列的科技攻关研究,在面板堆石坝的设计理论和工程实践中取得一系列的成果。

对面板堆石坝而言,坝体的应力变形特性是关系到坝体安全和运行性状的一个重要问题。在我国面板堆石坝的工程实践和分析理论研究中,虽然取得了一定的成果,但也有一些失败的教训。沟后面板砂砾石坝的垮坝事件、株树桥面板堆石坝面板的塌陷以及天生桥面板堆石坝的大量结构性裂缝等问题都提示着我们切不可对面板堆石坝的应力变形问题掉以轻心。最近一些年来,随着面板堆石坝坝高的不断增加、坝址地形条件的日趋复杂,工程中对面板堆石坝应力变形分析的理论和分析手段也提出了越来越高的要求。对于高面板堆石坝,如何正确预测坝体在各种工况条件下的变形趋势,并在此基础上优化坝体的设计、确保面板受力的均匀已成为面板堆石坝设计中的一个关键问题。

1.3 研究工作的主要内容

本书在总结作者长期从事混凝土面板堆石坝数值计算分析研究成果的基础上,结合国家高混凝土面板堆石坝科技攻关项目,国家电力公司重点科研项目"峡谷地区高混凝土面板堆石坝关键技术应用研究"、"利用软岩筑混凝土面板堆石坝关键技术研究"和"深厚覆盖层筑坝关键技术研究"等科研项目,对混凝土面板堆石坝的应力变形特性进行了系统的分析研究,并由此分析探讨混凝土面板堆石坝在各种情况下的应力变形规律及其相关影响因素。在书中介绍的研究工作中,除采用数值分析的方法外,还采用了大型土工离心模型试验的研究方法。在此基础上,对采用数值模型和物理模型相结合的方法解决混凝土面板堆石坝应力变形分析的思路进行了研究和探讨。具体内容如下:

(1)在系统总结堆石材料工程特性的基础上,对其相关影响因素和分析模型进行了归纳和总结,并从工程实用的角度,对分析模型的应用进行了评述,同时还在试验资料的基础上,对堆石材料模型计算参数的统计分析进行了初步的探索。

(2)对面板堆石坝数值计算分析中接缝系统的模拟算法进行了较为系统的研究,提出了采用界面单元模拟面板与坝体堆石之间非连续接触界面的改进算法,并利用离心模型试验对此计算方法进行了验证。

(3)从数值计算的角度,对面板堆石坝坝体断面材料分区的优化设计以及坝料参数的反演计算进行了分析研究,在此基础上,提出了面板堆石坝参数反演计算和施工运行仿真分析的方法。

(4)对涉及面板堆石坝应力变形特性的各方面影响因素(包括河谷形状、深厚覆盖层、堆石的压实标准、施工顺序及蓄水过程等)进行了系统的分析研究,在此基础上,从应力变形分析的角度对面板堆石坝特别是高面板堆石坝的基本设计准则提出了相关的建议。

(5)对面板堆石坝的离心模型试验技术进行了较为深入的研究,完成了百米级坝高的深厚覆盖层上面板砂砾石坝的离心模型试验。同时,对数值计算分析的结果与离心模型试验的结果进行了对比分析,提出了数值分析模型与物理模型相结合的研究思路。

1.4 研究思路和组织结构

为系统地研究、论述面板堆石坝的应力变形特性,书中共划分了3篇,共14章。上篇是“面板堆石坝应力变形分析的数值分析方法研究”。这一部分主要研究、论述面板堆石坝应力变形的计算方法，主要从数值方法上研究面板堆石坝应力变形分析的分析工具，同时，它也是对作者所提出并开发的面板堆石坝应力变形数值分析方法的系统总结。其中，第 2 章为堆石材料工程特性与计算分析模型的研究，主要介绍对堆石材料本构模型的评价和堆石材料模型参数的统计分析研究；第 3 章为坝体材料分区的优化研究，主要分析现代面板堆石坝的分区特点以及利用软岩堆石料筑坝的断面分区优化方法；第 4 章为面板堆石坝接缝系统的计算模拟研究，主要介绍在面板堆石坝计算分析中对面板接缝系统和接触面的数值模拟方法，其中重点研究界面单元法在处理面板与堆石接触面中的应用，以及在此基础上对面板脱空现象的计算分析；第 5 章主要介绍坝体堆石材料参数的反演分析研究，以及面板堆石坝施工和运行过程的仿真模拟计算。

中篇是“面板堆石坝的应力变形特性研究”。这一部分的内容是在第一部分的计算分析方法的基础上，利用数值分析的方法对面板堆石坝的各种影响因素进行系统的分析，由此从应力变形分析的角度，对面板堆石坝设计准则提出相关的建议。第 6 章主要研究河谷形状对面板堆石坝应力变形的影响；第 7 章主要研究深厚覆盖层上面板堆石坝的应力变形特性；第 8 章主要研究堆石压实标准和结构分区对面板堆石坝应力变形的影响；第 9 章主要研究坝体分期施工及蓄水过程对面板堆石坝应力变形的影响；第 10 章主要是面板开裂机理分析及预防措施。

下篇是“面板堆石坝的离心模型试验研究”。这一部分的主要内容是采用土工离心模型试验技术对面板堆石坝的应力变形特性进行系统的试验研究。第 11 章主要是离心模型试验技术的综述；第 12 章主要介绍了离心模型试验的基本原理和若干基本模拟方法；第 13 章则重点研究了深覆盖层上高面板堆石坝的离心模型试验过程，试验研究工作主要结合建造于深厚覆盖层上的新疆察汗乌苏面板砂砾石坝进行。通过试验分析研究，除对深厚覆盖层上面板堆石坝的应力变形特性进行进一步的深入研究外，还对利用数值分析模型与物理模型相结合的研究方法进行了研究探讨。书中的最后部分是总结与展望，在总结相关研究成果的基础上，提出了面板堆石坝应力变形分析今后的重点研究方向。

上篇　面板堆石坝应力变形分析的数值分析方法研究

在面板堆石坝的数值分析中，堆石材料的本构模型以及数值计算的分析方法是决定分析成果正确与否的关键问题。本篇的内容主要针对面板堆石坝的计算分析方法进行分析研究。

对于面板堆石坝的应力变形计算分析，其本构模型必须充分反映堆石材料的基本工程力学特性。在本篇中，作者介绍了面板堆石坝数值分析中应用的主要本构模型，并结合计算实例对各类模型进行了系统的分析、评价。分析结果表明：由于堆石材料的应力应变关系具有明显的非线性，其本构模型必须真实反映这种非线性关系，线弹性模型对于堆石变形的计算是不适用的。在目前的面板堆石坝计算分析中，堆石材料采用的主要计算模型是 Duncan 模型和双屈服面弹塑性模型，而实践中尤以 Duncan 模型的应用更为广泛。邓肯模型的参数物理意义较为明确，由计算参数反算的应力应变关系与试验实测的应力应变关系曲线符合较好。更为重要的是，由于该模型的广泛应用，因此可以获得较为丰富的工程类比成果。

相应于各种计算模型，除了其模型本身的因素外，模型参数的确定也是影响面板堆石坝计算分析结果的重要因素。本篇中，作者结合 Duncan 模型的应用，以室内大型三轴试验为基础，对 Duncan 模型的计算参数进行了统计、分析，并整理了堆石干容重与模型弹性模量数和体积模量数的相关关系。

在面板堆石坝的计算分析中，对于面板接缝系统以及面板与堆石体接触面的合理模拟是保证计算成果正确性的重要因素。本篇中，作者根据其结构的受力特点和计算分析的经验，总结了面板堆石坝数值计算分析中接缝系统与接触面的常规处理方法，即：对于面板与堆石体的接触，宜采用薄层接触面单元；混凝土面板之间的接触，宜采用分离缝单元；而面板与趾板之间的接触，宜采用软单元。这样的模拟方式，基本上考虑了面板堆石坝界面接触中的主要因素，在大多数情况下均可得出较为满意的计算结果。

为实现对于面板堆石坝界面接触的更精确模拟，作者在计算分析中引入了界面单元方法。通过对界面单元法的应用研究，作者提出了在面板堆石坝计算分析中采用有限单元与界面单元混合模式的分析方法，并通过计算实例，分析了深覆盖层上面板堆石坝一期面板与坝体间的脱空现象。计算结果充分表明了这一方法的有效性和实用性。

对于面板堆石坝的数值分析，由于其影响因素较多，单纯的正分析方法尚存在一定的问题，而通过反演计算、反馈分析，将会有效地提高数值分析的精度和可靠性。针对面板堆石坝的参数反演计算分析，作者归纳、总结了利用现场试验和根据观测资料进行参数反演计算的思路，并给出了利用现场载荷试验进行参数反演的计算实例。与此同时，针对面板堆石坝计算分析中 Duncan 模型的参数反演，作者还提出了反演计算分析中模型参数间的协调问题，以及对于这一问题的具体解决方法。另外，在参数反演分析的基础上，作者还给出了面板堆石坝数值仿真与计算模拟的流程。

在本篇的内容中，还针对软岩堆石料的应用，研究了面板堆石坝坝体断面分区优化设计的问题。给出了面板堆石坝断面分区优化的基本分析方法，并通过实际工程的计算分析，提出了面板堆石坝设计、施工中，软岩堆石料应用的基本原则。同时，作者还指出：面板堆石坝工程中，软岩堆石料的应用主要集中在中、低坝高的工程；对于高面板堆石坝，一般不宜在下游区采用软岩堆石。而且，在软岩材料的应用中，对于在次堆石区使用软岩材料的情况，应注意不使下游软岩堆石区的模量与坝体上游堆石区的模量差别过大。当坝体全断面利用软岩堆石料时，应注意对坝体总变形量的控制，同时要注意排水的设计。对于砂砾石面板坝，其断面分区的布置可以有多种形式，但最主要的问题是坝体的渗流控制。因此，对于砂砾石面板坝的分区布置，除需采用坝坡稳定分析和应力变形分析确定其范围和位置外，必要时还须进行渗流计算分析，以保证坝体的渗透稳定和排水通畅。

第 2 章　面板堆石坝数值分析的本构模型

2.1　概述

在面板堆石坝应力变形的数值分析研究中,坝体堆石材料的本构模型是计算分析的重要基础。在以往土力学理论中,一般总是将材料的强度问题与变形问题分开来加以研究,但事实上,对土石坝应力和变形的全面分析,需要综合考虑材料的应力应变关系、强度以及变形特性等各方面的因素。近几十年来,由于有限单元法的出现和计算机技术的迅速发展,土力学界对土的本构关系的研究日益深入,而且,随着一批能够施加复杂应力条件的大型室内试验设备的研制成功和现场试验设备及其相关试验技术的进展[18],国内外的研究者对于堆石料等粗粒土的工程特性有了较为深入的了解,从而使得堆石材料的本构模型研究逐步由经验的简单模式向理论的复杂模式发展。

对于土的本构关系理论的系统研究,在国外已有 40 多年历史,而我国也对此进行了 30 多年的研究。目前,国内外研究者提出很多本构关系的数学模型,但真正能够用于工程实际、为工程界所接受的却相对较少。中国在面板坝的计算分析中,主要采用的是非线性弹性模型,其中尤以邓肯—张双曲线模型应用得最为广泛。此外,还有部分计算分析采用了弹塑性模型,其中,一般以双屈服面弹塑性模型较为多见。这些模型从不同的方面表征了堆石料的应力应变关系性质。

在面板堆石坝中,由于堆石材料应力应变关系的强烈非线性,因此其本构模型必须准确反映这种非线性关系。另外,堆石料的剪缩特性是影响面板应力的主要因素,对于堆石料剪缩特性的合理考虑,宜采用弹塑性模型。就理论分析而言,采用多屈服面、非关联流动法则的弹塑性模型在理论上具有较好的完备性,但这一类模型目前仍面临着试验方法特殊、计算参数类比性差以及计算复杂等问题。目前,采用邓肯的 E—B 模型并结合一些适当的修正,其计算分析的结果基本上可以反映面板坝的实际变形特征,从工程实用的角度而言,其分析结果也较为可信。

在面板堆石坝中,通过将上述本构模型应用于平面及空间有限元分析,可以解决各种复杂的工程问题。通过有限元计算分析,可以估算在施工期、水库蓄水期的各种加载、卸载条件下堆石体和面板的应力与变形的大小及其分布,以及材料强度发挥的程度,从而为堆石坝的坝料分区、断面优化、施工进度安排、运行形态预测提供依据。

2.2　堆石的工程力学特性

就面板堆石坝的筑坝材料而言,实际工程中所采用的岩石类型非常广泛,基本上涉及了沉积岩、火成岩和变质岩这三大类岩石类型。在我国,面板堆石坝填筑堆石中主要采用的岩类有灰岩、砂岩、花岗岩和凝灰熔岩等,此外,随着面板堆石坝技术的不断发展,采用砂砾石作为面板堆石坝主体填筑材料的工程也日益增多,如乌鲁瓦提、黑泉、察汗乌苏等。

对于堆石材料母岩基本特性判断的指标主要有密度、容重、孔隙率、抗压强度、抗拉强度和软化系数等。而堆石材料的分类则可以根据母岩的单轴饱和抗压强度划分为硬岩、中硬岩和软岩三类。母岩单轴饱和抗压强度大于80MPa的堆石为硬岩堆石；单轴饱和抗压强度为30～80MPa的堆石为中硬岩堆石；单轴饱和抗压强度小于30MPa的堆石为软岩堆石。

从面板堆石坝的数值计算分析上看，其主要涉及的是堆石材料的本构模型，也就是材料的应力应变关系。但是，由于堆石材料的散粒体特点，在考虑其工程力学特性时，还需要对堆石材料的级配特征、压缩变形特性以及强度指标进行深入的研究。

2.2.1 堆石材料的级配特征

作为面板堆石坝筑坝材料的堆石，由于其材料的开采主要是通过爆破获得，因此堆石级配的好坏主要取决于爆破开采方法和岩体本身的结构以及裂隙的发育程度。一般而言，钻孔爆破的细粒含量较多，不均匀系数较大，级配较好。从堆石料的级配曲线上看，其级配基本上是呈连续分布，当不均匀系数 $C_u<5$ 时，为不良级配；当不均匀系数 $C_u>15$ 时，为良好级配。堆石材料颗粒级配的另一个重要特征在于其变异性，其中尤以筑坝压实过程中的颗粒破碎对堆石料级配的影响最大。堆石料颗粒破碎的程度主要取决于岩块的强度以及压实的功能等因素，而颗粒级配的变异，将会直接导致堆石料工程特性的变化[22,23]。对于软岩材料，严重的颗粒破碎将导致压实后的实际级配与原始级配的巨大差异，有可能使原来的堆石料变成性质迥异的另一种材料。在这种情况下，材料的级配应以压实后的实际级配为依据取用相应的设计计算指标。

在面板堆石坝工程中，表征堆石级配特性的相关指标主要有：最大粒径 d_{max}、直径为5mm以上的颗粒含量 P_5、含泥量 $P_{0.1}$、d_{60}、不均匀系数 C_u 等。堆石的破碎性一般采用破碎率(J. Marsal) B_g 表示(B_g 为同一级配料在试验前后各粒径组含量差值的正值之和)。堆石的破碎主要与其所承受的应力有关[19]，图2-1所示为三轴试验中主应力比与颗粒破碎率的关系曲线，图2-2为单向压缩试验中变形模量与颗粒破碎率之间的关系曲线。由图中可以看出堆石颗粒破碎对堆石体变形与强度的影响。

一般而言，对于高面板堆石坝，堆石材料的母岩饱和单轴抗压强度应不小于30MPa，软化系数大于0.7～0.8，堆石级配中小于5mm粒径的颗粒含量宜保持在10%～15%，最低不能小于5%，相应的不均匀系数应大于15。

2.2.2 堆石的压缩变形特性

堆石材料的颗粒形状为多面体，颗粒之间通常为点接触居多，其整体的压缩性主要取决于颗粒的重新排列，并同时受岩性、密度、级配等因素影响。作为一种有着坚固颗粒的散粒体材料，堆石体在经过碾压后，一般都具有较高的密度和较小的孔隙比，其压缩性一般较低。对于抛填的堆石，其变形历时较长，具有明显的蠕变特性，而对于碾压的堆石，其压缩变形的速度则很快(如图2-3所示)，一般在面板堆石坝的施工期，坝体沉降变形的大部分即可完成[19]。不过对于高面板堆石坝，由于堆石体承受的应力水平较高，后续的颗粒破碎和颗粒重新调整将会使坝体堆石的蠕变特性重新变得突出起来。

堆石材料变形的另一个重要特征是其具有类似黄土的湿陷特性，堆石材料湿陷变形的机理主要是堆石颗粒的棱角遇水后发生软化、破碎，同时水的润滑作用促使了颗粒的迁

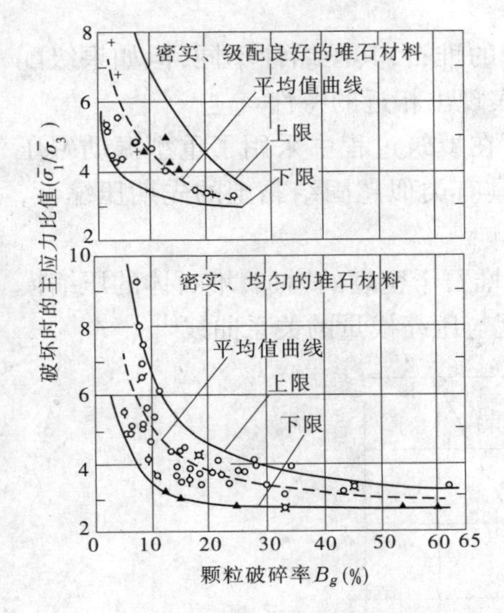

图 2-1　三轴试验中主应力比与颗粒破碎率的关系曲线

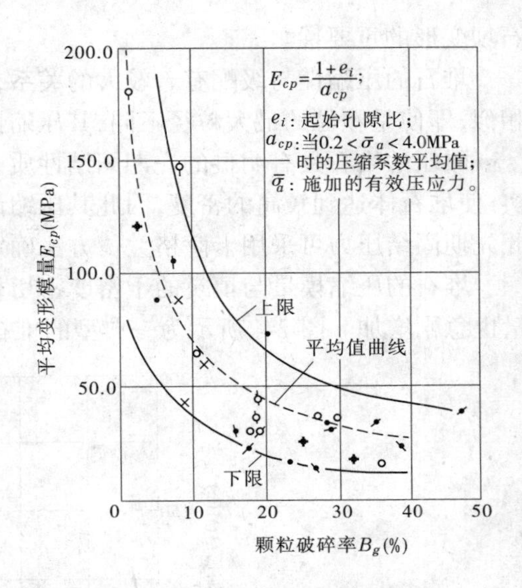

图 2-2　单向压缩试验中变形模量与颗粒破碎率的关系曲线

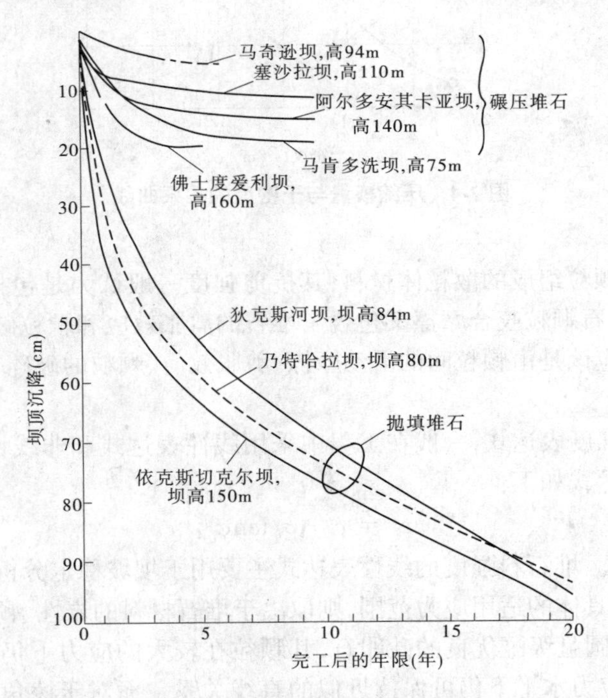

图 2-3　坝体堆石填筑完成后的沉降变形曲线

移与重新排列,从而导致新的变形的产生[25,26]。堆石的湿陷变形与其岩性密切相关,一般情况下,软岩的湿陷变形较大,但需要注意的是,即使是对于颗粒比较坚硬的堆石(如灰岩和熔灰岩等),这种浸水后的变形仍不可忽视。堆石的浸水沉降变形随密度的增大而减小,而且,其初始含水量愈大,浸水沉降也会越小,由此可以说明加水碾压对于控制面板堆石坝变形的重要性。

堆石的压缩性与级配有着较大的关系,不同级配的堆石,其压缩性不同,但如果级配相似,即使是颗粒的最大粒径不同,其压缩性仍可能表现出相近的特性。

碾压的堆石具有明显的先期固结性质,由于堆石在填筑过程中采用了重型振动碾压实,使堆石体达到较高的密度,因此其压缩试验曲线具有类似超固结黏土的先期压缩性,此先期固结压力可采用卡萨格兰德方法确定。

堆石的压缩模量与填筑的干密度密切相关,随着堆石干密度的增加,堆石体的压缩模量也急剧增加。图 2-4 所示为一典型的堆石体干密度与压缩模量的关系曲线[19]。

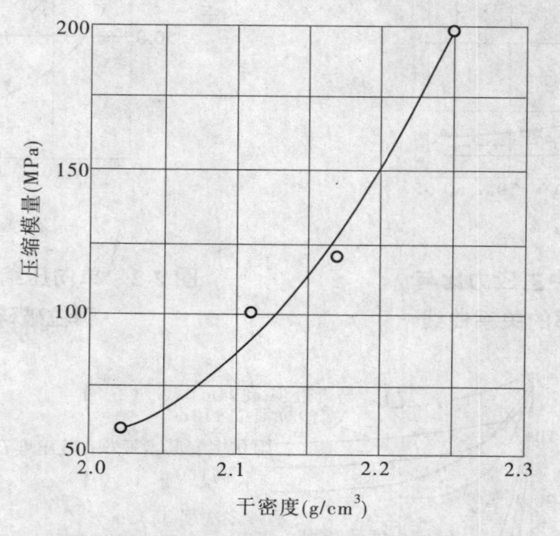

图 2-4　压缩模量与干密度的关系曲线

2.2.3　堆石的强度

堆石是由坚硬颗粒组成的散粒体材料,其抗剪强度一般认为是包括了滑动摩擦和咬合摩擦两部分,而堆石颗粒咬合摩擦又包含了堆石的剪胀效应和颗粒破碎影响。因此,堆石材料的抗剪强度应该是由颗粒间的滑动摩擦、剪胀效应、颗粒的破碎与重新定向排列所组成。

对于堆石料的强度表达式,一般在工程中采用线性表达式和非线性表达式两种。堆石料强度的线性表达式如下:

$$\tau_f = c + \sigma_n \tan\varphi \tag{2-1}$$

式中,c、φ 值为常数。堆石料强度的线性表达式主要用于坝坡稳定分析,其适用范围一般为低应力水平下,但具体的适用应力范围,则取决于堆石材料的岩性、颗粒形状、级配和密度等。对于坚硬、浑圆且级配优良的砂卵石,其颗粒在较大的应力下仍不会破碎,因此其强度包线在较高的应力水平下仍可保持近似的直线关系。而对于棱角尖锐的堆石而言,由于颗粒破碎的影响,其强度包线在相对较小的应力下即发生了弯曲,因而呈现出非线性的特征。试验结果表明,硬岩堆石的破碎压力约为 0.8MPa,而堆石的强度包线由线性转为非线性的分界应力也为 0.85MPa 左右。

在面板堆石坝的数值计算分析中,常采用非线性公式表征堆石的强度。如前所述,对于尖角状颗粒的堆石材料,由于颗粒的破碎和重新排列,其强度包线在高应力情况下发生弯曲,摩擦角减小,呈现出明显的非线性特征。为定量地描述堆石材料的这种非线性强度特征,研究人员根据各自的试验成果提出了多种表达式,其中以下式所示的 Duncan 对数表达式应用得最为普遍[27]:

$$\varphi = \varphi_0 - \Delta\varphi \lg(\sigma_3 / P_a) \tag{2-2}$$

式中,φ_0 是当围压为一个标准大气压时的摩擦角;$\Delta\varphi$ 是围压相对于标准大气压增大 10 倍时的摩擦递减量。在堆石强度的对数非线性表达式中,没有了参数 c,而参数 c 所代表的咬合摩擦部分实际上已包含在参数 φ_0 和 $\Delta\varphi$ 之中,因此这两个参数已不再是通常意义上的内摩擦角。

堆石非线性强度的参数可以通过大型三轴试验得出,对于一般的硬岩堆石料,中国水利水电科学研究院通过试验数据的统计和回归分析,得出了 $\varphi_0 = 54.4°$、$\Delta\varphi = 10.4°$的结论[28]。

2.2.4　砂砾石材料的工程特性

砂砾石材料也是目前面板堆石坝工程中经常采用的筑坝材料,作为一种硬质颗粒的散粒体材料,其工程特性与堆石材料有着许多的共性,但是,由于其颗粒形状和级配上的特点,它也表现出一些独特的性质。

从砂砾石材料的级配上看,其级配为天然级配,而且,由于颗粒的磨圆度较高,因而不易产生由于颗粒破碎而引起的级配变化。不过,由于砂砾石材料的级配特性还与其地质成因有着密切的关系,在某些情况下,其级配也会呈现较大的离散性。另外,对于天然沉积的砂砾石,其级配常呈不连续分布,甚至会产生级配的间断。

从砂砾石材料的压缩变形特性上看,由于其天然级配的特点,其压缩性相对较低,压缩变形模量较高,而且,浸水后的附加变形量也不大。

从砂砾石材料的强度特性上看,由于其颗粒的磨圆度较高,颗粒易于滚动,因此在低应力条件下,砂砾石材料的强度要小于堆石材料,但是在高应力条件下,由于其颗粒的起始破碎压力较高,因而强度增量减小的速率相对较小,$\Delta\varphi$ 一般在 3°～8°。

2.3　堆石材料的本构模型

近 30 年来,随着有限元法分析等数值计算方法和计算机技术的迅速发展,以及土工测试技术水平的不断提高,岩土材料本构关系的研究也取得了长足的发展。

目前,岩土本构理论的研究方法主要采用的是基于连续介质力学的宏观力学理论。它是从分析土体的表观性状入手,利用试验得出应力—应变关系,采用曲线拟合或弹性理论、塑性理论及其他理论来建立本构模型。在模型的建立中,它不考虑颗粒之间的微观接触特性,而将颗粒材料的力学特性用状态参数(如孔隙比、相对密度及各向异性张量等)来描述,应用数学分析工具,根据状态参数建立土体单元应力与应变之间联系。

在静力加载条件下,土的本构特性具有非线性、加工硬(软)化性、静压屈服性、剪胀(缩)性、压硬性、原生及次生各向异性、拉压不等性、非相关联流动性、弹塑性耦合性和流变性等特点。同时它还受到应力路径、应力历史、初始应力状态、中主应力、土体结构、温度、排水条件等多方面的影响。如此复杂的特性,没有也不可能有一种模型会包罗所有的影响因素。因此,在实际应用中,一般是结合具体工程问题,考虑其中影响应力应变关系的主要因素，通过试验来确定描述本构关系的数学函数表达式。

在目前的本构关系理论中，主要分为非线性弹性理论、弹塑性理论和黏弹塑性理论三种。在面板堆石坝的常规数值计算分析中，一般常用的本构模型主要有非线性弹性模型和弹塑性模型两种。

2.3.1 非线性弹性模型

非线性弹性理论假定应力与应变之间存在某种惟一性关系，而随着这种惟一性关系假定的不同，非线性弹性模型一般可分为三类：变弹性模型、超弹性模型(Hyperelastic)和次弹性(Hypoelastic)模型[29]。

从现在面板堆石坝工程上应用的非线性弹性模型来看，主要的几种非线性弹性模型均属于变弹性模型，其模型的特点是直接将广义虎克定律写成增量形式：

$$\{\Delta\varepsilon\} = [C]\{\Delta\sigma\} \tag{2-3}$$

同时假定弹性柔度矩阵$[C]$中所包含的弹性参数(E、ν、K、G)只是应力状态的函数，与应力路径无关。

式(2-3)中，柔度矩阵$[C]$为：

$$[C] = \begin{bmatrix} C_1 & C_2 & C_2 & 0 & 0 & 0 \\ C_2 & C_1 & C_2 & 0 & 0 & 0 \\ C_2 & C_2 & C_1 & 0 & 0 & 0 \\ 0 & 0 & 0 & C_t & 0 & 0 \\ 0 & 0 & 0 & 0 & C_t & 0 \\ 0 & 0 & 0 & 0 & 0 & C_t \end{bmatrix}$$

求逆后的刚度矩阵$[D]$为：

$$[D] = \begin{bmatrix} D_1 & D_2 & D_2 & 0 & 0 & 0 \\ D_2 & D_1 & D_2 & 0 & 0 & 0 \\ D_2 & D_2 & D_1 & 0 & 0 & 0 \\ 0 & 0 & 0 & G_t & 0 & 0 \\ 0 & 0 & 0 & 0 & G_t & 0 \\ 0 & 0 & 0 & 0 & 0 & G_t \end{bmatrix}$$

其中：$C_t = 1/G_t$，$C_1 = 1/9K_t + 1/3G_t$，$C_2 = 1/9K_t - 1/6G_t$，$D_1 = K_t + 4G_t/3$，$D_2 = K_t - 2G_t/3$，K_t 和 G_t 分别为切线体积模量和切线剪切模量。

Konder(1963 年)、Duncan 和 Chang(1970 年)、Naylor(1978 年)、Duncan 等(1980 年)提出的非线性弹性模型，可以模拟土的许多重要性质，在数值计算中较易实现，在许多岩土工程的实际问题中得到广泛应用。在中国，尤以 Duncan—Chang 双曲线模型应用得最为普遍。除此之外，在我国的面板堆石坝数值计算分析实践中，还开发了一些实用的非线性弹性本构模型，如成都科技大学提出的改进 K—G 模型、清华大学提出的非线性解耦 K—G 模型等。

2.3.1.1 Duncan—Chang 双曲线模型[30]

在常规三轴压缩试验条件下，$\Delta\sigma_2 = \Delta\sigma_3 = 0$，若定义 $E_t = \Delta\sigma_1/\Delta\varepsilon_1 = 1/C_1$，$\nu_t =$

$-\Delta\varepsilon_3/\Delta\varepsilon_1 = -C_2/C_1$,则可得($E_t$、$\nu_t$)与($K_t$、$G_t$)之间的关系:

$$E_t = \frac{9K_tG_t}{3K_t + G_t} \qquad \nu_t = \frac{3K_t - 2G_t}{6K_t + 2G_t} \tag{2-4}$$

假定积分后的 σ_1—ε_1 曲线和 ε_3—ε_1 曲线为双曲线,并且初始切线模量 E_i 与初始泊桑比 ν_i 和 σ_3 之间的关系为:

$$E_i = KP_a\left(\frac{\sigma_3}{P_a}\right)^n \qquad \nu_i = G - F\lg\left(\frac{\sigma_3}{P_a}\right) \tag{2-5}$$

则微分以后可得切线弹性模量 E_t 和切线泊桑比 ν_t 为:

$$E_t = E_i(1 - R_fS_l)^2 \tag{2-6}$$

$$\nu_t = \frac{\nu_i}{\left[1 - D\dfrac{\sigma_1 - \sigma_3}{E_i(1 - R_fS_l)}\right]^2} \tag{2-7}$$

1980 年,Duncan 又通过用切线体积模量 B_t 取代 ν_t 的方式,提出了 Duncan 模型的 E—B 模式[27],其切线体积模量 B_t 的计算公式为:

$$B_t = K_bP_a\left(\frac{\sigma_3}{P_a}\right)^m \tag{2-8}$$

通过设定一定的加、卸荷准则,在 Duncan 模型的[C]矩阵中也考虑了应力增量的影响。其加、卸荷准则定义如下:

$$E_{ur} = K_{ur}P_a\left(\frac{\sigma_3}{P_a}\right)^n \tag{2-9}$$

以上各式中,P_a 为大气压力,K、R_f、n、G、F、D、K_b 为模型参数,K_{ur} 为卸荷模量数,$S_l = (\sigma_1 - \sigma_3)/(\sigma_1 - \sigma_3)_f$,$(\sigma_1 - \sigma_3)_f = 2(c\ \cos\varphi + \sigma_3\sin\varphi)/(1 - \sin\varphi)$。

2.3.1.2　改进的 Naylor K—G 模型[31]

改进的 Naylor K—G 模型采用体积模量 K 和剪切模量 G 这两个参数作为变弹性参数:

$$K_t = K_i + \alpha_k\sigma_m \tag{2-10}$$

$$G_t = G_i + \alpha_G\sigma_m + \beta_G\sigma_s \tag{2-11}$$

式中,K_i、G_i 和 α_k、α_G、β_G 分别为模型的参数。在等向压缩条件下,$\Delta\varepsilon_v = \Delta\sigma_m/K_t$,在 $\sigma_m = \text{const}$的剪切条件下,$\Delta\varepsilon_s = \Delta\sigma_s/(2G_t)$,两者积分后得:

$$\varepsilon_v = \varepsilon_{v1} + \frac{1}{\alpha_k}\ln(K_i + \alpha_k\sigma_m) \tag{2-12}$$

$$\varepsilon_s = \varepsilon_{s1} + \frac{1}{2\beta_G}\ln(G_i + \alpha_G\sigma_m + \beta_G\sigma_s) \tag{2-13}$$

改进的 Naylor K—G 模型具有较为简单的形式,但是,其参数需通过非常规的等向压缩试验和 $\sigma_m = \text{const}$ 的剪切试验确定。

2.3.1.3　清华非线性解耦 K—G 模型[32]

非线性解耦 K—G 模型是清华大学高莲士等在对堆石料进行多种应力路径的试验基础上提出的一种非线性弹性模型。它采用了八面体应力不变量 p、q 描述堆石的应力应变关系，同时，在堆石加载的应力应变关系中，模型将多种基本因素对土体变形的耦合作用分解成几个应力不变量的简单函数组合，并通过引入应力比 η 的函数项，反映了应力路径的影响和堆石的剪缩特性。

清华非线性解耦 $K—G$ 模型的切线体积模量和切线剪切模量表达式如下：

$$K_t = K_i(1+\eta)^{-m}P_a\left(\frac{p}{P_a}\right)^{1-H} \tag{2-14}$$

$$G_t = G_i\eta^{-c}\left(1-\frac{\eta}{\eta_u}\right)P_a\left(\frac{q}{P_a}\right)^{1-A} \tag{2-15}$$

式中，$\eta=q/p$ 为应力比；η_u 为极限应力比。

2.3.2　弹塑性模型

弹塑性模型是将应变增量分成弹性和塑性两部分，即：

$$\{\Delta\varepsilon\} = \{\Delta\varepsilon^e\} + \{\Delta\varepsilon^p\} \tag{2-16}$$

相应地，弹塑性应力—应变的一般关系式可写为：

$$\{\Delta\sigma\} = [D](\{\Delta\varepsilon\} - \{\Delta\varepsilon^p\}) \tag{2-17}$$

式中，弹性应变 $\{\Delta\varepsilon^e\}$ 按虎克定律计算，而塑性应变 $\{\Delta\varepsilon^p\}$ 的一般计算式则为：

$$\{\Delta\varepsilon^p\} = \Delta\lambda\{n\} \tag{2-18}$$

式中，$\Delta\lambda$ 代表塑性应变增量的大小；$\{n\}$ 代表塑性应变增量的方向。前者的计算规则称为硬化规律，后者的计算规则称为流动法则，而弹性应变与塑性应变的分界则由屈服面定义。

根据上式，弹塑性矩阵的一般表达式可写为：

$$\{\Delta\varepsilon\} = \{\Delta\varepsilon^e\} + \sum_{i=1}^{l} A_i\{n_i\}\Delta f_i \tag{2-19}$$

式中，l 是屈服面的重数。由此，上式的柔度矩阵可以表示为：

$$[C] = [C]_e + \sum_{i=1}^{l}[C_i]_p \tag{2-20}$$

其中：$[C_i]_p = A_i\{n_i\}\left\{\frac{\partial f}{\partial\sigma}\right\}^{\mathrm{T}}$。因此，当应力增量 $\{\Delta\sigma\}$ 已知时，塑性应变增量可以通过 A_i（由硬化规律确定）、$\{n_i\}$（由流动法则确定）和 $\frac{\partial f_i}{\partial\sigma}$（由屈服函数确定）确定。

弹塑性柔度矩阵的逆矩阵为 $[D_{ep}]$，在双重屈服面情况下（$l=2$），弹塑性矩阵的显式表达为：

$$\begin{aligned}[D_{ep}] = [D] - \frac{1}{D_{et}}\Big\{&A_1[D]\{n_1\}\left\{\frac{\partial f_1}{\partial\sigma}\right\}^{\mathrm{T}} + A_2[D]\{n_2\}\left\{\frac{\partial f_2}{\partial\sigma}\right\}^{\mathrm{T}} + \\ &A_1A_2[D]\Big(\{n_1\}\left\{\frac{\partial f_2}{\partial\sigma}\right\}^{\mathrm{T}}[D]\{n_2\}\left\{\frac{\partial f_1}{\partial\sigma}\right\}^{\mathrm{T}} - \{n_1\}\left\{\frac{\partial f_1}{\partial\sigma}\right\}^{\mathrm{T}}[D]\left\{\frac{\partial f_2}{\partial\sigma}\right\}^{\mathrm{T}} + \\ &\{n_2\}\left\{\frac{\partial f_1}{\partial\sigma}\right\}^{\mathrm{T}}[D]\{n_1\}\left\{\frac{\partial f_2}{\partial\sigma}\right\}^{\mathrm{T}} - \{n_2\}\left\{\frac{\partial f_2}{\partial\sigma}\right\}^{\mathrm{T}}[D]\{n_1\}\left\{\frac{\partial f_1}{\partial\sigma}\right\}^{\mathrm{T}}\Big)\Big\}[D]\end{aligned} \tag{2-21}$$

其中：

$$D_{et} = 1 + A_1\left\{\frac{\partial f_1}{\partial\sigma}\right\}^{\mathrm{T}}[D]\{n_1\} + A_2\left\{\frac{\partial f_2}{\partial\sigma}\right\}^{\mathrm{T}}[D]\{n_2\} +$$

$$A_1 A_2 \left(\left\{ \frac{\partial f_1}{\partial \sigma} \right\}^{\mathrm{T}} [D] \{n_1\} \left\{ \frac{\partial f_2}{\partial \sigma} \right\}^{\mathrm{T}} [D] \{n_2\} - \left\{ \frac{\partial f_1}{\partial \sigma} \right\}^{\mathrm{T}} [D] \{n_2\} \left\{ \frac{\partial f_2}{\partial \sigma} \right\}^{\mathrm{T}} [D] \{n_1\} \right) \tag{2-22}$$

在单屈服面的情况下，弹塑性矩阵的表达式为：

$$[D_{ep}] = [D] - \frac{A[D]\{n\}\left\{ \frac{\partial f}{\partial \sigma} \right\}^{\mathrm{T}} [D]}{1 + A\left\{ \frac{\partial f}{\partial \sigma} \right\}^{\mathrm{T}} [D]\{n\}} \tag{2-23}$$

在岩土材料的塑性变形问题的研究中，考虑到土体塑性变形的不等向硬化特性和塑性应变方向对应力增量方向的依存性，一般宜采用多重屈服面模型。目前，应用相对较多的是双屈服面模型。在国外，流行较广的是 Lade 建议的双屈服面，而国内较常见的是沈珠江和殷宗泽各自提出的双屈服面模型。

Lade 建议的双屈服面表达式为[33]：

$$f_1 = I_1^2 + 2I_2 \tag{2-24}$$

$$f_2 = \left(\frac{I_1^3}{I_3} - 27 \right) \left(\frac{I_1}{P_a} \right)^m \tag{2-25}$$

式中，I_1、I_2、I_3 分别为第一、第二和第三应力不变量；f_1、f_2 分别为压缩和剪切屈服面。

沈珠江建议的双屈服面表达式为[31]：

$$f_1 = \sigma_m^2 + r^2 \sigma_s^2 \tag{2-26}$$

$$f_2 = \frac{\sigma_s^2}{\sigma_m} \tag{2-27}$$

式中，r 和 s 为参数。在三轴应力状态下，$\Delta\sigma_m = \Delta\sigma_1 / 3$，$\Delta\sigma_s = \Delta\sigma_1$，由弹塑性矩阵的一般表达式，即可得出相应的塑性系数如下：

$$A_1 = \frac{\eta\left(\frac{9}{E_t} - \frac{3\mu_t}{E_t} - \frac{3}{G} \right) + 2s\left(\frac{3\mu_t}{E_t} - \frac{1}{K} \right)}{2(1 + 3r^2\eta)(s + r^2\eta^2)} \tag{2-28}$$

$$A_2 = \frac{\left(\frac{9}{E_t} - \frac{3\mu_t}{E_t} - \frac{3}{G} \right) - 2r^2\eta\left(\frac{3\mu_t}{E_t} - \frac{1}{K} \right)}{2(3s - \eta)(s + r^2\eta^2)} \tag{2-29}$$

殷宗泽建议的双屈服面表达式为[34]：

$$f_1 = \sigma_m + \frac{\sigma_s^2}{M_1^2(\sigma_m + p_r)} = \frac{h\varepsilon_v^p}{1 - t\varepsilon_v^p} \tag{2-30}$$

$$f_2 = \frac{a\sigma_s}{G}\left[\frac{\sigma_s}{M_2(\sigma_m + p_r) - \sigma_s} \right]^{1/2} = \varepsilon_s^p \tag{2-31}$$

式中，M_1、M_2、h、t 和 a 为参数；f_1、f_2 分别为椭圆和抛物线，且分别为塑性体积应变和塑性剪应变的等值面。

2.4　堆石本构模型的应用评价

从前文所述的堆石工程特性上可以看出，现实工程中的堆石材料具有非常复杂的应力应变特性，而且受多种因素的影响。实验室的试验只能在相对比较简单的条件下测定少量的物理量，而本构模型则要求有更广的概括性和适应性，它所应用的是比试验条件更为复杂、更为全面的基本关系。从这个角度上说，任何本构模型都是对现实状况的简化和近似处理。由于堆石材料本构关系呈现出较为强烈的非线性，因此在构造其本构模型时，非线性的应力应变关系是一项重要的因素。在上一节介绍的各种本构模型中，均考虑了材料的非线性，其中，邓肯模型、Naylor 模型和清华模型均为双参数变弹性模型，它们是线弹性模型的直接推广，其最基本的特点是保留了弹性理论中关于偏应变与偏应力之间相似而共轴的假定。对于各向同性材料，四个弹性常数 E、ν、$B(K)$、G 中只有两个是独立的，不同的弹性参数间可以互相换算，因此这几种双参数模型除模型参数测定方法和模型的具体处理方法上有所差别外，在理论上并无实质上的不同。弹塑性模型在理论上对堆石体的应力应变关系考虑得更为全面，可以模拟堆石的剪缩（胀）特性和塑性应变的发展过程，但是，其模型相对较为复杂，而且在模型的构造中还需引入屈服面和流动法则等假定，另外，模型参数的确定也有一定的难度。

从目前面板堆石坝计算分析的现状看，邓肯模型、双屈服面弹塑性模型和清华的非线性解耦 K—G 模型应用较多，而且，尤以邓肯模型的应用最为普遍。就计算分析的实践而言，邓肯模型的 E—ν 模式在计算堆石体的应力变形时，其计算结果不甚合理，目前在面板堆石坝的计算分析中已基本不再使用，取而代之的是邓肯模型的 E—B 模式。若需更全面地反映堆石的剪缩（胀）特性，则以弹塑性模型较优。

图 2-5、图 2-6 所示为天生桥一级面板堆石坝采用邓肯 E—B 模型和双屈服面弹塑性模型计算结果的比较，图 2-7、图 2-8 所示为三板溪面板堆石坝采用邓肯 E—B 模型和清华非线性解耦 K—G 模型计算结果的比较。由图中可以看出，各种计算模型的计算分析结果所反映的规律基本相同，但分布范围和数值有所差异。

对比而言，邓肯模型的参数物理意义较为明确，由计算参数反算的应力应变关系与试验实测的应力—应变关系曲线符合较好，而且，由于该模型应用较多，因此具有较为丰富的类比计算成果。K—G 模型具有较为简单的数学表达，模型便于使用。清华的非线性解耦 K—G 模型主要特点是通过考虑 p、q 的耦合作用，反映了堆石的剪缩性，同时还考虑了应力路径的影响。双屈服面弹塑性模型则是考虑了堆石体应力应变关系的塑性应变部分，它可以较为充分地反映出堆石的剪缩（胀）特性。从计算结果上看，邓肯 E—B 模型计算的堆石体位移比双屈服面弹塑性模型大，两种模型计算的面板轴向应力分布范围相近，而顺坡向拉应力的区域则是以邓肯模型为大。与 K—G 模型相比，K—G 模型计算的坝体竖向位移大于邓肯模型的计算值，而水平位移的计算值则反之。将计算结果与大坝实际观测资料相比可以发现：邓肯模型、双屈服面弹塑性模型和非线性解耦 K—G 模型计算的坝体堆石的位移形态均比较符合实际，邓肯模型计算的坝体竖向位移与实际观测结果较为接近，但水平位移略大。双屈服面弹塑性模型和非线性解耦 K—G 模型计算的坝体位移数值均偏小。

2.5 邓肯模型运用中的处理及其讨论

在面板堆石坝的数值计算分析中，除本构模型之外，分析程序中对模型运用中的各种

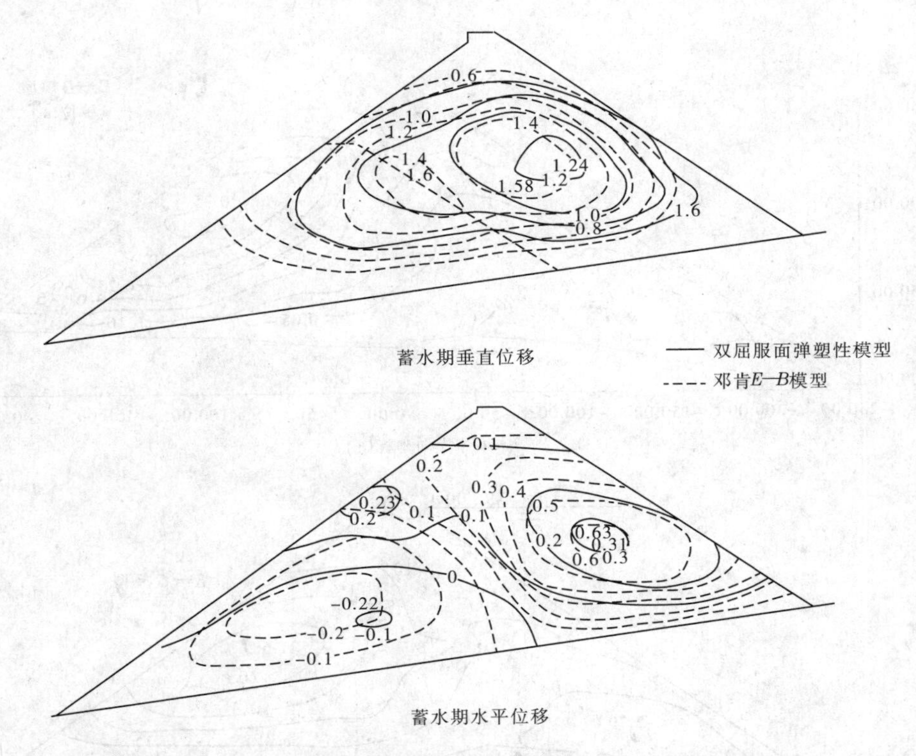

图 2-5　邓肯 $E—B$ 模型与双屈服面弹塑性模型的坝体位移分布对比(单位:m)

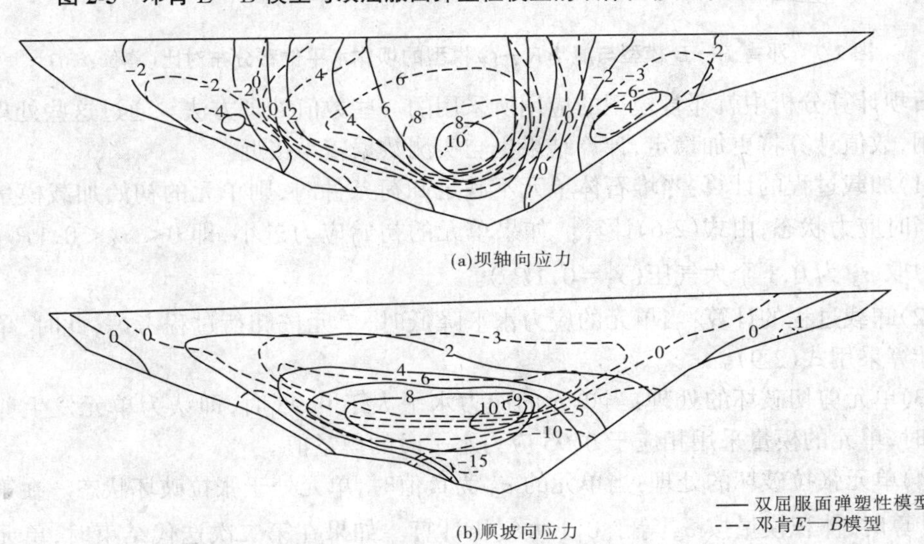

图 2-6　邓肯 $E—B$ 模型与双屈服面弹塑性模型的面板应力分布对比(单位:MPa)

处理假定也是影响计算分析成果的重要因素。近些年来,随着面板堆石坝施工、运行观测资料的积累,各类计算程序在保持其计算模型特色的基础上,也在不断进行着调整与修正。以下所列即为笔者根据邓肯模型的特点,在研究、总结相关文献资料的基础上,在面

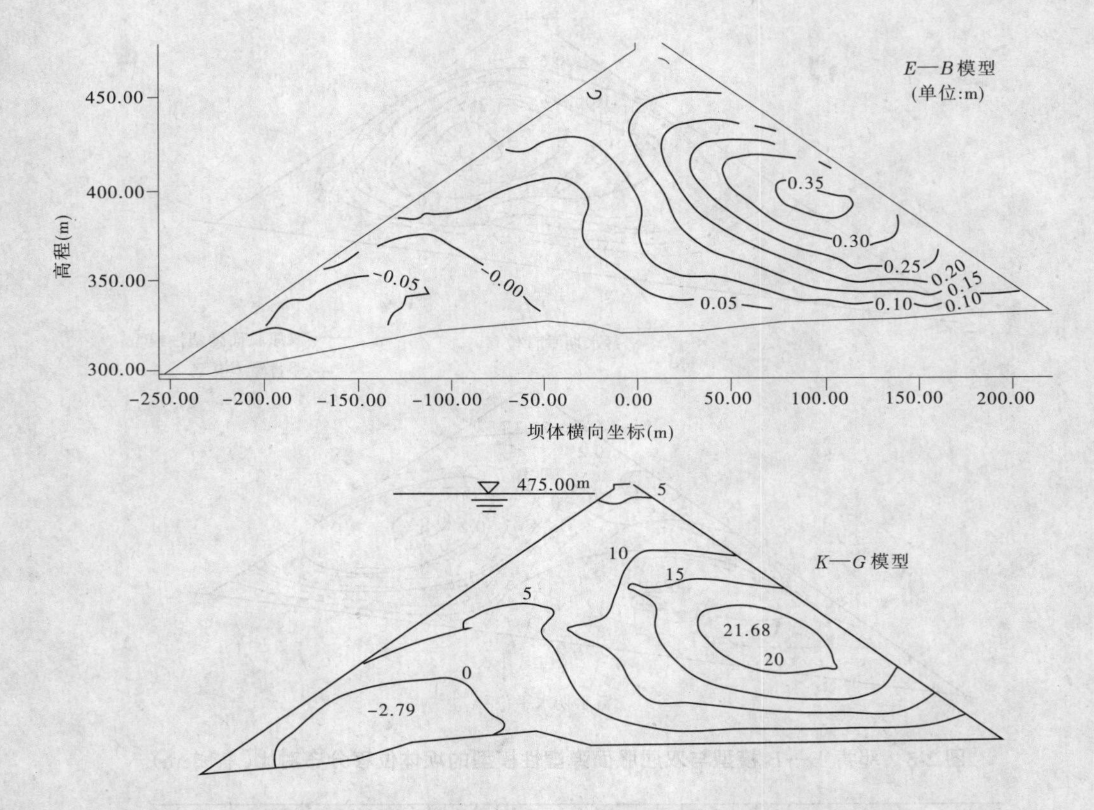

图 2-7　邓肯 $E—B$ 模型与清华 $K—G$ 模型的坝体水平位移分布对比(单位:cm)

板堆石坝计算分析中就邓肯模型的应用所采用的一些数值处理方法。通过这些处理方法的运用,数值计算将更加稳定,计算结果也与实测数据较为接近。

(1)加载过程的计算:当堆石体单元不满足卸荷条件时,则单元的初始加载模量将根据其当时应力状态,由式(2-6)计算。如果单元的初始应力过小,即 $0<\sigma_3<0.1P_a$,则在计算中取 σ_3 为 0.1 个大气压($\sigma_3=0.1P_a$)。

(2)卸载过程的计算:当单元的应力水平降低时,单元按卸荷过程考虑,此时,单元模量的计算采用式(2-9)。

(3)单元剪切破坏的处理:当单元的应力水平大于 0.95 时,即认为单元发生剪切破坏,此时,单元的模量采用相应于 0.95 应力水平时的模量值。

(4)单元张拉破坏的处理:当单元的 σ_3 为负值时,单元处于张拉破坏状态。在第一次迭代计算时,体积模量按 σ_3 等于 0.1 大气压计算。如果在第二次迭代结束时,单元仍处于张拉破坏状态,则单元的体积模量取为第一次迭代时单元体积模量的 1%。而在第一、第二次迭代中,剪切模量均采用体积模量的 1%。

(5)邓肯模型中加载过程与卸载过程的判断准则:在原有的邓肯模型中,单元加荷状态和卸荷状态的判断是由当前的应力水平(SL)与其历史上的最大应力水平相比所决定的。实际计算结果表明,在面板堆石坝的计算中,采用 Duncan 在 FEADM84 中提出的应

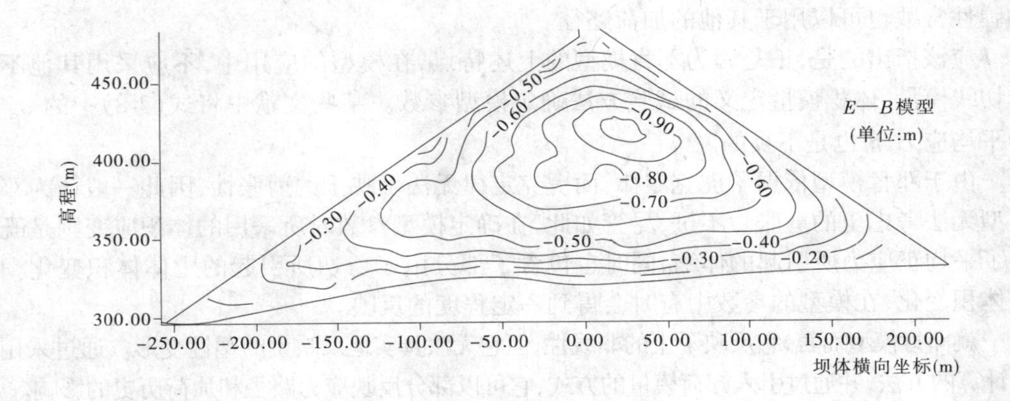

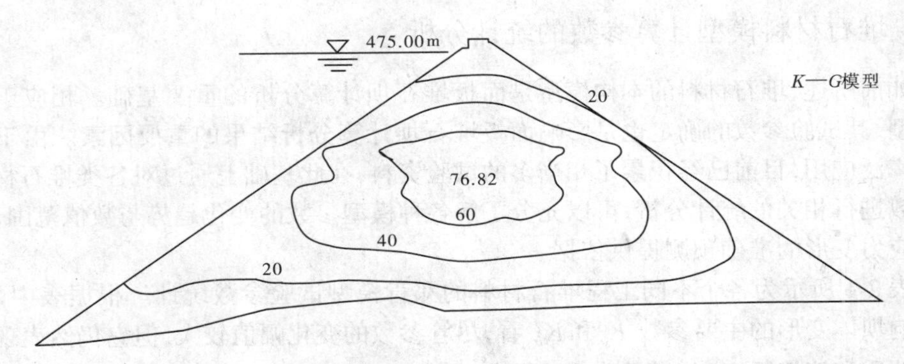

图 2-8 邓肯 $E—B$ 模型与清华 $K—G$ 模型的坝体沉降分布对比(单位:cm)

力状态判断准则更为有效[35]。计算中,单元的应力状态函数定义为:$SS = SL \times (\sigma_3 / P_a)^{1/4}$。当单元的应力状态大于其历史上的最大值时,单元处于加荷状态,否则即为卸荷状态。对于堆石体材料,弹性模量数 K 和卸荷弹性模量数 K_{ur} 的差别将可能达到2~5倍,为避免模量差别过大所导致的迭代计算不稳定,具体计算中可采用如下的判定准则:当 $SS < (3/4)(SS)_{\max}$ 时,为完全卸荷;当 $(3/4)(SS)_{\max} < SS < (SS)_{\max}$ 时,单元的模量为:$E = E_t + (E_{ur} - E_t)\dfrac{1 - SS/(SS)_{\max}}{1 - 0.75}$。

(6)为避免在低应力水平时,体积模量计算中造成对 ν 值的低估,体积模量的下限值定为:

$$B_{\min} > (E_t/3)\left(\frac{2 - \sin\varphi}{\sin\varphi}\right) \quad 当\ \varphi > 2.3° 时$$

$$B_{\min} = 17E_t \quad 当\ \varphi \leqslant 2.3° 时$$

在应用邓肯模型进行面板堆石坝的计算分析中,增量法是最常用的数值计算方法。而由邓肯模型的特点可以看出,其模型的基础是常规三轴试验,模型的弹性参数应该而且也只能通过常规三轴试验得出。在常规三轴试验条件下,$\Delta\sigma_1 = \Delta\sigma_a = \Delta(\sigma_1 - \sigma_3)$,$\Delta\sigma_2 = \Delta\sigma_3 = \Delta\sigma_r = 0$,$\Delta\varepsilon_1 = \Delta\varepsilon_a$,$\Delta\varepsilon_2 = \Delta\varepsilon_3 = \Delta\varepsilon_r$(这里下标 a 表示轴向,下标 r 表示径向)。因此,邓肯模型中由 $(\sigma_1 - \sigma_3)—\varepsilon_a$ 曲线的斜率所得出的 E_t 具有非常明确的增量弹性模量的物理意义,而且,根据弹性理论的结论,在假定土体材料为各向同性的情况下,由此确定的弹性常数也可以用于其他的加荷路径。

应该指出的是,正是因为邓肯模型的上述特点,在模型的应用中,不应采用其他不符合切线模量、体积模量定义的试验方法确定模型参数。某些文献中将式(2-8)中的 σ_3 改为平均应力 p 也是不妥的。

由于邓肯模型依据了虎克定律,而虎克定律无法反映土的剪胀性,因此一般认为邓肯模型无法考虑土的剪胀。不过,尽管如此,在确定模型参数时所采用的体积应变则是既包含了平均正应力所引起的体缩,同时也包含了部分由于剪切所引起的土体体积变化。这种体积变化,在模型的参数中有时会得到一定程度的反映。

就邓肯模型而言,它反映了土的非线性,但它无法真实地反映土的塑性变形。通过采用增量计算的方法,并通过引入卸荷模量的方式,它可以部分反映应力路径和加荷历史的影响。

2.6　堆石材料模型计算参数的统计分析

如前所述,堆石材料的本构模型是面板堆石坝计算分析的重要基础。相应于各种计算模型,其试验参数的确定也是影响面板堆石坝计算分析结果的重要因素。由于邓肯模型的广泛应用,目前已经积累了相当多的试验资料,在此基础上通过对各类堆石材料的计算参数进行相关的统计分析,可以充分了解各种模型参数的变化趋势与数值范围,从而为坝体应力变形的准确预测提供依据。

表 2-1 所示为各个不同工程堆石材料的邓肯模型试验参数统计。根据表中的数据,从影响坝体变形的主要参数 K 和 K_b 看,尽管参数的变化幅值较大,但它仍然表现出了随母岩性质和填筑干密度变化的一般规律。如前所述,堆石材料的变形特性与其岩性、级配和密度有着极为密切的相关关系,由于面板堆石坝设计中坝体各分区的级配和填筑干密度均有着一个相对统一的基本要求,因此在某些情况下,对于堆石岩性相同的不同工程,其材料参数有着一定的可类比性。从表 2-1 的统计中可见,灰岩堆石料的 K 值范围为 450～1 800,K_b 值范围为 100～1 200;砂砾石的 K 值范围为 350～1 500,K_b 值范围为 190～1 700。从岩性上看,一般石英砂岩、花岗片麻岩、玄武岩等岩石的参数指标相对较高,石灰岩、砂岩、板岩等岩石的指标次之,泥质岩、砂页岩等岩石的指标相对较低。另外,岩石的风化程度也是一个重要的因素。

根据表 2-1 的数据,可以分析整理出堆石密度 γ_d 与 K 和 K_b 以及 K 与 K_b 之间的相关关系曲线,如图 2-9～图 2-11(灰岩材料)和图 2-12～图 2-14(砂砾石材料)所示。

从图中可以看出,尽管所统计的堆石材料参数有些点变化幅度较大,但其总体的变化趋势仍表现出了一定的规律性。就材料的模量而言,堆石和砂砾石材料的弹性模量数和体积模量数基本上均是随干密度的增加而增加。由于级配条件的不同,堆石材料模量增加的速率略大于砂砾石材料,而在同样干密度的情况下,砂砾石材料的模量略大于堆石材料。

从上述灰岩材料的统计数据看,弹性模量数随干密度增加的斜率约为 0.39,体积模量数随干密度增加的斜率约为 0.27。从上述砂砾石材料的统计数据看,弹性模量数随干密度增加的斜率约为 0.36,体积模量数随干密度增加的斜率约为 0.10。另外,从弹性模

表 2-1　面板堆石坝堆石材料邓肯模型参数的统计

工程名称	坝料名称	堆石岩性	γ_d(g/cm^3)	孔隙率(%)	K	n	R_f	K_b	m	φ_0(°)	$\Delta\varphi$(°)
西北口	过渡料	灰岩	1.940	30.2	472	0.28	0.67	98	0.26		
	主堆石	灰岩	2.040	27.2	522	0.38	0.68	125	0.22	50.6	5.5
洪家渡	过渡料	灰岩	2.144	21.4	770	0.50	0.873	332	0.13	54.2	9.8
	堆石料	灰岩	2.128	21.9	658	0.47	0.87	177	0.40	52.3	7.3
	堆石料	灰岩	2.120	22.2	760	0.25	0.735	205	0.28	51.3	6.9
	垫层料	灰岩	2.250		1 340	0.59	0.882	605	0.18	60.1	16.2
	过渡料	灰岩	2.230		1 400	0.59	0.925	630	0.56	59.7	15.1
	主堆石	灰岩	2.220		1 700	0.55	0.929	560	0.47	57.0	13.1
	次堆石	灰岩	2.160		1 250	0.63	0.918	530	0.3	52.8	9.6
金野	过渡料	灰岩	2.200	18.2	1 030	0.333	0.847			53.8	11.2
	堆石料	灰岩	2.100	21.9	650	0.348	0.797			47.6	5.6
盘石头	主堆石	灰岩	2.100		565	0.503	0.814	146	0.277	54.6	10.7
天生桥	主堆石	灰岩	2.100		940	0.35	0.849	340	0.18	54.0	13.0
	主堆石	灰岩	2.050		720	0.303	0.798	800	0.18	54.0	13.5
思安江	主堆石	灰岩	2.120	25.6	700	0.52	0.876	290	0.14	46.7	6.6
	过渡料	灰岩	2.180	20.7	860	0.54	0.929	380	0.18	48.6	10.8
九甸峡	主堆石	灰岩	2.200		1 400	0.53	0.798	1 000	0	50.9	8.5
	次堆石	灰岩	2.160		1 120	0.53	0.798	800	0	50.9	8.5
	过渡料	灰岩	2.250		1 500	0.55	0.907	1 250	0	54.1	10.5
	垫层料	灰岩	2.280		1 750	0.43	0.768	1 200	0.41	58.1	14.5
南车	过渡料	砂岩	2.090	22.0	700	0.304	0.608			54.4	11.2
	主堆石	砂岩	2.070	22.6	790	0.39	0.785			49.8	6.5
芭蕉河	主堆石	粉砂岩	2.170		1 000	0.32	0.875	320	0.22	49.3	10.0
	主堆石	粉砂岩	2.180		1 010	0.36	0.893	360	0.24	49.9	10.0

续表 2-1

工程名称	坝料名称	堆石岩性	γ_d(g/cm^3)	孔隙率(%)	K	n	R_f	K_b	m	φ_0(°)	$\Delta\varphi$(°)
莲花	堆石料	花岗岩	2.011		570	0.47	0.76	150	0.37	43.4	3.0
		花岗岩	1.962		620	0.29	0.75	265	0.11	45.4	5.0
公伯峡	主堆石	花岗岩	2.060	23.1	750	0.51	0.878	520	0.27	54.0	13.4
	过渡料	花岗岩	2.130	18.4	1 180	0.53	0.911	630	0.30	50.4	9.3
珊溪	堆石料	凝灰岩	1.984	24.9	1 060	0.63	0.921	660	0	56.1	11.6
吉林台	主堆石	凝灰岩			1 050	0.517	0.903	176	−0.383	53.0	8.1
	过渡料	凝灰岩			1 090	0.796	0.766	264	0.054	49.4	6.8
公伯峡	主堆石	砂砾石	2.140	22.7	690	0.31	0.842	410	0.03	47.4	6.0
	过渡料	砂砾石	2.250		1 000	0.48	0.864	500	0.34	53.6	11.0
莲花		砂砾石	1.972		442	0.78	0.86	305	0.15	41.6	2.5
		砂砾石	1.864		370	0.69	0.81	233	0.30	38.6	1.7
		砂砾石	2.011		440	0.75	0.78	900	−0.06	43.6	3.5
		砂砾石	2.070		550	0.59	0.77	410	0.32	42.8	1.8
乌鲁瓦提	垫层料	砂砾石	2.197		1 390	0.42	0.825	3 040	−0.12	49.6	8.0
	过渡料	砂砾石	2.207		1 170	0.49	0.698	1 700	0.17	46.5	2.3
	主堆石	砂砾石	2.178		850	0.34	0.819	468	0.10	43.5	3.0
	次堆石	砂砾石	2.168		690	0.42	0.835	246	0.42	44.2	3.6
珊溪		砂砾石	2.170	18.0	550	0.78	0.924	380	0.82		
清河		砂砾石	1.990		385	0.79	0.74	335	0.37	42.1	0
		砂砾石	1.980		350	0.93	0.84	191	0.47	41.1	0
察汗乌苏	垫层料	砂砾石	2.200		1 500	0.42	0.95	675	0.40	51.2	7.9
	过渡料	砂砾石	2.200		1 400	0.42	0.95	665	0.40	51.2	7.9
	主堆石	砂砾石	2.190		1 260	0.40	0.891	522	0.17	53.2	10.4
	次堆石	砂砾石	2.160		930	0.28	0.823	415	0.05	51.4	9.3

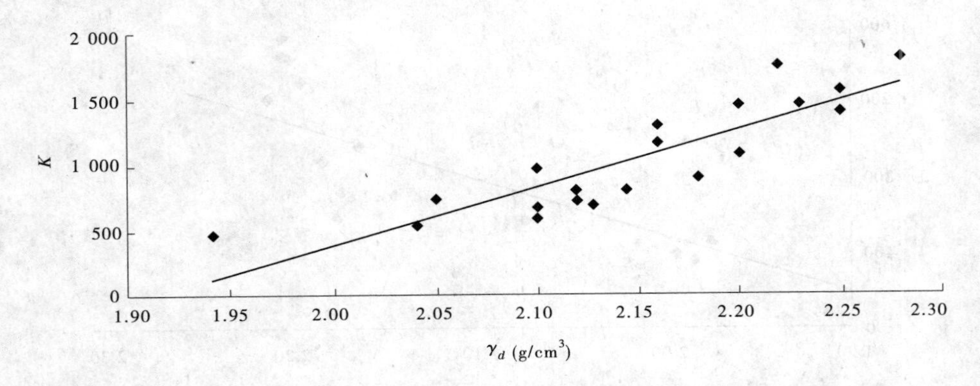

图 2-9　堆石干密度与弹性模量数的关系(灰岩材料)

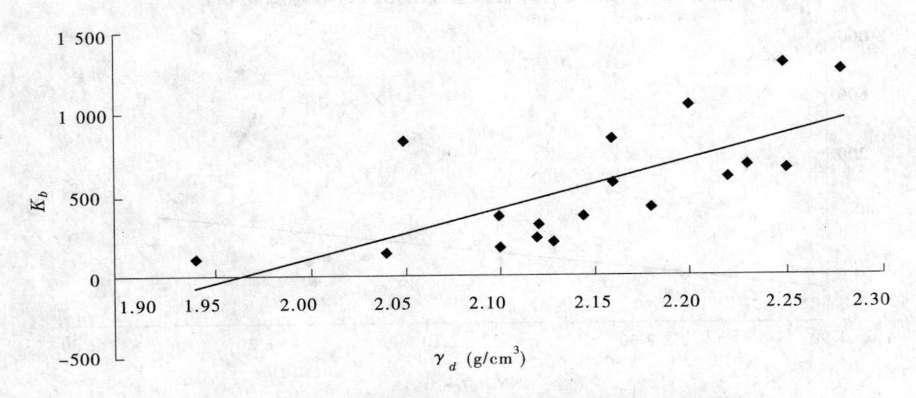

图 2-10　堆石干密度与体积模量数的关系(灰岩材料)

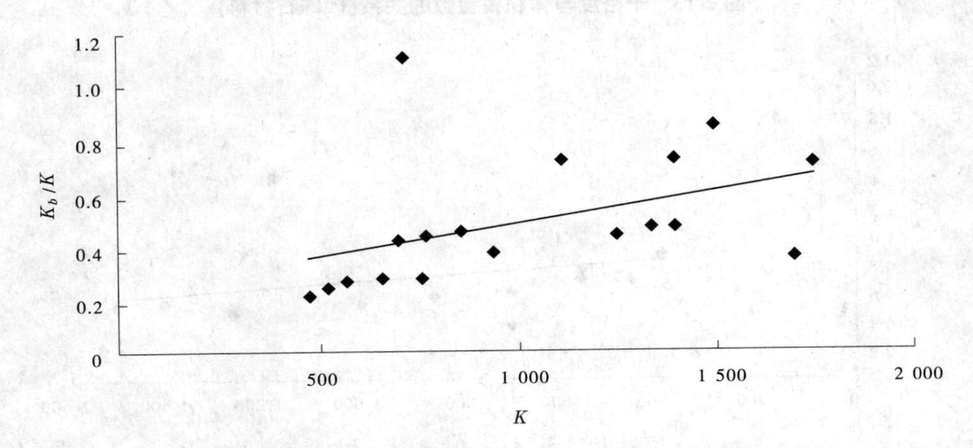

图 2-11　堆石体积模量数与弹性模量数的比值(灰岩材料)

量数与体积模量数的相关关系看,无论是堆石材料还是砂砾石材料,体积模量数均在弹性模量数的 20%～80%之间。

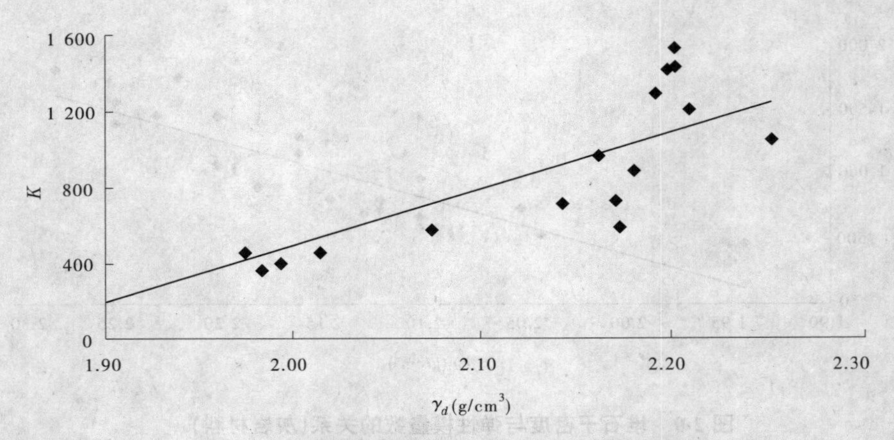

图 2-12　干密度与弹性模量数的关系(砂砾石材料)

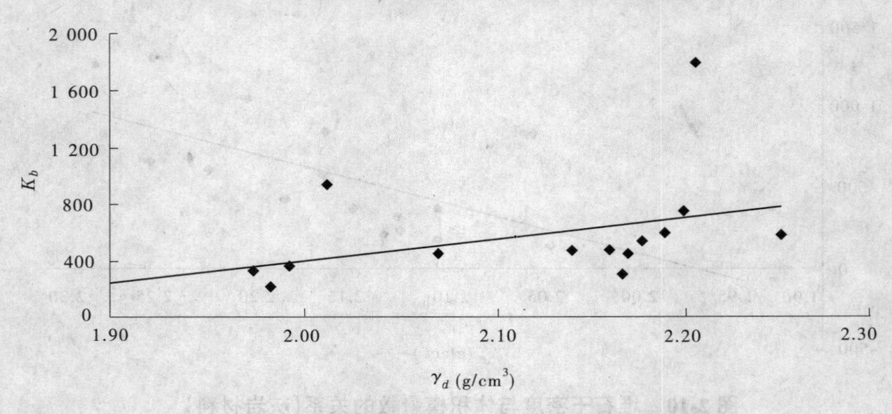

图 2-13　干密度与体积模量数的关系(砂砾石材料)

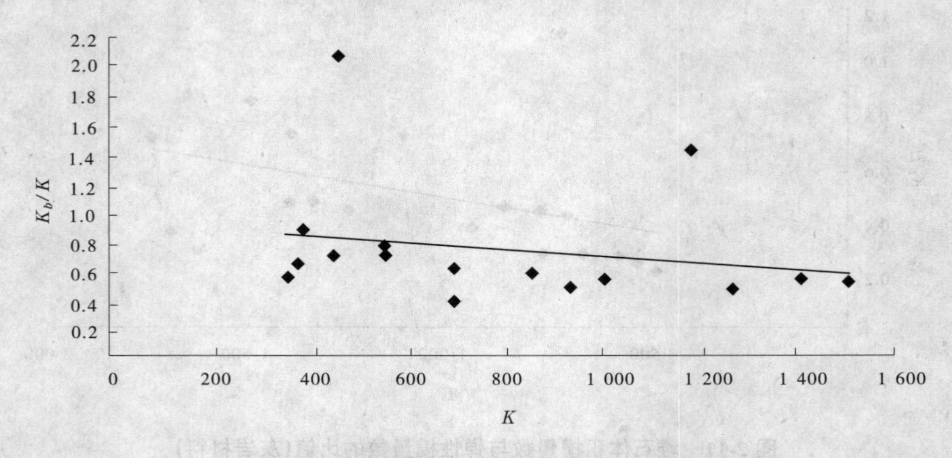

图 2-14　堆石体积模量数与弹性模量数的比值(砂砾石材料)

2.7　小结

在面板堆石坝的数值分析中,堆石材料的本构模型是决定分析成果正确与否的关键问题。本章对土的本构理论发展进行了简要的叙述，对堆石材料的工程力学特性及其影响因素进行了总结。在此基础上，给出了非线弹性模型和弹塑性模型的理论公式，并通过计算分析实例，对各种不同计算模型在面板堆石坝工程中的应用进行了分析对比。

就面板堆石坝的变形控制而言，堆石材料的压缩变形特性至关重要。由于堆石材料为散粒体，颗粒形状为多面体，颗粒之间通常为点接触，其压缩特性主要取决于颗粒的重新排列，同时，还将受到岩性、级配、颗粒形状、破碎率等多方面因素的影响。另外，散粒体材料在承受剪应力作用时，剪切面附近的颗粒将产生流动、翻转等形式的运动。当颗粒排列紧密，将导致体积的膨胀(剪胀)，当颗粒排列松散、应力较高、破碎严重时，将导致堆石体积的缩小(剪缩)。堆石材料的剪胀和剪缩特性对其强度和应力—变形特性也会产生重要影响。在面板堆石坝的计算中，堆石的剪缩和剪胀对于面板应力计算的影响尤为重要。

从大量计算分析的结果来看，由于堆石材料应力应变关系具有明显的非线性，因此其本构模型必须准确反映这种非线性关系，线弹性模型对于堆石变形的计算是不适用的。另外，由于堆石料的剪缩特性对面板的应力有一定的影响，因此就堆石剪缩特性的合理考虑而言，宜采用弹塑性模型。采用多屈服面、非关联流动法则的弹塑性模型目前仍面临着试验方法特殊、计算参数类比性差以及计算复杂等问题。在目前的面板堆石坝计算分析中，堆石材料采用的主要计算模型是Duncan模型和双屈服面弹塑性模型，而实践中尤以Duncan模型的应用更为广泛。邓肯模型的参数物理意义较为明确，由计算参数反算的应力应变关系与试验实测的应力应变关系曲线符合较好。更为重要的是，由于该模型的广泛应用，可以获得具有较为丰富的工程类比成果。

相应于各种计算模型，除了其模型本身的因素外，模型参数的确定也是影响面板堆石坝计算分析结果的重要因素。就Duncan模型而言，由于其试验资料充分，因此模型参数的选用可以在试验的基础上通过工程类比的方式确定参数的合理取值范围。另外，对于各向同性材料，四个弹性常数 E、ν、B、G 中只有两个是独立的，因此Duncan模型的参数 K、K_b 应保持一定的相关关系。否则，在计算中将导致泊桑比 ν 的失控，从而对计算结果的精度产生不利的影响。

第3章　面板堆石坝材料分区的优化设计

3.1　概述

混凝土面板堆石坝作为一种以堆石材料为主体的土石坝，最常用的填筑材料是堆石和砂砾石，其中，堆石材料包括硬岩堆石料和软岩堆石料两种。从国内外已建成的面板堆石坝的筑坝材料来看，各个工程所采用的筑坝材料不尽相同。例如，湖北西北口面板坝的填筑材料为白云质灰岩、新疆乌鲁瓦提面板坝的填筑材料为砂砾石、江西大坳面板坝的填筑材料为砂岩、希腊 Mangrove 面板坝的填筑材料为泥质砂岩、澳大利亚塞沙那面板坝的填筑材料为石英岩。筑坝材料的多样性充分体现了面板堆石坝作为一种当地材料坝的特点[36]。

通过坝体的断面分区，尽可能地利用当地材料和建筑物施工的开挖料是土石坝断面分区中的一个重要原则，对于面板堆石坝而言，同样如此。在面板堆石坝的设计中，堆石体的材料应以充分利用坝址附近的各种材料为准则。在进行堆石体断面的分区布置时，应充分根据坝址附近各料场材料的工程性质、时空分布以及每种材料可能对面板堆石坝正常运行所产生的影响，将不同的堆石材料合理地分配到坝体剖面的不同分区部位中。

现代面板堆石坝的一个重要特点是采用分层碾压的方式进行施工，为保证面板尽可能不产生裂缝或少产生裂缝，目前的面板堆石坝在设计中十分强调对坝体堆石变形的控制。因此，在面板堆石坝的断面分区确定中，也应以变形控制为准则，以确保防渗结构与坝体堆石变形的协调性。另外，对于采用砂砾石材料填筑的面板坝，由于其材料的透水性相对较低，在其断面分区中，除需满足变形的要求外，还应设置适当的排水分区，以保证在出现渗漏的情况下坝体的安全。

由于面板堆石坝坝体变形的特点，就面板堆石坝断面分区的优化布置而言，主要的问题是主、次堆石区范围的确定，而其中最具意义的则是软岩堆石料（或开挖利用料）的利用。以往，为了减少面板坝堆石体的变形，筑坝材料通常选用较为坚硬的岩石。而目前，随着工程经验的积累和对面板堆石坝变形特性较为深入的了解，筑坝材料的范围不断拓宽，一些相对软弱的堆石材料也可以通过适当的分区布置而被用作筑坝材料。而且，对于工程设计而言，如何充分利用开挖料并提高料场的利用率也是面板坝工程中节约投资、缩短工期的重要途径。

为保证面板堆石坝设计的安全可靠和经济合理，在工程设计中，对于软岩堆石料的利用，要充分考虑面板堆石坝的变形特点和软岩材料的物理力学特性，在此基础上对坝体结构进行分区设计。通过堆石材料的分区，合理调整坝体变形的分布，在保证坝体整体稳定和面板受力均匀的前提下，尽可能地扩大软岩利用区的范围，以达到降低工程造价的目的。

3.2　面板堆石坝的分区原则

在现代面板堆石坝的设计中，坝体断面的材料分区已基本趋于标准化。根据 Cooke 和 Sherard 提出的面板堆石坝坝体分区命名规则，常规的面板堆石坝坝体分区如图 3-1 所示[37]，其中：

1 区：位于面板底部，主要作用为封堵面板底部任何可能的裂缝以及周边缝的张开。它可以起到辅助防渗的作用。

2A 区：这个区域紧靠在周边缝的下游侧，其主要功能为对面板上游面铺设的细粒料起反滤保护作用。同时，采用加工后的 2A 区料并经过仔细地碾压，2A 区也可以起到减少周边缝变形的作用。

2B 区：这个区域为面板的垫层区，它将为混凝土面板提供均匀的支承，同时，它还应具有较低的渗透性以控制坝体的渗流。

3A 区：这个区域为 2B 区与坝体主堆石区的过渡区。

3B 区：这个区域是坝体的主堆石区，它包含了坝体上游的大部分堆石，由于它是支承面板的主体，因此一般采用相对较好的堆石。

3C 区：这个区域是坝体的下游堆石区，位于坝体下游的外侧。这部分堆石对压实的要求相对较低，但一般要求具有较好的排水性能。

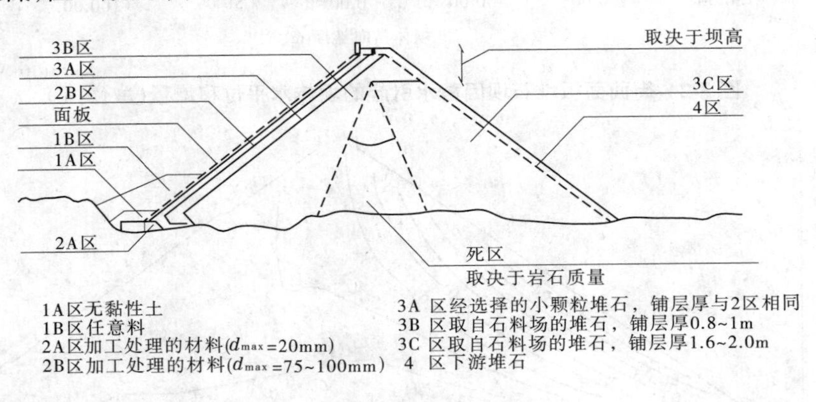

图 3-1　面板堆石坝的分区

除上述几类分区之外，在 3C 区和 3B 区之间，还有一个称为“死区(dead zone)”的区域，其范围将主要取决于填筑堆石的质量。

3.3　坝体材料分区的优化方法

面板堆石坝主要承受自重荷载和水荷载，对于自重荷载引起的坝体变形，其中的大部分会在水库蓄水前完成(不考虑堆石体的蠕变变形和施工期蓄水的情况)。而水库蓄水所引起的坝体变形在坝体的不同部位会有所差别。如将坝体的总沉降变形定义为自重引起的沉降和蓄水荷载引起的沉降之和，根据阿里亚面板堆石坝的原型观测资料，其沉降变形规律表现为：蓄水前坝轴线以下部分的坝体，大部分已完成总沉降的 90% 以上，而靠近面板附近的坝体仅完成总沉降量的 25%～70%。从阿里亚面板堆石坝蓄水引起的坝体总变形观测资料看,在施工期自重荷载和蓄水期库水荷载的共同作用下,坝体主要承受向下和向内的体积压缩,坝体上游侧(主要是坝轴线以上部分)的位移明显大于下游坝体。由此可见,坝轴线上游部分的坝体对混凝土面板的变形和应力有着直接的影响,而坝体下游堆石体对面板的这种影响则相对较小。因此,在工程设计中,可以根据坝体不同部位的受力情况填筑不同工程特性的堆石材料,这是面板堆石坝断面分区优化的出发点。图 3-2 和图 3-3 所示分别为福建街面面板堆石坝蓄水期坝体的增量位移图,由图中可以看出,在水库蓄水的情况下,由蓄水而引起的坝体位移增量主要集中在坝体的上游部分,坝体下游部分几乎不受影响。相对而言,水平位移的影响范围略大一些。

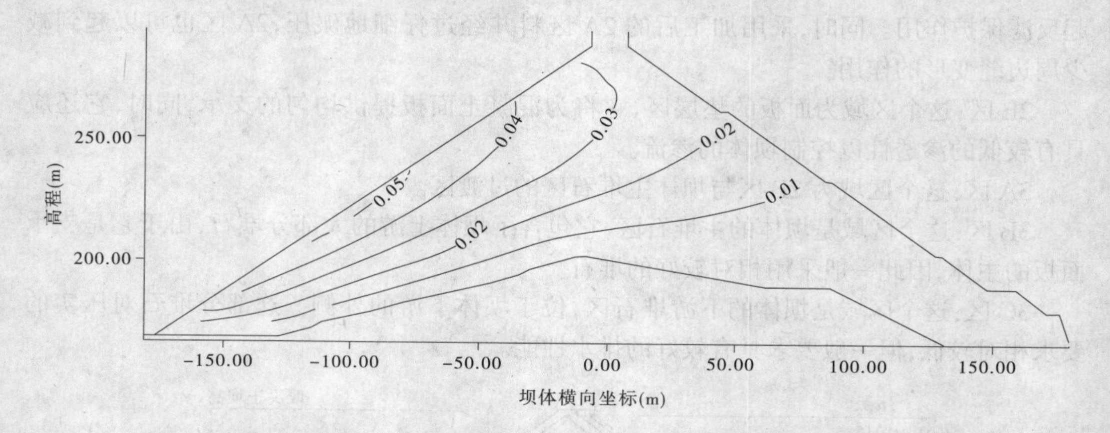

图 3-2　街面面板堆石坝因蓄水引起的坝体水平位移增量(单位:m)

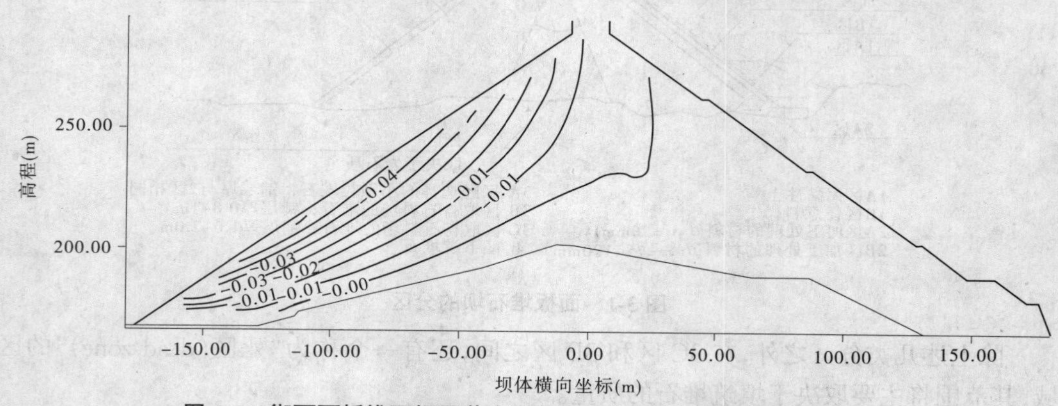

图 3-3　街面面板堆石坝因蓄水引起的坝体竖向位移增量(单位:m)

就软岩堆石的利用而言,根据以往的工程实践,软岩堆石分区的布置一般有三种方式:第一种方式是将软岩堆石作为坝的主体,基本上是全断面利用软岩堆石材料;第二种方式是将软岩堆石放置在坝体下游干燥区,一般是在坝轴线的下游侧;第三种方式是将软岩堆石布置在坝体的中间部位。如上所述,从坝体的应力变形角度看,影响面板应力状态的主体是坝体的上游堆石区,而且,蓄水后坝体变形的主要影响区域集中在上游 1/3 坝体范围内,因此在大多数情况下采用第二种布置方式更为有效,即:将软岩堆石放置在 3C 区,在进行坝体断面分区的优化时,软岩堆石区或开挖料利用区的上游边界可以在“死区”

内变动,以求在满足坝体和面板应力变形要求的前提下,尽可能地扩大软岩材料或开挖利用料的应用范围。

根据上述软岩堆石料利用的基本原则,对软岩堆石分区的优化主要是确定该分区的上、下游边界线。软岩堆石分区的下游边界线主要影响坝体下游边坡的稳定,而上游边界线将主要影响坝体和面板的应力变形特性。因此,断面分区优化的计算分析主要为坝体边坡稳定分析和坝体及面板的应力变形分析。一般情况下,在坝体断面分区的优化过程中,先采用极限平衡分析方法对坝体的下游边坡进行不同坡比的稳定分析,从中找出满足规范要求的最小坡比。在确定坝体下游边坡后,再通过有限元计算,针对软岩堆石分区上游边界的不同位置进行应力变形分析,从中找出满足坝体和面板应力变形要求的最大软岩堆石区利用范围。

3.3.1　坝体边坡稳定分析

边坡稳定分析是采用条分法利用极限平衡理论计算边坡的安全系数。根据对土条间作用力的不同假设,以及对力和力矩平衡条件的满足程度,可以分成不同的分析方法。瑞典滑弧法和简化毕肖普法为满足力矩平衡的稳定分析方法。根据土石坝设计规范的要求,面板堆石坝的边坡稳定分析均采用简化毕肖普法。

根据有效应力分析方法,剪切强度被定义为:

$$s = c' + (\sigma_n - u_w)\tan\varphi'$$

式中,s 为剪切强度;c'为有效凝聚力;φ'为有效内摩擦角;σ_n 为总法向应力;u_w 为孔隙水压力。

作用在滑裂面上每一个土条的力和力矩见图 3-4。

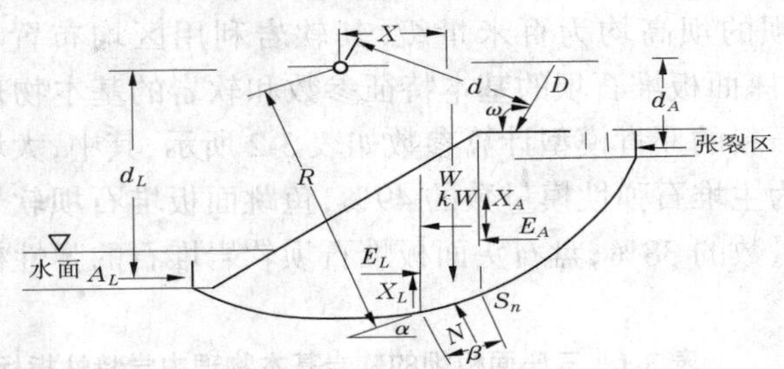

图 3-4　作用在土条上的力(圆弧滑裂面)

对于满足力矩平衡的土坡稳定安全系数 F_m 如下式所示:

$$F_m = \frac{\sum[c'\beta R + (N - \mu\beta)R\tan\varphi']}{\sum Wx - \sum Nf + \sum kWe \pm [Dd] \pm Aa}$$

对于满足力平衡的土坡稳定安全系数 F_f 如下式所示:

$$F_f = \frac{\sum[c'\beta\cos\alpha + (N - \mu\beta)\tan\varphi'\cos\alpha]}{\sum N\sin\alpha + \sum kW - [D\cos\omega] \pm A}$$

3.3.2　坝体应力变形分析

面板坝的坝体应力变形分析通常采用非线性有限元分析方法进行,计算分析中最常用的非线性计算模型为邓肯—张模型(E—B 模式)。

在邓肯—张模型中,材料的应力应变关系为双曲线形式,其弹性模量 E 和体积模量 B 的相应计算公式为:

切线弹性模量

$$E_t = K \cdot P_a \left(\frac{\sigma_3}{P_a}\right)^n \left[1 - \frac{R_f(1-\sin\varphi)(\sigma_1-\sigma_3)}{2c\cos\varphi + 2\sigma_3\sin\varphi}\right]^2$$

切线体积模量

$$B = K_b \cdot P_a \left(\frac{\sigma_3}{P_a}\right)^m$$

卸荷时,采用卸荷弹性模量

$$E_{ur} = K_{ur} \cdot P_a \left(\frac{\sigma_3}{P_a}\right)^n$$

以上公式中,σ_1 和 σ_3 为最大和最小主应力;P_a 为大气压力;c 和 φ 为强度指标;R_f 为破坏比;K 为弹性模量数;n 为弹性模量指数;K_b 为体积模量数;m 为体积模量指数;K_{ur} 为卸荷弹性模量数。

3.4 利用软岩筑面板坝的断面分区优化

在确定软岩堆石材料的分区布置时,坝体应力变形的数值分析计算是进行断面分区优化的重要手段。以下将主要通过江西大坳面板堆石坝、重庆鱼跳面板堆石坝和河南盘石头面板堆石坝的数值计算结果,就软岩堆石分区对坝体应力变形特性的影响进行分析。这三座面板堆石坝的坝高均为百米量级,其软岩利用区均布置在坝体下游的干燥区。表 3-1所示为这三座面板堆石坝的基本特征参数和软岩的基本物理力学特性指标。坝体主堆石和软岩堆石料的邓肯模型计算参数如表 3-2 所示,其中,大坳面板堆石坝软岩堆石的弹性模量数约为主堆石弹性模量数的 49%,鱼跳面板堆石坝软岩堆石的弹性模量数约为主堆石弹性模量数的 38%,盘石头面板堆石坝软岩堆石的弹性模量数约为主堆石弹性模量数的 24%。

表 3-1 三座面板坝的软岩基本物理力学特性指标

工程名称	坝高 (m)	软岩材料	饱和抗压强度(MPa)	压缩模量(MPa)
大坳	90.2	风化砂岩	28.3	21~62
鱼跳	110	泥岩	18.8	6.5~54.8
盘石头	106.6	页岩		13.8~40.1

3.4.1 坝体的变形特性

对于常规的面板堆石坝而言,由于普遍采用了薄层碾压技术,施工期坝体的沉降不大,施工期坝体的最大沉降与坝高之比一般为 0.5%。而利用软岩修筑的面板堆石坝,由于其母岩强度较低,所以,尽管其易于破碎、压实性较好,但这一类坝的沉降量还是要比硬岩面板堆石坝大得多,而且,坝体变形的规律也与采用硬岩堆石材料的面板坝有所不同。

表 3-2　主堆石与软岩堆石的材料参数

工程名称	材料	γ(g/cm^3)	φ_0(°)	$\Delta\varphi$(°)	R_f	K	K_{ur}	n	K_b	m
大坳	主堆石	2.12	47.8	6.2	0.71	630	800	0.40	120	0.30
	软岩	2.10	45.0	7.6	0.72	307	368	0.39	134	0.30
鱼跳	主堆石	2.10	46.0	0.0	0.75	800	1 600	0.34	400	0.40
	软岩	2.10	42.6	5.7	0.82	300	600	0.17	166	0.28
盘石头	主堆石	2.10	54.2	12.4	0.87	1 050	2 100	0.27	590	0.25
	软岩	2.02	43.9	10.0	0.74	255	510	0.37	97	0.19

图 3-5～图 3-8 所示为大坳面板坝的位移分布等值线(鱼跳面板坝和盘石头面板坝的坝体变形规律与此基本类似)。从图 3-6、图 3-8 的位移分布中可以看出,施工期坝体的最大沉降一般位于坝高的一半处,但最大沉降区域明显偏向下游侧,在大多数的情况下,坝体的最大沉降会发生在软岩堆石区。另外,从水平位移的分布上看,竣工期坝体上、下游的位移并不很对称,下游软岩堆石区的位移相对较大,因此坝体水平位移的零线向上游倾斜,由此将可能会造成面板顶部产生顺坡向的受拉趋势。

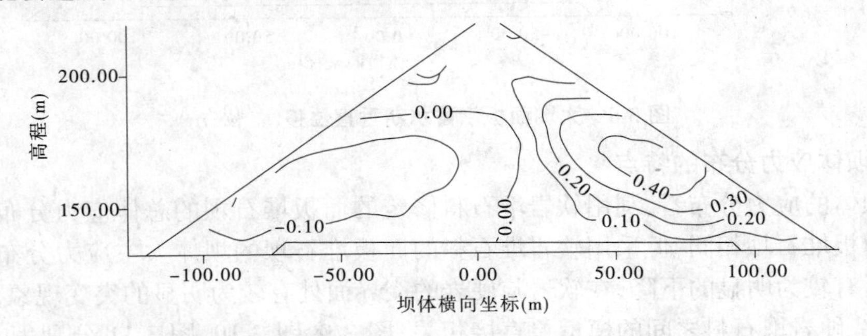

图 3-5　大坳面板坝竣工期水平位移(单位:m)

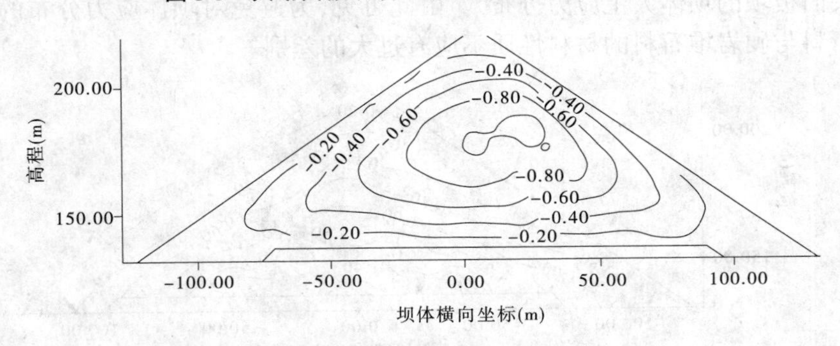

图 3-6　大坳面板坝竣工期垂直位移(单位:m)

不过,从另一方面看,对比坝体竣工期和蓄水期的位移分布(图 3-5、图 3-6 与图 3-7、图 3-8)可以发现,蓄水期坝体的沉降分布和水平位移分布与竣工期相比变化不大,这说明尽管利用软岩堆石料的面板堆石坝比硬岩面板堆石坝的沉降有较大的增加,但这些变形主要发生在填筑施工期,坝体竣工后大部分的变形已经完成。因此,通过适当的施工设

计,是可以避免较大的坝体变形对大坝安全运行的影响。

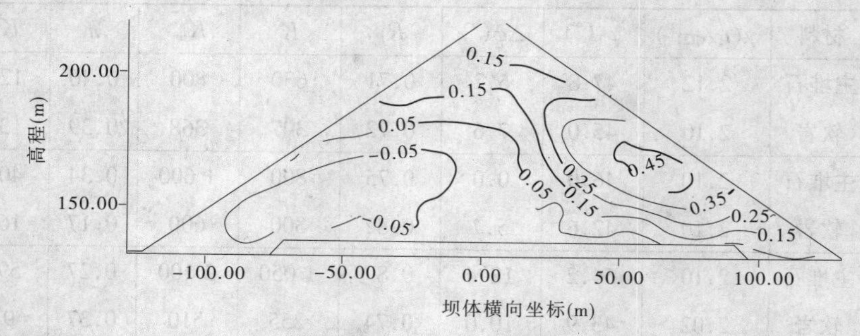

图 3-7　大坳面板坝蓄水期水平位移(单位:m)

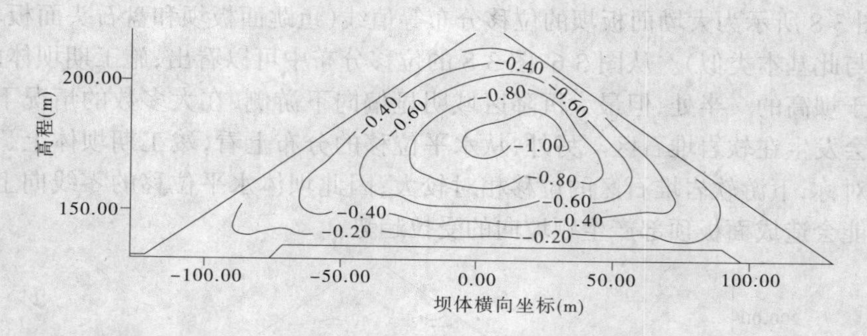

图 3-8　大坳面板坝蓄水期垂直位移(单位:m)

3.4.2　坝体应力分布的特点

从坝体的应力分布看,利用软岩堆石料修筑的面板堆石坝的总体应力分布规律与常规硬岩面板堆石坝相同,但采用软岩堆石料的面板堆石坝的坝体大主应力分布曲线在软岩堆石区有较为明显的下降,在软岩与硬岩的交界面处有较为明显的突变现象,其突变的程度与软、硬岩堆石料之间的模量差直接相关(图 3-9、图 3-10、图 3-11 分别为大坳、鱼跳和盘石头面板坝的坝体大主应力分布)。由此可见,为避免对坝体应力分布的不利影响,软岩堆石料与硬岩堆石料的材料性质不应有过大的差别。

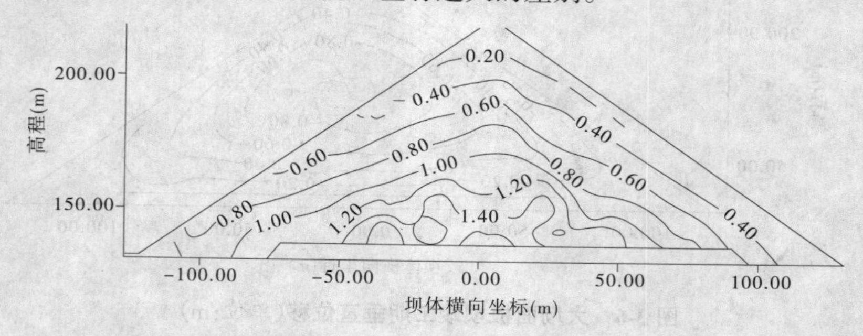

图 3-9　大坳面板坝蓄水期大主应力分布(单位:MPa)

3.4.3　面板的应力分布

图 3-12 所示分别为大坳面板堆石坝三种不同软岩分区情况下面板顺坡向应力的分

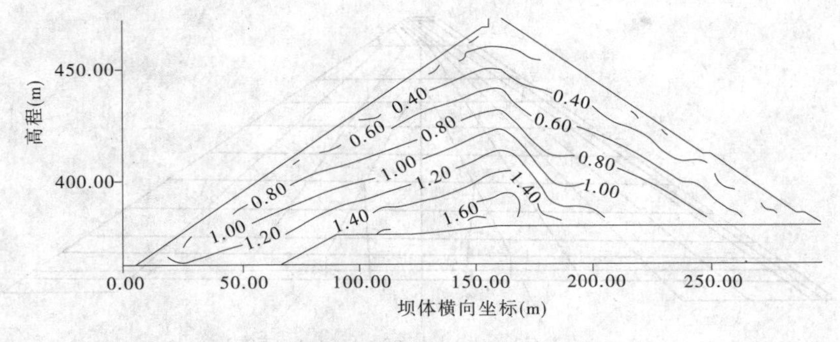

图 3-10 鱼跳面板坝蓄水期大主应力分布(单位:MPa)

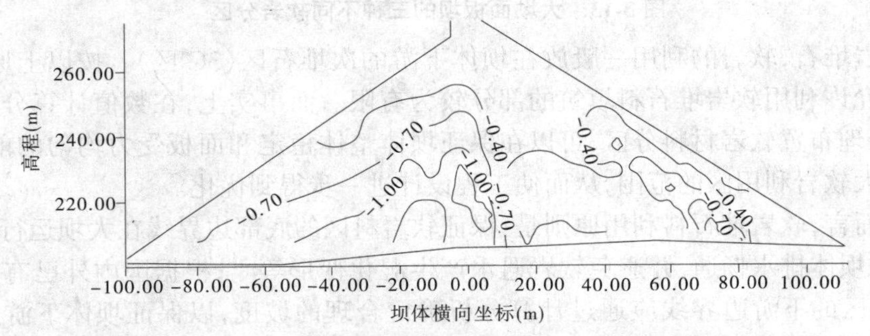

图 3-11 盘石头面板坝蓄水期大主应力分布(单位:MPa)

布(软岩分区情况如图 3-13 所示)。从图中可以看出,受坝体位移下倾的影响,面板顶部将产生拉应力,但拉应力的数值并不大,而且,对比三种分区方案,面板最大拉应力的数值分别为 0.05MPa、0.05MPa 和 0.07MPa。由此可见,当软岩堆石分区的上游边界在"死区"内变化时,面板的应力不会有太大的变化。不过应当指出的是,这一规律适用于坝高小于 120m 的中低坝,对于 150m 以上的高坝,次堆石区的变形将对面板的应力产生较大的影响(参见第 11 章)。

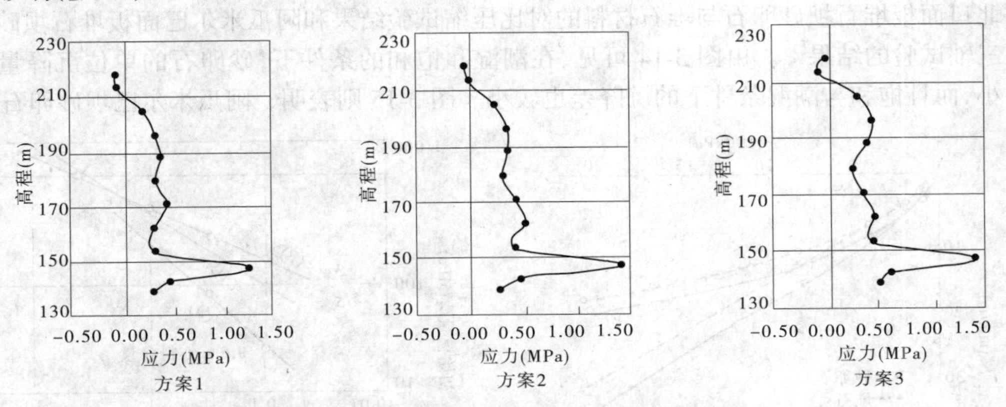

图 3-12 大坳面板堆石坝三种不同软岩分区情况下面板顺坡向应力

3.4.4 软岩堆石料的利用原则

从面板坝坝体材料分区的原则看,坝体主堆石区作为支承面板的主体,一般均需采用

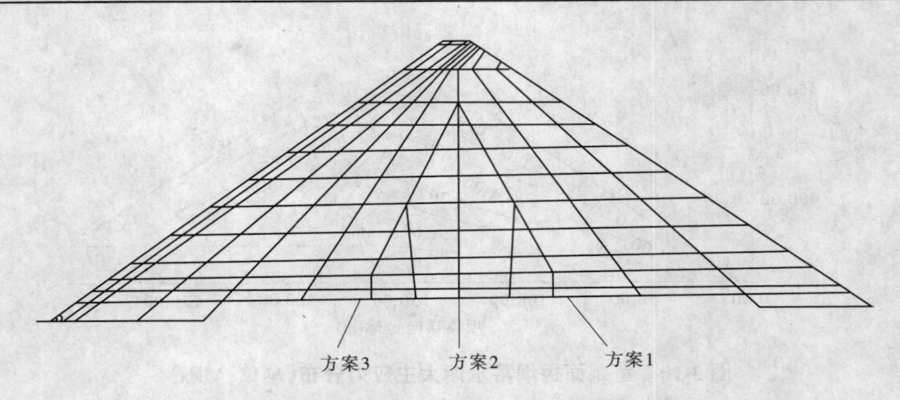

图 3-13 大坳面板坝的三种不同软岩分区

较好的硬岩堆石，软岩的利用一般放在坝体下游的次堆石区（3C 区）。按以上原则，面板堆石坝中允许利用软岩堆石料填筑的部分较为有限。而事实上，在数值计算分析的基础上，通过合理布置软岩材料分区，可以在保证坝体整体稳定和面板受力均匀的前提下，尽可能地扩大软岩利用区的范围，从而使工程设计进一步得到优化。

一般而言，软岩堆石料利用原则是：保证软岩料区的底部边界线在大坝运行期处于干燥区，以便坝体排水畅通，并避免软岩遇水产生湿化变形等[5]；根据国内外已有的工程实践，软岩料区的下游边界线应通过计算分析确定合理的坡度，以保证坝体下游边坡的稳定，并且在其外侧留有不小于 2m 新鲜硬岩填筑区，以防止软岩料的继续风化；上游边界线则应通过计算分析，在保证坝体施工期、运行期的沉降量以及面板的应力在合理范围内的前提下，尽量往坝体上游侧靠近，以期能够最大限度地利用软岩材料。

3.5 砂砾石面板坝的断面分区设计

与堆石料相比，砂砾料的级配一般要优于爆破堆石，其压实后的孔隙率较低，变形模量比堆石料高 5～10 倍，因此是一种非常理想的筑坝材料。图 3-14 和图 3-15 所示分别为西北口面板堆石坝砂卵石与堆石材料的对比压缩试验结果和阿瓜米尔巴面板堆石坝砂卵石三轴试验的结果[1]。由图 3-14 可见，在潮湿和饱和的条件下，砂卵石的单位沉降量均很小，而且饱和与潮湿条件下的沉降差也较小。图 3-15 则表明，阿瓜米尔巴坝砂卵石的

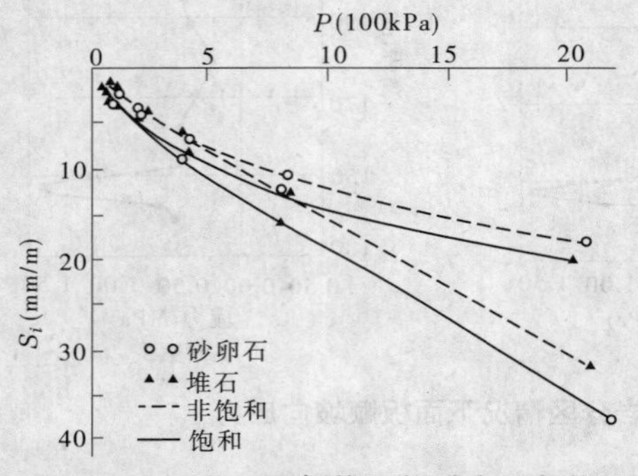

图 3-14 西北口面板堆石坝砂卵石与堆石的压缩曲线

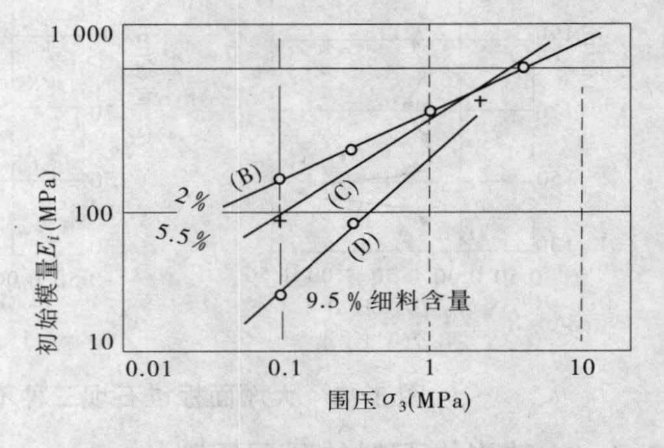

图 3-15 阿瓜米尔巴面板堆石坝砂卵石 E_i 随围压变化曲线

初始模量(E_i)一般均在100MPa以上,比堆石约大3倍。

不过,就砂砾石材料的自身特点而言,由于受天然沉积条件的影响,其级配常具有较大的离散性和间断性,而且,由于材料颗粒缺乏棱角,咬合力不足,在施工时极易产生分离,从而导致填筑材料性质的各向异性。基于上述原因,在砂砾石面板坝坝体结构形式的布置上,需采取以下的处理措施:

(1)由于砂砾料中的细颗粒可能被流水冲蚀,又可能在渗透水流作用下产生渗透破坏,因此要在坝体断面设计中设置可靠的渗控措施。一般,可考虑在垫层区的下游设置具有强排水能力的砾石自由排水区,并经坝基排水层排向下游。这往往是砂砾石面板堆石坝断面设计中的关键。

(2)堆石是有棱角的材料,咬合力较大,而砂砾石是浑圆的,易于滚动,在低应力条件下的强度小于堆石。因此,对于砂砾石面板坝,其坝坡要适当放缓,同时还需要设置下游护坡。

从目前的工程实践看,砂砾石面板坝的分区设计主要有以下几种:

(1)坝体全断面采用砂砾石材料。在这种情况下,一般均要考虑在坝体断面中设置烟囱式排水区,以保证通过坝体的渗流能够顺利地通过排水区排向下游。当烟囱式排水直接与垫层区相连时,应保证垫层和排水体符合反滤保护原则。

(2)坝体上游区采用砂砾石材料,下游区采用堆石材料。这样的布置主要是利用砂砾石材料较高的变形模量来控制面板的变形,同时,又可利用堆石料在低应力条件下较高的强度获得较陡的下游边坡。不过,需要注意的是,在坝高较高的情况下,应注意控制下游堆石区与上游砂砾石区的模量差,同时还应通过数值计算的方法,确定上游砂砾石区下游坡的合理坡度,以保证面板的应力和变形在允许的范围之中。在这种坝体断面布置情况下,上游砂砾石区是否考虑设置烟囱式排水需视具体情况而定。如下游堆石的透水性能良好,则可以在砂砾石区与堆石区之间设置一反滤过渡带,以直接利用下游堆石区排水。

(3)在坝体中部设置砂砾石区,砂砾石区的上、下游以及底部均为堆石区,即利用堆石材料将砂砾石材料包裹起来。这样布置的目的主要是利用砂砾石材料具有较高压缩变形模量的特点,减少坝体的总体沉降量,从而控制面板的变形。坝体上、下游两侧的堆石材料,因其在低应力条件具有较高的抗剪强度,因此可以采用较陡的上、下游边坡,从而可以有效地减少坝体的总填筑方量。而且,由于堆石所具有的良好透水性,还可以充分保证坝体排水的通畅。

综合而言,对于砂砾石面板坝,上述三种坝体分区布置均可采用,实际工程中应根据料源情况和坝址区的地形、地质条件进行综合考虑。在确定了坝体断面分区布置形式后,还须采用数值计算分析的方法,对分区设计的方案进行稳定性复核和应力变形计算分析,并在满足坝体和面板应力变形条件的前提下,对断面的分区布置进一步优化。

3.6　小结

本章对于面板堆石坝断面分区的优化布置问题进行了较为详细的论述。在现代面板堆石坝的设计中,坝体中各材料的分区模式已基本固定。在针对每个工程的具体设计中,最具灵活性的就是主堆石区与次堆石区范围的确定,这也是面板堆石坝断面分区优化的重点。坝体断面分区优化设计最常用的分析工具是数值计算分析方法，而其中最主要的是坝坡稳定分析与应力变形分析。通过坝坡稳定分析，可以确定坝体的合理边坡形式，而坝体内部材料分区大小的调整，则是由应力变形计算分析确定。

在面板堆石坝断面分区优化设计中，一个重要的方面是软岩堆石料的应用。对于软岩堆石材料的利用，将主要通过数值计算方法确定其利用的范围和合理的布置区域。其中，对于置于坝体下游的软岩堆石区，其下游边界由边坡稳定分析确定，上游边坡主要由应力变形计算确定。

在面板堆石坝断面分区的优化设计中，由于坝体和面板的应力变形没有一个确定控制指标，因此目前一般不宜采用数学上的最优化分析方法，常用的分析方法为试算综合分析法。

面板堆石坝工程中，软岩堆石料的应用主要集中在中、低坝工程。对于高面板堆石坝，一般不宜在下游区采用软岩堆石。而且，在软岩材料的应用中，对于在次堆石区使用软岩材料的情况，应注意不使下游软岩堆石区的模量与坝体上游堆石区的模量差别过大。当坝体全断面利用软岩堆石料时，应注意对坝体总变形量的控制，同时要注意排水的设计。

对于砂砾石面板坝，其断面分区的布置可以有多种形式，但最主要的问题是坝体渗流的控制。因此，对于砂砾石面板坝的分区布置，除需采用坝坡稳定分析和应力变形分析确定其范围和位置外，必要时，还须进行渗流计算分析，以保证坝体断面的设计能够有效地保证坝体渗透稳定和排水通畅。

第 4 章　面板堆石坝接触面与接缝系统的计算模拟

4.1　概述

在面板堆石坝的结构中,涉及到刚性的混凝土面板与散粒体堆石相互作用的接触面,以及面板纵缝、面板周边缝等接缝系统,因此在面板堆石坝的数值计算分析中,需对坝体结构中各类不同材料的接触面和面板的分缝进行有效的处理。由于接触面两侧材料性质相差悬殊,在外力作用下,通常都会表现出与连续体不同的剪切滑移、脱开分离等特殊的变形特征,因此在计算分析中需要采用特殊的单元来加以模拟,以准确、真实地反映坝体各部位相互作用的特性。

在岩土工程数值计算分析中,国内外学者在处理岩土与结构相互作用以及节理、裂缝的计算过程中,逐步发展了一系列的接触面和裂缝单元形式。其中主要有无厚度双节点单元、无厚度节理单元(Goodman 单元)、薄层接触面单元、接触摩擦单元等。近些年来,随着数值计算分析技术的发展,各种不连续介质的离散模型被相继提出,其中包括离散单元模型(Cundall,1980 年)、不连续变形块体模型(石根华,1992 年)、流形元模型等。

4.2　面板堆石坝接触面与接缝系统的工作特性

混凝土面板堆石坝的观测结果表明,面板的应力应变主要是由于其下部的堆石体变形所产生的,面板分缝的主要目的就是为了适应坝体堆石的变形。一般而言,在水库蓄水的情况下,坝体堆石沿坝轴线方向的水平位移趋势是指向河谷中心,因而河谷段的面板缝处于压紧状态,而坝肩处的面板缝处于张开状态。另外,当水荷载作用于面板之上时,面板将与趾板之间产生相对变形。因此,面板的分缝主要受河谷形状和堆石体变形的影响,同时还需考虑温度的变化和滑模施工设备等因素。就目前的面板堆石坝设计而言,面板坝的接缝系统中主要包括以下几种分缝形式:周边缝、垂直缝、水平伸缩缝、水平施工缝和垂直施工缝[19]。图 4-1 所示为巴西 Foz do Areia 面板堆石坝的面板分缝平面示意图。近些年来,面板的分缝系统日趋简化,一般仅设周边缝和垂直缝,不设水平缝。施工临时缝均需采用钢筋贯穿连接。

4.2.1　周边缝

面板与趾板之间的接缝称为周边缝,它是沿着面板的周边分布。由于周边缝位于面板与趾板这两种变形性质相差较大的界面上,其工作条件在面板的分缝系统中最差,因此这一部分的分缝变形也是最大的,它是面板坝防渗体系中的最薄弱环节。从周边缝的位移形态看,其主要的位移形式是三向位移,即沿坝体上游坡向的张拉位移、沿面板法向的沉降位移和沿岸坡方向(平行于缝面)的剪切位移。

在目前的面板堆石坝周边缝止水设计中,接缝底部设置 W 形紫铜片止水,接缝顶部

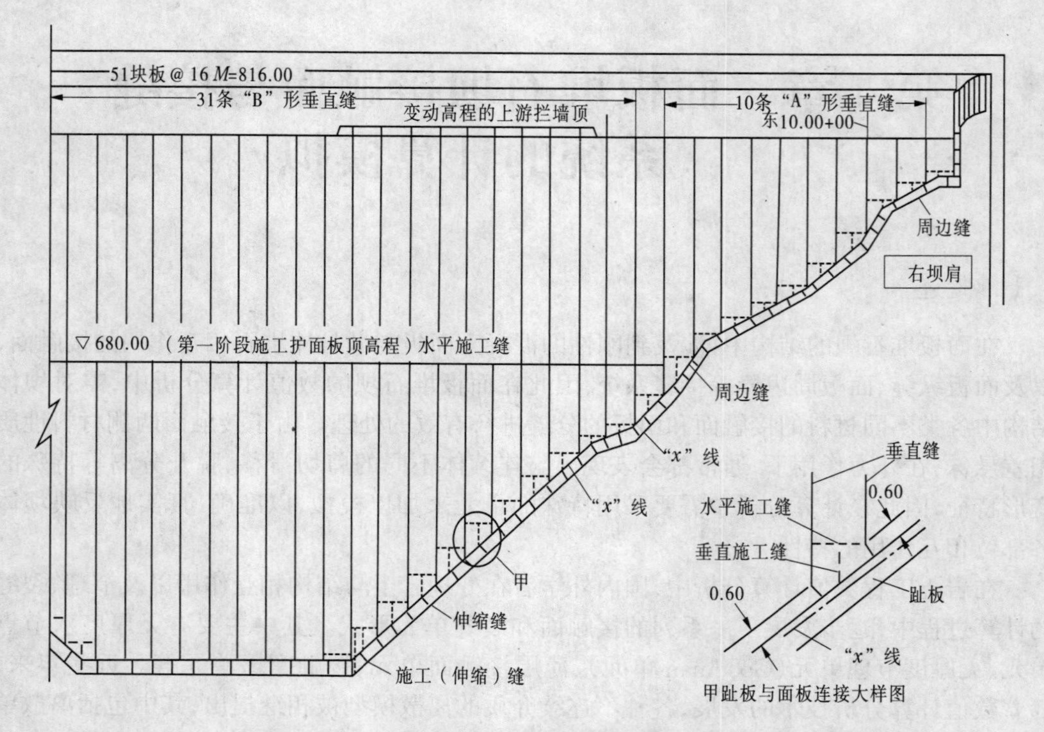

图 4-1 Foz do Areia 面板堆石坝的面板分缝平面示意图（单位：m）

设置柔性填料，外部设置无黏性自愈淤堵填料。

4.2.2 面板纵缝(垂直缝)

面板纵缝亦称伸缩缝，是面板分块之间的分缝，它从坝顶沿坡面一直延伸至周边缝附近，方向与坝轴线、面板均垂直。在周边缝附近，面板纵缝与周边缝垂直。面板的纵缝可分为两种形式，靠近坝肩的纵缝处于受拉状态，缝被拉开，这样的缝称为“A”缝。在河床断面的面板纵缝，大部分处于受压状态，缝被压紧，这样的缝称为“B”缝。面板纵缝的张开或压紧主要取决于河谷的形状和岸坡的坡度，“A”缝和“B”缝的划分一般均可通过应力变形计算分析得出。

“B”形垂直缝的止水一般为一道底部的 W 形铜片止水，而“A”形垂直缝的止水一般为双重止水，除面板底部的铜止水外，在面板顶部还须设置柔性填料，并以复合橡胶板或聚氯乙烯薄膜覆盖。

就面板堆石坝中的接触面而言，坝体中存在着不同材料分区的接触面，混凝土面板与坝体堆石之间存在接触面，趾板与基岩之间也存在着接触面。不过，从数值分析的角度，计算中所需处理的接触面主要是相对刚性的混凝土面板与堆石之间的接触面。在坝体自重和水荷载的作用下，面板与堆石体之间将产生摩擦接触，并通过这种摩擦接触实现剪应力的传递，这是面板与堆石之间最重要的接触特性。另外，由于两者之间材料性质相差悬殊，在接触面间也会出现错动与脱开的变形特征。

4.3　面板坝接触面与接缝系统的数值模拟

4.3.1　接触面的模拟

在以往的面板坝计算分析中,接触面的模拟常采用无厚度的 Goodman 单元来模拟[38]。这种单元由接触面两侧的两对节点所组成,单元的厚度为零,两接触面之间假想为由无数的法向和切向弹簧相连。假定接触面上的法向应力和剪应力与接触面的法向位移和切向位移之间无交叉影响,因此其应力与(相对)位移之间的关系为:

$$\{\sigma\} = [\lambda]\{\omega\} \tag{4-1}$$

式中,$[\lambda] = \begin{bmatrix} \lambda_s & 0 \\ 0 & \lambda_n \end{bmatrix}$ 在平面情况下,Goodman 单元是一个只有长度而没有厚度的一维单元。当接触面受压时,其法向劲度假定为一个很大的值,以尽可能保证两种材料互不嵌入;当接触面受拉时,其法向劲度假定为一个很小的值,以尽量使接触面脱开。

Goodman 单元的受力变形与接触面两边节点的相对位移直接相关,λ_s 可以通过直剪试验确定,如下式所示(采用双曲线模式):

$$\tau = K_s u \tag{4-2}$$

$$K_s = K_i \gamma_w \left(\frac{\sigma_n}{P_a}\right)^n \left(1 - \frac{R_f \tau}{\sigma_n \tan\varphi + c}\right)^2 \tag{4-3}$$

式中,R_f 为破坏比;φ 和 c 为接触面上的摩擦角和凝聚力;K_i 和 n 分别为劲度系数和劲度指数。

对于 Goodman 单元,由于其无厚度的特性,在实际计算分析中,很难保证单元两侧的节点不发生相互嵌入的现象,而且,法向劲度取值过大或过小对于计算的精度也会产生不利的影响。事实上,从实际工程的观测和实验室的试验中均可发现,在两种材料性质相差悬殊的介质之间,一般都会在材料性质相对较弱的一面形成一个薄层的剪切带,因此采用薄层接触面单元来模拟不同材料之间的接触情况可能会更接近实际。

对于薄层接触面单元,接触面上的变形可以分为基本变形和破坏变形两部分[39]。在正常受力情况下,单元产生基本变形$[\varepsilon']$,其材料的本构关系可以取为材料性质较弱一面的材料特性(垫层料),薄层单元在计算过程中按普通实体单元参与计算。当剪应力达到抗剪强度产生了沿接触面的滑动破坏或接触面受拉产生了拉裂破坏时,单元产生破坏变形$[\varepsilon'']$,破坏变形采用刚塑性假定,即假定接触面单元破坏前,接触面上无相对位移,当接触面发生张裂和剪切变形时,则相对位移将不断发展。

薄层单元基本变形的应力变形关系式与堆石体的形式相同,对于平面变形问题,其基本表达式为:

$$\begin{Bmatrix} \Delta\varepsilon'_s \\ \Delta\varepsilon'_n \\ \Delta\gamma'_{sn} \end{Bmatrix} = \begin{bmatrix} C'_{11} & C'_{12} & C'_{13} \\ C'_{21} & C'_{22} & C'_{23} \\ C'_{31} & C'_{32} & C'_{33} \end{bmatrix} \begin{Bmatrix} \Delta\sigma_s \\ \Delta\sigma_n \\ \Delta\tau_{sn} \end{Bmatrix} = [C]'\{\Delta\sigma\} \tag{4-4}$$

式中,脚标 n 表示接触面法线方向;s 表示切线方向。

对于接触面上的破坏变形$[\varepsilon'']$,可以用下式表示:

$$\begin{Bmatrix} \Delta\varepsilon''_s \\ \Delta\varepsilon''_n \\ \Delta\gamma''_{sn} \end{Bmatrix} = \begin{bmatrix} 0 & 0 & 0 \\ 0 & \dfrac{1}{E''} & 0 \\ 0 & 0 & \dfrac{1}{G''} \end{bmatrix} \begin{Bmatrix} \Delta\sigma_s \\ \Delta\sigma_n \\ \Delta\tau_{sn} \end{Bmatrix} = [C]''\{\Delta\sigma\} \tag{4-5}$$

式中，E''和G''分别为反映拉裂破坏变形和滑动破坏变形的模量参数。在平行于接触面方向上的正应变由于受到混凝土的约束不会发生破坏，因此可取 $\Delta\varepsilon_s''=0$，相应地，$[C]''$矩阵中的对应元素取为 0。

接触面的总变形为基本变形和破坏变形的叠加：

$$\{\Delta\varepsilon\} = \{\Delta\varepsilon'\} + \{\Delta\varepsilon''\} = [C']\{\Delta\sigma\} + [C'']\{\Delta\sigma\} = [C]\{\Delta\sigma\} \tag{4-6}$$

式中，柔度矩阵$[C]$为：

$$[C] = \begin{bmatrix} C'_{11} & C'_{12} & C'_{13} \\ C'_{21} & C'_{22} + \dfrac{1}{E''} & C^1_{23} \\ C'_{31} & C'_{32} & C'_{33} + \dfrac{1}{G''} \end{bmatrix}$$

4.3.2　接缝的模拟

在面板堆石坝的数值计算分析中，需要对两类接缝进行处理。对于面板之间的接缝（面板垂直缝），宜采用分离缝单元，即在分缝处设置双节点无厚度单元，该单元的两个节点分属于接缝两侧的混凝土面板。当接缝呈受拉趋势时，缝节点分离，两缝节点各自随垂直缝两边的面板单元位移；当接缝受压时，缝节点重合，两缝节点被视为具有相同位移的同一点。通过这样的处理，可以较好地模拟面板垂直缝的拉、压变形特点，但是，对于缝的剪切变形特性则反映得不够充分。不过，对于面板垂直缝而言，缝的剪切变形与拉压变形相比相对次要一些。对于趾板与面板之间的周边缝，考虑到接缝中的填充材料及其工作特点，计算中宜采用软单元的方式进行模拟。所谓软单元，即在面板单元与趾板单元之间设置一个长度较短的实体单元，当单元受压时，此软单元取混凝土材料的力学特性，以反映面板与趾板间压力的传递；当接缝受拉或受剪时，软单元则取为较低模量的柔性材料特性，以反映接缝的张开与错动。

上述接触面与接缝的数值处理方法，可以基本反映面板堆石坝接缝系统的一些主要的应力变形特性。从计算结果看，效果尚可，当接缝接触紧密时，计算分析所得出的面板应力与实测结果较为接近。不过，上述的方法未能全面反映接触面的变形特征，它只是一种近似的处理方法。需要指出的是，尽管薄层接触面单元在模拟接触面的剪应力传递和避免接触面两边介质的互相嵌入上具有一定的优势，但是，它与无厚度 Goodman 单元一样，对于接触面相互脱开的模拟仍存在一定的问题。另外，接触面单元的强度参数的选取对计算的结果也会有一定程度的影响。

图 4-2 和 4-3 所示为采用薄层接触面单元计算的面板挠度。由图中可见，在面板中部（一期面板顶部与二期面板底部的交界处），挠度曲线有一明显的突变。事实上，此处应为一期面板顶部与坝体堆石之间的脱开部位。利用薄层接触面单元虽然可以反映面板与坝体的脱开趋势，但是，面板脱空的数值却无从得知。

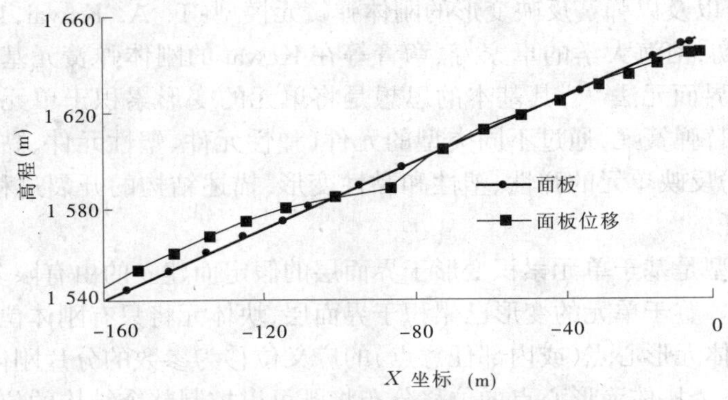

图 4-2　竣工期面板的位移

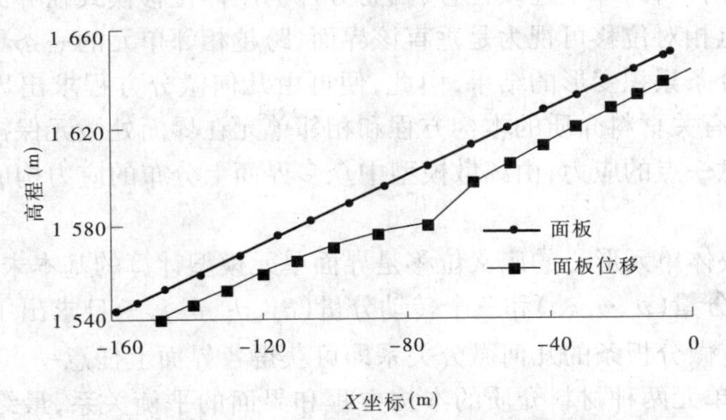

图 4-3　蓄水期面板的位移

4.4　非连续介质界面单元法分析方法[41]

4.4.1　界面单元法原理

有限元数值计算方法的分析思路是将具有无限自由度的结构近似为具有有限自由度的结构,在求得有限自由度的解答后,再通过插值函数求解结构中任一自由度的解答。对于这样一个有限离散模型,它有三个基本要素:节点、单元(网格)和节点的关联性。节点的位移一般作为直接求解的基本未知量。一组节点所连成的单元称为网格元,其相应的分析方法为网格元法。只采用一个节点描述其所在单元的变形与运动的单元,称为物理元,相应的分析方法为物理元法。单元的变形可以由节点的变形和单元的变形分布函数而确定,另外也可以将单元内部的变形累积在单元的某个区域表示,这样,该区域之外的部位就只能产生没有任何变形的刚体位移了。

在目前的工程结构分析中,有限元法是一种最为有效的计算工具,但是,对于包含不连续介质的结构,结构界面上可能会出现错位、滑移和脱开,对于这类位移不连续问题,有限元法本身存在着一定的问题。因此,需要通过构建不连续介质离散模型进行分析。早期的不连续介质离散模型主要有分片刚体模型,如 P.A.Cundall(1971 年)的离散单元体、石根华的块体理论(1983 年)等,但是,这类方法未能考虑单元的内部变形。因此,随后又提出了计及单元变形的离散单元模型(Cundall,1980 年)和非连续变形块体模型(石根华,

1992 年)等改进模型,以及以弹簧反映变形的刚体弹簧元模型(T. A. Kawai,1977 年)[40]等。20 世纪 90 年代初,河海大学的卓家寿、章青等在 Kawai 的刚体弹簧元基础上,提出了界面元离散模型和界面元法[41],其基本的思想是将单元的变形累积于单元界面,在离散模型中以界面元代替弹簧元,通过不同类型的元件(弹性元件、塑性元件、黏性元件、开裂元件和接触元件等)反映单元的弹性、塑性和黏性变形,描述结构的开裂过程或接触面上的错位、滑移和张开。

界面单元法的模型是基于单元累积变形于界面层的假定而建立的由有限多块体元—界面元组合的离散体。鉴于单元的变形已累积于界面层,块体元将只有刚体位移,其最简便描述的算式是用块体元形心点(或内部任意点)的广义位移为参数的分片刚体位移模式(不完全的一次式),各个块体元形心点的位移分布将既可以控制整个结构的位移场,也可以描述各个界面上的相对位移,即不连续位移(因为分片的刚体位移模式在界面上是非协调的)。界面上任意一点相对位移可视为是垂直该界面、跨越相邻单元的一条具有特征长度、截面尺寸很小的微分条累积变形的结果,由此,便可由几何微分方程求出界面上任意一点的应变。继而借助有关材料介质的本构方程和相邻单元在界面处微元保持平衡的关系,最终获得界面上任意一点的应力,由离散模型中众多界面上分布的应力构成了整个结构应力场的表征值。

根据上述思路,各块体单元形心的广义位移是界面单元模型计算的基本未知量,它们是块体形心的三个平移分量(u、v、w)和三个转动分量(θ_x、θ_y、θ_z),一旦求出了各块体形心的广义位移,利用对应微分板条的几何微分关系即可获得各界面上任意一点的应变,继而根据构造微分条相邻单元两种材料介质的本构方程和界面的平衡关系,最终便可求得各界面任意一点的应力。由此看来,求解各块体形心的广义位移是模型的关键。从弹性力学理论可知,欲使位移解答正确惟一,必须保证整个结构满足三大定律的偏微分方程组或等价的能量泛函表达式。由于界面元离散模型属于非协调元类,因此可采用偏微分方程的弱解形式(如加权余量法)或放松界面位移协调性的广义变分原理(或虚功原理)建立求解各块体形心广义位移的整体结构支配方程;这样建立起来的界面元支配方程与有限元支配方程具有相同的形式,即:

$$K\delta = R \tag{4-7}$$

其中

$$K = \sum_e k_e;R = \sum_e R_e;\delta = \sum_e \delta$$

式中,K 为整体劲度矩阵,它由各块体单元劲度矩阵 k_e 集合而成,鉴于块体变形累积于界面,因此 k_e 的计算将只对界面积分求得,这与有限元计算 k_e 是对单元体积分的算式是不同的;R 为整体荷载列阵,它由各块体单元荷载列阵 R_e 集合而成,鉴于界面元模型选择的基本未知量位于各块体的形心,因而 R_e 将是集中作用在块体元形心的荷载,这与有限元 R_e 视为集中作用在单元节点上的荷载求解的处理方法类似,但含义不同;δ 为整体位移列阵,它是各块体形心广义位移简单形成的直接集合(因为各块体元形心的广义位移之间不存在重叠)。

式(4-7)的力学意义是表示各块体形心的平衡方程,这与有限元支配方程表示各节点的平衡方程形式类似，但含义不同。

4.4.2 界面单元法支配方程的推导

假设物体在给定体积力和面力作用下处于平衡状态，由弹性力学平衡方程可得：

$$\begin{aligned} \sigma_{ij,j} + f_i &= 0(\Omega) \\ \sigma_{ij} n_j - \overline{p_i} &= 0(S_\sigma) \end{aligned} \tag{4-8}$$

若对上述处于平衡状态的物体施以一组任意的、无限小的、约束许可的虚位移 δu_i 以及相应的虚应变 δe_{ij}，它们应满足：

$$\begin{aligned} \delta e_{ij} &= \frac{1}{2}(\delta u_{i,j} + \delta u_{j,i})(\Omega) \\ \delta u_i &= 0\ (S_\sigma) \end{aligned} \tag{4-9}$$

则下列等式应该成立：

$$\iiint_\Omega (\sigma_{ij,j} + f_i)\delta u_i \,\mathrm{d}\Omega = \iint_{S_\sigma} (\sigma_{ij} n_j - \overline{p_i})\delta u_i \,\mathrm{d}s \tag{4-10}$$

根据分部积分公式，并代入式(4-8)，可得上式左边第一项的积分为：

$$\begin{aligned} \iiint_\Omega \sigma_{ij,j}\delta u_i \,\mathrm{d}\Omega &= \iint_{S_u + S_\sigma} \sigma_{ij} n_j \delta u_i \,\mathrm{d}s - \iiint_\Omega \sigma_{ij}\delta u_{i,j} \,\mathrm{d}\Omega \\ &= \iint_{S_\sigma} \sigma_{ij} n_j \delta u_i \,\mathrm{d}s - \iiint_\Omega \sigma_{ij}\delta e_{i,j} \,\mathrm{d}\Omega \end{aligned} \tag{4-11}$$

将式(4-11)代入式(4-10)，即可得到表示平衡状态下内力虚功 δU 与外力虚功 δV 相等的关系式：

$$\iiint_\Omega \sigma_{ij}\delta e_{ij} \,\mathrm{d}\Omega = \iiint_\Omega f_i \delta u_i \,\mathrm{d}\Omega + \iint_{S_\sigma} \overline{p_i}\delta u_i \,\mathrm{d}s \tag{4-12}$$

或

$$\delta U = \delta V$$

$$\delta U = \iiint_\Omega \sigma_{ij}\delta e_{ij} \,\mathrm{d}\Omega \qquad \delta V = \iiint_\Omega f_i \delta u_i \,\mathrm{d}\Omega + \iint_{S_\sigma} \overline{p_i}\delta u_i \,\mathrm{d}s$$

由于上述推导过程不涉及材料的本构关系，因此虚功原理对于弹性体或弹塑性体均可适用。

对于界面元离散模型而言，它是由有限多的块体元和界面元组合而成，鉴于块体元的变形累积于界面，块体元本身只保留了没有变形的刚体位移项，故块体元本身既没有应变也不存在内力虚功，而其周边界面元的面力在界面相对虚位移过程却做了虚功，对考察的块体元而言，它是块体的外力虚功。因此，由式(4-12)可给出界面元离散模型的虚功表达式：

$$\sum_e \left[\iiint_\Omega f_i \delta u_i \,\mathrm{d}\Omega + \iint_{S_\sigma^e} \overline{p_i}\delta u_i \,\mathrm{d}s + \iint_{S_0^e} T_i \delta u_i \,\mathrm{d}s \right] = 0 \tag{4-13}$$

或

$$-\sum_e \left[\iint_{S_\sigma^e} T_i \delta u_i \,\mathrm{d}s \right] = \sum_e \left[\iiint_\Omega f_i \delta u_i \,\mathrm{d}\Omega + \iint_{S_\sigma^e} \overline{p_i}\delta u_i \,\mathrm{d}s \right] \tag{4-14}$$

从整个离散模型看，所有界面元面力在界面相对虚位移过程所做虚功总和的负值也可看作为该系统的内力虚功。

倘若构造块体元的刚体位移模式是以其形心点的广义位移为参数，而界面的应力模式是线性地依赖于界面相对位移，则块体和界面的位移均可从块体的刚体位移模式确定。式(4-14)就可变成以块体元形心点广义位移为基本未知量的方程组，即类似有限元的支配方程形式：

$$K\delta = R \tag{4-15}$$

式中，δ 是由各块体形心点广义位移组成的待求未知量；$K\delta$ 是抵抗变形的内力(即界面面力的贡献)；R 是作用于块体形心的外力。

在弹性问题中，由于 K 只与模型内在的几何和材料因素有关，事先可以求得，而 R 与已知外载有关，也不难求得，因此由式(4-15)便可求出 δ，进而由上述构造的位移模式和应力模式分别求出任一点的位移和界面上任一点的应力，最终给出了表征结构的位移场和应力场。

综上所述，式(4-14)将是界面元离散模型静力平衡分析的依据，式(4-15)将是界面元支配方程的表达形式。欲从式(4-14)建立式(4-15)界面元法的具体列式有待于分片块体位移模式和界面应力模式的确定。

4.4.3 块体单元位移模式

任何单元的位移一般总是包含着两部分，一部分是由于单元本身形变引起的，另一部分是与本单元变形无关的刚体位移。对于由众多块体元—界面元组合而成的界面元离散模型，单元的变形累积于界面层，故块体元的位移只有刚体位移。众所周知，所谓刚体位移包含平动和转动。对于空间块体元，平动位移有 3 个分量，转动位移也有 3 个分量，只要知道块体元中任何一点(通常选形心点)的 6 个刚体位移分量，其余各点的位移也随之完全确定。类似有限元分析借用形函数形式表达的方法来建立刚体位移模式，则有

$$u = Nu_g \tag{4-16}$$

其中，$u=[u \quad v \quad w]^{\mathrm{T}}$，$u_g=[u_g \quad v_g \quad w_g \quad \theta_x \quad \theta_y \quad \theta_z]^{\mathrm{T}}$

$$N = \begin{bmatrix} 1 & 0 & 0 & 0 & (z-z_g) & (y_g-y) \\ 0 & 1 & 0 & (z_g-z) & 0 & (x-x_g) \\ 0 & 0 & 1 & (y-y_g) & (x_g-x) & 0 \end{bmatrix} \tag{4-17}$$

式(4-16)和式(4-17)选用笛卡尔直角坐标右手系，任意一点的坐标变量为 x、y、z，沿各坐标轴正向的位移为正，任意一点的位移分量为 u、v、w。块体元形心坐标为 x_g、y_g、z_g，该点的平移和转动位移分量为 u_g、v_g、w_g 和 θ_x、θ_y、θ_z，平移分量以沿坐标轴正向为正，转动分量以绕其坐标轴作逆时针转动为正；形函数 N 为一次不完整多项式，故块体元的位移模式为线性式。

对于二维问题，其位移模式仍如式(4-16)所示，其中：

$$u = [u \quad v]^{\mathrm{T}}$$

$$u_g = [u_g \quad v_g \quad \theta_g]^{\mathrm{T}}$$

$$N = \begin{bmatrix} 1 & 0 & y_g - y \\ 0 & 1 & x - x_g \end{bmatrix} \tag{4-18}$$

通过块体形心的广义位移 u_g，由式(4-16)可以求出块体任意一点的位移，进而可以获得相邻单元交界面上任一点的相对位移。以二维块体为例，图 4-4 表示两个相邻单元的界面的局部坐标系 $\vec{n}-\vec{s}$ 和整体坐标系，界面上的任意一点位移用 δ_l 表示

$$\delta_l = [\delta_n, \delta_s]^{\mathrm{T}}$$

δ_n 和 δ_s 分别表示沿界面法向和切向的位移分量，且以局部坐标的负向为正值，该局部坐标 $\vec{n}$ 以外法线方向为正，并以从 $\vec{n}$ 逆时针方向旋转到与其正交的方向 $\vec{s}$ 为正向。如此，则界面 A 点的相对位移分量也可用局部坐标系表示为法向张开量($\delta_n^{(1)}+\delta_n^{(2)}$)和切向滑移量($\delta_s^{(1)}+\delta_s^{(2)}$)，即：

$$(\delta_l^{(1)}+\delta_l^{(2)}) = [(\delta_n^{(1)}+\delta_n^{(2)})(\delta_s^{(1)}+\delta_s^{(2)})]^{\mathrm{T}} \tag{4-19}$$

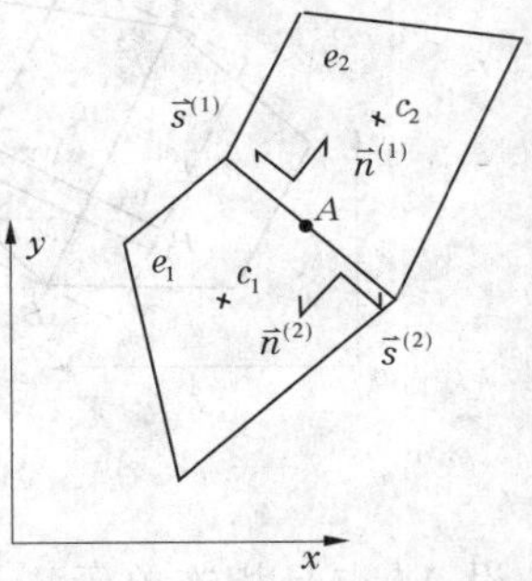

图 4-4　相邻界面元

通过局部坐标和整体坐标的转换关系，并注意到 δ_l 沿局部坐标的负向为正，可以导出：

$$\begin{aligned}(\delta_l^{(1)}+\delta_l^{(2)}) &= -(L^{(1)}u^{(1)}+L^{(2)}u^{(2)}) \\ &= -(L^{(1)}N^{(1)}u_g^{(1)}+L^{(2)}N^{(2)}u_g^{(2)}) \\ &= -L^{(1)}(N^{(1)}u_g^{(1)}-N^{(2)}u_g^{(2)})\end{aligned} \tag{4-20}$$

其中，转换矩阵

$$L = \begin{bmatrix}\cos(\vec{n},\vec{x}) & \cos(\vec{n},\vec{y}) \\ \cos(\vec{s},\vec{x}) & \cos(\vec{s},\vec{y})\end{bmatrix} \tag{4-21}$$

$L^{(i)}$ 为由块体元 i 的局部坐标 $\vec{n}^{(i)}$、$\vec{s}^{(i)}$ 和整体坐标 $\vec{x}$、$\vec{y}$ 夹角方向余弦组成的转换矩阵($i=1,2$ 分别表示相连的两块单元)。由于相连两块体在交界面上的局部坐标方向是相逆的，因此有 $L^{(2)}=-L^{(1)}$。

式(4-20)中的 $N^{(1)}$、$u_g^{(1)}$ 和 $u^{(1)}$ 分别为块体元 i 的形函数、形心点广义位移和任一点 A 的位移矩阵($i=1,2$ 分别表示相连的两块单元)。

将上述求解界面相对位移的二维公式推广到三维问题，则界面上的相对位移包括了法向分量和界面上两个正交方向的切向分量：

$$(\delta_l^{(1)}+\delta_l^{(2)}) = [(\delta_n^{(1)}+\delta_n^{(2)}),(\delta_{s_1}^{(1)}+\delta_{s_1}^{(2)}),(\delta_{s_2}^{(1)}+\delta_{s_2}^{(2)})]^{\mathrm{T}}$$

式(4-20)仍可应用，但其中的 L、N、u_g 均应改为三维形式，转换矩阵 L 的三维形式为：

$$L = \begin{bmatrix}\cos(\vec{n},\vec{x}) & \cos(\vec{n},\vec{y}) & \cos(\vec{n},\vec{z}) \\ \cos(\vec{s}_1,\vec{x}) & \cos(\vec{s}_1,\vec{y}) & \cos(\vec{s}_1,\vec{z}) \\ \cos(\vec{s}_2,\vec{x}) & \cos(\vec{s}_2,\vec{y}) & \cos(\vec{s}_2,\vec{z})\end{bmatrix} \tag{4-22}$$

4.4.4　界面的应力模式

根据界面元离散模型的设想，块体单元的变形是反映在界面层的变形上，界面的变形(即相对位移)必然引起抵抗变形的内力(应力)，因此界面应力的获得必须首先求出界面的应变，然后根据本构关系(计入相连单元各自的材料参数)导出界面应力公式。为明确起见，以二维情况为例说明其推导过程(参见图 4-5)。

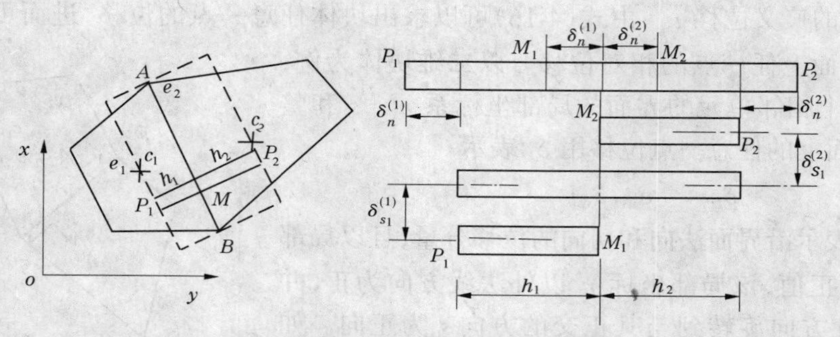

图 4-5 界面元模型及微分条变形

设 M 点是相连单元 e_1 和 e_2 交界面 AB 上任意的一点，该点相对位移量$(\delta_l^{(1)}+\delta_l^{(2)})$可视为是微分条$\overline{P_1P_2}$累积变形的结果。$\overline{P_1P_2}$垂直于界面，其长度为两个相连单元形心点到界面垂距之和，即(h_1+h_2)，如图 4-5 所示。微分条$\overline{P_1P_2}$（长度为 h_1+h_2）是由微段$\overline{P_1M}$（长度 h_1）和$\overline{P_2M}$（长度 h_2）相连组成。当 M 点的法向相对位移分量为$(\delta_n^{(1)}+\delta_n^{(2)})$时，则该值可视为是在相邻单元的位移作用下引起微分条$\overline{P_1P_2}$产生轴向变形的总值（即伸长量），它等于$\overline{P_1M}$微段轴向变形 $\delta_n^{*(1)}$ 和$\overline{P_2M}$微段轴向变形 $\delta_n^{*(2)}$ 的和，即$(\delta_n^{(1)}+\delta_n^{(2)})=(\delta_n^{*(1)}+\delta_n^{*(2)})$。类似地，当 M 点的切向相对位移分量为$(\delta_s^{(1)}+\delta_s^{(2)})$时，该值则是在相邻单元的位移作用下引起微分条$\overline{P_1P_2}$产生剪切变形的累积值；若微段$\overline{P_1M}$和$\overline{P_2M}$的剪切变形量分别为 $\delta_s^{*(1)}$ 和 $\delta_s^{*(2)}$，则也有类似的等式$(\delta_s^{(1)}+\delta_s^{(2)})=(\delta_s^{*(1)}+\delta_s^{*(2)})$。

假设微分条$\overline{P_1P_2}$（含$\overline{P_1M}$和$\overline{P_2M}$）的应变是均匀分布的，则各微段法向正应变与剪应变为：

$$\begin{cases}\varepsilon_h^{(i)}=\delta_n^{*(i)}/h_i\\ \gamma_s^{(i)}=\delta_s^{*(i)}/h_i\end{cases}\quad(i=1,2)\tag{4-23}$$

略去切向正应变 ε_s 对法向正应力 δ_n 的贡献（它与 ε_n 对 δ_n 的贡献相比为小量），则作为弹性平面应变问题各微段的虎克定律可写为：

$$\begin{cases}\sigma_n^{(i)}=\dfrac{E_i}{1-\mu_i^2}\varepsilon_n^{(i)}=\dfrac{E_i}{1-\mu_i^2}\dfrac{\delta_n^{*(i)}}{h_i}\\ \tau_s^{(i)}=G_i\gamma_s^{(i)}=\dfrac{E_i}{2(1+\mu_i)}\dfrac{\delta_s^{*(i)}}{h_i}\end{cases}\quad(i=1,2)\tag{4-24}$$

再由两个微段在截面 M 处界面应力平衡条件可得：

$$\begin{cases}\sigma_n^{(1)}=\sigma_n^{(2)}\\ \tau_s^{(1)}=\tau_s^{(2)}\end{cases}\tag{4-25}$$

联合应用式(4-23)、式(4-24)和式(4-25)所表示的几何、物理和平衡条件，并注意到$(\delta_l^{*(1)}+\delta_l^{*(2)})=(\delta_l^{(1)}+\delta_l^{(2)})$，则可得到界面的应力公式：

$$\begin{cases}\sigma_n=\dfrac{E_1E_2}{E_1h_2(1-\mu_2^2)+E_2h_1(1-\mu_1^2)}(\delta_n^{(1)}+\delta_n^{(2)})\\ \tau_s=\dfrac{E_1E_2}{2E_1h_2(1+\mu_2)+2E_2h_1(1+\mu_1)}(\delta_s^{(1)}+\delta_s^{(2)})\end{cases}\tag{4-26}$$

将上式用矩阵表示,令:

$$T_l = [\sigma_n \quad \tau_s]^{\mathrm{T}}$$

$$\delta_l^{(i)} = [\delta_n^{(i)} \quad \delta_s^{(i)}]^{\mathrm{T}} \quad (i = 1,2)$$

$$D = \begin{bmatrix} d_n & 0 \\ 0 & d_s \end{bmatrix}$$

其中:

$$\begin{cases} d_n = \dfrac{E_1 E_2}{E_1 h_2 (1 - \mu_2^2) + E_2 h_1 (1 - \mu_1^2)} \\ d_s = \dfrac{E_1 E_2}{2E_1 h_2 (1 + \mu_2) + 2E_2 h_1 (1 + \mu_1)} \end{cases} \tag{4-27}$$

则有:

$$T_l = D(\delta_l^{(1)} + \delta_l^{(2)}) = -D(L^{(1)} u^{(1)} + L^{(2)} u^{(2)}) \tag{4-28}$$

式(4-28)中,T_l 是界面应力列阵;D 是界面元弹性矩阵;δ_l 是用局部坐标系表示的位移列阵,其分量以沿局部坐标负向为正;u 是用整体坐标系表示的位移列阵,其分量以沿整体坐标正向为正;L 是局部坐标系与整体坐标系之间的转换矩阵,具有(i)为右上角指标的字母是表示属于相连单元第 i 块$(i=1,2)$的量。当 T_l 值未超过强度极限时,该界面相对位移只是表示界面层累积变形值,界面并不脱开或滑移;当 T_l 值超过强度极限时,界面相对位移则反映界面的不连续位移,即界面的张开度和滑移量。因此式(4-28)同时适用于连续介质问题和不连续介质问题。

对于三维问题,其界面应力公式仍如式(4-28),具体公式为:

$$T_{l(3\times1)} = D_{(3\times3)}(\delta_l^{(1)} + \delta_l^{(2)})_{(3\times1)} \tag{4-29}$$

式中,$T_l = [\sigma_n \quad \tau_{s_1} \quad \tau_{s_2}]^{\mathrm{T}} \quad \delta_l^i = [\delta_n^{(i)} \quad \delta_{s_1}^{(i)} \quad \delta_{s_2}^{(i)}] \quad (i=1,2)$

$$D = \begin{bmatrix} d_n & 0 & 0 \\ 0 & d_s & 0 \\ 0 & 0 & d_s \end{bmatrix}$$

其中:

$$\begin{cases} d_n = \left(\dfrac{h_1}{a_1} + \dfrac{h_2}{a_2}\right)^{-1} & d_s = \left(\dfrac{h_1}{b_1} + \dfrac{h_2}{b_2}\right)^{-1} \\ a_i = \dfrac{E_i(1 - \mu_i)}{1 - \mu_i - 2\mu_i^2} & b_i = \dfrac{E_i}{2(1 + \mu_i)} \end{cases} \quad (i = 1,2) \tag{4-30}$$

4.4.5　界面单元计算步骤

界面元的支配方程和有限元的支配方程具有相同的形式,其实质均是某类离散节点上的平衡条件,有限元支配方程表述的是单元节点的平衡,而界面元表述的是块体元形心的平衡。两种方法的解题思路、计算列式和运算步骤也很相近,两种方法均是先进行单元分析,再进行整体组合求出基本未知量,最终获得全部的位移(变形)和应力解答。在单元分析中,有限元先是构造分片单元的位移模式,求导后获得单元应变列阵,再由本构式导出单元应力列阵;而界面元是构造分片块体元的刚体位移模式,将单元累积变形于界面,根据界面的相对位移求出界面的应变列阵，再由本构式导出界面应力列阵。在整体分析中，有限元是根据最小势能原理导出以节点位移为基本未知量的有限元离散模型的支配方程，反映了节点的平衡条件；而界面元是基于虚功原理导出以块体元形心点广义位移为基本未知量的界面元离散模型的支配方程，反映了块体形心点的平衡条件。两种方法的形函数矩阵、荷载列阵、位移列阵、应变列阵、应力列阵以及劲度矩阵等基本矩阵的设定是相同的，只是算式有所不同；在有限元中，劲度矩阵是对单元积分获得的，而在界面元中，劲度矩阵是对界面积分求出的。

界面元法的计算步骤如下：

(1)建立离散模型，生成计算网格，进行块体单元和节点编号、界面元编号、材料编号等，组建单元信息、坐标信息、材料信息、约束信息和荷载工况信息等数组。

(2)根据块体位移模式和材料本构关系分别建立形函数矩阵 N 和 D。

(3)求解荷载列阵 R。按块体元循环形成单元等效荷载阵 R^e，再组合成整体等效荷载列阵 R，即：

$$R^e = \iiint_{\Omega^e} N^{\mathrm{T}} f \mathrm{d}\Omega + \iint_{S_\sigma^e} N^{\mathrm{T}} \overline{p} \mathrm{d}s$$

$$R = \sum_e C_e^{\mathrm{T}} R^e$$

(4)求解界面元劲度矩阵 K。按界面元循环形成单个界面元劲度矩阵 k_j 再组合成整体劲度矩阵 K，即：

$$k_j = \iint_{S_j} N^{*\mathrm{T}} L^{(1)} D L^{(1)} N^* \mathrm{d}s$$

$$K = \sum_j C_e^{*\mathrm{T}} k_j C_e^*$$

(5)求出各块体形心广义位移列阵 U。根据支配方程 $KU = R$ 求出整体位移 U，而后按单元生成各块体元的形心广义位移列阵 u_g，进而按界面求出各界面的相对位移 $(\delta_l^{(1)} + \delta_l^{(2)})$。

(6)求出各界面元的界面应力 T。按界面元循环逐个由界面应力公式求出各界面元的界面应力 T_l，即：

$$T_l = D(\delta_l^{(1)} + \delta_l^{(2)})$$

(7)以相应图表描述考察结构的位移(变形)场和应力场。

4.4.6 分区界面元与有限元的混合模型

对于有限元与界面元的混合运算，可以采用包含有限元和界面元的混合离散模型。在应力精度要求较高的部位、位移不连续区、几何外形或内部介质间断面比较复杂处、施工开挖面以及稳定薄弱面等宜用界面元离散网格模拟，其余大面积部位可用有限元离散网格模拟，这样便可以得到计算精度和效率俱佳的理想效果。该混合模型的分析可统一在广义变分原理的理论基础上建立求解基本未知量的支配方程，其中的关键问题是如何处理界面元与有限元之间的连接关系。为此将引入一种过渡界面元。图 4-6为界面元(ISE)网格和有限元(FE)网格的连接关系图。S_j^0 为两类网格的交界面，该界面沿局部坐标方向的相对位移为其左侧块体元累积在 S_j^0 界面的变形量与右侧有限元所引起 S_j^0 界面的位移之和。以 S_j^0 上任一点 M 为例，设其相对位移为 $\delta_l = [\delta_n \quad \delta_{s_1} \quad \delta_{s_2}]^{\mathrm{T}}$，则有：

$$\begin{aligned}\delta_l &= \delta_l^{(1)} + \delta_l^{(2)} \\ &= -L^{(1)} N_{\mathrm{ISE}} u_{\mathrm{ISE}} - L^{(2)} N_{\mathrm{FE}} u_{\mathrm{FE}} \\ &= L^{(1)} (N_{\mathrm{FE}} u_{\mathrm{FE}} - N_{\mathrm{ISE}} u_{\mathrm{ISE}})\end{aligned}$$

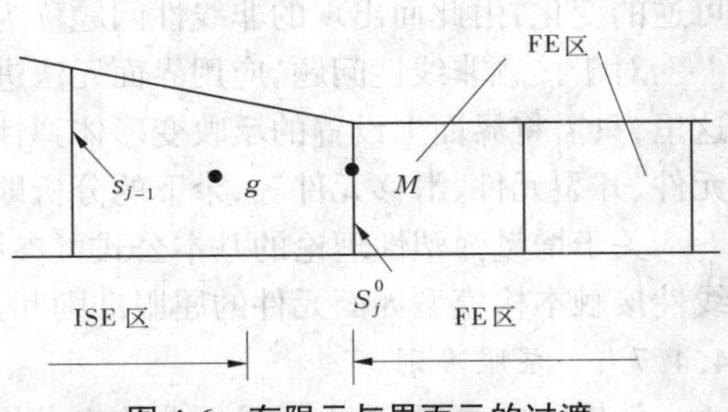

图 4-6　有限元与界面元的过渡

其中 $L^{(1)} = -L^{(2)}$，它是 S_j^0 界面成对局部坐标轴在整体坐标中的方向余弦矩阵；N_{ISE} 和 u_{ISE} 是界面元模型中块体元的形函数和形心位移；N_{FE} 和 u_{FE} 是有限元形函数和节点位移。令：

$$N^{**} = [N_{\mathrm{FE}}, -N_{\mathrm{ISE}}], \qquad U^{**} = [u_{\mathrm{FE}}, u_{\mathrm{ISE}}]^{\mathrm{T}}$$

则有：

$$\delta_l = L^{(1)} N^{**} U^{**} \tag{4-31}$$

S_j^0 的界面应力

$$T_l = D\delta_l = DL^{(1)} N^{**} U^{**} \tag{4-32}$$

由此，S_j^0 界面上面力抵抗该界面上相对位移做功所积蓄的势能为：

$$W_0 = \iint_{S_j^0} \frac{1}{2} \delta_l^{\mathrm{T}} D \delta_l \, \mathrm{d}s \tag{4-33}$$

相应地 S_j^0 界面的劲度矩阵 k_j^0 为：

$$k_j^0 = \iint_{S_j^0} (N^{**})^{\mathrm{T}} (L^{(1)})^{\mathrm{T}} D L^{(1)} N^{**} \, \mathrm{d}s \tag{4-34}$$

混合模型的整体劲度矩阵 K 为：

$$K = \sum_j (C_e^*)^{\mathrm{T}} k_j C_e^* + \sum_{j^0} (C_e^{**})^{\mathrm{T}} k_j^0 C_e^{**} + \sum_{ne} C_e^{\mathrm{T}} k C_e \tag{4-35}$$

其中，C_e^*、C_e^{**} 和 C_e 分别是界面元、过渡界面元和有限元的选择矩阵（即从单元矩阵扩大到整体矩阵的定位转换矩阵）。

$$R = \sum_{\mathrm{ISE}} C_e^{\mathrm{T}} R_{\mathrm{ISE}}^e + \sum_{ne} C_e^{\mathrm{T}} R_{\mathrm{FE}}^e \tag{4-36}$$

其中，R_{ISE}^e 和 R_{FE}^e 分别是界面元模型中块体元形心的等效荷载和有限元单元节点的等效荷载。

由支配方程 $KU = R$ 求出 U 以后，通过上述选择转换矩阵转换为界面元网格中的形心位移和有限元网格中的节点位移，最后即可分别应用界面元、过渡界面元和有限元的应力公式求出各界面元、过渡界面元和有限单元的应力。

4.4.7　界面元件的非线性接触本构模型

当某一结构体系中存在着不同介质物体相互接触的界面或是具有裂隙的结构在裂隙处出现间断界面，位于这些界面两侧的对应点在加载过程中可能出现脱开、滑移或保持紧密接触（位移连续），从而将导致接触界面及其相关区域内的介质特性随加载过程产生非可逆的变化，由此而出现的非线性问题称为接触非线性问题。

对于接触非线性问题，应用界面元法进行分析的方法与线弹性问题的界面元法类似，这里，只需将界面上设置的反映变形体弹性的分布式元件改为反映非线性的分布式塑性元件、开裂元件、滑移元件等，余下的分析即可参照非线性问题的一般求解方法进行分析。

关于增量弹塑性理论的基本公式可参照第 2 章式(2-17)～式(2-24)。以下将给出非线性接触本构模型界面元件的屈服准则和弹塑性矩阵的计算。

4.4.7.1 屈服准则

就界面应力而言，由于界面上的应力状态仅由正应力 σ_n 和剪应力 τ_s 确定，因此可采用 Mohr-Coulomb 准则判断界面的应力状态，考虑到界面上可能的拉裂破坏，可进一步选用低抗拉的 Mohr-Coulomb 准则。对于平面问题，该准则由三个函数组成，其函数表达式为：

$$F_1 = \tau_s - c + \sigma_n \tan\varphi = 0 \tag{4-37}$$

$$F_2 = -\tau_s - c + \sigma_n \tan\varphi = 0 \tag{4-38}$$

$$F_3 = \sigma_n - R_t = 0 \tag{4-39}$$

式中，c、φ、R_t 分别为材料的凝聚力、内摩擦角和抗拉强度。

对于三维问题，令 $\tau_s = \sqrt{\tau_{s1}^2 + \tau_{s2}^2}$，则屈服准则可由下列函数表示：

$$F_1 = \tau_s - c + \sigma_n \tan\varphi = 0 \tag{4-40}$$

$$F_3 = \sigma_n - R_t = 0 \tag{4-41}$$

若界面上的应力使 $F_1 \geqslant 0$ 或 $F_2 \geqslant 0$，则界面将出现滑移现象，此时需求出 D_{ep} 矩阵，然后修正结构的劲度矩阵。若界面上的应力使 $F_3 \geqslant 0$，则界面将出现开裂现象，此时应将原有的界面应力释放，同时排除开裂界面，修正结构的劲度矩阵 K。具体处理时是将开裂界面的当前应力转化为反向等效节点力施加到结构上：

$$Q_c = -\int_{S_{jc}} B^{\mathrm{T}} R \mathrm{d}s \tag{4-42}$$

式中，jc 表示开裂界面；R 是由开裂界面应力所组成的列向量；B 为该界面对应的几何矩阵，$B = L^{(1)}[-N^{(1)} \quad N^{(2)}]$。

4.4.7.2 弹塑性矩阵 D_{ep} 的计算

弹塑性矩阵 D_{ep} 的计算可以通过将屈服函数代入而求出 D_{ep} 的显式表达。对于平面问题有：

- 界面产生滑移(剪切屈服)

屈服函数式(4-37)、式(4-38)可合并为：

$$F_1 = |\tau_s| - c + \sigma_n \tan\varphi = 0 \tag{4-43}$$

因此有：$\dfrac{\partial F}{\partial \sigma_n} = \tan\varphi$，$\dfrac{\partial F}{\partial \tau_s} = \pm 1$，流动矢量 $\left(\dfrac{\partial F}{\partial \sigma}\right) = [\tan\varphi \quad \pm 1]^{\mathrm{T}}$。将界面应力与界面位移的弹性关系矩阵 $D = \begin{bmatrix} d & 0 \\ 0 & d_s \end{bmatrix}$ 代入塑性矩阵 D_p 的表达式，可得：

$$D_p = \frac{D\left(\frac{\partial F}{\partial \sigma}\right)\left(\frac{\partial F}{\partial \sigma}\right)^{\mathrm{T}} D}{A + \left(\frac{\partial F}{\partial \sigma}\right)^{\mathrm{T}} D\left(\frac{\partial F}{\partial \sigma}\right)}$$

$$= \frac{1}{A + (d_n \tan^2\varphi + d_s)} \begin{bmatrix} d_n^2 \tan^2\varphi & d_n d_s \tan\varphi \\ d_n d_s \tan\varphi & d_s^2 \end{bmatrix}$$

对于理想弹塑性材料，$A = 0$，因此有：

$$D_{ep} = D - D_p = \frac{d_n d_s}{d_n \tan^2\varphi + d_s} \begin{bmatrix} 1 & -\tan\varphi \\ -\tan\varphi & \tan^2\varphi \end{bmatrix}$$

- 界面产生脱开（拉裂屈服）

屈服函数为 $F = \sigma_n - R_t = 0$，因此有：$\frac{\partial F}{\partial \sigma_n} = 1, \frac{\partial F}{\partial \tau_s} = 0$，流动矢量 $\left\{\frac{\partial F}{\partial \sigma}\right\} = [1 \quad 0]^{\mathrm{T}}$。代入塑性矩阵 D_p 的表达式，可得：

$$D_p = \frac{1}{A + d_n} \begin{bmatrix} d_n^2 & 0 \\ 0 & 0 \end{bmatrix}$$

对于理想弹塑性材料，$A = 0$，因此有：

$$D_{ep} = D - D_p = \begin{bmatrix} 0 & 0 \\ 0 & d_s \end{bmatrix}$$

此式表明，界面拉裂屈服后，正应力释放，$\sigma_n = 0$。

- 界面同时产生滑移和脱开（剪切屈服＋拉裂屈服）

屈服函数为：

$$\begin{cases} F_1 = |\tau_s| - c + \sigma_n \tan\varphi = 0 \\ F_2 = \sigma_n - R_t = 0 \end{cases} \tag{4-44}$$

此时，应力位于两个屈服面的交点，该点法线方向无法确定。其相应的塑性矩阵为：

$$D_p = D\left[\frac{\partial F}{\partial \sigma}\right]\left(A + \left[\frac{\partial F}{\partial \sigma}\right]^{\mathrm{T}} D\left[\frac{\partial F}{\partial \sigma}\right]\right)^{-1}\left[\frac{\partial F}{\partial \sigma}\right]^{\mathrm{T}} D \tag{4-45}$$

式中：

$$\left[\frac{\partial F}{\partial \sigma}\right] = \begin{bmatrix} \frac{\partial F_1}{\partial \sigma_n} & \frac{\partial F_2}{\partial \sigma_n} \\ \frac{\partial F_1}{\partial \tau_s} & \frac{\partial F_2}{\partial \tau_s} \end{bmatrix}$$

$$A = \begin{bmatrix} -\frac{1}{d\lambda}\frac{\partial F_1}{\partial k}dk & 0 \\ 0 & -\frac{1}{d\lambda}\frac{\partial F_2}{\partial k}d \end{bmatrix}$$

对于理想弹塑性材料，$A = 0$。由 $\left[\frac{\partial F}{\partial \sigma}\right] = \begin{bmatrix} \tan\varphi & 1 \\ \pm 1 & 0 \end{bmatrix}$，有：

$$\left[\frac{\partial F}{\partial \sigma}\right]^{\mathrm{T}} D\left[\frac{\partial F}{\partial \sigma}\right] = \begin{bmatrix} \tan\varphi & \pm 1 \\ 1 & 0 \end{bmatrix}\begin{bmatrix} d_n & 0 \\ 0 & d_s \end{bmatrix}\begin{bmatrix} \tan\varphi & 1 \\ \pm 1 & 0 \end{bmatrix} = \begin{bmatrix} d_n \tan^2\varphi + d_s & d_n \tan\varphi \\ d_n \tan\varphi & d_n \end{bmatrix}$$

$$\left(\left[\frac{\partial F}{\partial \sigma}\right]^{\mathrm{T}} D\left[\frac{\partial F}{\partial \sigma}\right]\right)^{-1}=\frac{1}{d_n d_s}\begin{bmatrix} d_n & -d_n\tan\varphi \\ -d_n\tan\varphi & d_n\tan^2\varphi+d_s \end{bmatrix}$$

因此：

$$D_p=\begin{bmatrix} d_n & 0 \\ 0 & d_s \end{bmatrix}\begin{bmatrix} \tan\varphi & 1 \\ \pm 1 & 0 \end{bmatrix}\frac{1}{d_n d_s}\begin{bmatrix} d_n & -d_n\tan\varphi \\ -d_n\tan\varphi & d_n\tan\varphi+d_s \end{bmatrix}\begin{bmatrix} \tan\varphi & \pm 1 \\ 1 & 0 \end{bmatrix}\begin{bmatrix} d_n & 0 \\ 0 & d_s \end{bmatrix}$$

$$=\frac{1}{d_n d_s}\begin{bmatrix} d_n^2 d_s & 0 \\ 0 & d_n d_s^2 \end{bmatrix}=\begin{bmatrix} d_n & 0 \\ 0 & d_s \end{bmatrix}=D$$

所以，$D_{ep}=0$。这种情况对应于无应力状态，应力全部释放。

4.5 界面元法在面板堆石坝计算分析中的应用

从上述界面单元法的理论分析过程可以看出，对于工程结构中存在多介质接触界面的问题，应用界面单元法可以较好地反映接触界面的不连续变形。同时，由于界面单元法应力求解的精度与界面相对位移同阶，因此界面单元法的应力精度要高于有限单元法。自从界面单元法提出之后，这一新的分析方法在分析岩石边坡工程以及混凝土结构工程中进行了较为广泛的应用，但尚未应用于面板堆石坝的数值计算分析中。对于面板堆石坝而言，由于其自身的特点，界面单元法的应用有着特殊的优势。这主要是基于以下几个方面的考虑：

(1)面板堆石坝的面板作为大坝的主要防渗单元，是整个坝体的关键部分。而混凝土面板的材料特性与坝体堆石的材料特性有着明显的差别。面板与堆石体的接触特性直接影响着面板的应力和位移状态。

(2)面板本身也不是一个连续的整体，如本章 4.2 节所述，在沿坝轴线方向，面板被纵缝分割成多个块体，在面板与趾板之间又存在着沿趾板线分布的周边缝。

(3)对于面板与堆石体接触的模拟，虽然可以采用 4.3 节所述的薄层接触面单元，但这种单元只反映接触面切向的剪切特性，对于法向的脱开则无能为力。同时，它也无法给出面板与堆石体之间滑移和脱开的具体数值。

(4)采用有限单元法模拟面板与堆石体的接触，以及面板的接缝系统，在接触面单元与各类接缝单元之间的过渡存在着建模与网格划分的问题。

(5)采用界面单元法，可以对面板与堆石体的接触、面板之间的接缝、面板与趾板之间的接缝采取统一的分析模式。同时，它与有限元的结合也较为方便。

(6) 由于界面单元法的应力精度较高，因此可以得出较为真实的面板应力。

4.5.1 界面元法在面板堆石坝数值分析的应用方法

鉴于目前的面板堆石坝数值计算分析的常规分析方法仍为有限单元法，因此界面单元法的应用可采用 4.4.6 所述的混合模型法。即对大部分的堆石区仍采用有限单元建模，而面板和垫层区采用界面单元建模。垫层区与过渡区的交界面作为过渡界面。计算分析中，面板单元仍采用线弹性模式，而垫层单元则仍可采用 Duncan 非线性弹性模式(界面单元分析方法中采用 Duncan 双曲线模型并无原则上的困难，只需将相关的弹性常数进行代换即可)。图 4-7 所示为界面元与有限元混合模型的局部网格图示意。

对于界面变形特性和接触特性的描述可以采用抵抗拉 Mohr-Coulomb 准则，由 4.4.7 所述的弹塑性接触本构模型计算。当材料处于弹性阶段时，界面元支配方程的劲度矩阵 K 为常量，当材料处于滑移或开裂状态时，材料开始屈服，此时需将 K 中的 D 矩阵改为弹塑性矩阵 $D_{ep} = D - D_p$，由此得到增量形式的支配方程：

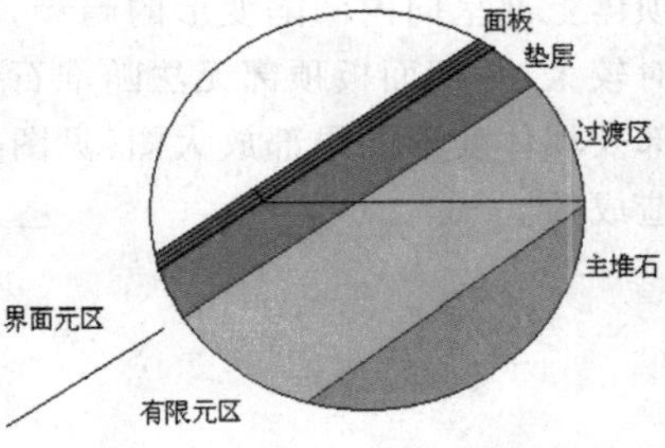

图 4-7　混合模型局部网格图

$$(K - K_p)\Delta U = \Delta Q$$

在界面单元的计算分析中，根据界面的应力状态可以确定界面的三种不同接触状态：闭合连续、摩擦滑移、拉裂脱开。当界面发生不连续变形后，通过界面相对位移的计算，可以得出界面滑移位移和张开位移的具体数值。

4.5.2　计算实例

采用界面单元和有限元混合计算的工程实例为新疆察汗乌苏面板砂砾石坝。这是一座修建于深覆盖层地基上的面板砂砾石坝，坝基采用混凝土防渗墙防渗，防渗墙与面板之间采用混凝土连接板相连。数值分析中的混合计算方法如 4.5.1 所述，计算网格图如图 4-8 所示。这里的计算分析主要研究一期面板与坝体堆石之间的脱空现象。

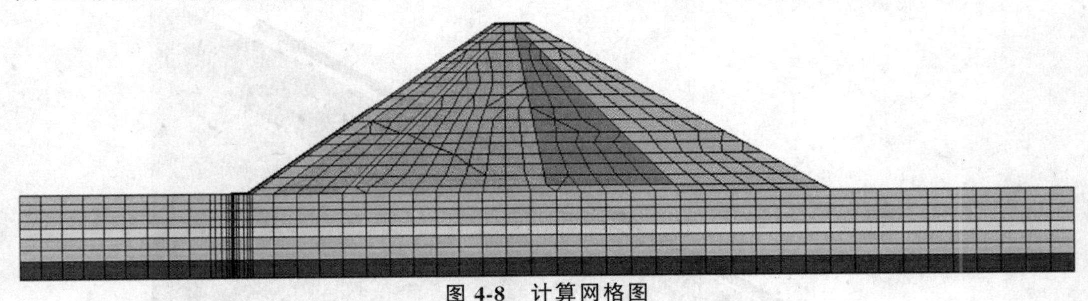

图 4-8　计算网格图

图 4-9 所示为坝体填筑到顶、二期面板尚未浇筑时的坝体变形图，图中可见一期面板顶部与坝体堆石间产生了一定程度的脱空。图 4-10 和图 4-11 为一期面板顶部脱空的局部放大图。

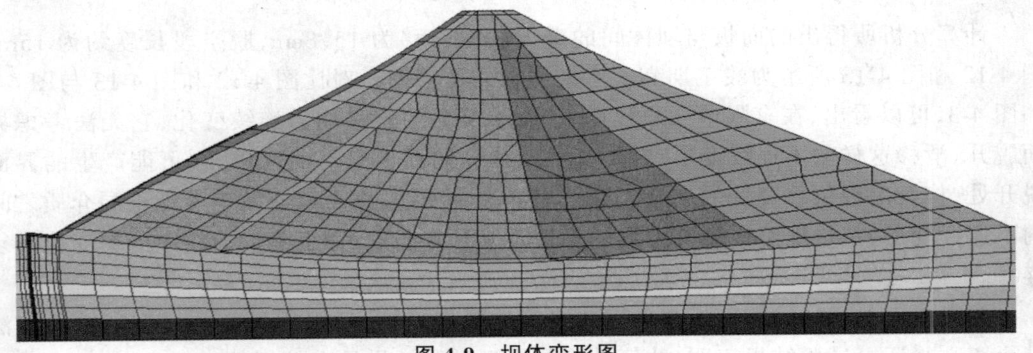

图 4-9　坝体变形图

由图 4-8 可见，由于坝基为可压缩变形地基，因此竣工期坝体中部的沉降变形较大，整个坝体上部呈向内凹陷变形的趋势,坝体底部呈向外突出的变形趋势。由于面板的刚度相对较大,一期面板顶部无法随堆石变形,因此形成了面板顶部的脱空现象。从一期面板顶部及坝体变形的局部放大图(见图 4-11)可以明显看出,这种脱空主要是由于坝体沉降所造成的。

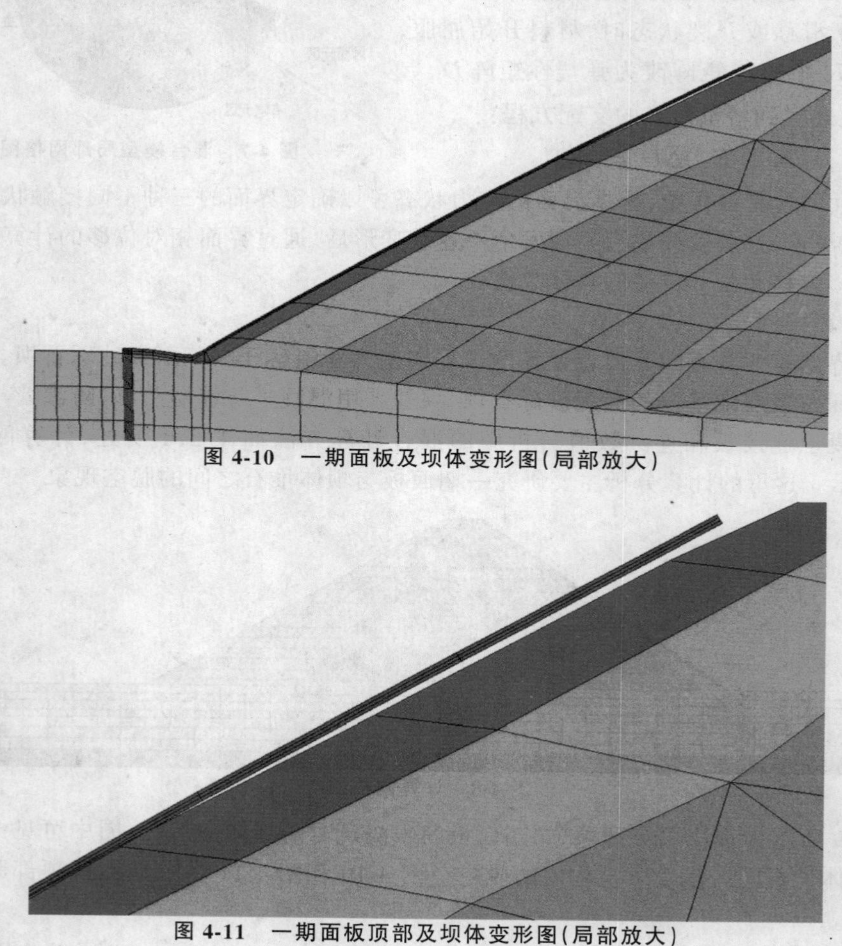

图 4-10　一期面板及坝体变形图(局部放大)

图 4-11　一期面板顶部及坝体变形图(局部放大)

计算分析所得出的面板与坝体间的最大脱空位移为 15.8cm,脱空段长度约为 15m。图 4-12 和图 4-13 所示为竣工期和蓄水期面板的位移图。对比图 4-12 和图 4-13 与图 4-2 和图 4-3,可以看出,在有限单元法计算中,由于节点的位移均为连续变化,它无法考虑界面脱开、滑移这样的不连续变形,因此有限元计算的面板变形曲线中,在可能产生的界面脱开处,将会出现位移突变的现象。而采用界面单元法,则可以有效地考虑不同介质之间的不连续变形,定量地给出脱开位移的量值及其延伸长度,面板变形曲线中的突变也不复存在。

关于界面单元法计算面板与堆石体之间的脱空变形,还采用了离心模型试验的方法进行离心验证。试验结果表明,数值计算与模型试验结果具有较好的一致性,由此也进一步说明了界面单元法的适用性(详见第 13 章)。

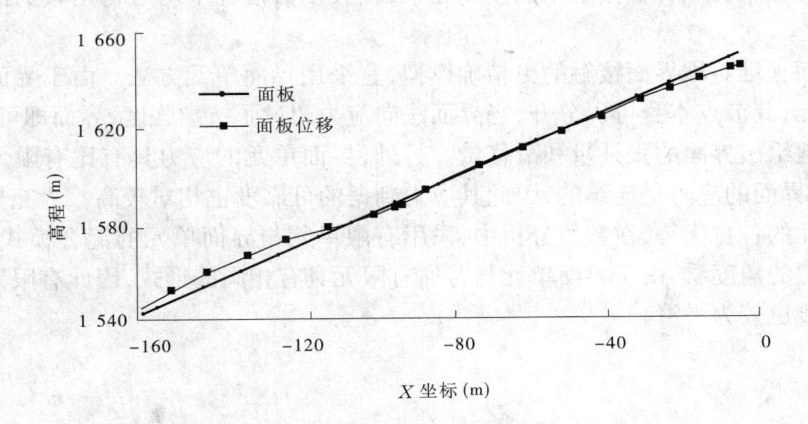

图 4-12　竣工期面板的位移

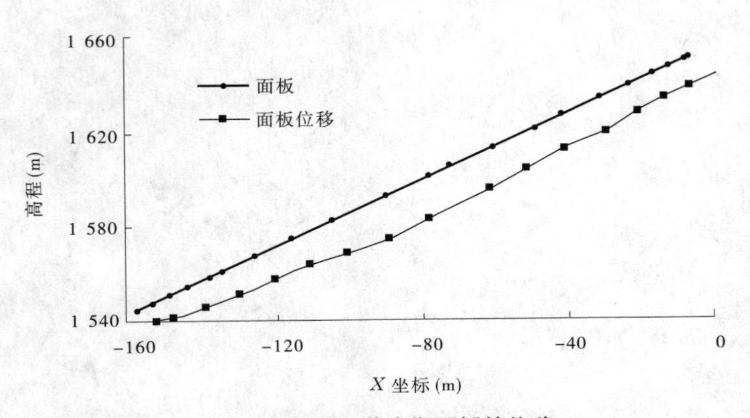

图 4-13　蓄水期面板的位移

4.6　小结

本章对面板堆石坝中不同介质间的接触和接缝系统计算模拟进行了较为细致的分析和论述，其中，重点研究了界面单元法在面板堆石坝中的应用。

面板堆石坝中的界面接触问题主要是混凝土面板与坝体堆石之间的摩擦接触，以及面板分块之间、面板与趾板之间的接缝。从结构的受力特点看，堆石体变形所产生的对面板的摩擦、拖曳作用是引起面板拉、压应力的主要原因之一。另外，面板分块之间的相互作用，也会影响到面板整体应力的调整。因此，在数值计算分析中正确模拟界面的接触特性，是面板堆石坝计算分析中的重要方面。

在目前的面板堆石坝数值计算分析中，界面接触的模拟主要有 Goodman 无厚度单元、薄层接触面单元、接触摩擦单元等。就常规的面板堆石坝数值分析而言，由于其单元布置上的困难，对于面板与堆石体的接触，宜采用薄层接触面单元；混凝土面板之间的接触，宜采用分离缝单元；而面板与趾板之间的接触，宜采用软单元。这样的模拟方式，基本上考虑了面板堆石坝界面接触中的主要因素，在大多数情况下均可得出较为满意的计算结果。

对于面板堆石坝界面接触的更精确模拟，宜采用界面单元方法。由于界面单元是位移非协调元，其节点本身可以分开，当界面法向应力超过了抗拉强度，界面即可张开，同时可以定量地给出界面的张开量和滑移量。另外，界面单元的应力具有比有限元高一阶的应力精度，界面的应力是连续的，因此其应力判据的可靠度也相对较高。为充分发挥有限元与界面元的各自优势，在数值分析中，采用有限单元与界面单元的混合模式较为适宜。从模型构建的角度看，由于界面单元与普通有限元具有相同的形式，因此有限元与界面元之间的过渡也较为平滑。

第 5 章　面板堆石坝的反馈分析与仿真模拟

5.1　概述

在岩土工程数值分析中,通过几何建模、参数输入、荷载施加、方程求解等步骤,求出结构或岩土介质的物理量(如位移、应力、应变等数值),这一求解的过程称为数值计算中的正分析。反分析是根据工程中的实时监测数据(位移、应力、应变等),通过数值计算的方法,逆求结构或岩土介质的计算分析参数或分析模型。而反馈分析则是在正分析和现场监测的基础上,以反分析得出的参数或模型对结构物重新进行计算分析,并求出相关的物理量[43,44]。

目前岩土工程中的分析模型大部分是采用了固体力学中连续介质力学的研究成果和分析方法,但是,由于岩土介质的非连续性(裂隙或散粒体特性)、应力历史相关性、弹塑性(黏弹性)、各向异性等一系列复杂的工程特性,现有的分析方法尚不能完满地解决岩土工程中的实际问题。近些年来,数值分析方法的迅速发展为复杂岩土工程问题的近似求解提供了强有力的工具,但其趋近于真实解的程度完全取决于所用本构模型在多大程度上反映了岩土介质的性态和工作性状,以及计算参数在多大程度上反映了岩土介质的真实情况。现场原位监测数据为数值计算结果的对比、验证提供了可靠的依据,以此而进行的反分析则可为数值计算提供更为准确的参数或分析模型,同时它还为岩土结构应力、变形趋势的预报提供了可靠的基础。应该指出的是,在岩土介质参数反演分析中所得到的模型计算参数是一个综合等效参数,它综合反映了岩土介质的工程性质和施工过程中的各种影响因素。在复杂岩土工程问题中,采用复杂的本构模型往往并不能达到预期的目的,而采用相对简单的模型,利用反馈分析技术,有时却能得到较为满意的分析结果。

在面板堆石坝的数值分析中,由于堆石材料性质的差异,以及在计算处理中可能存在的一些问题,常规的正分析方法往往并不能完全满足工程设计、施工的要求。在室内材料试验和已有的正分析基础上,利用现场试验或施工过程中的原位监测数据,进行计算参数的反演分析,将可以得出相对较为符合实际的计算参数。由此,可以进一步考虑面板堆石坝实际填筑施工过程和蓄水步骤的仿真计算分析,从而有效地提高面板坝数值分析的可靠度,同时,也为坝体和面板应力、变形状态的进一步预测提供了重要的工具。

5.2　反演计算方法

岩土工程问题的反分析一般包括两个类别:一类是本构模型基本参数的反演分析;另一类是分析模型的反分析(即模型的识别和模拟)。对于面板堆石坝的反馈分析,主要的问题是模型参数的反演分析。

参数反演理论在岩体地下工程中的应用较多,相应的理论与技术也比较成熟。与岩石工程相比,土石材料由于材料性质的复杂性和影响因素的多样性,其材料本构关系相对较为复杂,反演分析中所涉及的影响因素相对较多,因此其数值计算分析中参数反演也面临着许多理论上和技术上的困难。目前,虽然有一些学者开始结合实际的面板堆石坝工程项目进行反馈计算分析研究,但总体而言,相关方面的进展仍然不大。

对于模型力学参数的反分析,一般包括确定性反分析和不确定性反分析两种。对于确定性反分析,其分析方法可以分为两种:逆反演分析方法(直接法)和正反演分析方法(间接法)。所谓逆反演分析方法,是利用原位观测所得的数值(一般考虑位移值),对原正分析支配方程求逆而获得模型参数。正反演分析方法,是采用一组初拟的力学参数,应用常规正分析方法求解位移、应力,然后将计算分析所得数值与实测数据对比分析,通过迭代计算和求解最小误差函数的方法,获得所需的参数数值。

在面板堆石坝的反馈分析中,一般采用正反演分析方法。初拟的计算参数来自于堆石材料的室内大型三轴试验,在对比数值计算分析结果与现场观测数据差异的基础上,调整计算模型参数,通过迭代计算得出最终的模型参数。然后,再利用修正后的模型参数,再次进行正分析计算,对坝体和面板在不同工况下的应力和变形进行预测。如前所述,此时参数反演分析中所得到的模型计算参数是一个综合等效参数,它综合反映了堆石体的工程性质和施工过程中的各种影响因素。图 5-1 所示为面板堆石坝参数反演计算分析的基本流程。

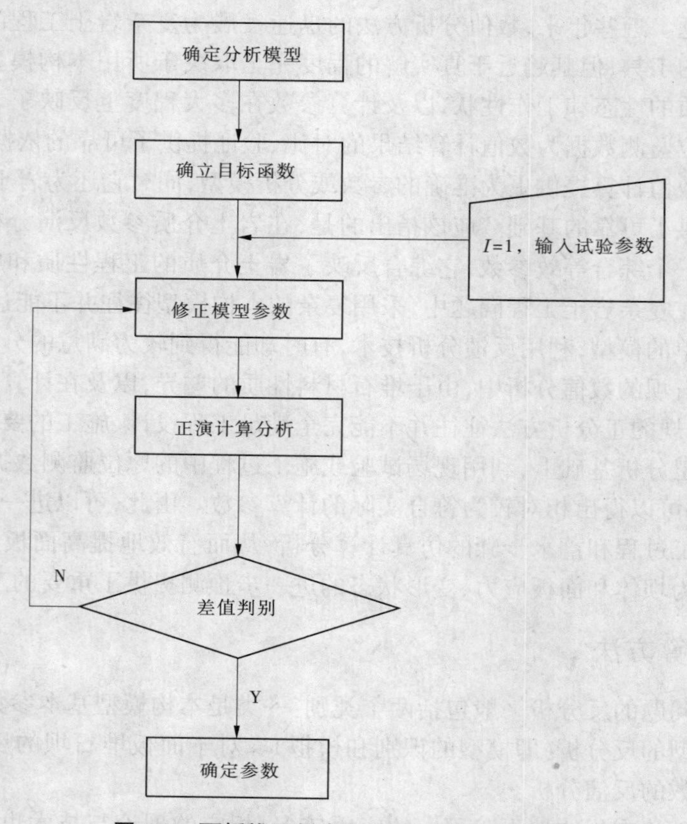

图 5-1　面板堆石坝参数反演计算分析流程

利用正反分析方法进行参数的反演计算，其计算方法和计算过程均可使用原有的正分析步骤，内容涉及了正分析所考虑的全部影响因素。就分析理论而言，正反分析在求取目标函数的最小值时普遍采用优化计算的方法，但对土石坝工程而言，除少数简单情况外，大部分实际工程问题的解答难以收敛，因此，实际中常采用多步试算的方法求解。

在正反分析的优化计算中，一般常将数值计算分析的数值与实测数据差值的平方作为目标函数，即：

$$F(P) = \sum_{i=1}^{n} [D_i(P) - D_i^*(P)]^2 \tag{5-1}$$

式中，P 为模型参数；n 为实测数据点数；D_i^* 为实测数据值；D_i 为数值计算值。这里，对于参数 P 还需根据试验研究和工程经验设定一个变化范围，即：

$P_1 < P < P_2$　　（P_1、P_2 为根据试验和经验确定的限制值）

式(5-1)中，目标函数 F 和计算数值 D_i 均为参数 P 的函数，实测数据值 D_i^* 为定值。模型参数的反演计算实际上就是求解目标函数极值的问题。理论上讲，当目标函数 F 取得极小值时，其所对应的参数 P 即为反演分析所需的参数。常用的优化计算分析方法有直接法、单纯形法、共轭向量法等。

对于非线性模型，参数反演的优化计算往往需要较多步的迭代，其结果的收敛性也难以保证。因此，在参数反演过程中，可以对参数的数目和取值范围进行适当的限定，由此可以提高反演计算的收敛性和计算结果的可靠性。另外，还需要指出的是，对于某一特定的分析模型，其各计算参数之间往往存在着一定的相关性，例如 Duncan 模型中的 K 和 K_b 等，模型参数的取值范围也有一定的限制。反演分析时应充分考虑这些相关的限定因素，以避免得出不切实际的反演结果。具体而言，在反演计算分析中，可采取对于某些变化范围不大的参数，根据试验成果将其设为定值；对于相互关联的参数，设置一定的约束条件；以及定义某些参数的最常见取值区间等措施。

5.3　通过现场试验进行参数反演

在面板堆石坝工程中，与参数反演计算有关的现场试验主要有大型现场载荷试验和现场大型旁压试验。

现场载荷试验是在工程现场通过千斤顶逐级对置于土体上的载荷板施加荷载或通过堆载的方式逐级施加竖向载荷(P)，观测记录土体沉降随时间的发展过程以及荷载稳定时的沉降量(S)。通过试验，可以得到对应于各级荷载的土体相应稳定沉降量，并可绘制成 P—S 曲线。

旁压试验是工程地质勘测中一种常用的原位测试技术，实际上也是一种利用钻孔所做的原位横向载荷试验。其原理是通过旁压器在竖直的孔内加压，使旁压膜膨胀，并由旁压膜(或护套)将压力传递给周围土体，使土体产生变形直至破坏。通过量测施加压力与土变形之间的关系，可以绘制出应力—应变(或钻孔体积增量或径向位移)关系曲线。

旁压试验与载荷试验在加压方式、变形观测、曲线形状及成果整理等方面都基本类似，其用途也基本相同。其优势是可以在土体的不同深度上进行测试。但是，通过旁压试验得出的只是土体的旁压模量，实际中还需要用一个经验的结构系数 α 将旁压模量转换成常规的变形模量。

通过现场试验进行参数的反演分析，就是在室内材料试验的基础上，通过对现场试验的工况构建分析模型，采用正演分析的方法求出相应的荷载—变形曲线，随后再通过参数的调整与修正，不断逼近现场试验的曲线，由此求出最终的模型参数。

图5-2所示为一个砂砾石土层上现场载荷试验参数反演实例的网格剖分模型。其中，砂砾石层厚度取为5m，加载板的直径为0.564m，计算域的直径取为3.0m。荷载的施加与载荷试验的分级相同。砂砾石材料所采用的本构模型为Duncan E—B 模型。初始输入的材料参数如表5-1所示，反演的参数为 K 和 K_b，其他参数保持不变。

砂砾石参数的反演以表5-1为基础共进行了4个方案的计算，方案1的 K 值为400，方案2的 K 值为800，方案3的 K 值为1 200，方案4的 K 值为1 500。反演计算的结果如图5-3所示，图中，P—S 曲线为载荷试验的沉降曲线。

由图5-3可以看出，随着计算参数的不断变化，数值计算所得出的荷载—变形曲线逐步趋近于现场试验的 P—S 曲线。最终所获得的参数 K 值为1 500、K_b 值为450。

表5-1　初始材料参数

材料名称	φ_0(°)	$\Delta\varphi$(°)	K	n	K_b	m	$R_{f平}$
砂砾石（$d_{max}>200mm$，$\rho_d=1.93g/cm^3$，<5mm含量19%）	44.5	5.7	400	0.35	120	0.41	0.82

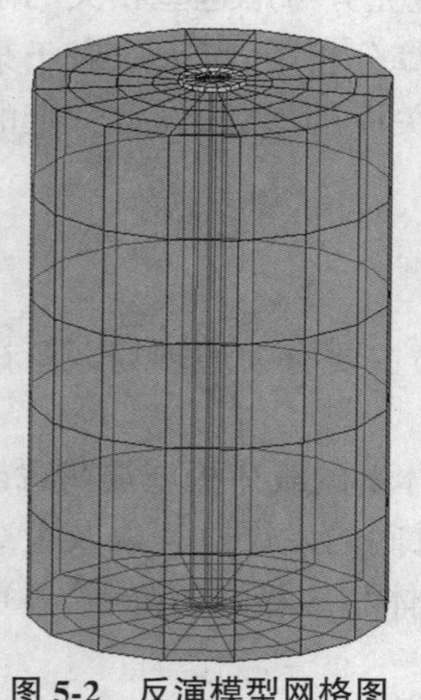

图5-2　反演模型网格图

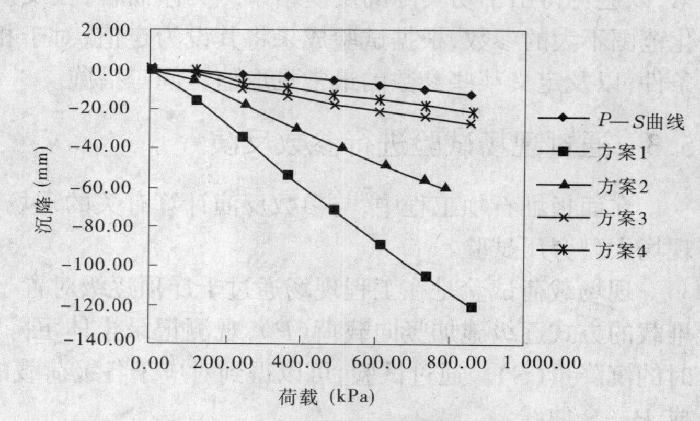

图5-3　砂卵石参数反演结果

5.4　根据观测资料进行参数反演

利用坝体填筑施工过程中的现场观测资料进行参数的反演计算分析是面板堆石坝反分析中最为有效的分析方法。一般参数反演分析所采用的主要观测数据为坝体的变形（位移）。对于面板堆石坝的变形问题，由于其变形过程遍及施工期、蓄水期和运行期各个阶段，因此在分析面板堆石坝的应力变形问题时，应充分考虑堆石填筑施工步骤、临时度汛过程、面板分期浇筑以及水库蓄水过程等多方面的因素。而且,在不同的阶段,坝体变形的规律和发展过程、堆石浸水后的软化以及堆石的蠕变等问题,都会对坝体的应力变形数值和规律产生影响。不过,从参数反演的角度看,一般宜采用荷载过程相对简单的观测数据作为反演分析的基础数据(如施工期的简单填筑过程中所观测的坝体沉降等)。

图 5-4、图 5-5 所示为洪家渡面板堆石坝坝体位移观测布置,坝体的变形观测主要有沉降观测与水平位移观测两种。为提高参数反演分析的精度,在数值计算中,一般应将网格剖分的节点与坝体位移观测点重合。

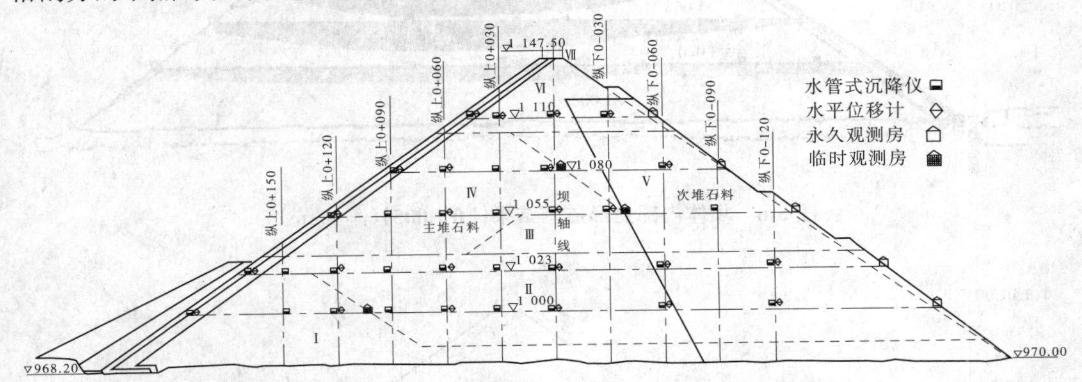

图 5-4　大坝堆石体内部最大断面(L0 + 005)变形监测布置图(单位:m)

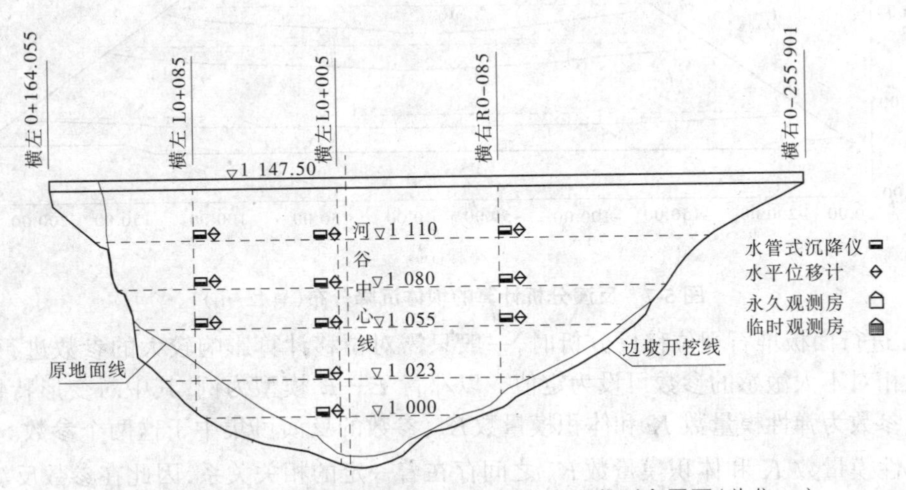

图 5-5　坝体内部坝轴线断面(纵上 0 + 000)变形监测布置图(单位:m)

图 5-6 所示为坝体内部沉降观测结果,它将是参数反演计算的主要依据,同时,分析中也需要将坝体的水平位移作为参数反演的参考。如前所述,由于坝体变形的影响因素较多,在实际的反演计算分析中,很难保证坝体所有位移观测点位移的计算值均能很好地收敛于实测数值,因此,一般在面板堆石坝的反演计算分析中不采取自动优化算法,而代之以多步迭代、综合评价的方法。图 5-7 所示为与图 5-6 对应工况下多次迭代计算后所得的坝体沉降变形分布,通过对比计算结果与实测数据,当大部分区域的坝体位移数值与

实测资料相近，且总体位移分布趋势与实测资料相同时，即可确定反演分析的参数。

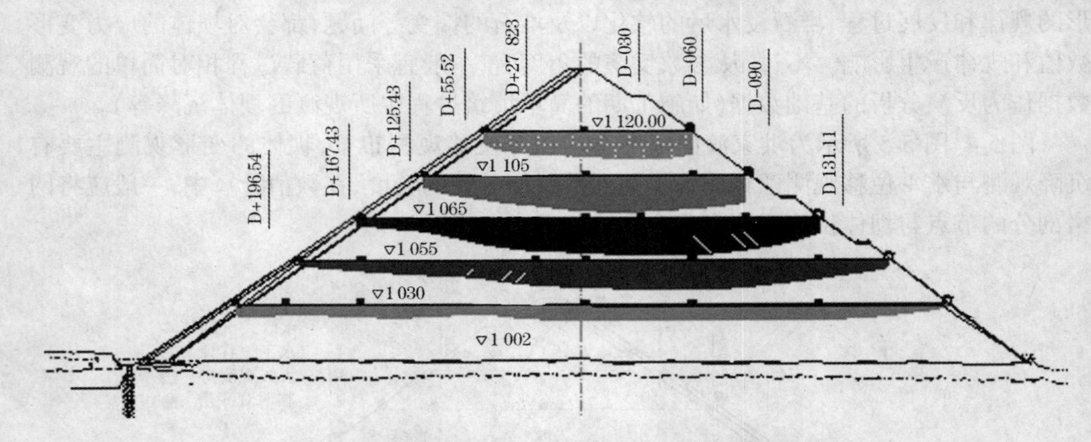

图 5-6　坝体内部变形监测结果(L0+005)(单位:m)

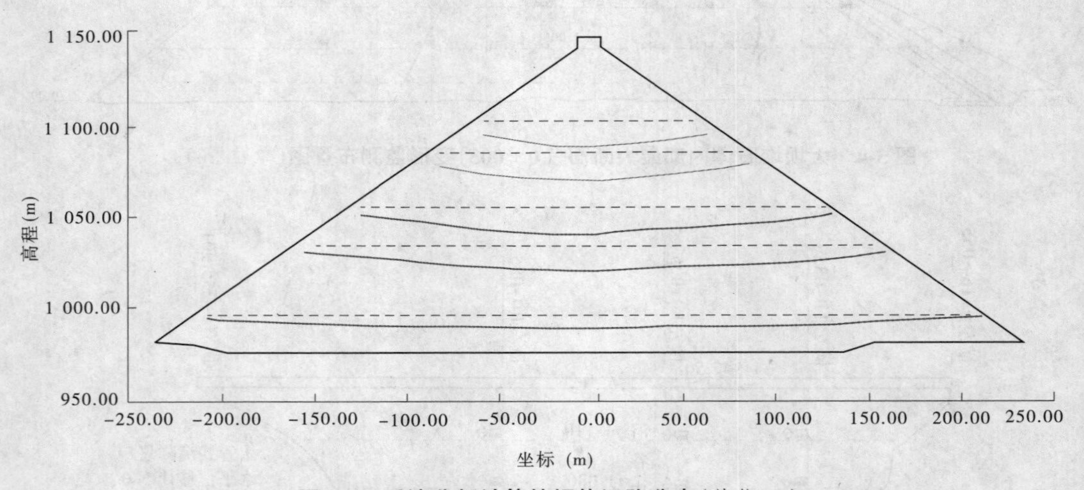

图 5-7　反演分析计算的坝体沉降分布(单位:m)

在进行面板堆石坝位移反分析时，一般只需对位移计算影响较大的参数进行反演，而其他相对不太敏感的参数可设为定值。以邓肯 $E—B$ 模型为例，其中对变形特性影响较大的参数为弹性模量数 K 和体积模量数 K_b，参数的反演可集中于这两个参数。另外，由于弹性模量数 K 和体积模量数 K_b 之间存在着一定的相关关系，因此在参数反演时 K 和 K_b 的调整也应保持一定的协调关系，一种方法是维持室内试验所得出的 K 与 K_b 的比例关系，另一种方法则是根据试验研究的结论，让 K_b 在 $K/3$ 和 $2K/3$ 之间变动(参见第 2 章邓肯模型参数统计)。

5.5　面板堆石坝的反馈分析

面板堆石坝的反馈分析是在坝体材料现场试验和大坝原型观测基础上，通过数值分析模型参数的反演计算分析，获得较为真实的计算参数后，再通过进一步的分析计算，预测大坝的应力变形性态，或通过对坝体原位监测数据的分析，研究影响坝体、面板应力变形的相关因素，以此指导同类坝型的设计与施工。

就坝体和面板的应力变形预测而言，在材料现场试验结果基础上的参数反演分析所得到的参数可以直接用于大坝应力、变形的预测分析，其优点是可以在大坝施工前及时发现设计、施工中可能存在的问题，并为大坝的施工提供指导依据。而利用大坝原位监测数据所进行的参数反演分析则需要等到大坝施工进行到一定阶段方可进行。但是，由于大坝施工期的现场监测数据在加荷过程、边界条件等方面完全反映了工程的实际情况，由此所得的反演参数具有更高的可靠性，其应力变形预测的效果也会更好。而且，这样的反演分析还可以随着施工过程的进展不断进行修正，使参数的反演日臻完善。图5-8所示为天生桥一级面板堆石坝施工期的部分观测数据结果的图示，图中坝体轮廓中的空白部分为尚未填筑的坝体。通过对已填筑部分坝体位移的反演计算，所得到的计算参数将可用于后续坝体填筑，以及水库蓄水后坝体应力、变形的预测。

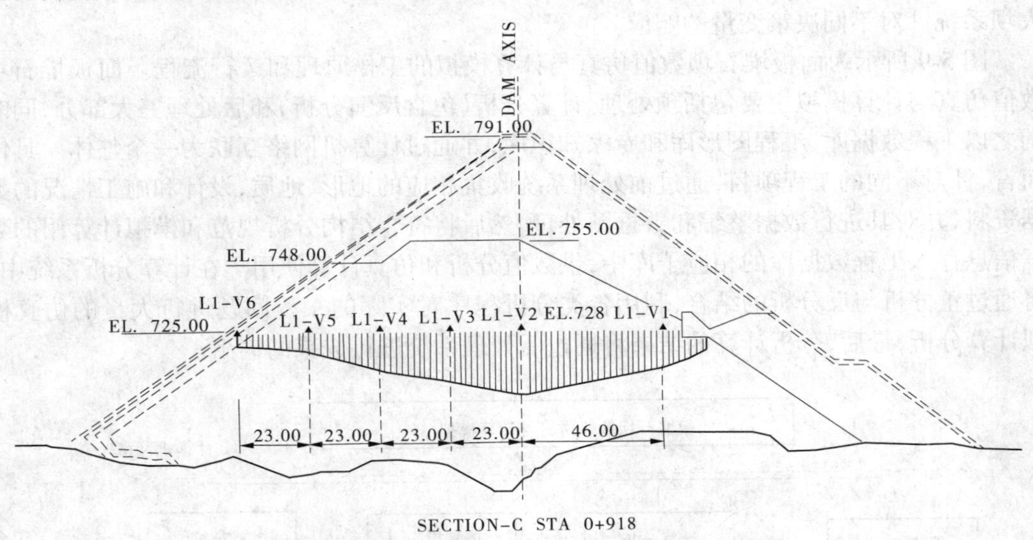

图5-8　天生桥一级面板堆石坝施工期部分坝体的沉降监测数据(单位:m)

5.6　面板堆石坝施工运行的仿真模拟

在大型面板堆石坝工程中，由于其工程规模大、影响因素多，再加之地形、地质条件的复杂，一般的常规计算分析往往不能满足工程设计、施工的要求。而在数值计算分析和参数反演分析的基础上，利用计算机技术建立面板堆石坝施工、运行的数值仿真系统，则可以较为充分地分析研究不同的工程条件和不同的设计、施工方案情况下，大坝可能的应力变形变化趋势，从而为设计、施工提供指导，并预测可能发生的风险。

面板堆石坝的仿真分析主要包括以下几个阶段：

(1)资料整编阶段。这一阶段主要是收集、整理与大坝设计、施工相关的基础信息，包括坝址地形、坝基地质条件、岸坡地质状况、筑坝材料参数、大坝设计断面、施工顺序、面板分缝、蓄水步骤等。通过对资料的整编，建立相应的工程数据库和图形资料库。

(2)建模阶段。这一阶段主要是针对具体工程的特点以及仿真分析的目的,将实际的面板堆石坝工程转化成为适于计算机处理、分析的仿真模型。这里的建模包括两部分的内容:第一部分是几何建模,即通过输入坝址区域的地形、地质信息,大坝的断面、边坡等,建立大坝的几何模型;另一部分称为力学建模,即在对实际工程的系统分析基础上,确立仿真计算分析所采用的数值分析模型及相关的分析参数。

(3)反演分析阶段。这一阶段主要是在建立几何模型和力学模型的基础上,通过反分析方法,验证分析模型和仿真系统是否满足仿真分析的要求,确认力学模型的可靠性。同时,在确立模型正确的基础上,进一步求取较为符合实际工况的计算参数。如前所述,反演分析的过程不是一次性的计算或求解,它需要多步的迭代计算。仿真模型的确认与验证的过程实际上也就是不断修改模型使之更加符合工程实际的过程。

(4)仿真模拟阶段。在仿真模型(包括几何部分与力学部分)和计算参数确立后,即可运行仿真分析系统,深入研究大坝系统在各种不同工况组合下的应力、变形响应,或预测大坝系统针对不同决策变量的响应。

图 5-9 所示为面板堆石坝数值仿真与计算模拟的工作原理和运行流程。面板堆石坝数值仿真与计算模拟主要包括预处理、计算分析(包含反演分析)和后处理三大部分,同时辅之以工程数据库、工程图形库和专家知识库,并通过计算机网络互联为一个整体。具体而言,针对不同的工程项目,通过前处理系统收集相应的地形、地质、设计和施工情况的数据资料,并对其进行数据整编和数据预处理,然后将符合结构分析规范和模拟计算用的数据信息存入工程数据库的相应子库中,供数值分析和仿真计算使用。在计算分析系统中,将通过正分析与反分析的结合,利用各类分析程序对实际的工程问题进行大量的仿真模拟计算分析,最后,分析计算的结果将通过后处理系统进行成果的输出。

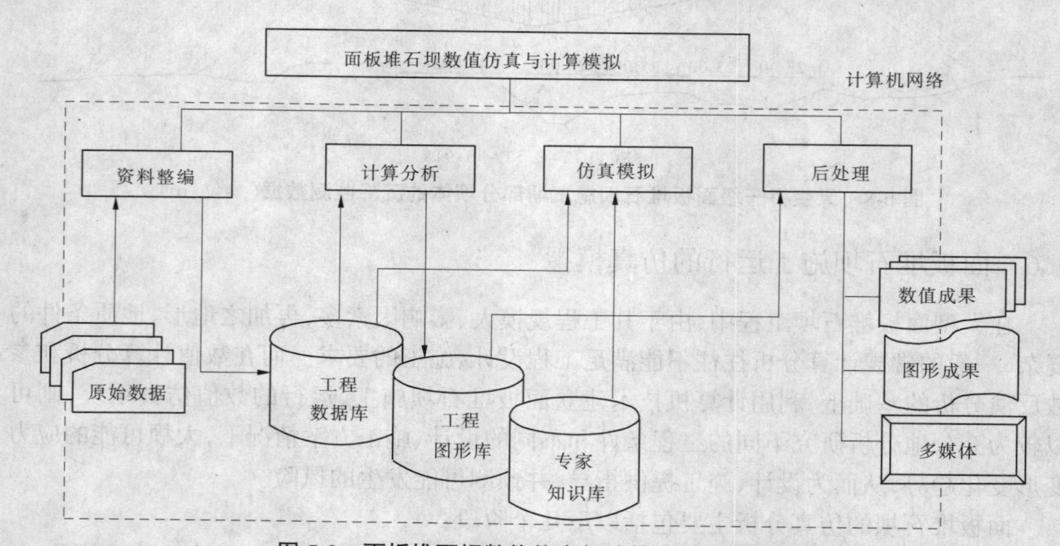

图 5-9 面板堆石坝数值仿真与计算模拟工作原理

图 5-10 所示为面板堆石坝数值仿真与计算模拟过程中的外部信息流程示意。其中,大坝的结构分析、反演及仿真计算是一个交互的分析过程。

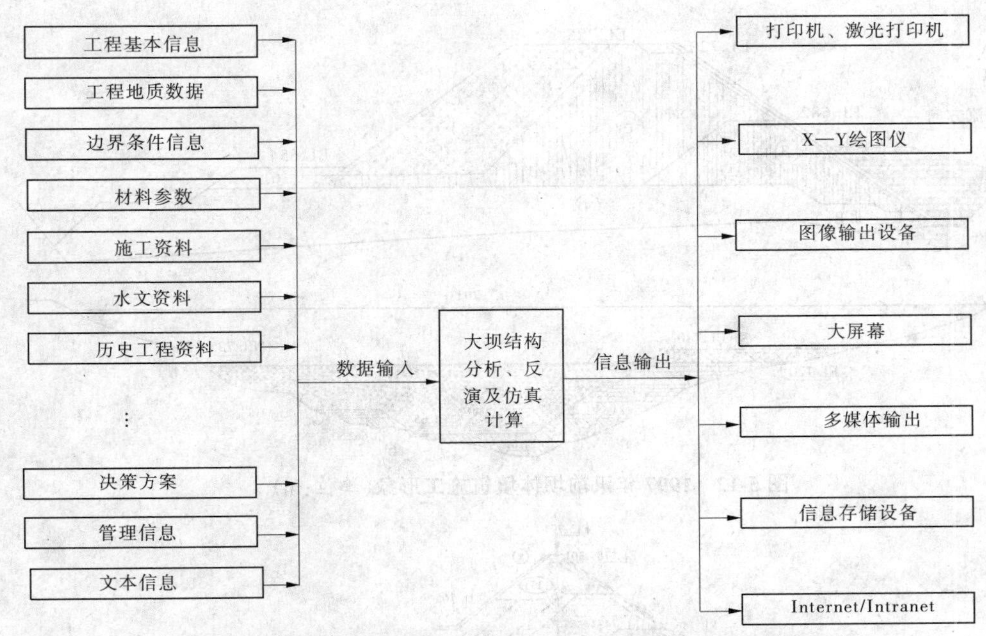

图 5-10　面板堆石坝工程数值仿真与计算模拟的外部信息流程

在面板堆石坝的仿真计算分析中,坝体填筑施工和水库蓄水的模拟应按照实际的过程进行,计算分析的填筑荷载步骤和水压荷载步骤可在此基础上作适当的归并、简化。图 5-11～图 5-13 所示为天生桥一级面板堆石坝施工期的坝体填筑过程(包括沿坝高方向和沿坝轴线方向)。

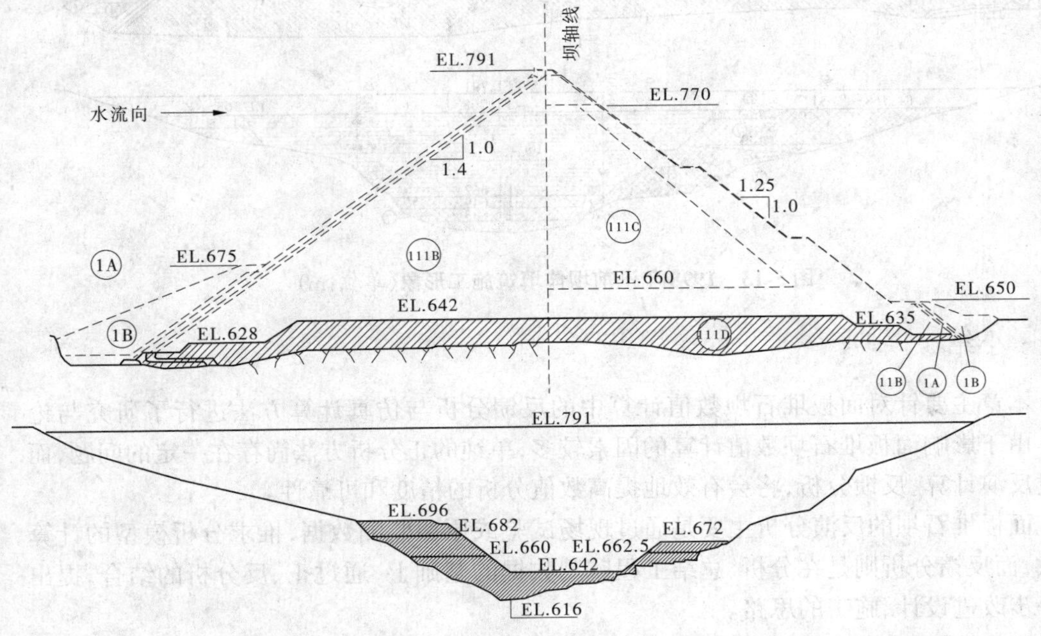

图 5-11　1996 年汛前坝体填筑施工形象(单位:m)

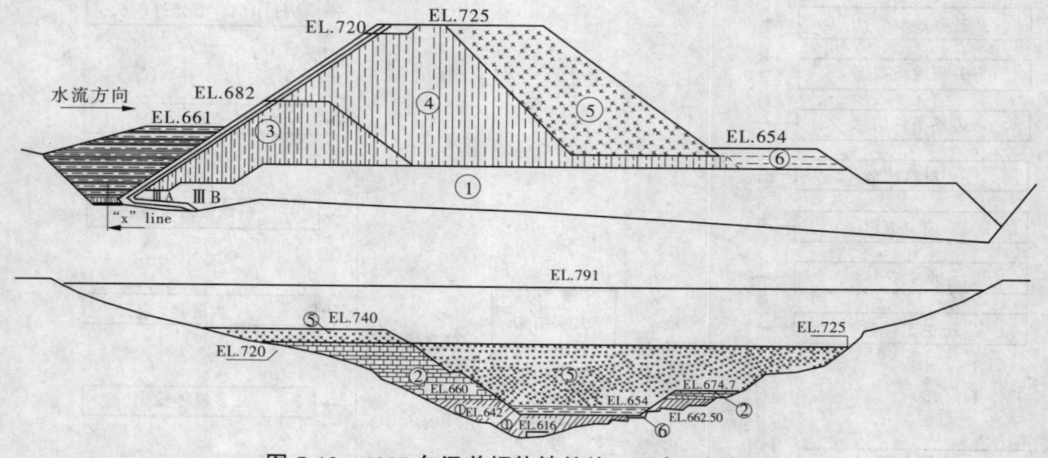

图 5-12　1997 年汛前坝体填筑施工形象(单位:m)

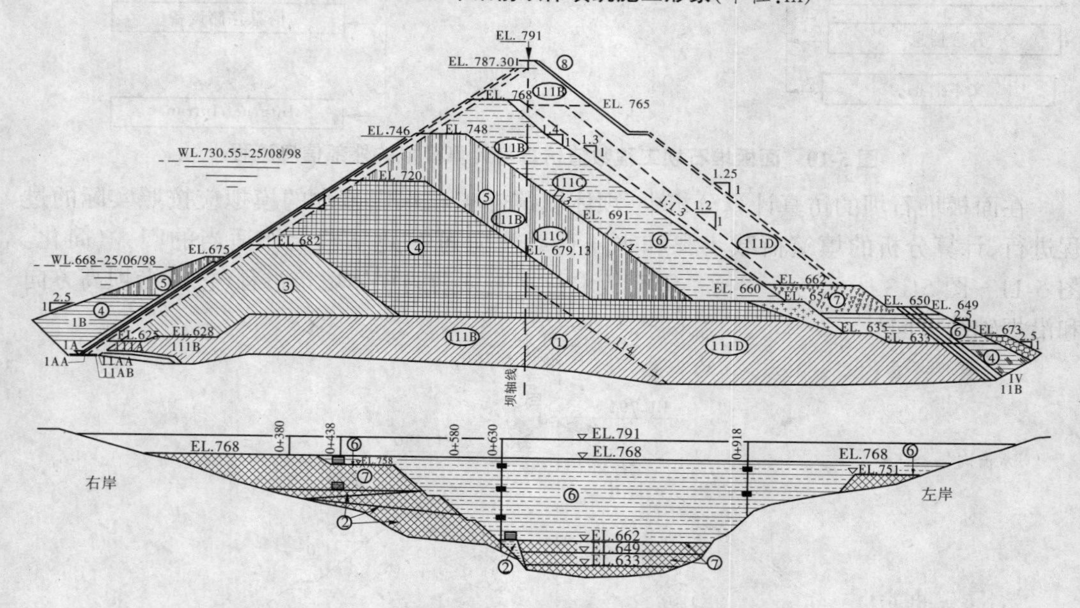

图 5-13　1998 年汛前坝体填筑施工形象(单位:m)

5.7　小结

本章主要针对面板堆石坝数值计算中的反馈分析与仿真计算方法进行了研究与论述。由于影响面板堆石坝数值计算的因素较多,单纯的正分析方法尚存在一定的问题,而通过反演计算、反馈分析,将会有效地提高数值分析的精度和可靠性。

面板堆石坝的反演分析主要是通过现场试验或原型监测数据,推求分析模型的计算参数,而反馈分析则是在分析、总结工程监测数据的基础上,通过正、反分析的结合,提出进一步改进设计、施工的思路。

面板堆石坝参数的反演计算主要应采用间接分析方法,通过多次迭代计算,在综合判断的基础上确定参数。计算分析宜采用相对简单的模型，同时应注意模型参数的物理意义、值域范围以及参数之间的相关关系。

面板堆石坝的反馈分析主要是在参数反演计算的基础上，结合监测数据，采用正分析方法进行。具体应用中，可以是通过大坝施工期监测数据的反馈分析，指导大坝的后期施工与运行控制，或者是通过对某一工程施工期、运行期监测数据的反馈分析，研究相关类似工程的应力、变形规律，总结、归纳相应的工程经验，为今后类似的工程提供指导与借鉴。

面板堆石坝的仿真计算主要是通过构建真实工程的数值分析模型，利用计算机技术，模拟工程的实际工作条件，从而研究大坝在不同工况条件及不同决策方案情况下的相关响应。仿真计算的基础是反演分析，它是一个交互的、渐进的分析过程，其仿真结果的可靠性取决于模型构建的真实程度。

中篇　面板堆石坝的应力变形特性研究

本书中篇的内容主要是通过数值分析的方法，对影响面板堆石坝应力变形特性的主要相关因素进行系统的分析研究，主要包括：河谷地形条件、坝基覆盖层、结构分区与填筑碾压标准、坝体分期施工及水库蓄水过程、面板的裂缝控制等。通过上述研究，作者对面板堆石坝设计、施工的若干基本原则提出了相关的建议。

就河谷形状对面板堆石坝应力与变形的影响而言，它主要表现在岸坡对坝体和面板的约束作用上。在这方面的研究中，作者通过构建一个标准的分析模型，并结合工程实例计算，对不同岸坡坡度情况、不同河谷宽度情况、对称与非对称岸坡情况等影响因素进行了系统的分析。研究结果表明：在坝高与坝体材料确定不变的情况下，狭窄河谷中坝体和面板的位移数值明显小于宽阔河谷中的情况，而面板的应力则是在狭窄河谷的情况下较大。对于非对称河谷情况，坝体和面板的位移呈不对称分布，缓坡侧坝体的位移有向陡坡侧挤压的趋势；陡坡侧位移变化梯度相对较大，缓坡侧位移变化梯度相对较小。平缓岸坡侧面板拉应力区范围较大，陡岸坡侧面板拉应力区范围较小，但陡岸坡处面板应力变化的梯度相对较大。针对上述变形特点，在面板堆石坝的设计、施工中，对于狭窄河谷中的面板坝，应参考数值计算分析成果，通过调整面板宽度，合理确定面板的分缝，以适应面板变形的变化梯度。同时，应在周边缝附近设置特殊垫层区，并保证其较高的碾压密实度，以减小面板周边缝的变形。对于非对称河谷，还应特别重视缓坡侧面板纵缝的位移，相对而言，这部分的面板分缝更容易出现较大的张拉位移。

对于面板堆石坝的覆盖层，书中结合新疆察汗乌苏面板堆石坝工程，对坝基覆盖层与坝体结构以及坝基防渗结构的相互作用进行了系统的分析、论证。书中指出：如坝基覆盖层较浅，则可以采取部分挖除（趾板附近）的处理方式；当覆盖层较深时，其较为合理的结构形式是采用垂直防渗处理方案，利用混凝土防渗墙作为地基防渗措施，将趾板直接置于砂砾石地基上，并用趾板或连接板将防渗墙和面板连接起来，接缝处设置止水，从而形成完整的防渗系统。在这种情况下，工程设计的关键是要保证防渗墙、连接板和趾板的变形协调，并满足强度方面的要求。

通过系统的研究表明：深覆盖层与上部坝体的相互作用，主要表现为坝基覆盖层压缩变形对上部坝体的影响。其直接后果将导致坝体最大沉降区域的下移、坝顶产生向内凹陷的变形，并有可能引起一期面板顶部与坝体间产生局部脱开的趋势。与修建于坚硬基岩上的常规面板堆石坝相比，深覆盖层地基上的面板堆石坝坝体位移、面板变形以及周边缝的位移均有所增加。坝基防渗墙与趾板之间也存在一定的变形差异，这种差异变形可以采用连接板的方式进行过渡。从防渗墙的应力变形看，趾板与防渗墙之间连接板的长度与防渗墙的应力和位移有着明显的相关关系，应通过优化分析确定合理的长度。

对于面板堆石坝的结构分区和堆石压实标准，书中结合工程计算实例进行了系统的分析研究。研究结果表明：在面板堆石坝的设计和施工中，控制坝体和面板变形的最直接途径是坝体的结构分区和填筑施工碾压标准。合理的材料分区布置，以及适当的填筑压实标准控制，对于改善面板坝的工作性状、提高大坝的整体安全性将起到至关重要的作用。从坝体断面分区布置看，一个经济、合理的断面分区布置应使得坝体的材料从上游面到下游面满足变形模量递减和透水能力递增的原则，相应地，坝体堆石的填筑密度也可以从上游到下游逐步减小。但是应该指出的是，这种分区之间变形模量和填筑密度的递减主要是考虑经济上的因素，就工程结构特性而言，分区间变形模量和填筑密度不应相差过大。事实上，次堆石区的过大变形将会对面板的应力和变形产生一定的影响，对于高面板堆石坝，这一影响尤其明显。计算分析和工程实践均表明，在坝体的断面分区设计中，变形特性相差很大的堆石填筑分区将有可能导致混凝土面板发生拉伸裂缝。因此，以往的坝轴线下游堆石体材料特性对面板工作性状影响不大的概念不适用于高混凝土面板堆石坝。对于高面板堆石坝，为减少上、下游方向不均匀沉降，主、次堆石区的堆石料特性差异不宜过大。对于高混凝土面板堆石坝，一般不宜采用软岩堆石料填筑次堆石区。当采用软岩堆石料或材料性质相对较弱的堆石作为次堆石区填筑坝料时，应特别注意：①不要将软岩料布置在高压应力区，以避免造成次堆石区较大压缩变形；②主堆石区与次堆石区的分界应采取相对保守的坡比，其坡度不应陡于1:0.5；③高坝的次堆石区应布置在坝体下游相对较高的位置，至少其底部应保留一定厚度的低压缩性堆石体。

就面板堆石坝的施工而言，提高填筑密度是改善坝体和面板应力变形特性的重要手段。从计算分析的结果看，当堆石材料的填筑密度从一个相对较低的数值提高到较高的数值时，坝体和面板的变形有明显的改善，但当堆石填筑密度提高到一定程度后，坝体和面板变形的减小趋势逐渐趋缓。因此，在面板坝的施工中，应结合工程的具体情况，在满足经济可行的条件下，合理确定堆石的压实密度，从而改善坝体的整体应力变形性状。

对于面板堆石坝坝体分期施工及水库蓄水过程对面板坝应力变形特性的影响，书中主要从坝体临时施工度汛断面、面板分期施工以及施工期库水位升降变化等方面进行了分析计算。研究结果表明：在面板堆石坝的填筑施工方式上，不同的施工填筑分期，由于堆石体变形时序的差异，坝体的最终变形也必将受到一定程度的影响。就改善坝体的变形性状而言，坝体的填筑最好是实现坝体上、下游全断面均衡上升，当因施工期度汛的要求而需先行填筑临时断面时，新、老填筑体的高度差异不应过大。在高面板堆石坝的填筑施工中，其填筑施工的分期尤其应注意不能采取“贴坡式”上升的施工方式。

为减小坝体变形对面板应力的影响，面板的浇筑应等待坝体变形稳定一段时间后再施工，面板一次施工到顶要优于面板分期浇筑。坝体在施工期的挡水度汛，汛期水荷载的作用可以起到对堆石体的预压作用，从而可以在一定程度上改善面板的应力状态。

本篇的最后对于混凝土面板的开裂机理和面板裂缝的防治措施进行了分析，书中对造成面板裂缝的结构因素和材料因素分别进行了分析、论证，并给出了面板温度和干缩裂缝的分析方法。关于面板坝面板裂缝的控制，主要应从结构和混凝土材料两方面着手。广义上讲，面板的裂缝是由于坝体变形、温度变化和混凝土干缩等因素综合作用的结果。对于面板的结构性裂缝，其防范措施主要是坝体和面板变形的控制；对于面板的材料性裂缝，其防范措施主要是降低面板混凝土的综合温差、控制混凝土的体积收缩。总体而言，面板裂缝的控制是一项系统工程，应该在混凝土材料配比、坝体结构设计、施工质量控制三方面采取综合措施。

第 6 章　河谷形状对面板堆石坝应力变形的影响

6.1　概述

混凝土面板堆石坝作为一种利用堆石材料的坝型,它对地形条件具有较强的适应性。从国内外已建和在建的工程看,无论是狭窄河谷还是宽阔河谷,均可修建面板堆石坝,而且,通过精心的设计,这些处于不同形状河谷中的面板堆石坝均能够安全地运行。例如,哥伦比亚的安其卡亚面板堆石坝,坝高 140m,坝顶长 280m,长高比 2.0;巴西的阿里亚面板堆石坝,坝高 160m,坝顶长 828m,长高比 5.18;中国的天生桥一级面板堆石坝,坝高 178m,坝顶长 1 137m,长高比 6.39;中国的洪家渡面板堆石坝,坝高 179.5m,坝顶长 427.79m,长高比 2.38。安其卡亚坝和洪家渡坝为典型的峡谷地形面板坝,而天生桥一级和阿里亚坝则为典型的宽河谷面板坝。图 6-1 所示为哥伦比亚所建面板堆石坝的河谷形状示意[37],表 6-1 为相关特征参数。

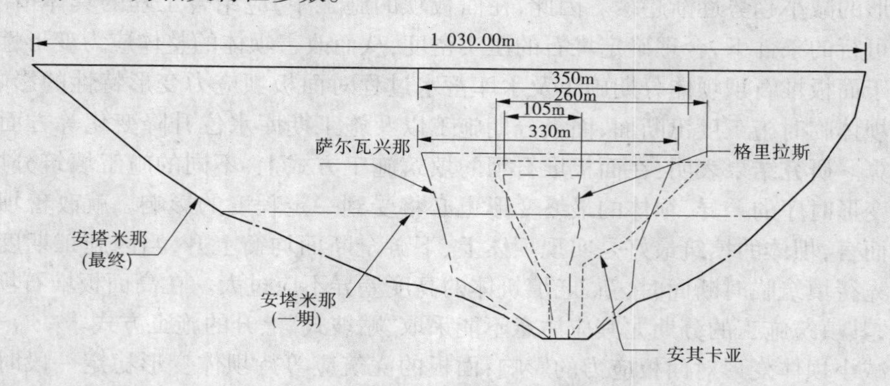

图 6-1　哥伦比亚面板堆石坝的河谷形状

表 6-1　哥伦比亚面板堆石坝的特征参数

坝名	坝高(m)	坝顶长(m)	坝顶长/坝高	面板面积(m^2)
安其卡亚	147.0	260.0	1.77	31 000
格里拉斯	129.0	105.0	0.81	17 000
萨尔瓦兴那	154.0	330.0	2.14	63 000
安塔米那一期	109.0	735.0	6.74	67 000
安塔米那终期	210.0	1030.0	4.91	224 000

尽管面板堆石坝对地形条件的适应有着较大的宽容性,但是,从大坝的应力变形分析

角度看，不同的地形条件对于坝体和面板的应力和变形有着较为明显的影响。河谷的宽窄、岸坡的陡缓、两岸坡的对称性以及坝肩是否存在台地等均可直接影响着坝体、面板的应力和变形分布及周边缝的位移趋势。通过对不同河谷形状下面板堆石坝应力变形特性的深入研究，将可以揭示河谷形状对面板堆石坝应力变形特性的影响规律，从而为大坝的设计、施工提供指导。

6.2　河谷的形状参数及分析模型

就坝体和面板的受力变形而言，较为有利的河谷形状应该是平滑、对称的河谷，岸坡坡度较缓，同时，两侧坝肩能够为坝体提供坚固的支撑作用。而对坝体和面板应力变形不利的河谷形状则主要表现在：坝肩陡峭、岸坡不对称、基岩表面不规则、河床深切等。

在实际工程中，为比较不同工程的河谷形状，通常是以坝轴线位置的纵断面进行比较，并将大坝的建基面统一到同一高程，如图 6-1 所示。河谷的宽窄，一般用长高比（坝顶长/最大坝高）表示。澳大利亚塔斯马尼亚水电公司在其相关的研究中，采用了河谷形状参数的定义[45]，即定义河谷形状参数＝平均河谷宽度/最大坝高，而平均河谷宽度＝大坝上游面面积/上游面最大坡长。这两种参数的意义基本相同，都可以表示河谷宽窄的程度，但也均未能表示出岸坡对称性的作用。图 6-2 所示为澳大利亚塔斯马尼亚水电公司建造的 13 座面板堆石坝中河谷最宽的 Mackintosh 坝和河谷最窄的 Murchison 坝的岸坡（河谷）形状，其余 11 座面板坝的河谷形状位于这两座坝的岸坡形状图示之间。

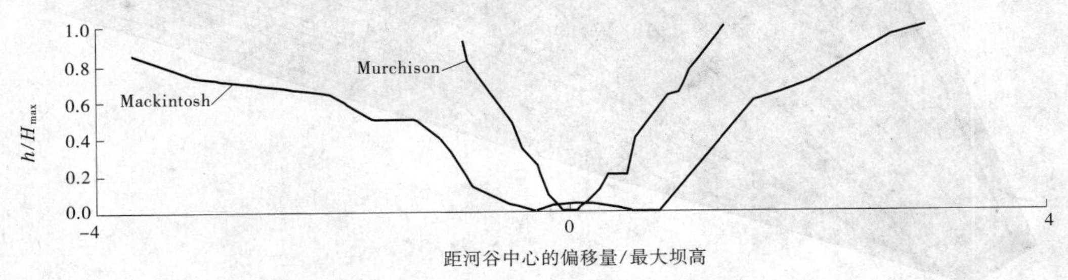

图 6-2　宽河谷与窄河谷的形状差别

为研究不同地形条件对面板堆石坝应力变形的影响，需建立一种典型的三维面板堆石坝分析模型，通过改变河谷宽度、坝顶长度、岸坡坡比等外部条件，进而研究地形参数的改变对坝体和面板应力变形的影响。

计算分析模型的基本特征参数为：

坝高：120m

坝体分区：面板、垫层区、过渡区、主堆石区、次堆石区

面板厚度：50cm

垫层宽度：2m　　过渡区宽度：3m

岸坡：固定坡度　　建基面：水平（高程：0.0m）

上游蓄水位：110m

计算模型的最大横断面如图 6-3 所示，图 6-4 所示为计算模型的三维网格图。

计算分析模型的材料参数如表 6-2 所示。

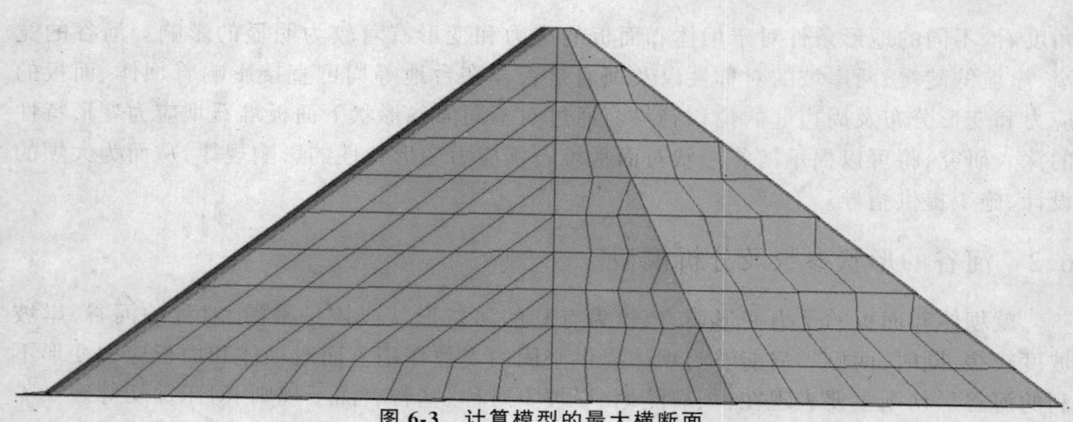

图 6-3　计算模型的最大横断面

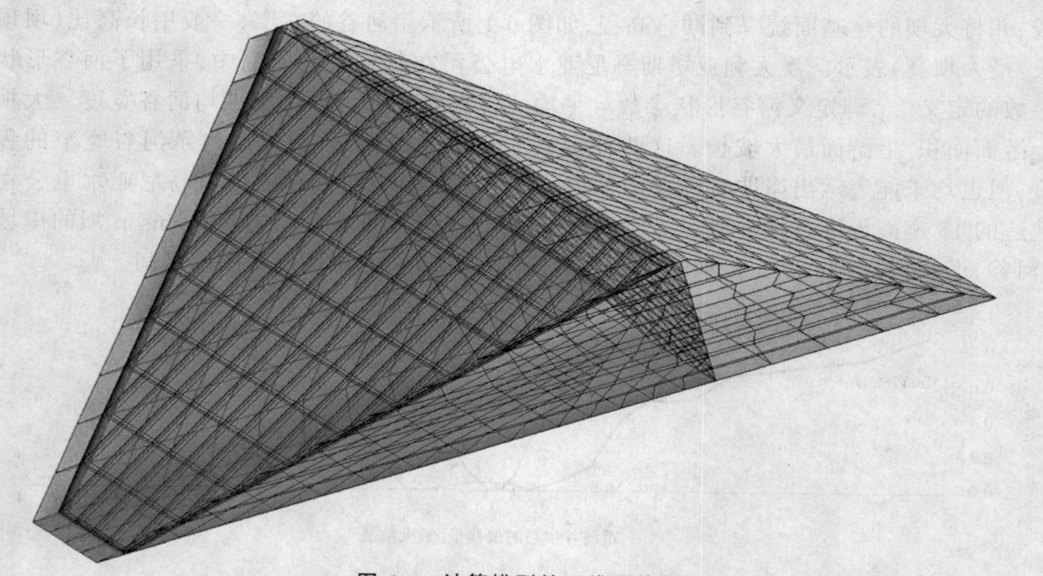

图 6-4　计算模型的三维网格图

表 6-2　材料的邓肯—张模型 (E—B)参数

材料	γ (t/m³)	K	K_{ur}	n	R_f	K_b	m	φ (°)	$\Delta\varphi$ (°)
垫层	2.21	1 100	2 250	0.40	0.87	680	0.21	52.0	10.0
过渡	2.19	1 050	2 150	0.43	0.87	620	0.24	53.0	9.0
主堆石	2.18	1 000	2 050	0.47	0.87	600	0.40	53.0	9.0
次堆石	2.12	850	1 750	0.36	0.75	580	0.30	52.0	10.0
面板	2.40	220 000	220 000	—	—	180 000	—	—	—

6.3　计算方案

为比较不同的河谷宽度、岸坡坡度等地形条件对坝体和面板应力变形特性的影响，计算分析中共进行了三组不同形式的分析。其中,第一组为固定河床宽度,通过变换不同的岸坡坡度以比较岸坡坡度的影响作用;第二组为固定岸坡坡度,通过变换不同的河床宽度以比较河床宽度的影响作用;第三组为考虑非对称岸坡的情况。具体的计算工况和计算方案代号分别如下。

6.3.1　岸坡坡度影响计算

- 方案 1-1:河床宽度 48.0m,岸坡坡度 1:0.5。
- 方案 1-2:河床宽度 48.0m,岸坡坡度 1:1.0。
- 方案 1-3:河床宽度 48.0m,岸坡坡度 1:1.5。
- 方案 1-4:河床宽度 48.0m,岸坡坡度 1:2.0。
- 方案 1-5:河床宽度 48.0m,岸坡坡度 1:3.0。

计算方案的河谷宽度与岸坡坡度示意如图 6-5 所示。

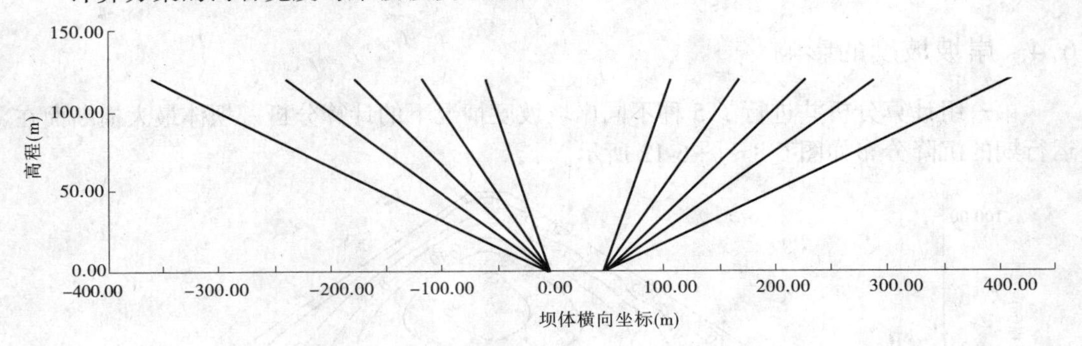

图 6-5　河谷形状示意(不同岸坡坡度)

6.3.2　河床宽度影响计算

- 方案 2-1:岸坡坡度 1:1.0,河床宽度 48.0m。
- 方案 2-2:岸坡坡度 1:1.0,河床宽度 96.0m。
- 方案 2-3:岸坡坡度 1:1.0,河床宽度 192.0m。
- 方案 2-4:岸坡坡度 1:1.0,河床宽度 288.0m。
- 方案 2-5:岸坡坡度 1:1.0,河床宽度 384.0m。

计算方案的河谷宽度与岸坡坡度示意如图 6-6 所示。

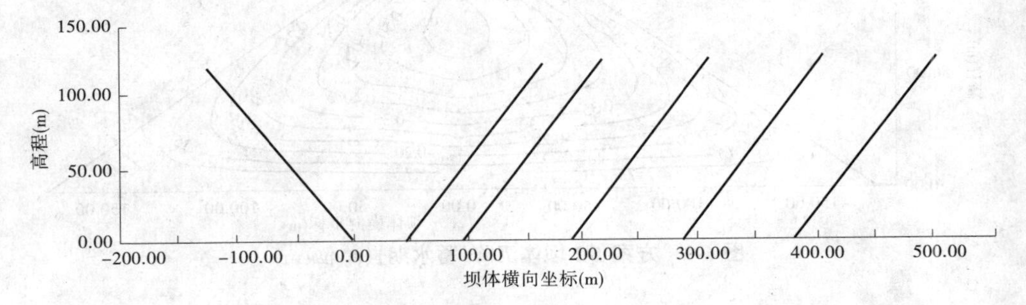

图 6-6　河谷形状示意(不同河谷宽度)

6.3.3 非对称岸坡

• 方案 3-1:河床宽度 48.0m,左岸坡坡度 1:1.0,右岸坡坡度 1:3.0,如图 6-7 所示。

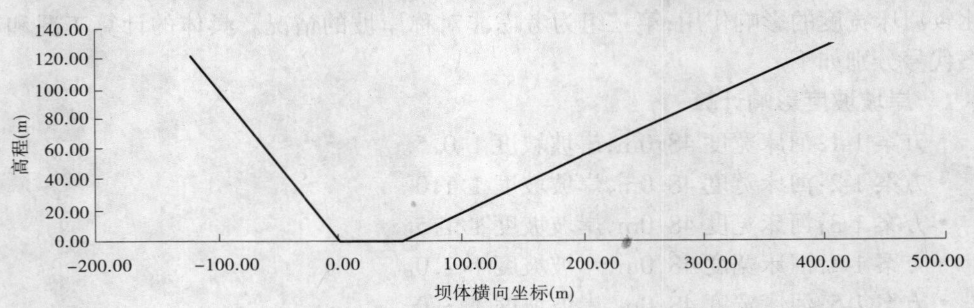

图 6-7 河谷形状示意(非对称岸坡)

6.4 岸坡坡度的影响

第一组计算分析共进行了 5 种不同岸坡坡度情况下的计算分析。坝体最大横断面在运行期的沉降分布如图 6-8～图 6-12 所示。

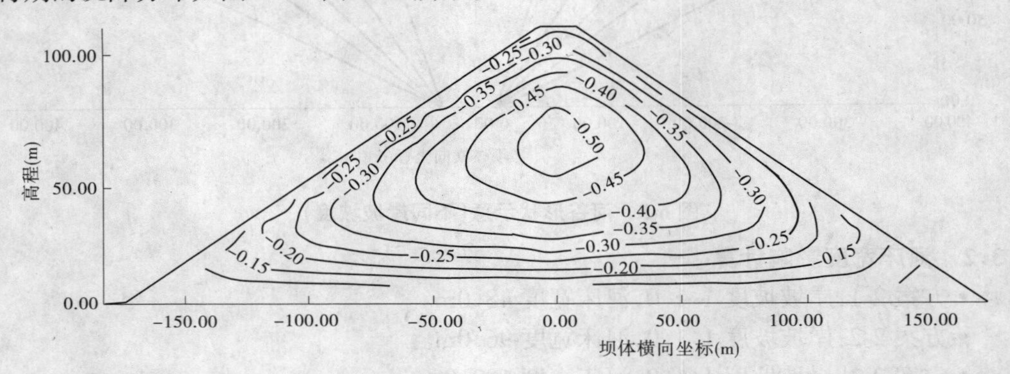

图 6-8 方案 1-1 坝体沉降(蓄水期)(单位:m)

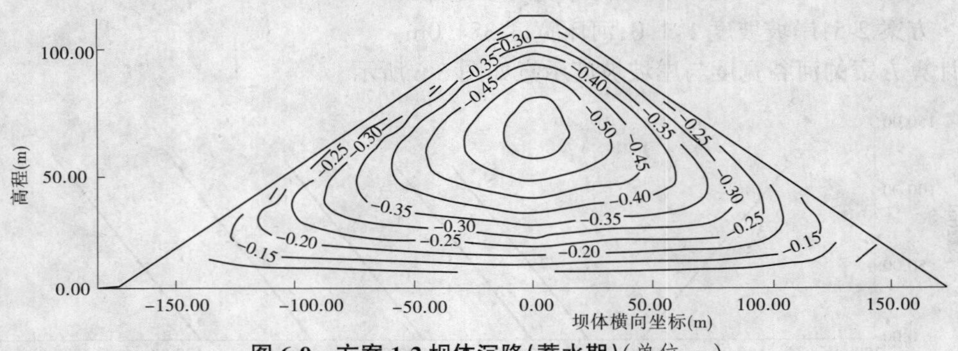

图 6-9 方案 1-2 坝体沉降(蓄水期)(单位:m)

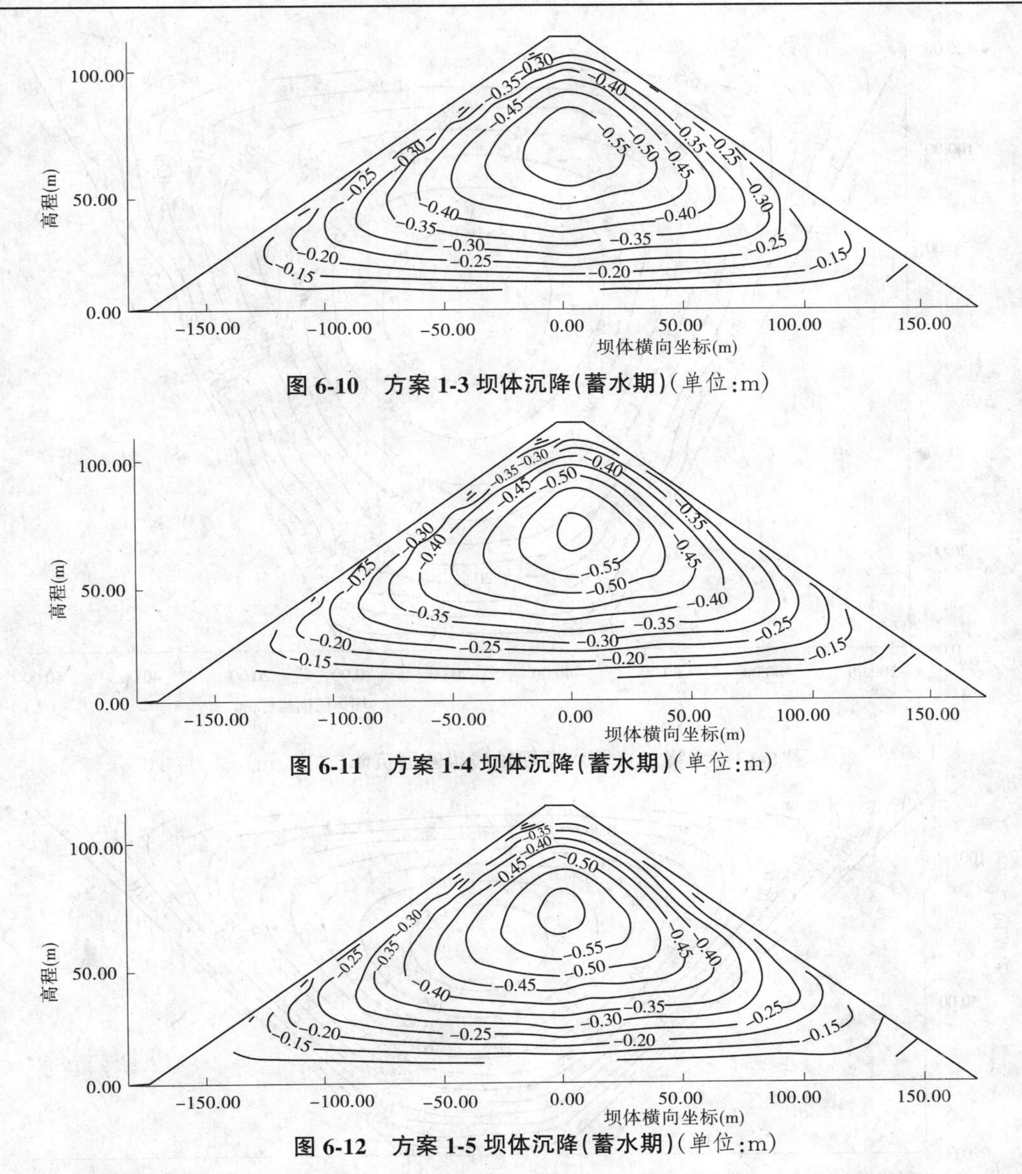

图 6-10　方案 1-3 坝体沉降(蓄水期)(单位:m)

图 6-11　方案 1-4 坝体沉降(蓄水期)(单位:m)

图 6-12　方案 1-5 坝体沉降(蓄水期)(单位:m)

从坝体最大横断面的沉降分布图看,各计算方案的沉降分布规律基本相同。坝体沉降呈对称于坝轴线的形式分布,最大沉降位于坝体中上部(坝中线位置,约60%坝高处),坝体沉降的数值随岸坡坡度的变缓而逐渐增大,各计算方案的坝体沉降变化梯度没有明显的改变。

坝体沿坝轴线位置的纵断面在运行期的沉降及水平位移分布如图6-13~图6-22所示。

从坝轴线处纵断面的沉降分布图看,各计算方案的坝体沉降分布规律基本相同。坝体沉降呈对称于河谷中心线的形式分布,最大沉降位于坝体中上部。当岸坡坡度较陡时,岸坡处的沉降分布在局部地形的影响下出现一定程度的波动,随着岸坡坡度趋缓,坝体沉降分布逐渐平顺。从计算数值看,坝体的沉降随岸坡坡度的变缓而逐渐增大,而各计算方

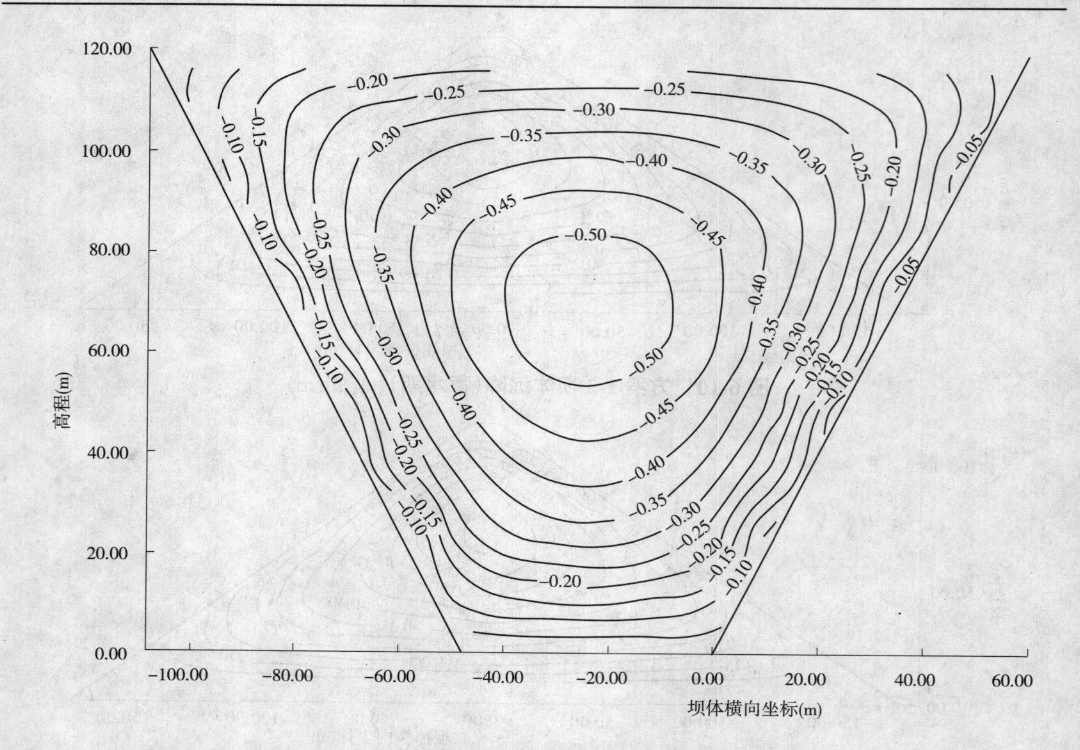

图 6-13　方案 1-1,蓄水期坝轴线纵断面沉降(单位:m)

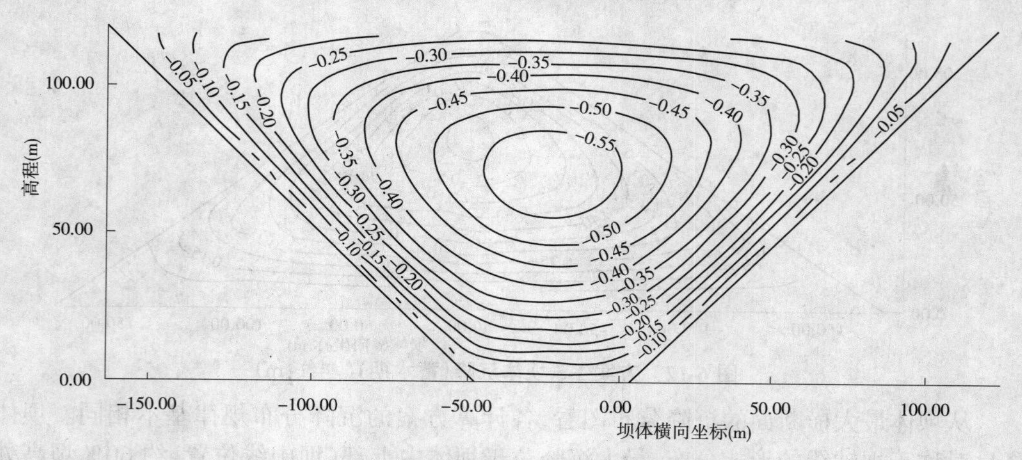

图 6-14　方案 1-2,蓄水期坝轴线纵断面沉降(单位:m)

案的坝体沉降变化梯度随岸坡坡度的变缓而减小。

从坝轴线处纵断面的水平位移分布图看,纵断面上的水平位移呈对称于河谷中心线的形式分布,两岸坡坝体的水平位移均指向河谷中央,水平位移分布的最大值靠近岸坡。当河床宽度不大、岸坡坡度较陡时,受上部坝体向底部位移以及河谷底部对坝体约束的共同作用,坝体底部的水平位移方向与上部坝体相反(左岸坝体水平位移指向左岸,右岸坝体水平位移指向右岸),随着岸坡坡度的变缓,这一现象也随之消失。从计算数值上看,当岸坡坡度很陡或很缓时,坝体纵断面上的水平位移数值均较小;当岸坡坡度处于中间位置

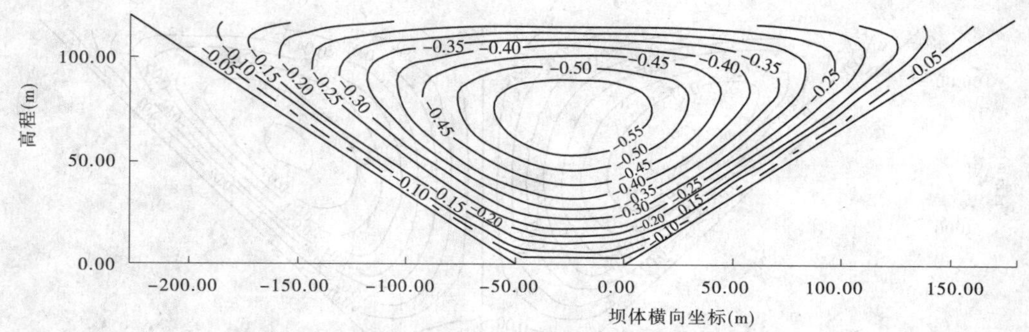

图 6-15　方案 1-3，蓄水期坝轴线纵断面沉降（单位：m）

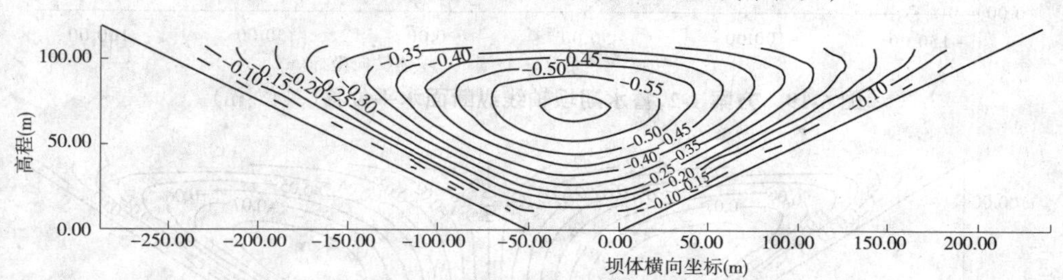

图 6-16　方案 1-4，蓄水期坝轴线纵断面沉降（单位：m）

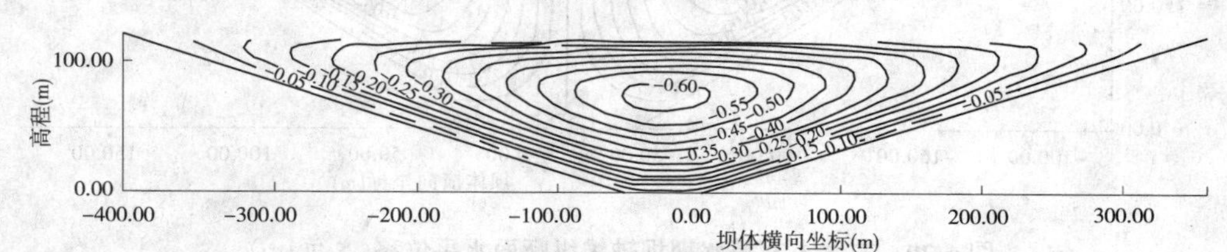

图 6-17　方案 1-5，蓄水期坝轴线纵断面沉降（单位：m）

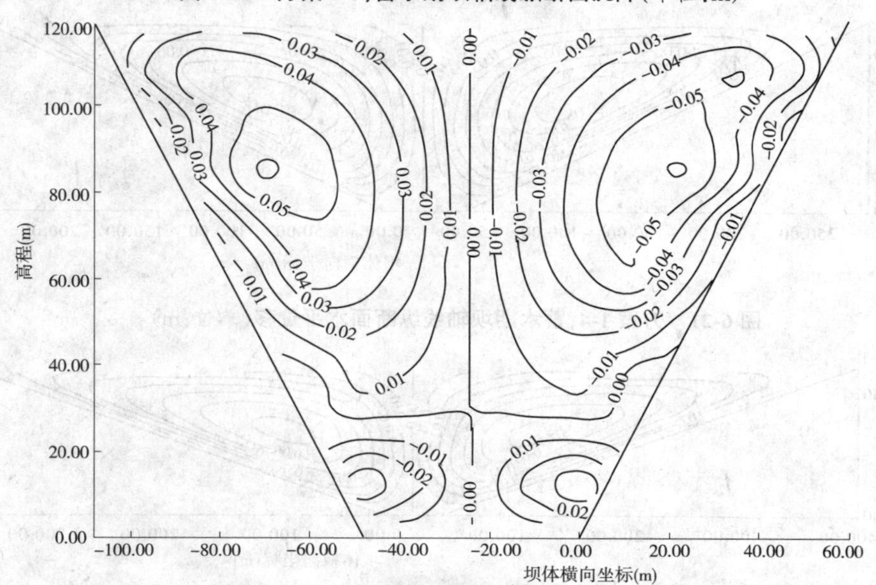

图 6-18　方案 1-1，蓄水期坝轴线纵断面水平位移（单位：m）

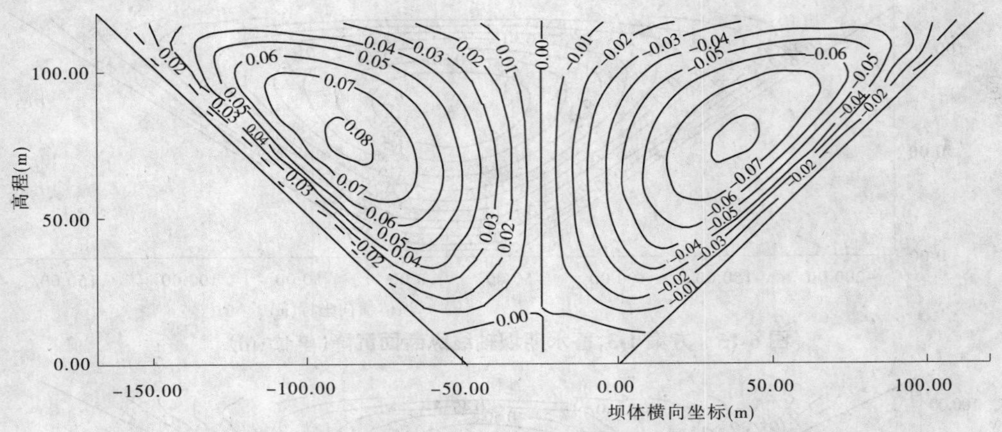

图 6-19　方案 1-2,蓄水期坝轴线纵断面水平位移(单位:m)

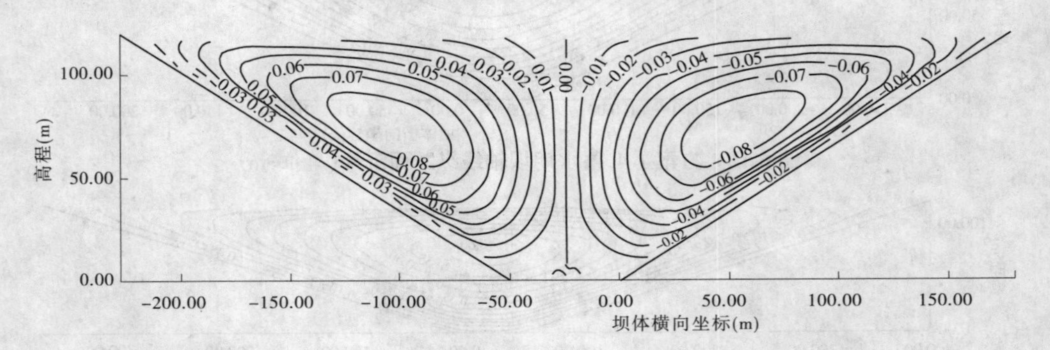

图 6-20　方案 1-3,蓄水期坝轴线纵断面水平位移(单位:m)

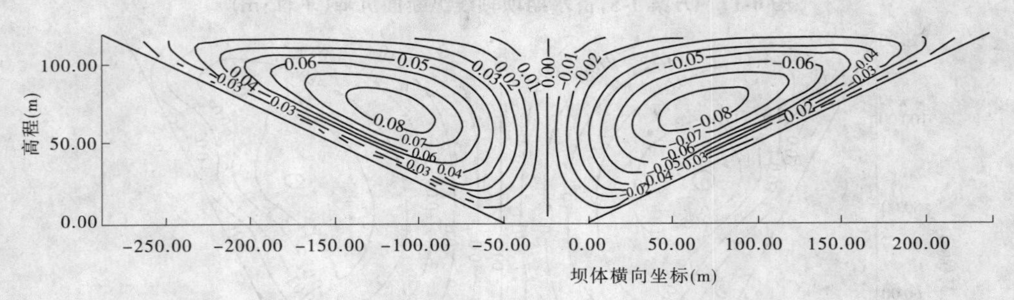

图 6-21　方案 1-4,蓄水期坝轴线纵断面水平位移(单位:m)

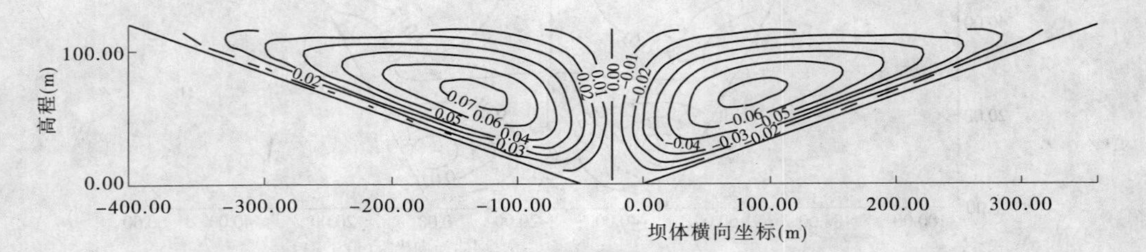

图 6-22　方案 1-5,蓄水期坝轴线纵断面水平位移(单位:m)

时,水平位移数值则较大。就水平位移最大值的位置而言,当岸坡坡度较陡时,水平位移最大值的位置处于坝体中上部;而当岸坡坡度较缓时,水平位移最大值的位置处于坝体中下部。

蓄水期面板的挠度和水平位移分布如图 6-23~图 6-32 所示。

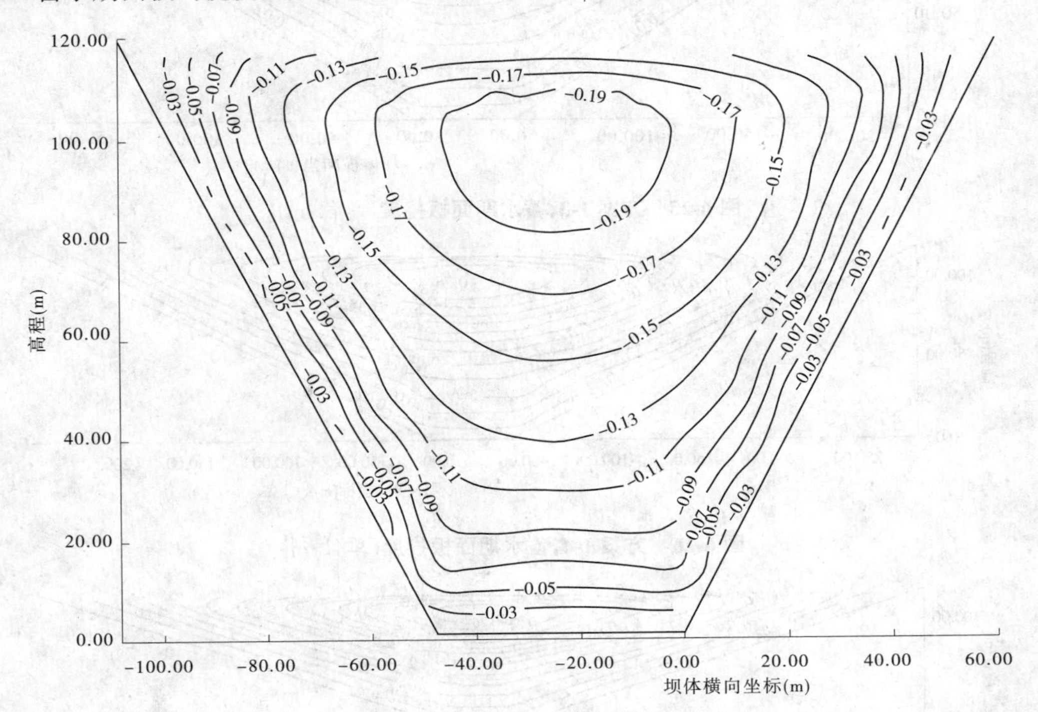

图 6-23　方案 1-1,蓄水期面板挠度(单位:m)

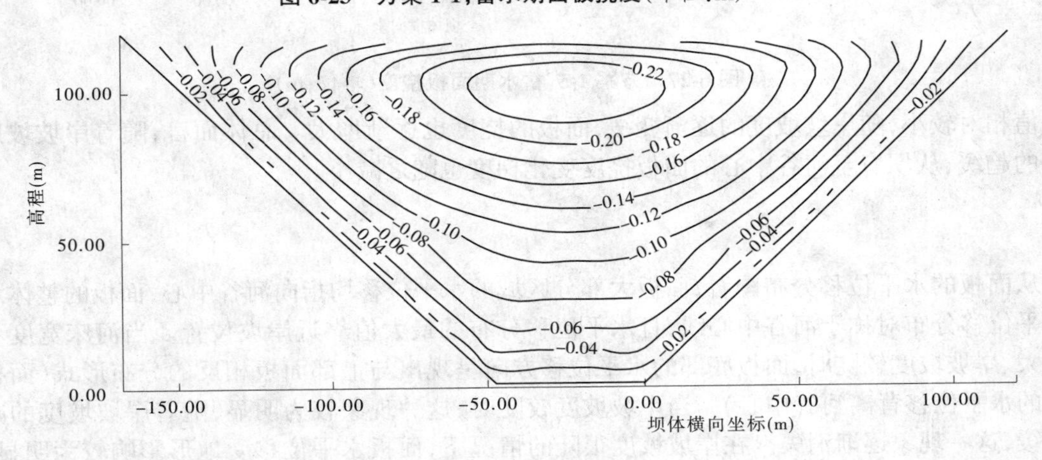

图 6-24　方案 1-2,蓄水期面板挠度(单位:m)

从面板的挠度分布上看,蓄水期面板的最大挠度位于面板的上部,面板挠度的分布对称于河谷中心。当岸坡坡度较陡时,岸坡处面板的挠度分布呈现出一定程度的波动,随着岸坡坡度趋缓,面板挠度分布逐渐平缓。从计算数值看,岸坡坡度较陡时,面板的挠度数

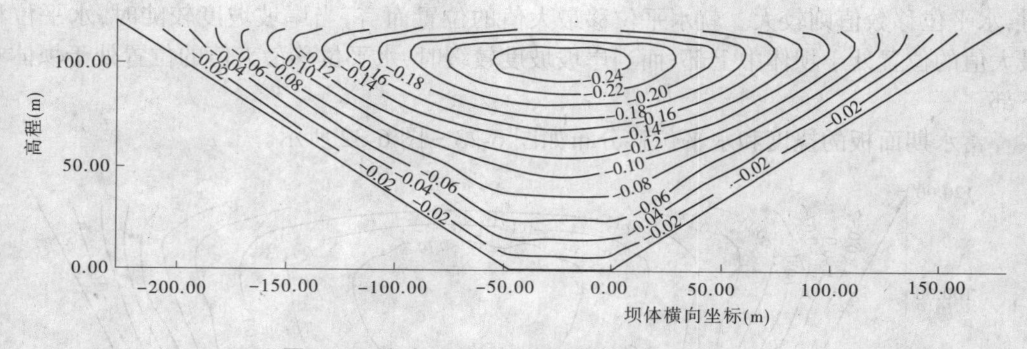

图 6-25　方案 1-3,蓄水期面板挠度(单位:m)

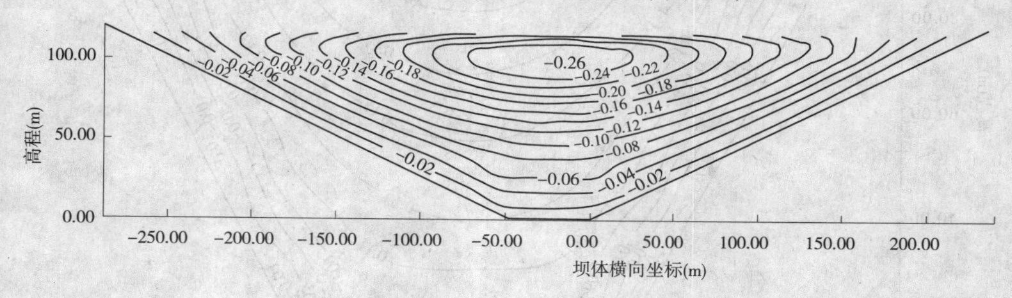

图 6-26　方案 1-4,蓄水期面板挠度(单位:m)

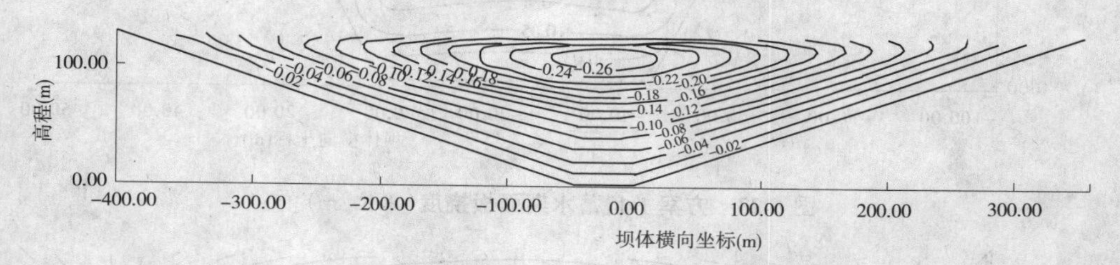

图 6-27　方案 1-5,蓄水期面板挠度(单位:m)

值相对较小,随岸坡坡度的逐渐变缓,面板的挠度也逐渐增大。总体而言,随着岸坡坡度的趋缓,从坝肩至河谷中心的面板挠度变化梯度也随之减小。

从面板的水平位移分布图看,面板大部分区域的水平位移均指向河谷中心,面板的整体水平位移分布对称于河谷中心线,且水平位移分布的最大值靠近岸坡位置。当河床宽度不大、岸坡坡度较陡时,面板底部的水平位移方向呈现出与上部面板相反的分布形式(面板的水平位移背离河谷中心)。当岸坡坡度较陡时,这一现象较为明显,随着岸坡坡度的减缓,这一现象逐渐消失。在岸坡坡度很陡的情况下,面板水平位移受地形影响较为明显,岸坡处面板水平位移分布波动较大,当岸坡坡度趋缓时,位移分布则较为平顺。

蓄水期面板顺上游坝坡方向的应力和沿坝轴线方向的应力分布分别如图 6-33～图 6-42 所示。

面板在蓄水期沿上游坝坡方向和沿坝轴线方向的应力分布是评价面板应力状况的重

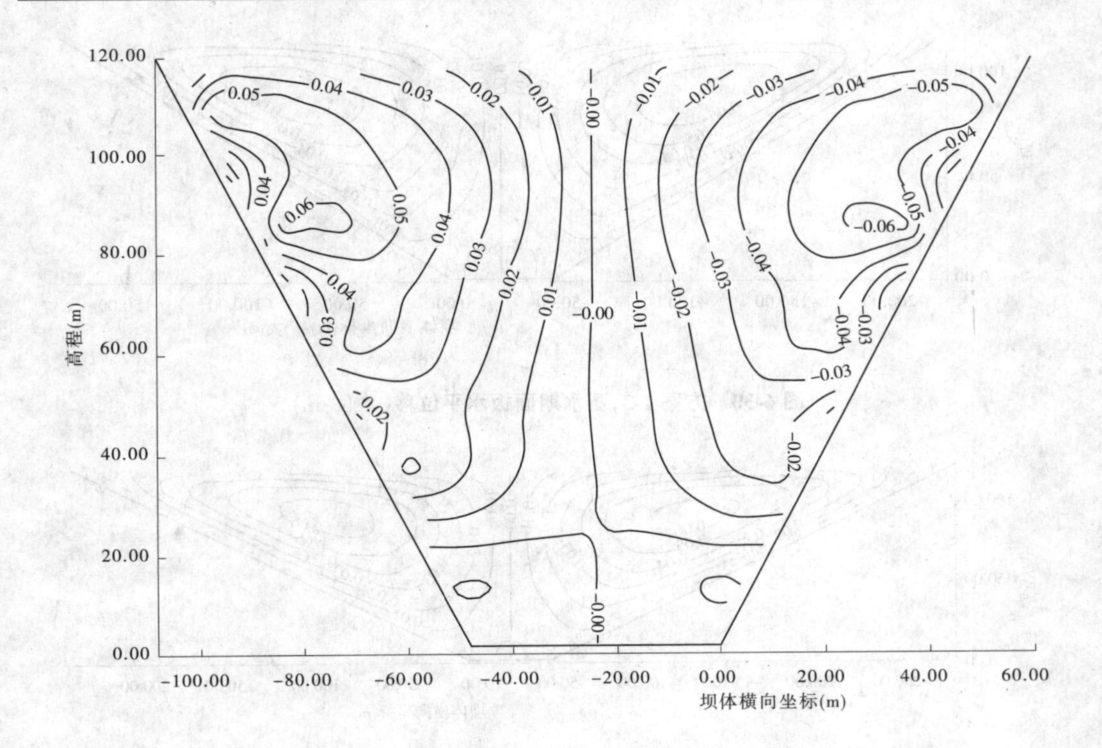

图 6-28　方案 1-1,蓄水期面板水平位移(单位:m)

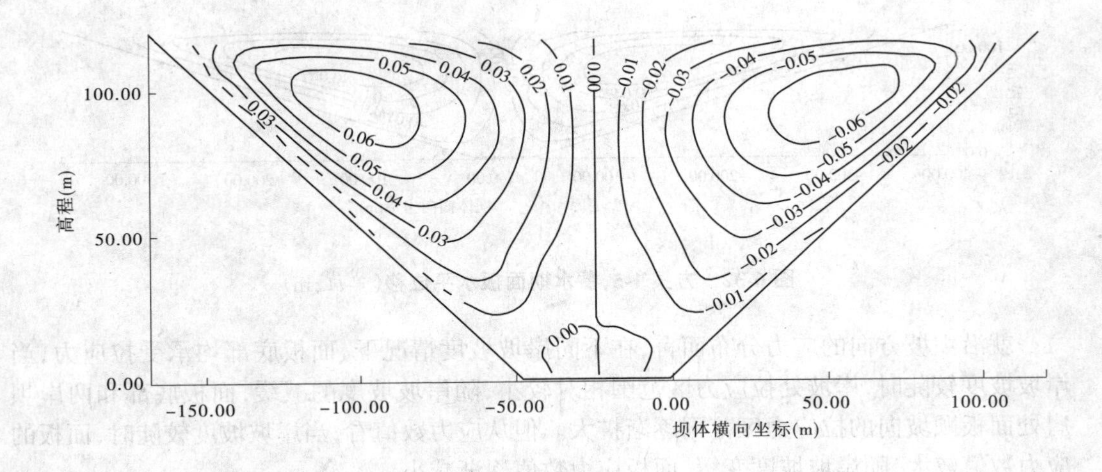

图 6-29　方案 1-2,蓄水期面板水平位移(单位:m)

要指标。由图 6-33～图 6-42 可以看出,蓄水期面板的大部分区域(主要集中在河床面板的中部和上部)呈双向受压状态(顺坡向、坝轴向),局部区域承受拉应力。在顺坡方向,面板底部和岸坡局部受拉,其余部位受压;在沿坝轴线方向,岸坡处面板受拉,其余大部分区域受压。

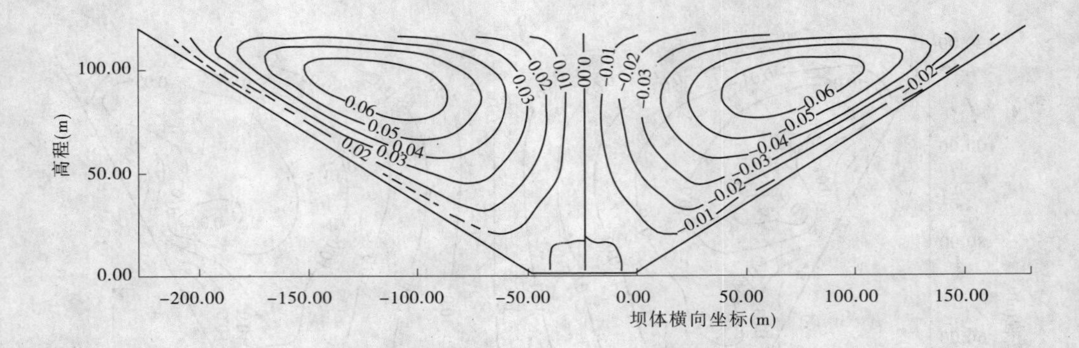

图 6-30　方案 1-3,蓄水期面板水平位移(单位:m)

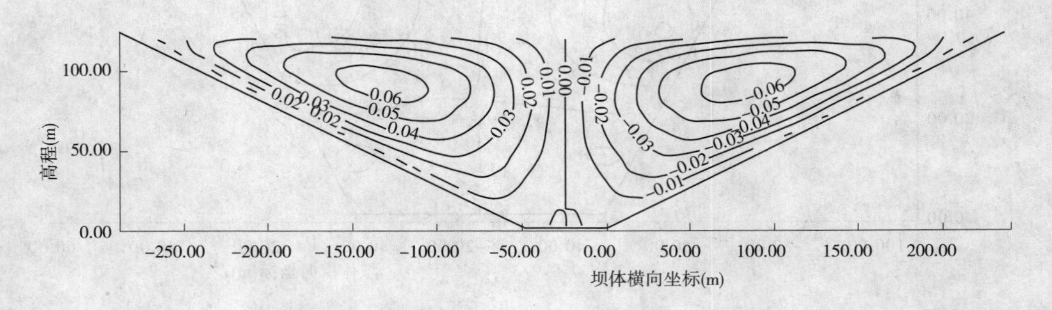

图 6-31　方案 1-4,蓄水期面板水平位移(单位:m)

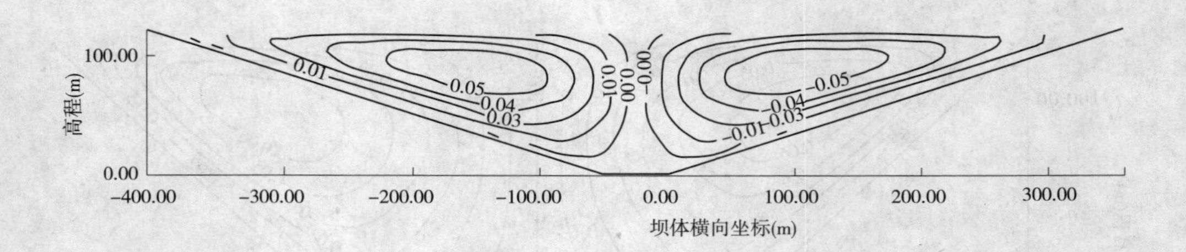

图 6-32　方案 1-5,蓄水期面板水平位移(单位:m)

就沿坝坡方向的应力分布而言,在不同岸坡坡度情况下,面板底部均承受拉应力,当岸坡坡度较陡时,岸坡处拉应力区范围相对较小,随岸坡坡度的减缓,面板底部和两岸坝肩处面板顺坡向的拉应力区范围逐渐扩大。但从应力数值看,当岸坡坡度较陡时,面板的应力数值较大,随岸坡坡度变缓,面板应力数值逐渐减小。

就沿坝轴线方向的应力分布而言,在不同岸坡坡度情况下,两岸坝肩处面板均承受拉应力。当岸坡坡度较陡时,面板拉应力区范围主要集中在坝肩上部,当岸坡坡度逐渐变缓,面板拉应力区范围顺岸坡逐渐向面板底部延伸,并向河谷中心方向扩展。从应力数值看,岸坡坡度较陡时,面板的应力数值较大,随岸坡坡度变缓,面板应力数值逐渐减小。

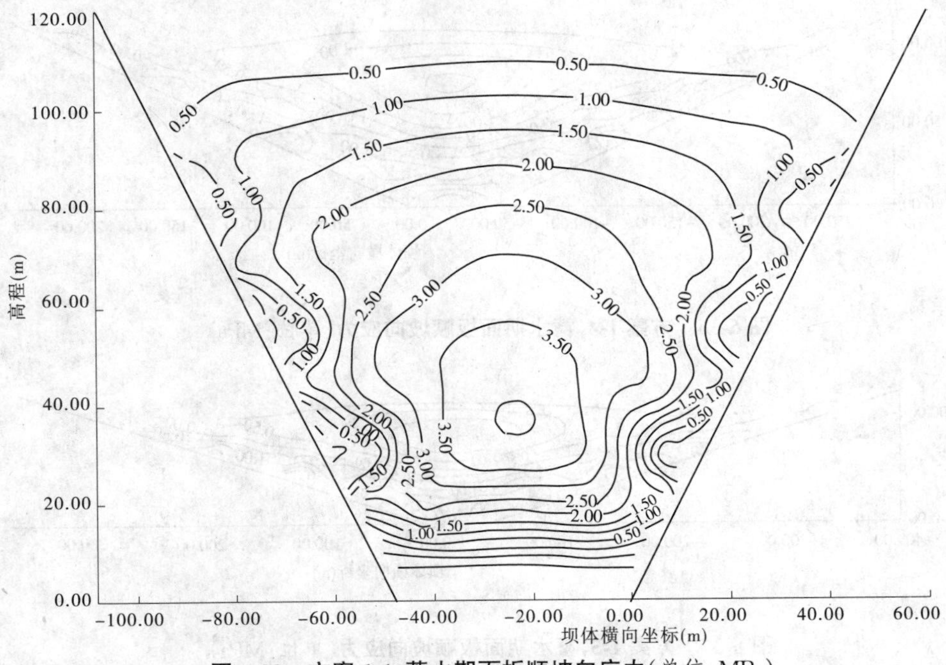

图 6-33　方案 1-1,蓄水期面板顺坡向应力(单位:MPa)

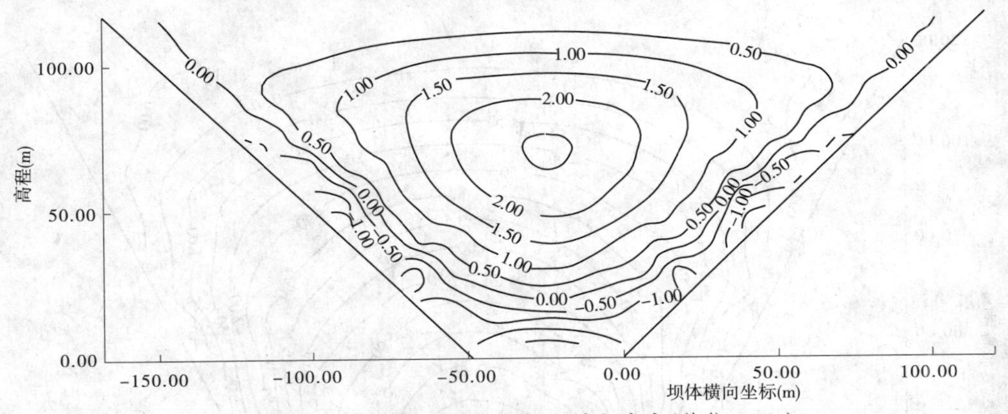

图 6-34　方案 1-2,蓄水期面板顺坡向应力(单位:MPa)

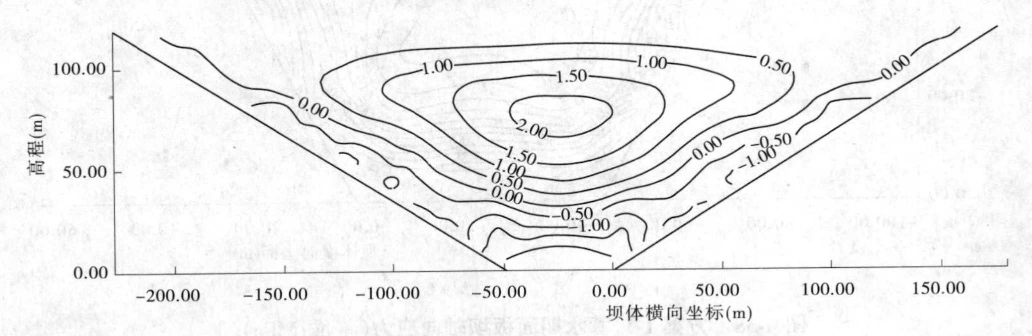

图 6-35　方案 1-3,蓄水期面板顺坡向应力(单位:MPa)

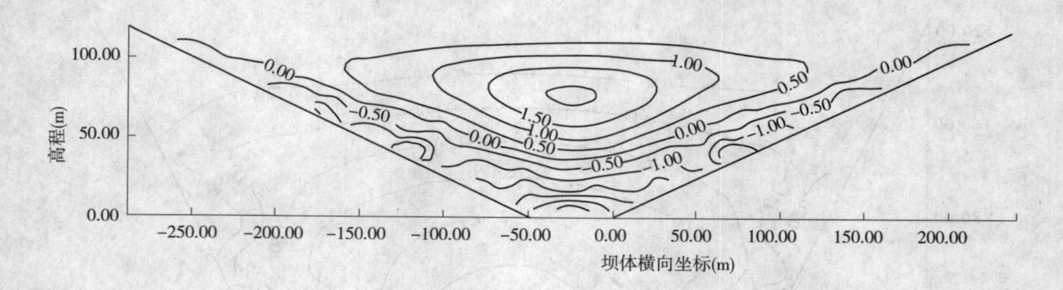

图 6-36 方案 1-4，蓄水期面板顺坡向应力(单位:MPa)

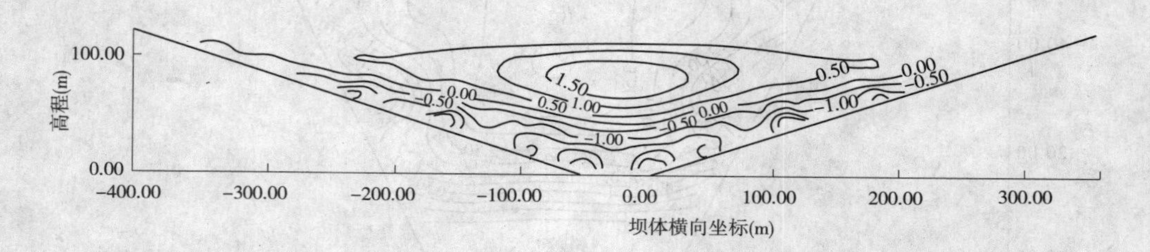

图 6-37 方案 1-5，蓄水期面板顺坡向应力(单位:MPa)

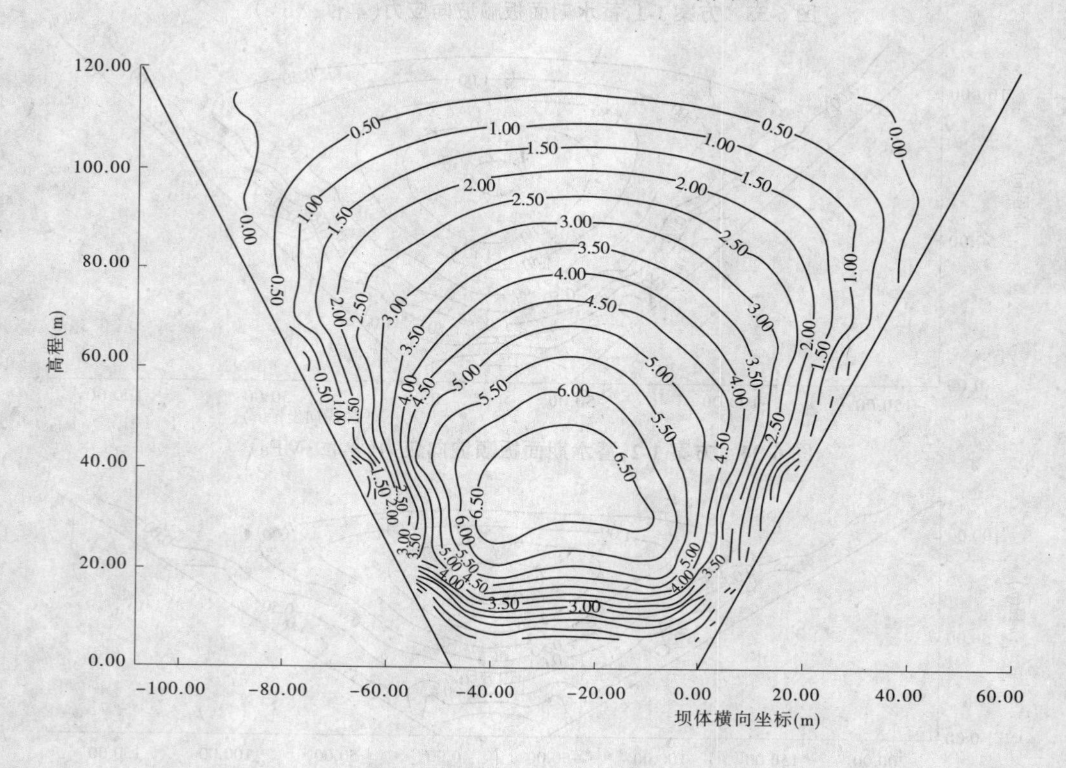

图 6-38 方案 1-1，蓄水期面板坝轴向应力(单位:MPa)

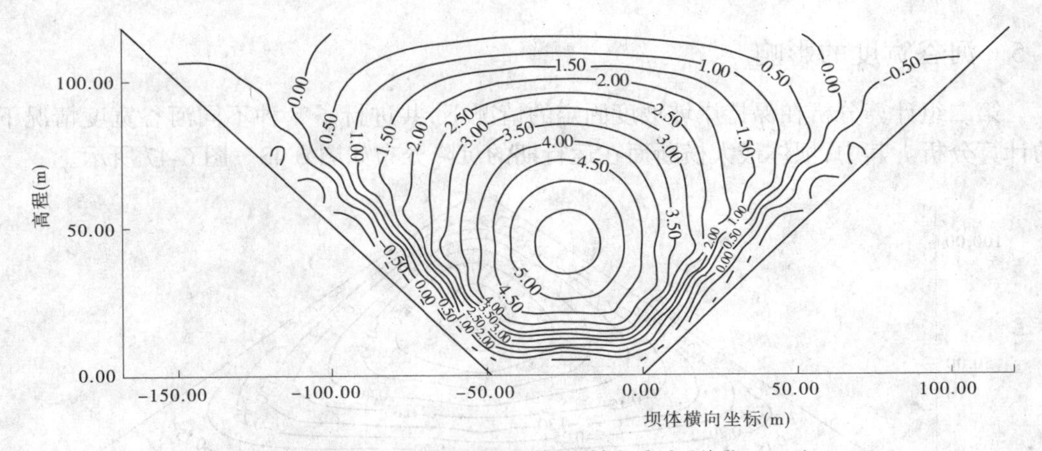

图 6-39　方案 1-2，蓄水期面板坝轴向应力（单位：MPa）

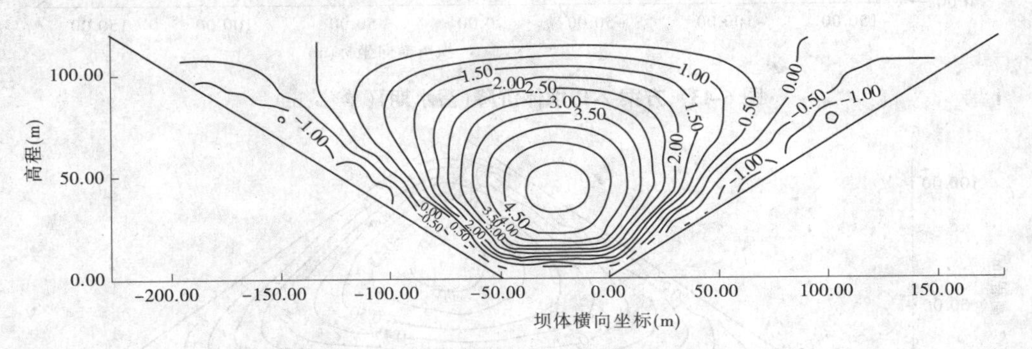

图 6-40　方案 1-3，蓄水期面板坝轴向应力（单位：MPa）

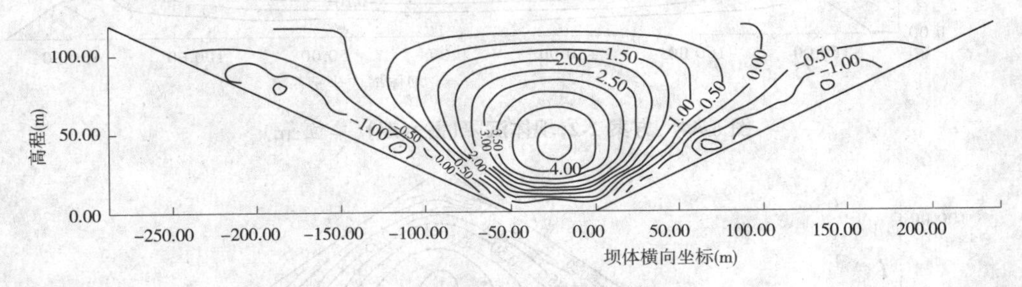

图 6-41　方案 1-4，蓄水期面板坝轴向应力（单位：MPa）

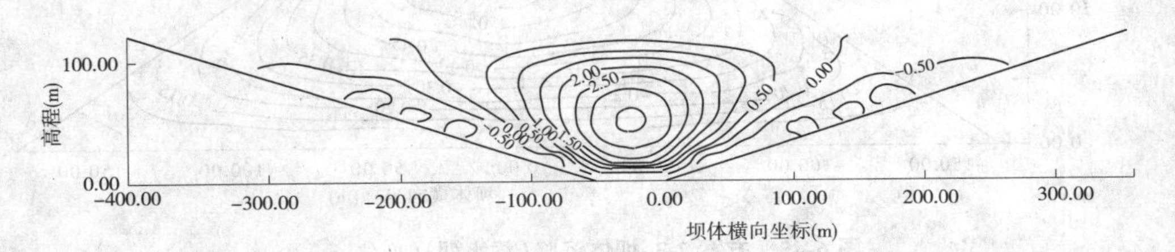

图 6-42　方案 1-5，蓄水期面板坝轴向应力（单位：MPa）

6.5　河谷宽度的影响

第二组计算分析在保持岸坡坡度固定的情况下，共进行了 5 种不同河谷宽度情况下的计算分析。其中，坝体最大横断面在运行期的沉降分布如图 6-43～图 6-47 所示。

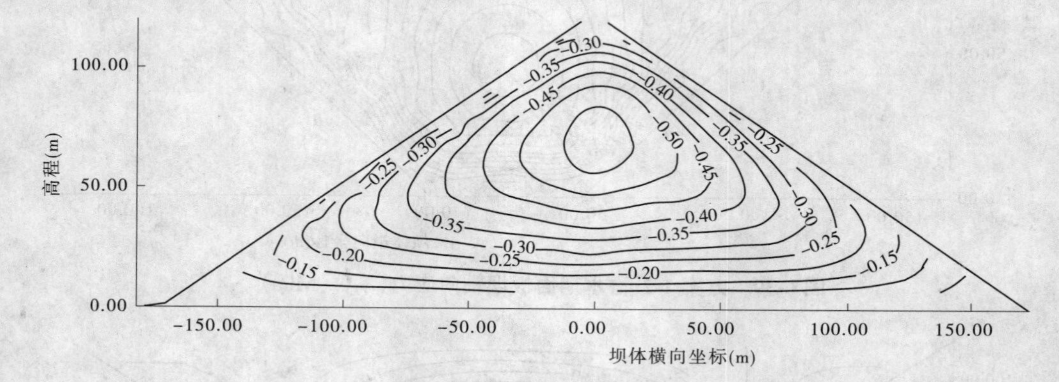

图 6-43　方案 2-1，坝体沉降(蓄水期)(单位:m)

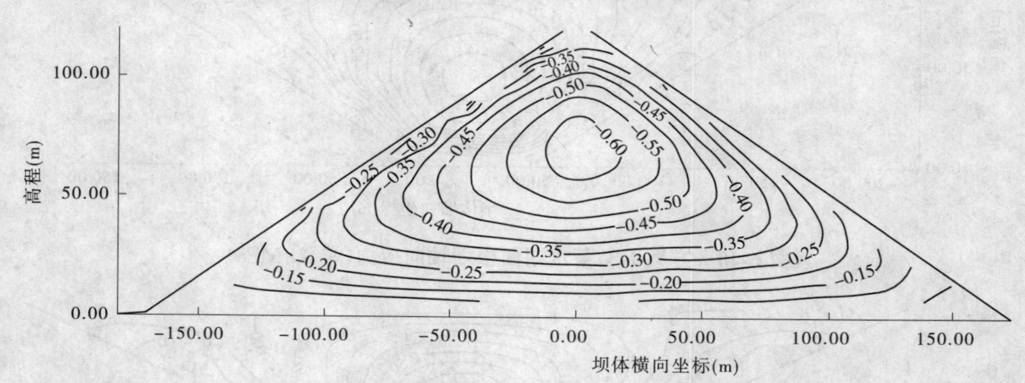

图 6-44　方案 2-2，坝体沉降(蓄水期)(单位:m)

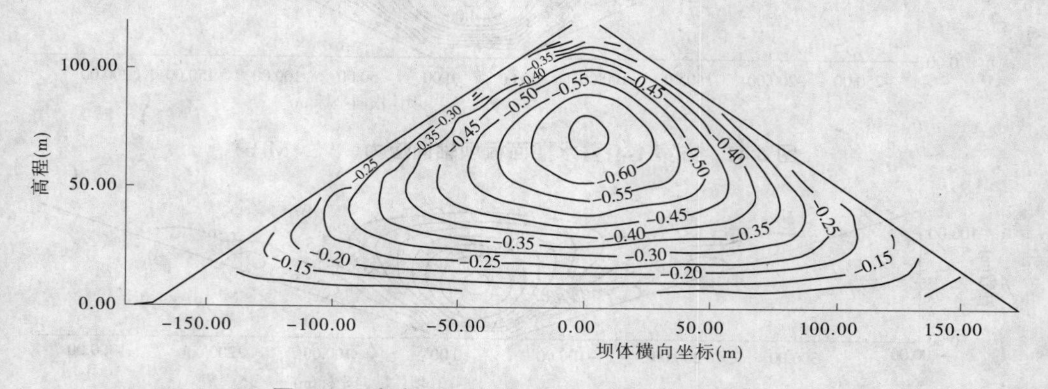

图 6-45　方案 2-3，坝体沉降(蓄水期)(单位:m)

从坝体最大横断面的沉降分布看，第二组计算与第一组计算的坝体沉降分布规律基本相同，在同一组计算的不同河谷宽度情况下，坝体的沉降分布规律也没有明显的差异，

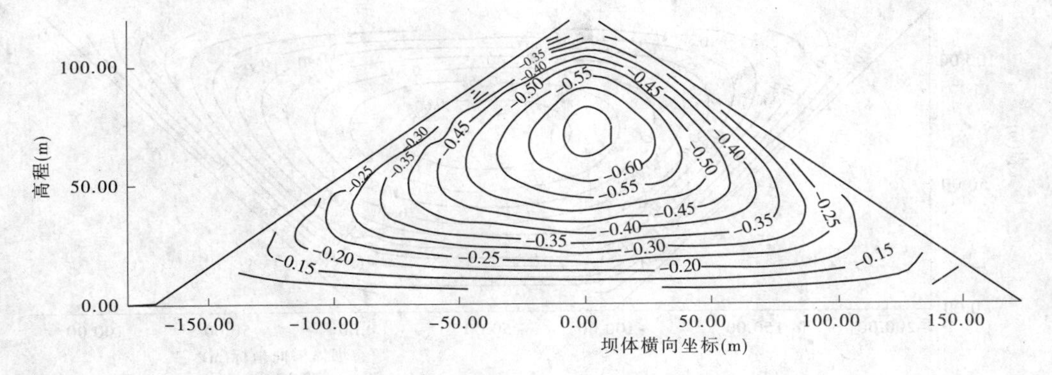

图 6-46　方案 2-4,坝体沉降(蓄水期)(单位:m)

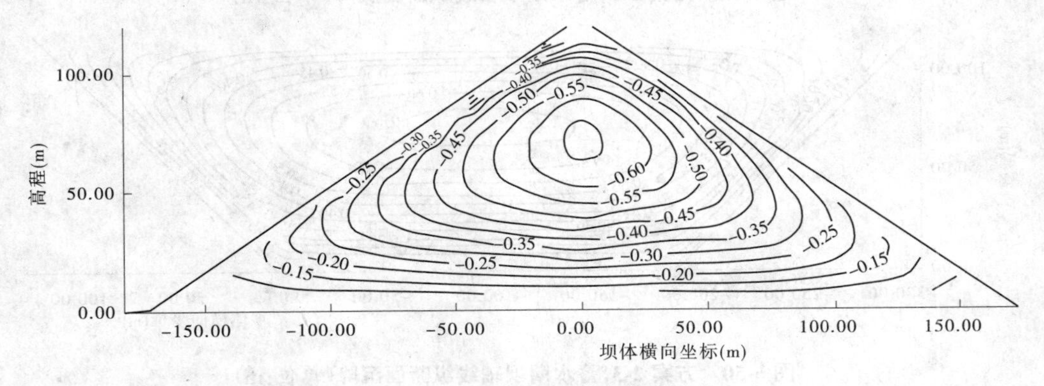

图 6-47　方案 2-5,坝体沉降(蓄水期)(单位:m)

只是随着河谷宽度的增加,坝体的沉降数值也有所增大。对比第二组计算与第一组计算的结果,可以看出,当河谷宽度增大时,第二组计算的坝体沉降数值要大于第一组计算的数值。

蓄水期坝轴线处纵断面的沉降和水平位移分布如图 6-48～图 6-57 所示。

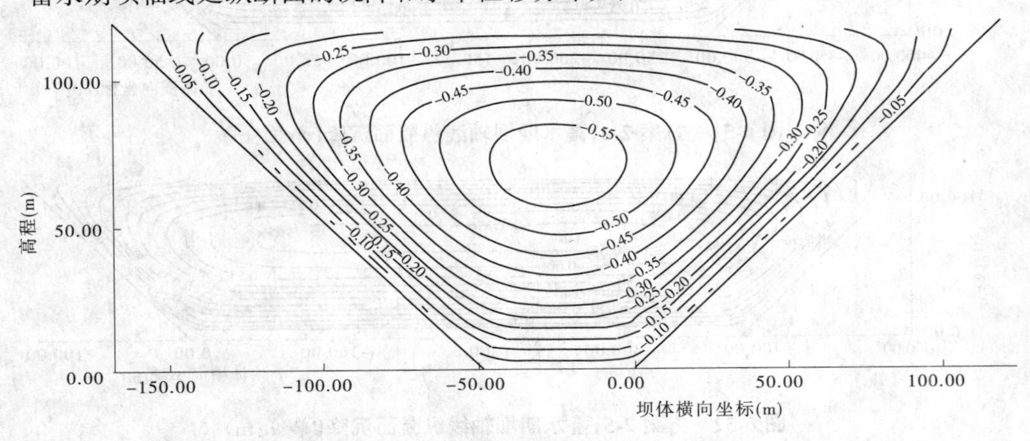

图 6-48　方案 2-1,蓄水期坝轴线纵断面沉降(单位:m)

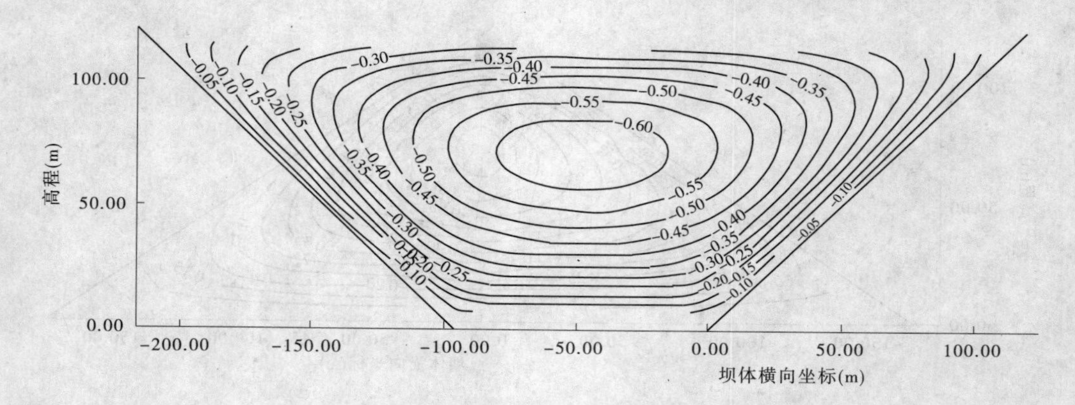

图 6-49　方案 2-2，蓄水期坝轴线纵断面沉降(单位：m)

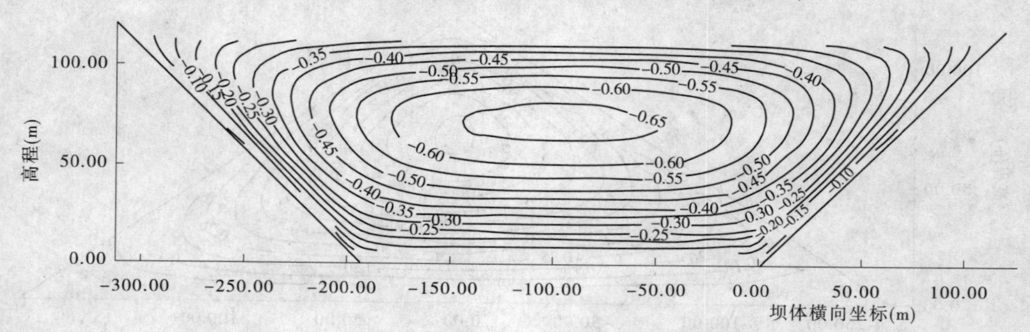

图 6-50　方案 2-3，蓄水期坝轴线纵断面沉降(单位：m)

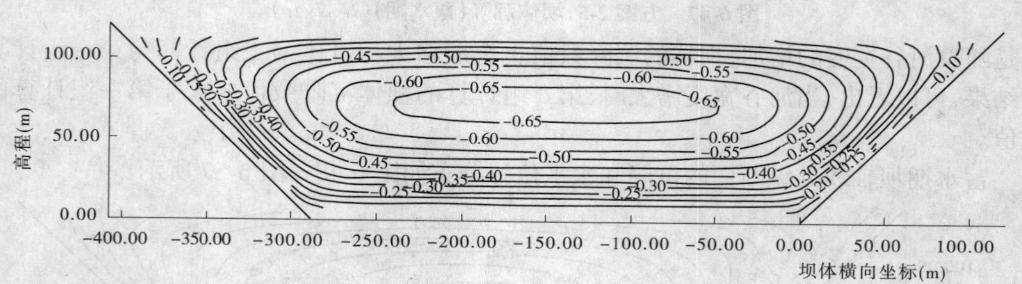

图 6-51　方案 2-4，蓄水期坝轴线纵断面沉降(单位：m)

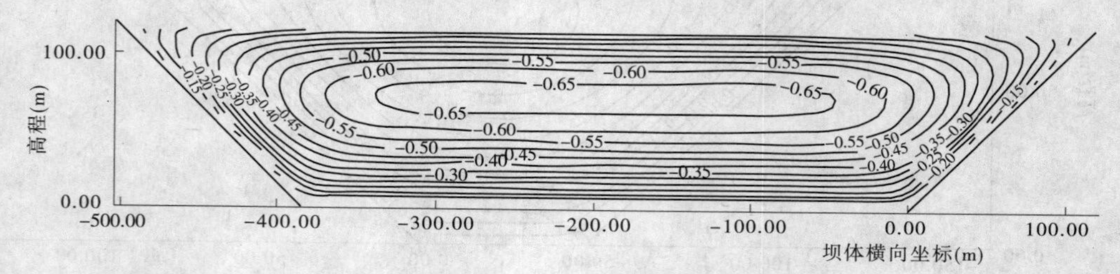

图 6-52　方案 2-5，蓄水期坝轴线纵断面沉降(单位：m)

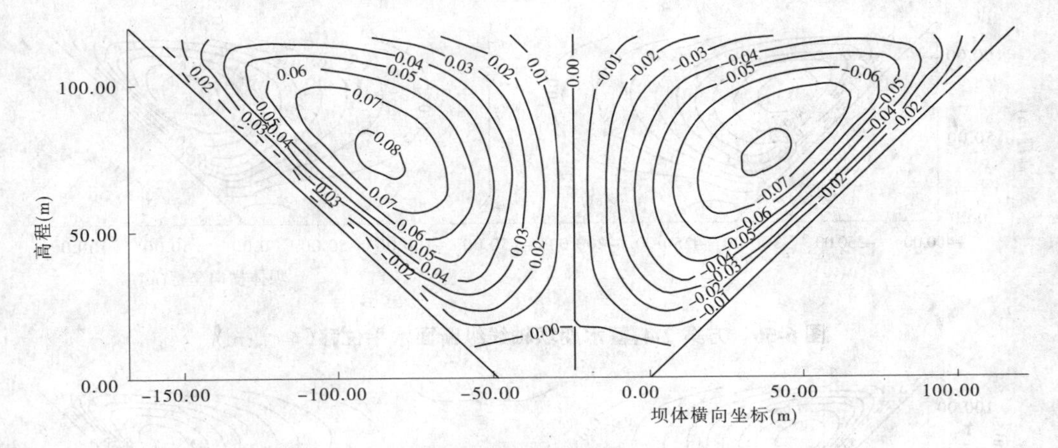

图 6-53　方案 2-1,蓄水期坝轴线纵断面水平位移(单位:m)

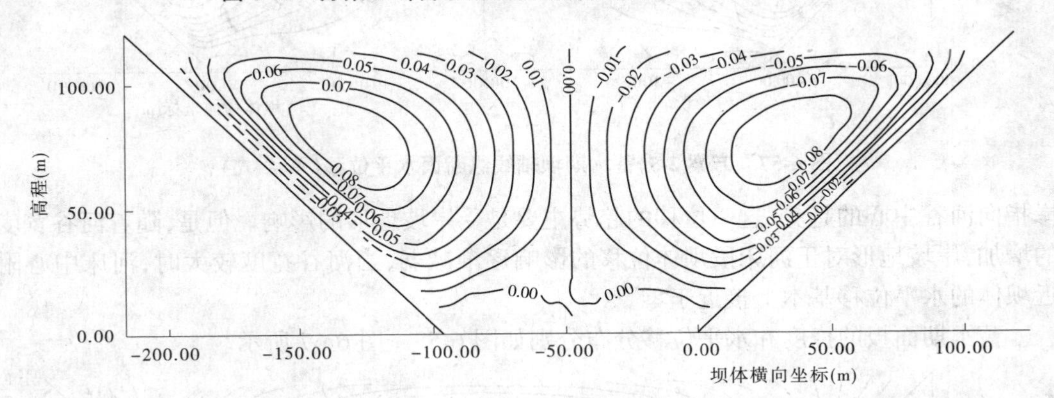

图 6-54　方案 2-2,蓄水期坝轴线纵断面水平位移(单位:m)

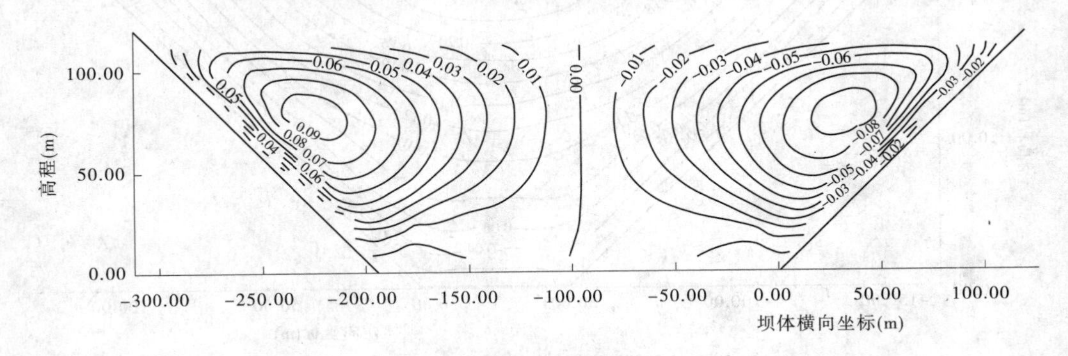

图 6-55　方案 2-3,蓄水期坝轴线纵断面水平位移(单位:m)

从沿坝轴向位置的纵断面坝体沉降分布看,其最大沉降位置仍处于坝体中部,与第一组计算相比,可以看出,随着河谷宽度的增加,岸坡地形对于河床段坝体沉降的影响逐渐减小,当河谷宽度较大时,河床段坝体沉降的数值及其分布几乎完全一致,只有在接近岸坡处,坝体的沉降才因地形的变化而发生改变。

从沿坝轴向位置的纵断面坝体水平位移分布看,坝体的水平位移分布仍然是呈从两

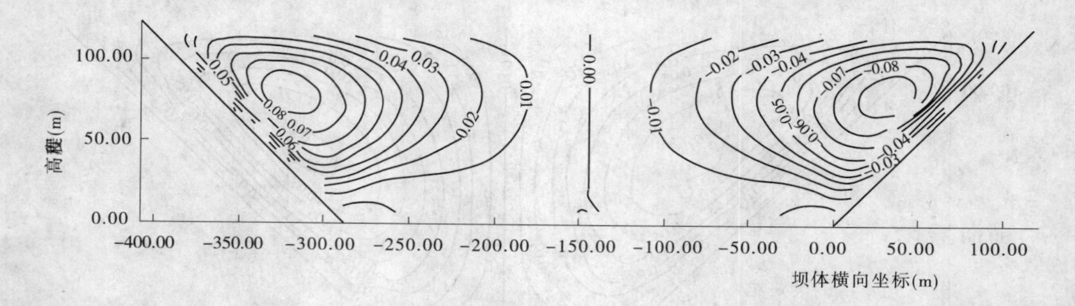

图 6-56　方案 2-4,蓄水期坝轴线纵断面水平位移(单位:m)

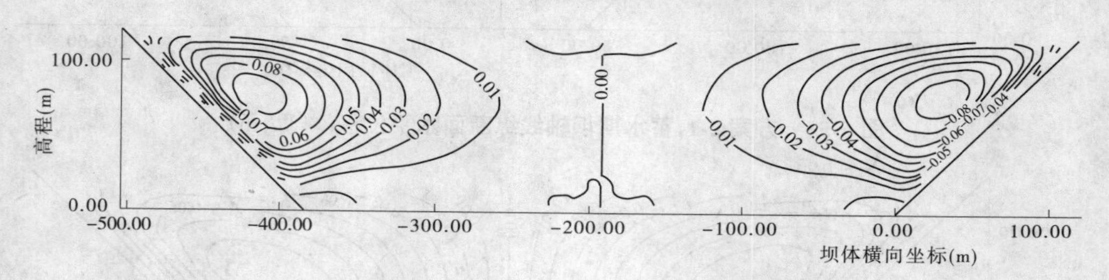

图 6-57　方案 2-5,蓄水期坝轴线纵断面水平位移(单位:m)

岸指向河谷中心的趋势,这一位移的趋势主要是受岸坡地形的影响。但是,随着河谷宽度的增加,岸坡地形对于河床段坝体位移的影响逐渐减弱,当河谷宽度较大时,河床中心附近坝体的水平位移基本上接近于零。

蓄水期面板的挠度和水平位移分布分别如图 6-58～图 6-67 所示。

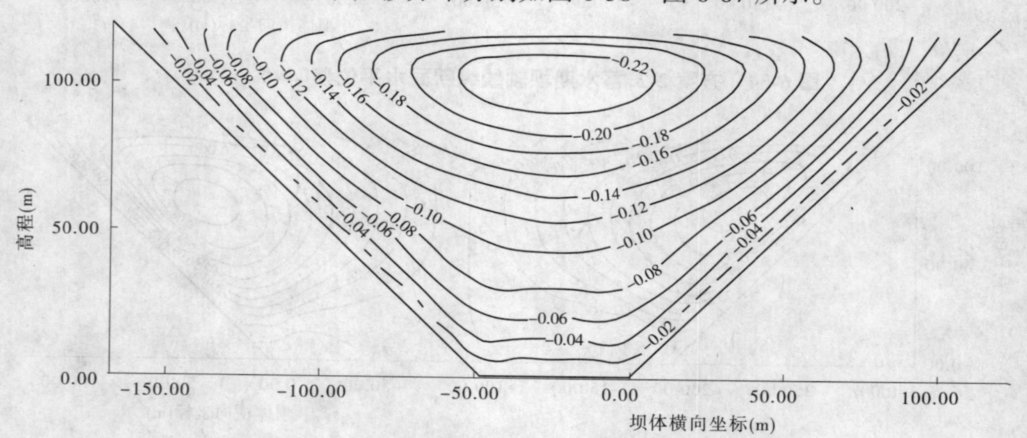

图 6-58　方案 2-1,蓄水期面板挠度(单位:m)

从面板的挠度分布看,蓄水期面板的最大挠度位于面板的上部,面板挠度的分布对称于河谷中心。岸坡的地形条件对于面板的位移有着一定程度的影响,但这种影响随着河谷宽度的增大而减弱。当河谷宽度较大时,河床段面板的位移大小和分布基本相同。从面板挠度的数值看,当河谷宽度增加时,面板的挠度也有所增大,但当河谷宽度增加到一定程度时,面板挠度的数值基本趋于稳定。

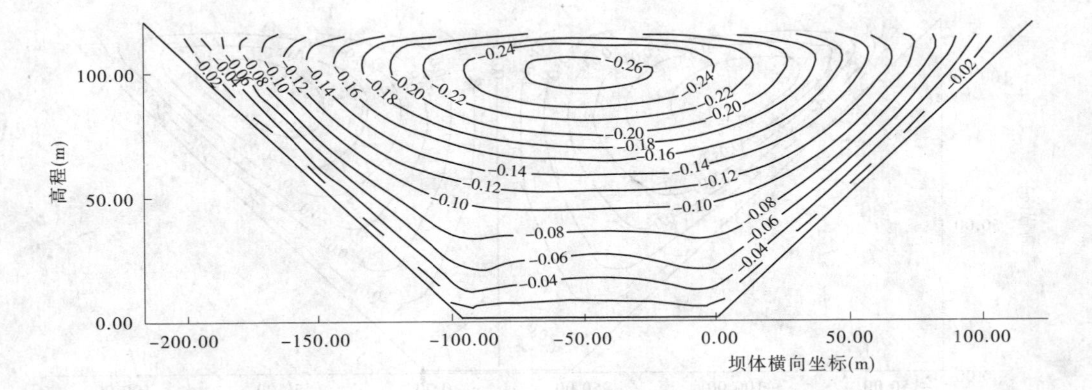

图 6-59　方案 2-2,蓄水期面板挠度(单位:m)

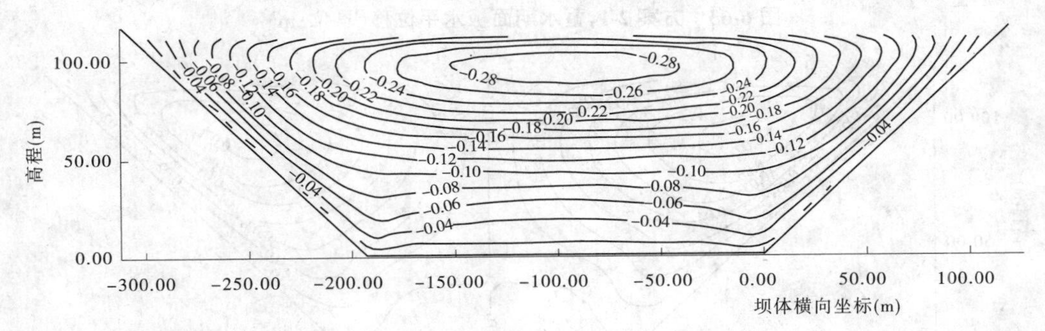

图 6-60　方案 2-3,蓄水期面板挠度(单位:m)

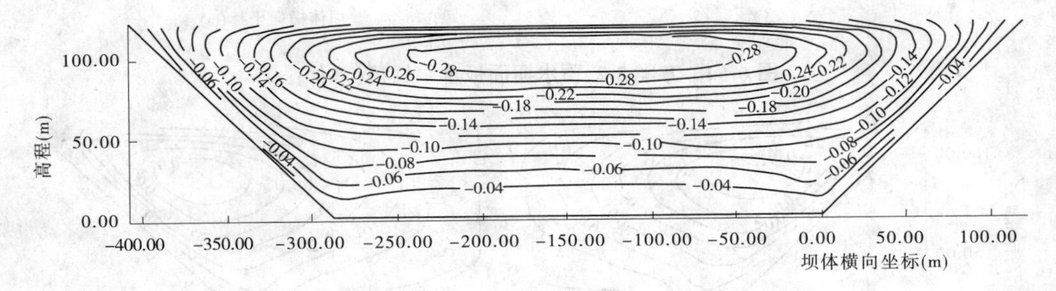

图 6-61　方案 2-4,蓄水期面板挠度(单位:m)

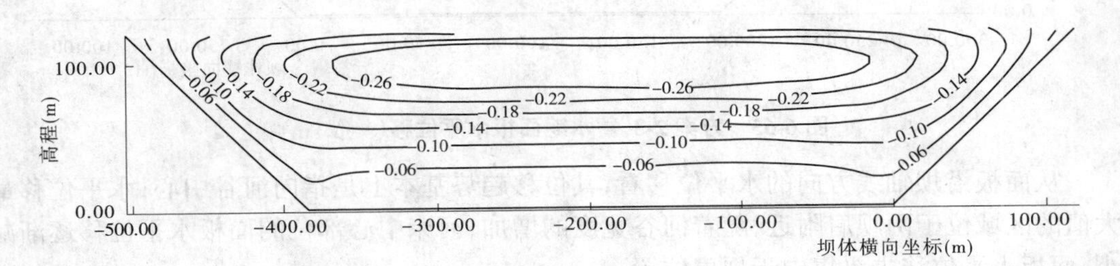

图 6-62　方案 2-5,蓄水期面板挠度(单位:m)

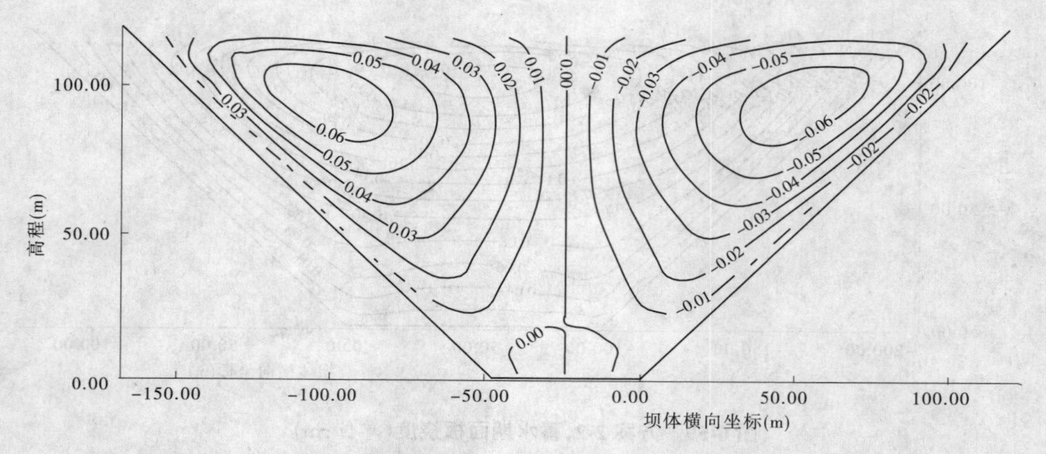

图 6-63　方案 2-1,蓄水期面板水平位移(单位:m)

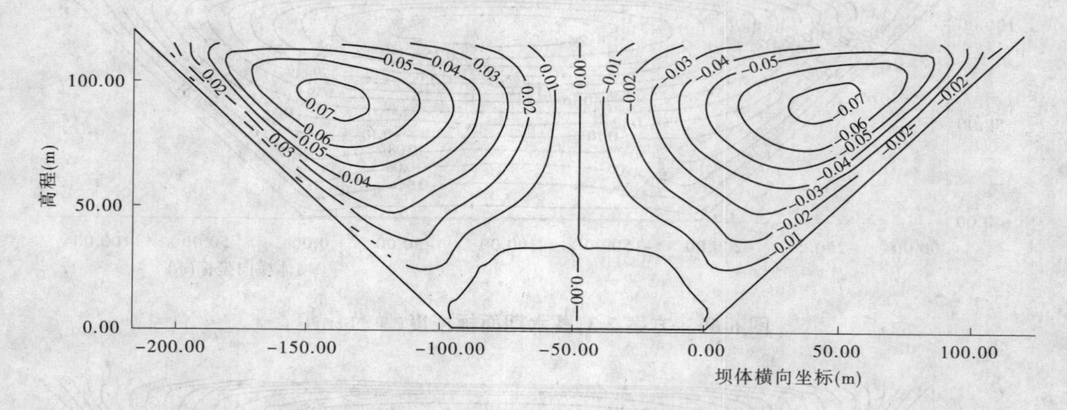

图 6-64　方案 2-2,蓄水期面板水平位移(单位:m)

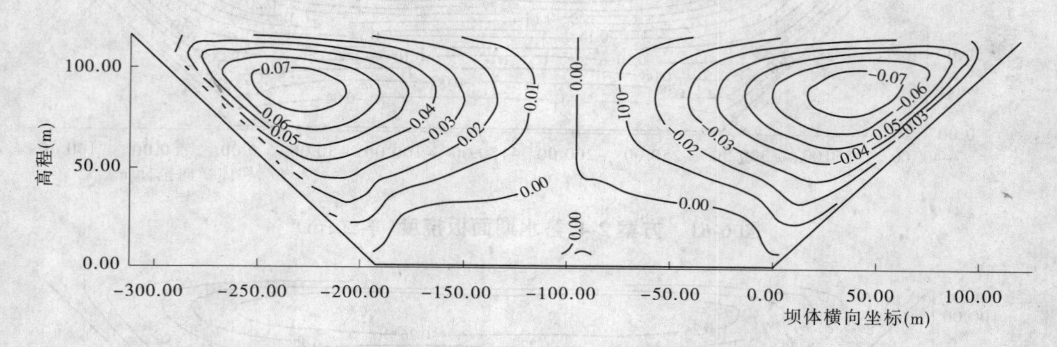

图 6-65　方案 2-3,蓄水期面板水平位移(单位:m)

从面板沿坝轴线方向的水平位移看,其位移趋势基本上是指向河谷中心,水平位移最大值的区域位于两坝肩附近,随着河谷宽度的增加,河床中心部位的面板水平位移逐渐减小,面板水平位移主要集中于坝肩位置。

蓄水期面板顺坡向应力和沿坝轴向应力分布如图 6-68～图 6-77 所示。

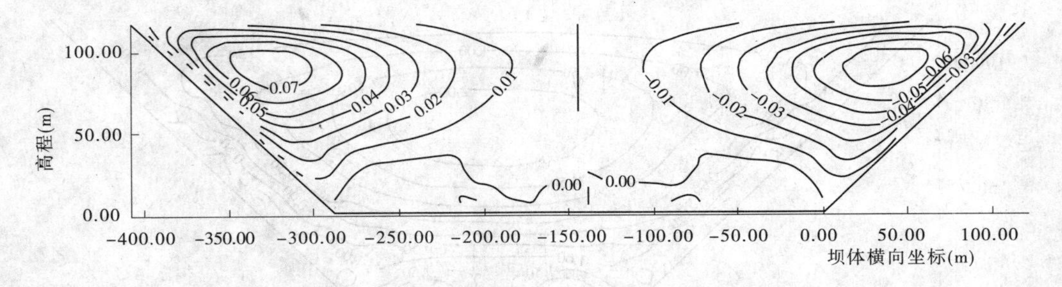

图 6-66　方案 2-4,蓄水期面板水平位移(单位:m)

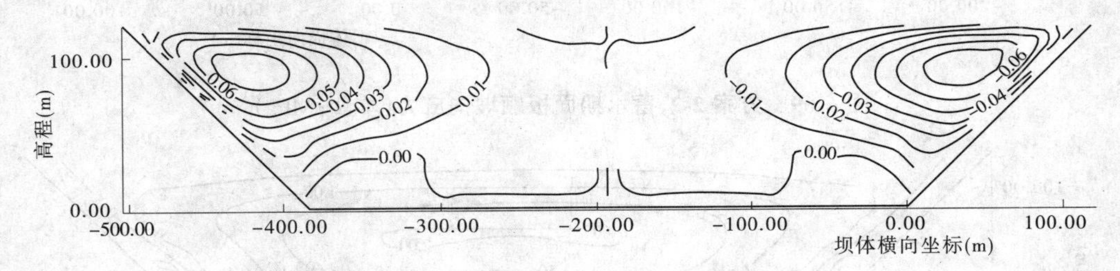

图 6-67　方案 2-5,蓄水期面板水平位移(单位:m)

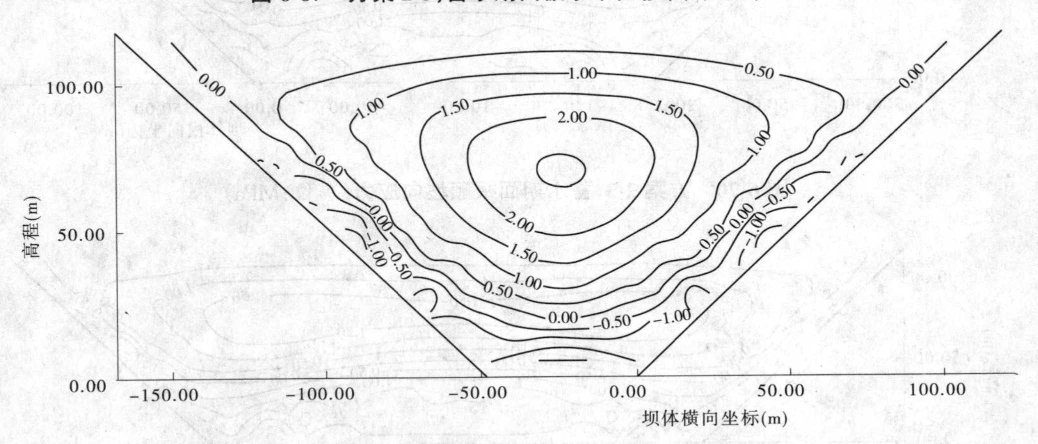

图 6-68　方案 2-1,蓄水期面板顺坡向应力(单位:MPa)

蓄水期面板顺坡向的应力分布趋势为:在面板底部和沿岸坡位置处,面板主要承受拉应力,而在面板的其余位置,则主要承受压应力。当河谷宽度增大,面板底部拉应力区范围向上扩展,河谷中心部位面板的压应力数值相对于岸坡处有所减小,面板压应力最大值的区域趋向于岸坡。从应力数值看,河谷宽度较小时,面板应力相对较大,当河谷宽度增大时,面板应力有所减小。

蓄水期面板沿坝轴线方向的应力分布趋势为:在两岸坝肩处,面板主要承受拉应力,而在面板的其余位置,则主要承受压应力。对比各种河谷宽度情况下的计算结果,可以看出,随着河谷宽度的增大,两岸坝肩处面板拉应力区的范围没有明显的变化,但面板压应力最大值的区域逐渐趋向岸坡处。从应力数值看,河谷宽度较小时,面板应力相对较大,当河谷宽度增大时,面板应力有所减小。

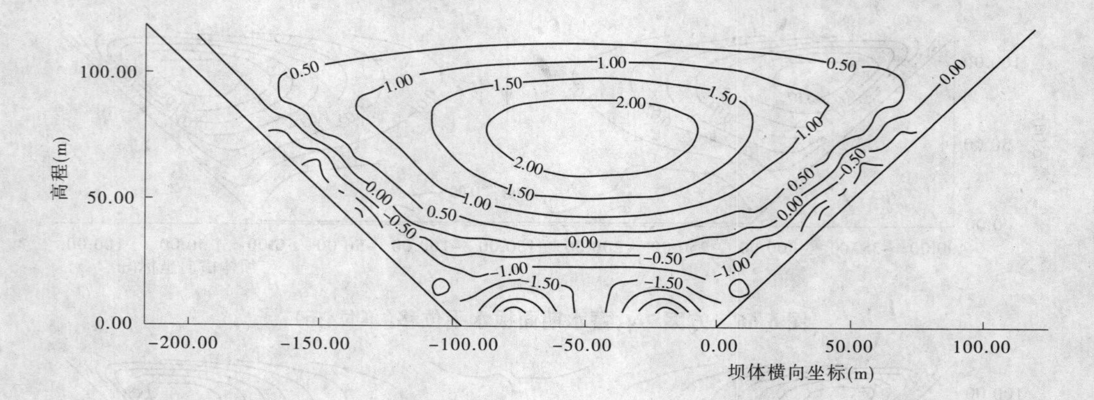

图 6-69　方案 2-2,蓄水期面板顺坡向应力(单位:MPa)

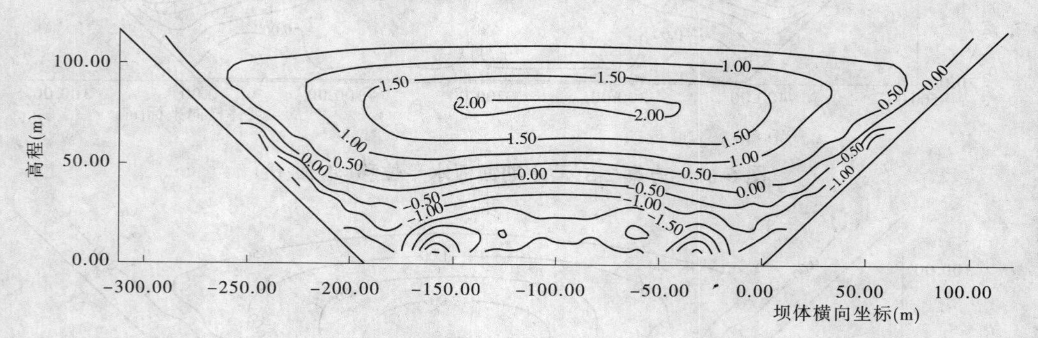

图 6-70　方案 2-3,蓄水期面板顺坡向应力(单位:MPa)

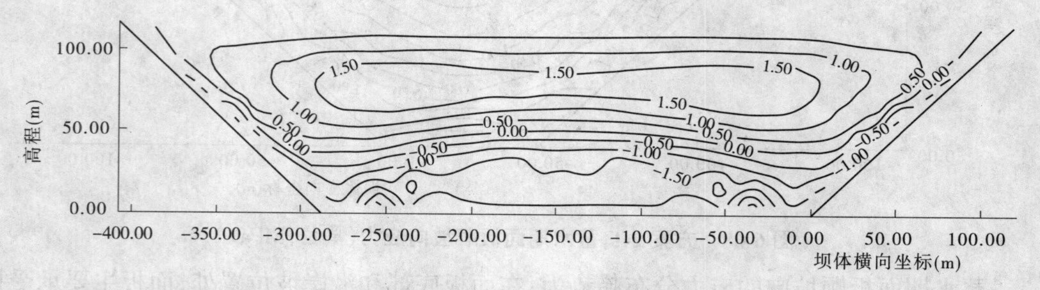

图 6-71　方案 2-4,蓄水期面板顺坡向应力(单位:MPa)

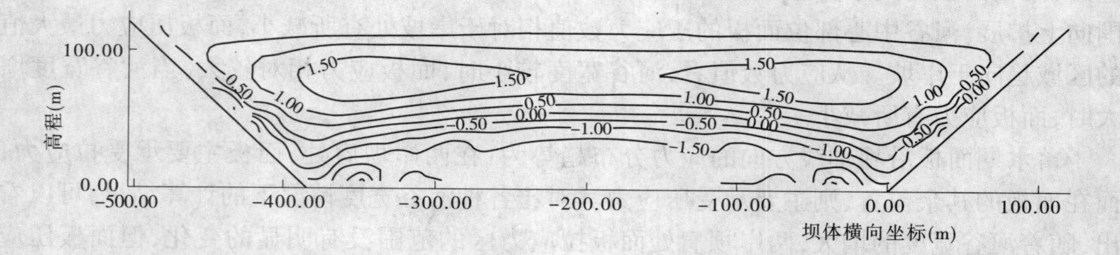

图 6-72　方案 2-5,蓄水期面板顺坡向应力(单位:MPa)

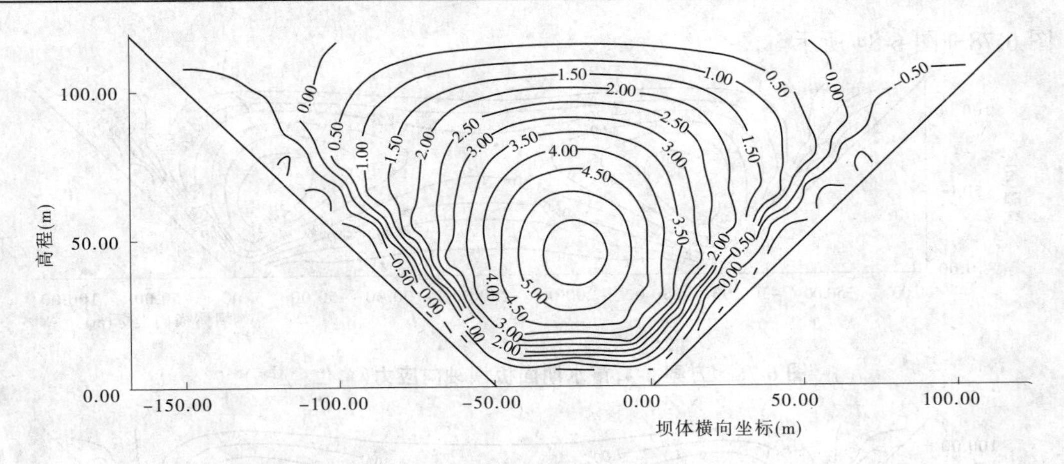

图 6-73　方案 2-1,蓄水期面板坝轴向应力(单位:MPa)

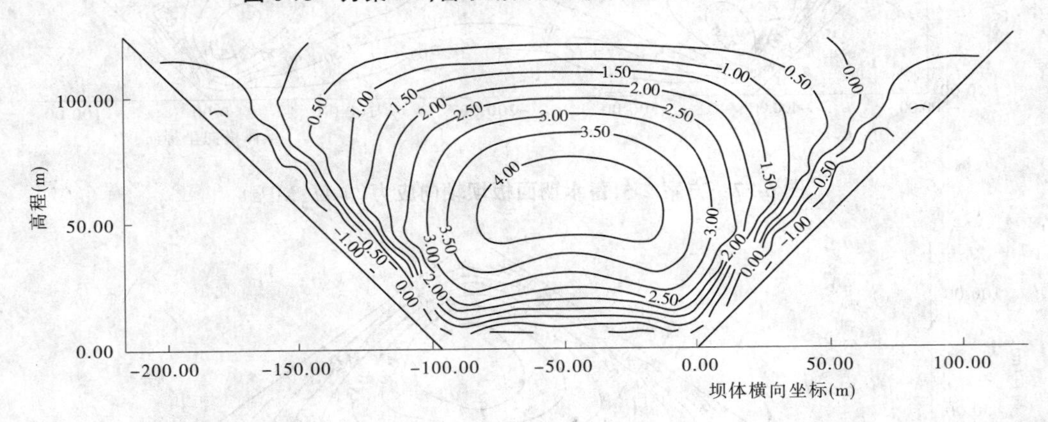

图 6-74　方案 2-2,蓄水期面板坝轴向应力(单位:MPa)

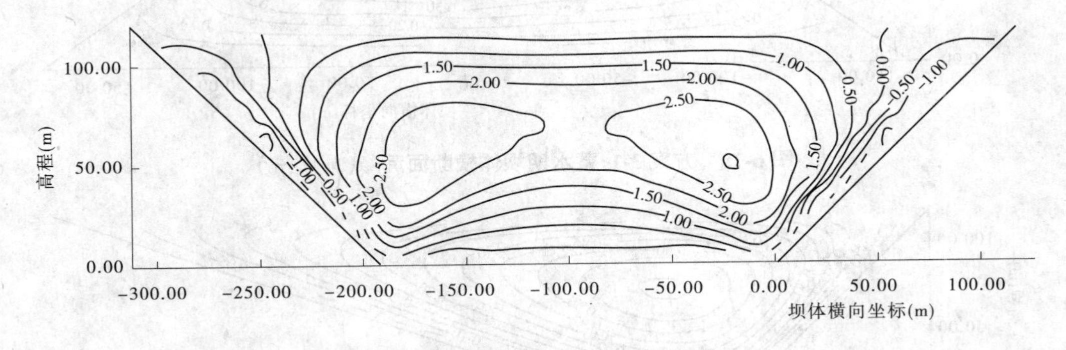

图 6-75　方案 2-3,蓄水期面板坝轴向应力(单位:MPa)

6.6　非对称河谷的影响

在非对称河谷情况下,坝体最大横断面的沉降分布、沿坝轴线方向坝体纵断面的沉降和水平位移分布、面板的挠度、面板沿坝轴线方向水平位移以及面板的应力分布分别如

图 6-78～图 6-84 所示。

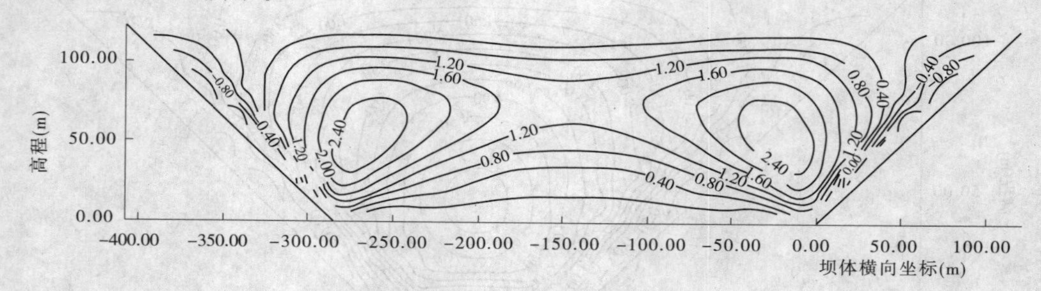

图 6-76　方案 2-4,蓄水期面板坝轴向应力(单位:MPa)

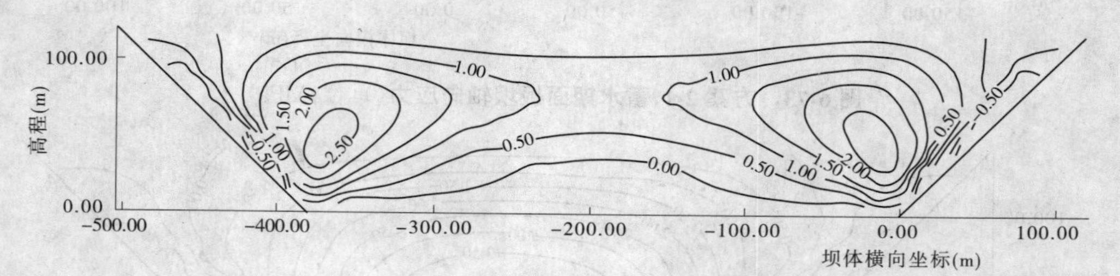

图 6-77　方案 2-5,蓄水期面板坝轴向应力(单位:MPa)

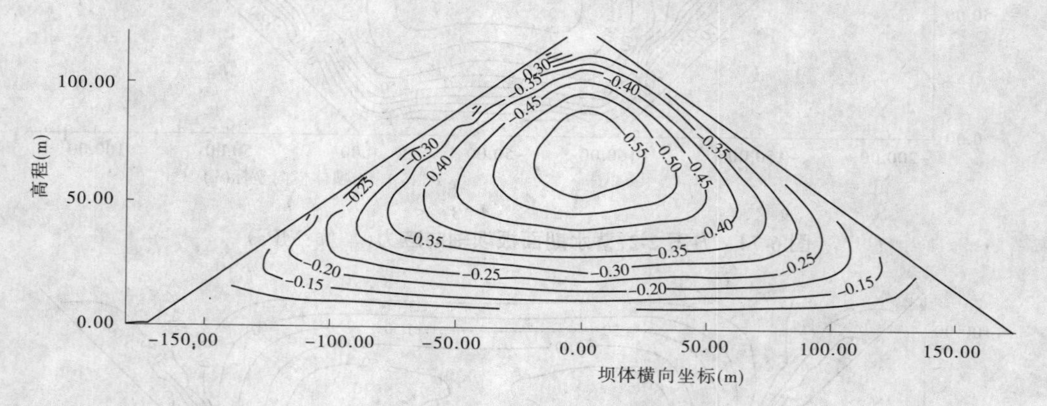

图 6-78　方案 3-1,蓄水期坝体横断面沉降(单位:m)

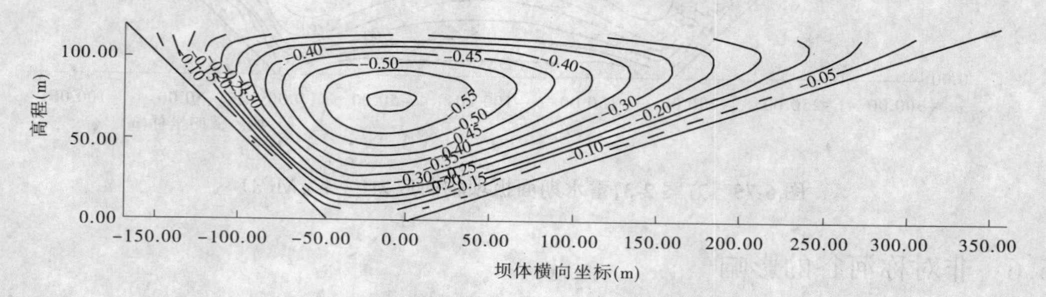

图 6-79　方案 3-1,蓄水期坝轴线纵断面沉降(单位:m)

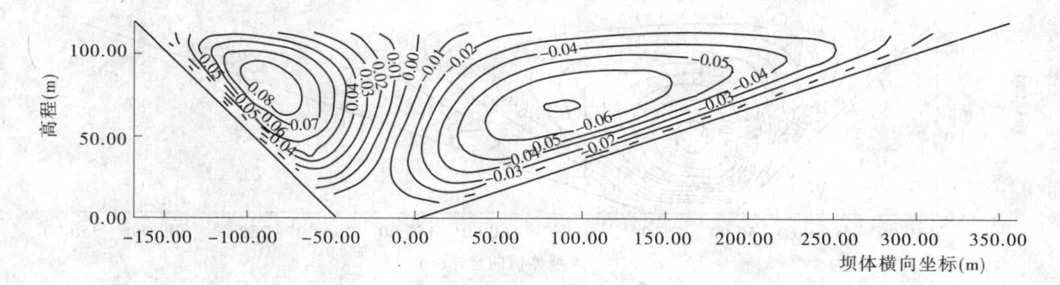

图 6-80　方案 3-1，蓄水期坝轴线纵断面水平位移（单位：m）

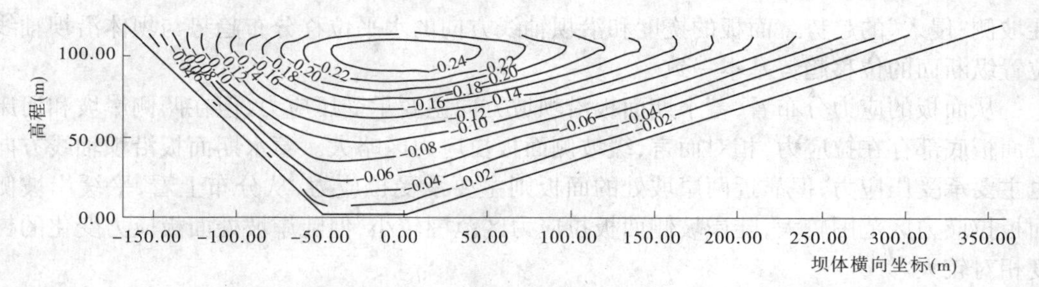

图 6-81　方案 3-1，蓄水期面板挠度（单位：m）

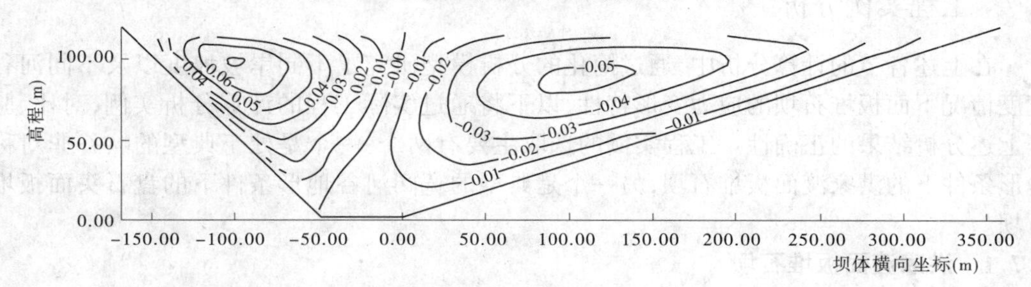

图 6-82　方案 3-1，蓄水期面板水平位移（单位：m）

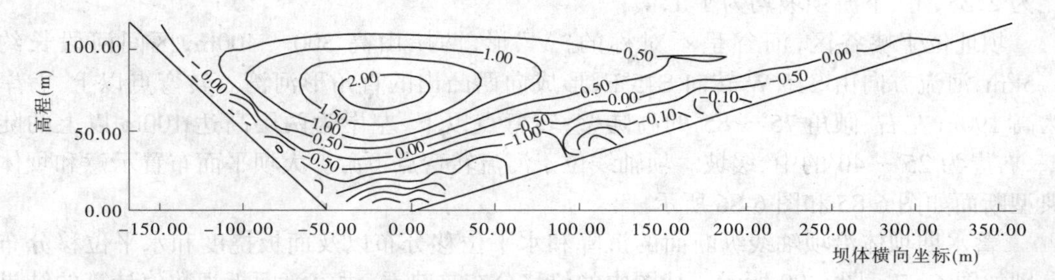

图 6-83　方案 3-1，蓄水期面板顺坡向应力（单位：MPa）

根据坝体和面板的应力变形计算分析的结果，坝体最大横断面上的位移分布与前两组计算结果相差不大。从沿坝轴线位置的纵断面看，坝体的位移呈不对称分布，坝体的最大沉降仍位于河谷处，但略偏平缓岸坡一侧，陡岸坡侧坝体沉降变化梯度相对较大，平缓岸坡侧坝体沉降变化梯度较小。陡岸坡侧坝体沿坝轴线方向的水平位移数值相对较大，平缓岸坡侧坝体水平位移数值相对较小，坝体水平位移“零线”位置偏转，缓坡侧坝体呈向

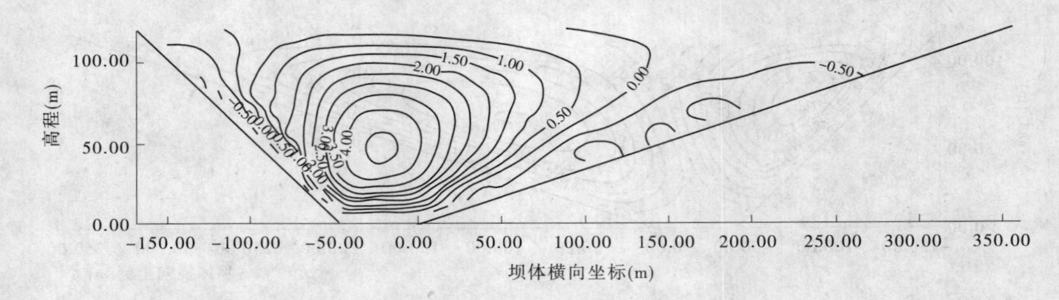

图 6-84 方案 3-1,蓄水期面板坝轴向应力(单位:MPa)

陡坡侧“侵入”的趋势。面板的挠度和沿坝轴线方向的水平位移分布趋势与坝体沿坝轴线位置纵断面的位移趋势基本一致。

从面板的应力分布看,蓄水期面板沿坝坡方向主要承受压应力,但在两侧岸坡和河床段面板底部存在拉应力,相对而言,缓坡侧面板拉应力区略大。蓄水期面板沿坝轴线方向也主要承受压应力,但靠近两岸坡处的面板则主要承受拉应力,从分布上看,平缓岸坡侧面板拉应力区范围较大,陡岸坡侧面板拉应力区范围较小,但陡岸坡处面板应力变化的梯度相对较大。

6.7 工程实例分析

在上述各节的计算分析中,通过简化的分析模型研究了不同岸坡坡度以及不同河谷宽度情况下面板堆石坝的应力变形特性,以下将通过实际工程的计算分析实例,对比、验证上述分析结果的正确性。工程实例的选取主要有两个:一个是处于典型的峡谷非对称地形条件下的洪家渡面板堆石坝;另一个是典型的宽阔河谷地形条件下的盘石头面板堆石坝。

6.7.1 洪家渡面板堆石坝

洪家渡面板堆石坝坝高 179.5m,坝顶宽 10.95m,坝顶长 427.79m,坝顶长与坝高之比为 2.38,上、下游坝坡均为 1:1.4。

坝址位于峡谷区,河谷呈不对称的“V”形,两岸山高 300～400m,区间河段长约 1.5km,河流方向由 S45°W 转向 S45°E,形成向西凸出的直角形河湾。转弯点以上,右岸为高 190m 左右、倾角 75°～85°的高陡壁;转弯点以下,左岸为两层高达 100m 以上的陡壁,右岸为 25°～40°的中、缓坡。坝轴线位于河流转弯点下游。大坝平面布置示意和坝体典型断面如图 6-85 和图 6-86 所示。

蓄水期坝体沿坝轴线纵断面的沉降和水平位移分布以及面板挠度和水平位移分布分别如图 6-87～图 6-90 所示。从图中的位移分布趋势看,洪家渡面板坝数值计算的结果与上述各节中的规律基本一致。

6.7.2 盘石头面板堆石坝

盘石头面板堆石坝最大坝高 102.2m,坝长约 606m,坝顶宽 8.0m,上游坝坡 1:1.4,下游综合坝坡约1:1.5。坝体用灰岩和部分工程开挖页岩料填筑。坝体平面布置示意和典型剖面分别如图6-91、图 6-92所示。

蓄水期坝体沿坝轴线纵断面的沉降和水平位移分布以及面板挠度和水平位移分布

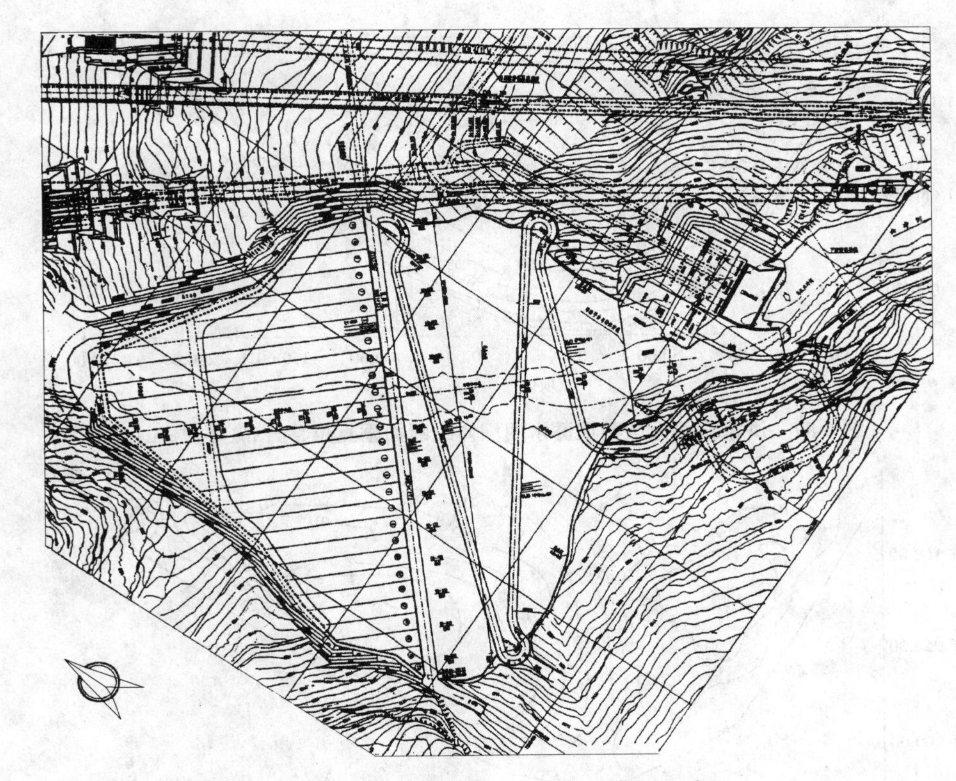

图 6-85　洪家渡面板堆石坝平面布置示意图

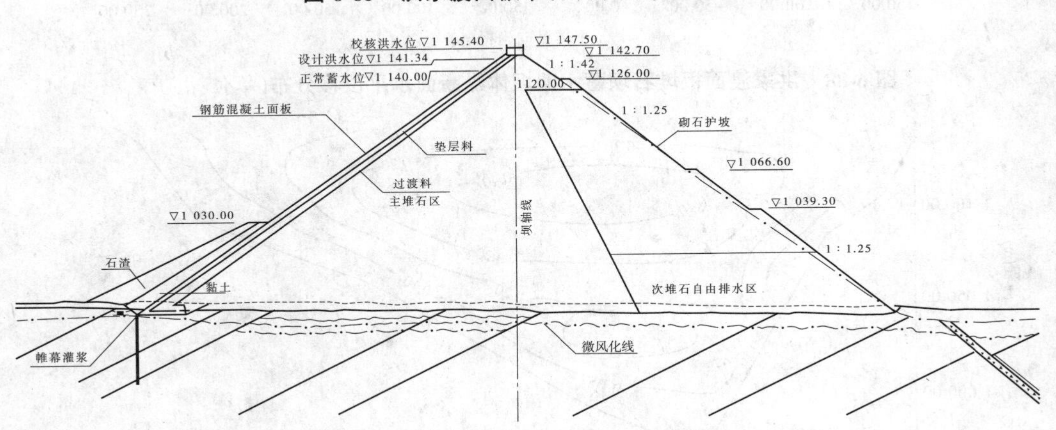

图 6-86　洪家渡面板堆石坝典型断面图

分别如图6-93～图 6-96 所示。从图中的位移分布趋势看，盘石头面板坝数值计算的结果与上述各节中的规律基本一致。

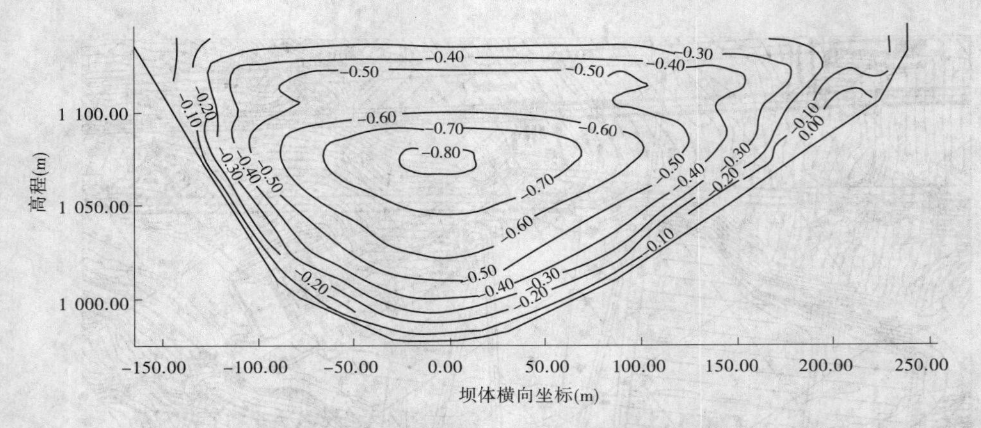

图 6-87　洪家渡面板堆石坝蓄水期坝体纵断面垂直位移分布(单位:m)

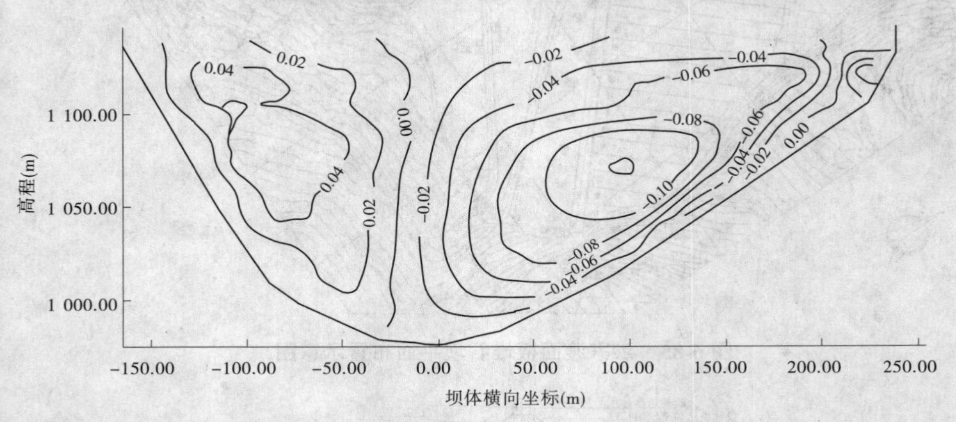

图 6-88　洪家渡面板堆石坝蓄水期坝体纵断面水平位移分布(单位:m)

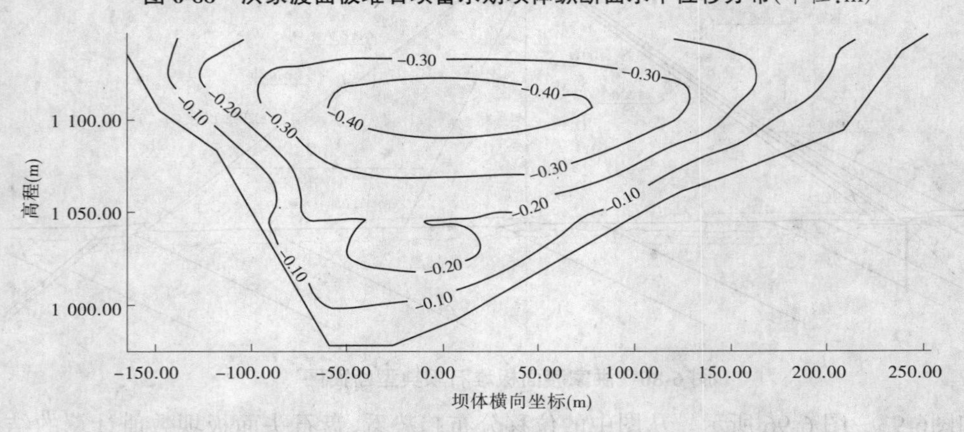

图 6-89　洪家渡面板堆石坝蓄水期面板沉降分布(单位:m)

6.8　岸坡坡度与河谷宽度影响各计算工况的对比

本书 6.4 节和 6.5 节分别给出了固定河谷宽度、不同岸坡坡度情况下坝体的位移和面板的应力、变形,以及固定岸坡坡度、不同河谷宽度情况下坝体的位移和面板的应力、变

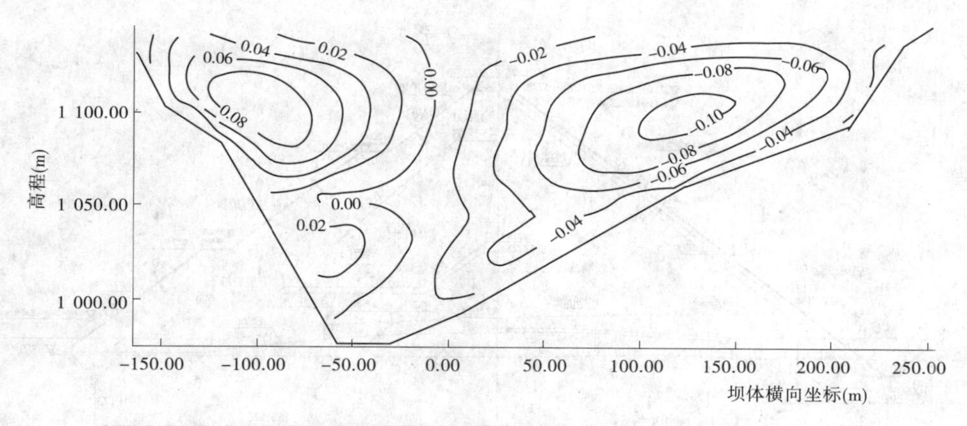

图 6-90　洪家渡面板堆石坝蓄水期面板水平位移分布(单位:m)

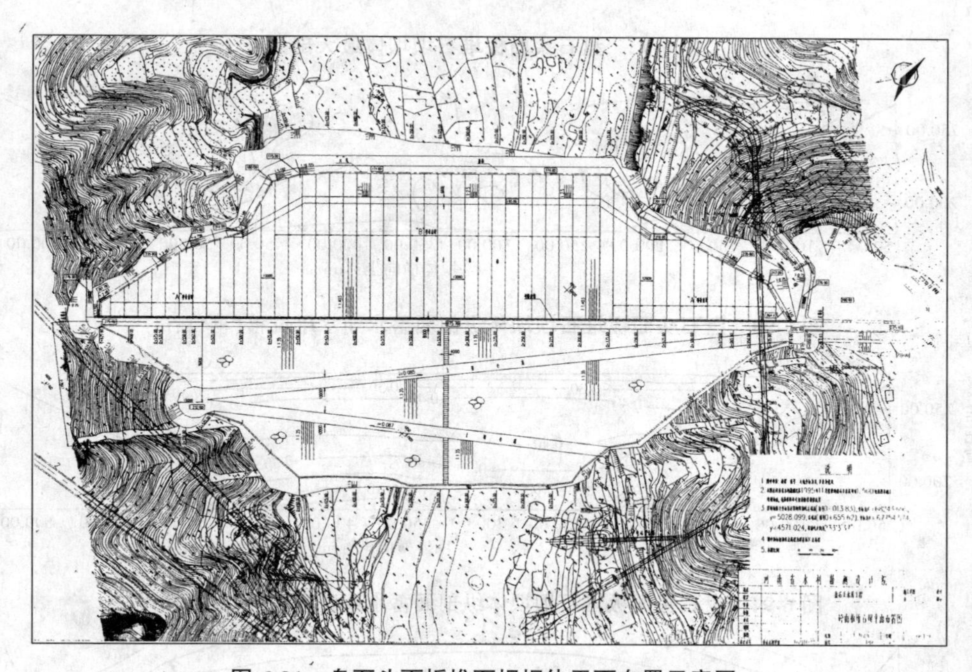

图 6-91　盘石头面板堆石坝坝体平面布置示意图

形。以下将针对同一计算模型,进一步分析各计算工况下,坝体沉降最大值、面板位移最大值以及面板应力最大值的变化趋势。由于坝体和面板位移、应力的影响因素较多,在以下的分析中,分析模型所确定的基本条件为坝高不变($H=120$m)、坝体的材料性质不变,仅考虑岸坡坡度和河谷宽度的变化。为统一起见,对于不同岸坡坡度和不同河谷宽度均采用了大坝长高比作为河谷的形状参数。图 6-97 分别给出了河床宽度固定($L=48$m)、不同岸坡坡度情况下坝体最大沉降数值的对比,图 6-98 给出了岸坡坡度固定(1∶1)、不同河谷宽度情况下坝体最大沉降数值的对比。

从图 6-97 和图 6-98 可以看出,随着岸坡坡度的趋缓或者河谷宽度的增加,岸坡对坝体的约束作用逐渐减弱,坝体位移逐渐增大,当大坝长高比相对较小时,这种位移增大的

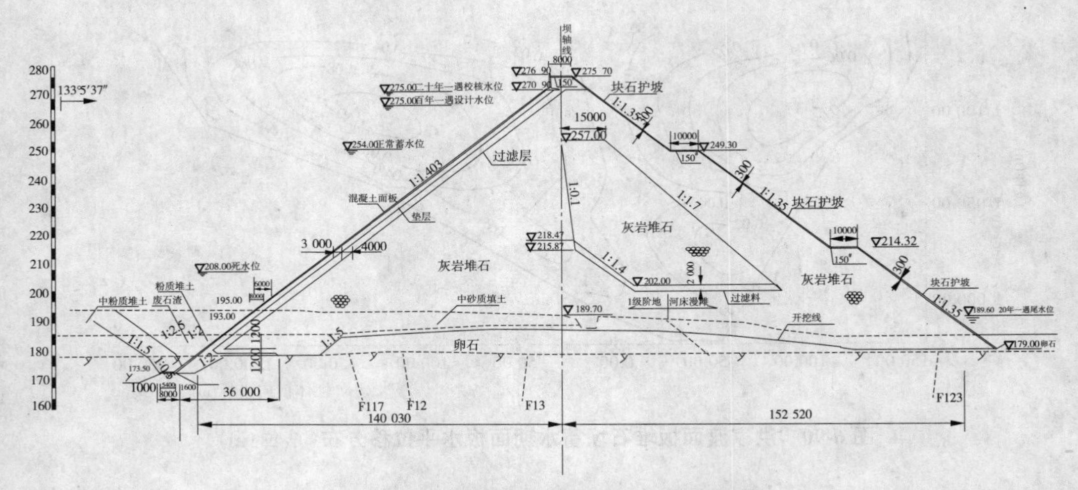

图 6-92　盘石头面板堆石坝坝体最大剖面

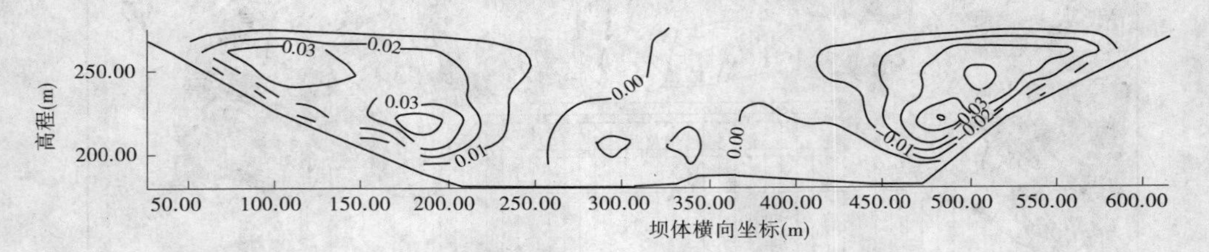

图 6-93　盘石头面板堆石坝坝体纵剖面蓄水期水平位移(单位:m)

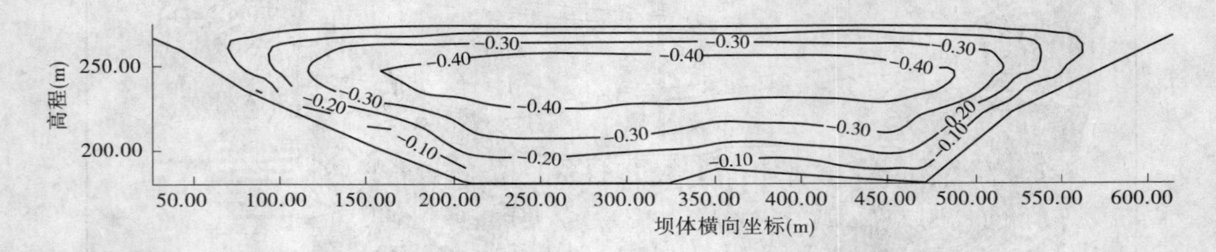

图 6-94　盘石头面板堆石坝坝体纵剖面蓄水期垂直位移(单位:m)

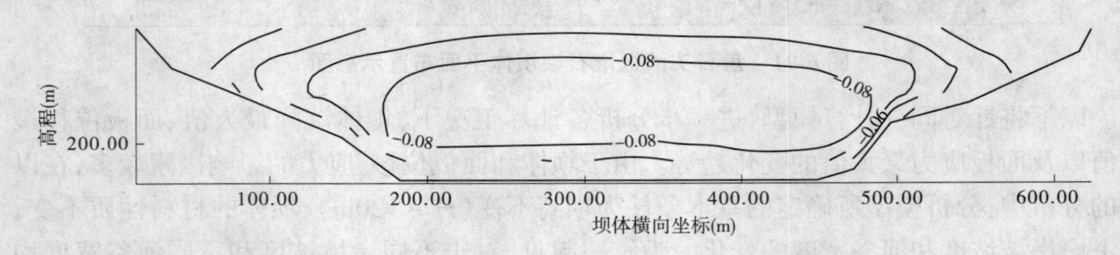

图 6-95　盘石头面板堆石坝蓄水期面板沉降分布(单位:m)

趋势相对较为明显,而当大坝长高比增至一定程度,坝体位移的变化趋势逐渐平缓,显示出岸坡地形对坝体变形影响的减弱。对比岸坡坡度变化与河谷宽度变化的结果可以发现,在同样长高比的情况下,宽河谷情况下的坝体位移较缓岸坡情况下的坝体位移略大。在宽阔河谷情况下(长高比大于4.0),河床段坝体位移无明显变化,取河谷中心横断面的

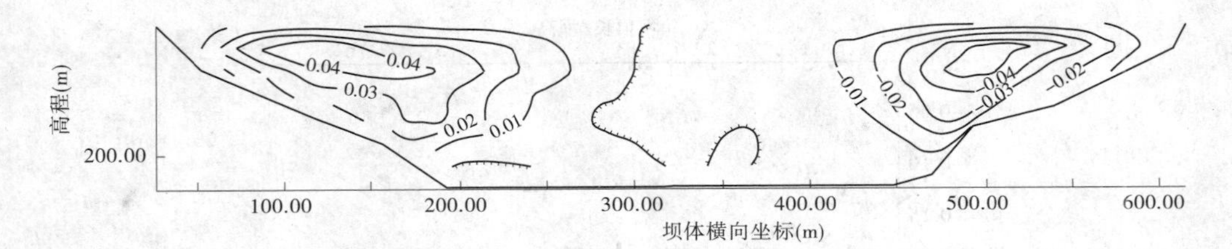

图 6-96　盘石头面板堆石坝蓄水期面板水平位移分布(单位:m)

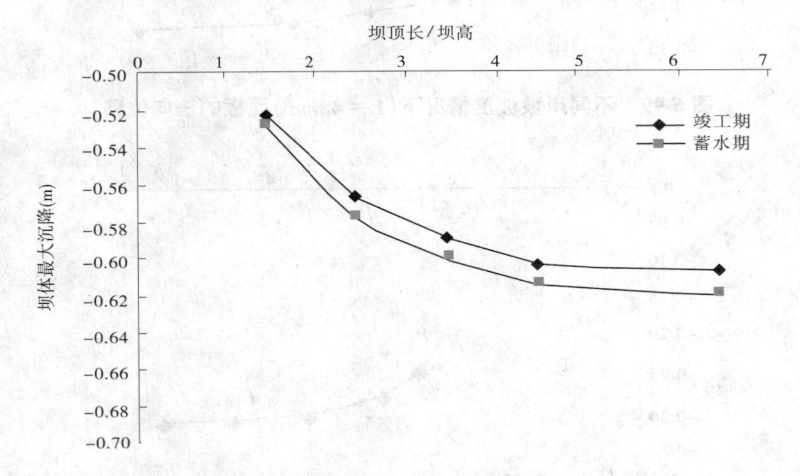

图 6-97　不同岸坡坡度情况下(L = 48mm)坝体的最大沉降

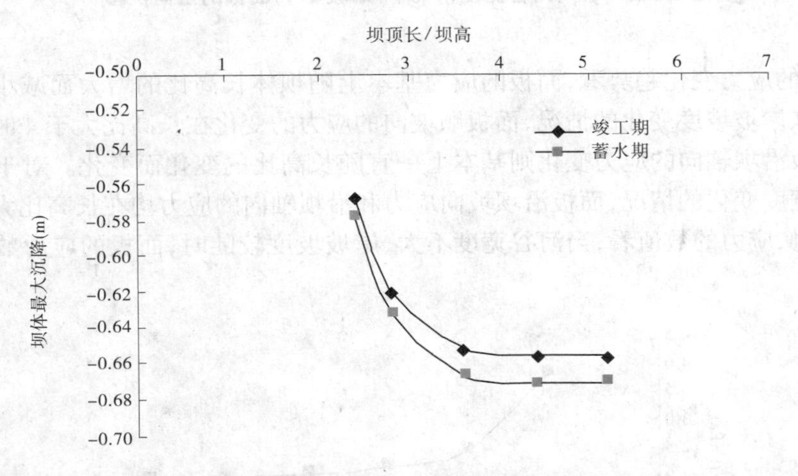

图 6-98　不同河谷宽度情况下(岸坡 1:1)坝体的最大沉降

平面计算可以代表大部分河床段的坝体位移。

蓄水期面板在不同岸坡坡度和不同河谷宽度情况下的最大法向位移变化分别如图 6-99 和图 6-100所示。从图中可以看出,面板的法向位移也是随着大坝长高比的增加而增大,而且,当长高比增至一定程度后,面板位移的变化也是逐渐减缓,直至基本不变。

蓄水期面板在不同岸坡坡度和不同河谷宽度情况下的应力变化如图 6-101～图6-104

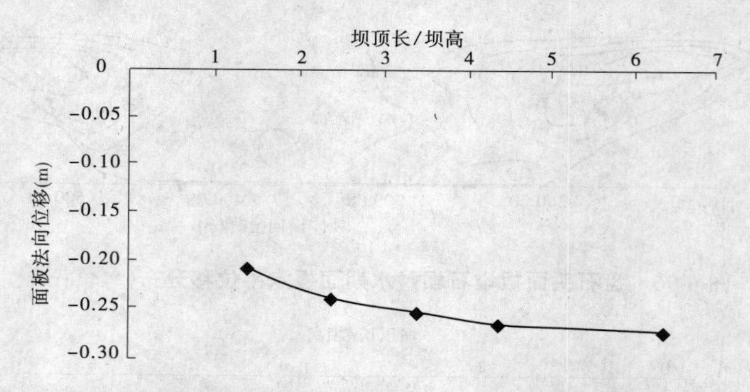

图 6-99　不同岸坡坡度情况下(L = 48mm)面板的法向位移

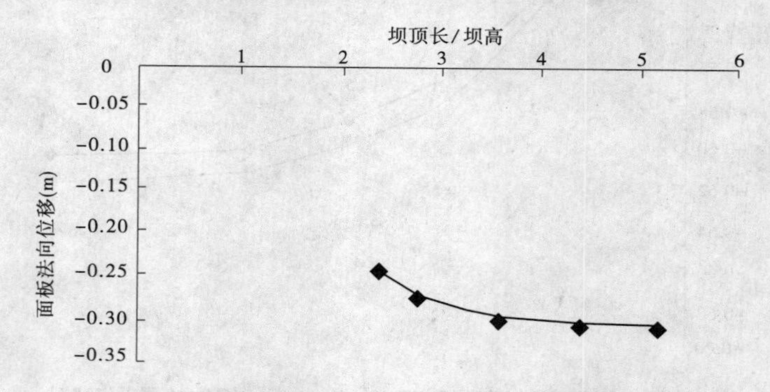

图 6-100　不同河谷宽度情况下(岸坡 1:1)面板的法向位移

所示。

从面板的应力变化趋势看,面板的应力基本上随坝体长高比的增大而减小。对于河谷宽度固定、岸坡坡度变化的情况,面板顺坡向的应力的变化在长高比大于 4 时基本趋于稳定,而面板沿坝轴向的应力变化则基本上一直随长高比的变化而变化。对于岸坡坡度固定、河谷宽度变化的情况,面板沿坝坡向应力和沿坝轴向的应力均在长高比大于 3.5 时趋于稳定。从应力的数值看,当河谷宽度不大、岸坡坡度较陡时,面板的应力数值相对较大。

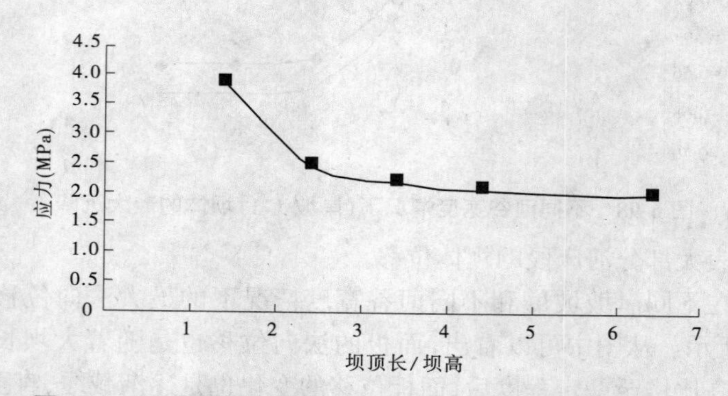

图 6-101　不同岸坡坡度情况下(L = 48mm)面板顺坡向应力

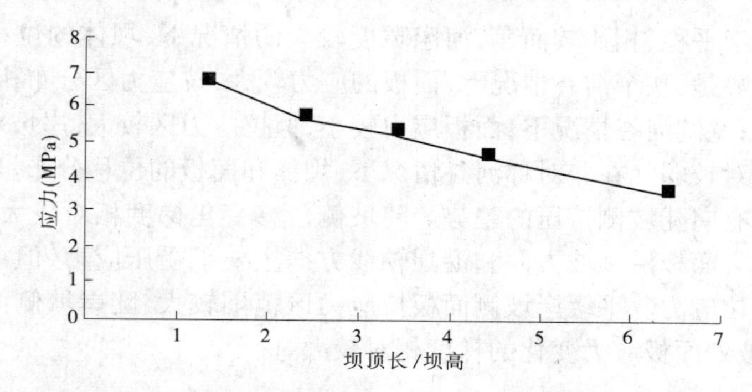

图 6-102 不同岸坡坡度情况下(L = 48mm)面板坝轴向应力

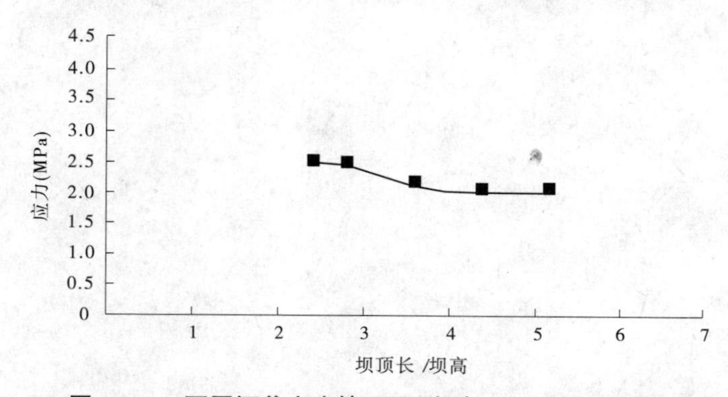

图 6-103 不同河谷宽度情况下(岸坡 1:1)面板顺坡向应力

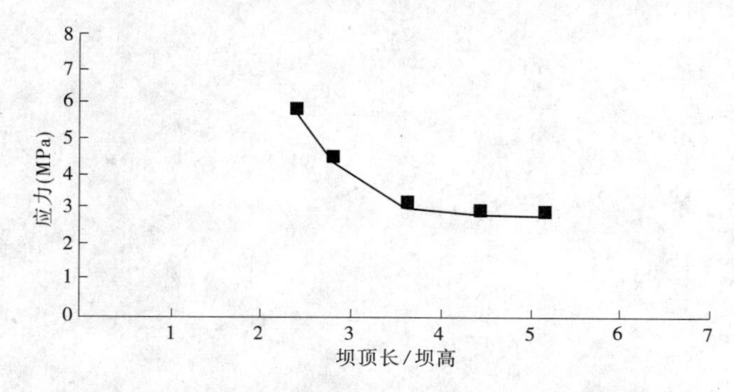

图 6-104 不同河谷宽度情况下(岸坡 1:1)面板坝轴向应力

6.9 小结

本章主要采用了构建具有特定地形特征数值分析模型的方法,就岸坡地形、河床宽度等河谷形状参数对面板堆石坝应力变形特性的影响进行了研究与论述,并与实际工程的计算结果进行了对比。从上述各节的计算分析结果可以看出,河谷的几何形状对于坝体和面板的变形有着较为明显的影响,这种影响主要表现在岸坡对坝体和面板的约束作用上。总体而言,在坝体材料确定不变的情况下,狭窄河谷中坝体和面板的位移数值明显小于宽阔河谷中的情况,而面板的应力则是在狭窄河谷的情况较大。从坝体和面板位移的变化趋势看,位移随坝体长高比的增加而增大,当坝体长高比增大至一定程度后,位移变化的趋势逐渐趋于平稳,相比较而言,河床宽度较大的情况下,坝体的位移更大一些。面板应力的分布趋势是:狭窄河谷情况下,面板的应力较大,拉应力区分布相对较小,岸坡局部应力变化明显;宽阔河谷情况下,面板应力较小,但拉应力区较大,岸坡对河床段面板应力的影响作用相对较弱。在非对称河谷情况下,坝体和面板的位移分布呈不对称分布,缓坡侧坝体的位移有向陡坡侧挤压的趋势。陡坡侧位移变化梯度相对较大,缓坡侧位移变化梯度相对较小。面板沿坝坡方向和沿坝轴线方向主要承受压应力,但靠近两岸坡处的面板则主要承受拉应力。平缓岸坡侧面板拉应力区范围较大,陡岸坡侧面板拉应力区范围较小,但陡岸坡处面板应力变化的梯度相对较大。

第7章　深厚覆盖层上面板堆石坝的应力变形特性

7.1　概述

在土石坝工程中，坝基为深厚覆盖层的情况非常普遍，此时，深覆盖层的防渗处理以及覆盖层与上部坝体的相互作用关系往往是大坝工程设计和安全运行的关键所在。对于坐落在砂砾石覆盖层上的面板堆石坝，其地基处理一般采用以下三种方式：①将覆盖层全部挖除；②将趾板开挖后置于基岩上，而坝体建于砂砾石层上；③将趾板置于砂砾石层上，并采用混凝土防渗墙处理地基。对于第一种处理方式，只有当地基覆盖层很浅或覆盖层中有特殊的地层情况时才采用。第二种处理方式是目前我国面板堆石坝建设中最常用的地基处理方式，如西北口、乌鲁瓦提、珊溪和黑泉等。但采用这种处理方式，在坝基覆盖层很深的情况下，势必会造成工程量的增大和工期的延长，同时，如果开挖过深，还会引起反渗水压对垫层的破坏。因此，对于深厚覆盖层上的面板堆石坝，在条件适合的情况下，采用垂直防渗的方案将是一种较为有效的处理方式。目前，在国际上，智利已建成了两座采用垂直防渗方案的深覆盖层上面板堆石坝（圣塔约纳：坝高67m，覆盖层厚35m；帕科拉罗：坝高83m，覆盖层厚113m）[46]，而我国目前已建成的梅溪（坝高40m）和岑港（坝高27.6m）面板坝也是采用垂直防渗方案的深覆盖层上面板堆石坝。

深厚覆盖层坝基上面板堆石坝的工程设计，坝体和坝基渗流控制方案，特别是深覆盖层地基的防渗处理措施及其与上部坝体防渗措施的连接形式是否可行、合理，往往是大坝工程设计和安全运行的关键所在。从工程运用的角度讲，一个可行、合理的坝体和坝基渗流控制方案，不仅要满足工程所需的防渗要求，同时还要满足应力、变形等工程结构方面的要求，以确保整个结构体系在各种运行工况下不会因发生破坏而丧失防渗或承载能力。

就采用垂直防渗方案的深覆盖层上面板堆石坝而言，防渗墙与上部坝体防渗体（面板）的连接将是整个防渗体系的关键部位，也是大坝—地基整个防渗系统的最薄弱环节，必须给予足够的重视。此外，地基覆盖层、防渗墙与上部坝体的相互作用，即上述各部分在自重和外荷作用下能否满足变形协调的要求，应力是否超限，也是影响大坝安全的重要因素。

本章将重点围绕上述问题，结合新疆察汗乌苏面板砂砾石坝工程，通过对坝体和坝基整体结构在不同工况下应力变形的数值模拟分析，深入研究覆盖层上面板堆石坝的应力变形特性、深覆盖层对上部坝体变形的影响以及坝体—面板—趾板—连接板—防渗墙—覆盖层之间的静力相互作用关系，在此基础上，对深覆盖层的垂直防渗结构形式进行了研究。

7.2　深覆盖层上面板堆石坝的断面形式

在深覆盖层上采用垂直防渗方案的面板堆石坝是利用混凝土防渗墙处理地基防渗，将趾板直接置于砂砾石地基上，并用趾板或连接板将防渗墙和面板连接起来，接缝处设置止水，从而形成完整的防渗系统。采用这种方式的深厚覆盖层上的面板堆石坝，在其坝体结构形式的布置上，一般都将混凝土防渗墙布置在上游坝脚以外的一定距离。混凝土防渗墙的施工与坝体的施工可以同时进行，互不干扰，待施工期坝体和地基的变形相对稳定后，再浇筑趾板和连接板，以尽量减少趾板与防渗墙之间的差异变形。对于趾板与防渗墙之间的连接，有采用趾板直接连接的，如我国的梅溪、岑港；也有采用连接板连接的，如智利的圣塔约纳和帕科拉罗。趾板或连接板与防渗墙顶一般采用平接的形式，其接缝按周边缝处理，如采用连接板形式，中间还可设置伸缩缝，以更好地适应地基不均匀沉陷变形。图 7-1、图 7-2 所示为坝体典型断面图和防渗墙与连接板细部结构图。

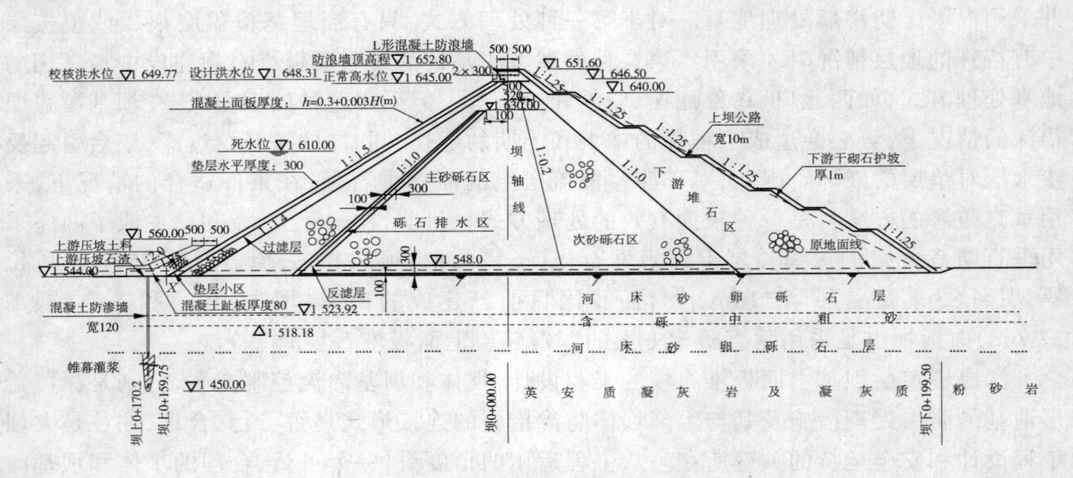

图 7-1　坝体典型断面(单位:cm)

7.3　察汗乌苏面板砂砾石坝的工程概况

新疆开都河察汗乌苏水电站工程位于新疆维吾尔自治区巴音郭楞蒙古自治州和静县境内，是开都河中游河段水电规划中的第七个梯级电站，正常蓄水位以下库容 1.083 亿 m^3，总装机容量 300MW，是一个以发电为主的大(2)型水电枢纽工程。

大坝坝址位于察汗乌苏河与开都河干流交汇处，是一座修建在砂砾石覆盖层上的混凝土面板砂砾石坝。大坝坝顶高程为 1 651.60m，坝顶全长 347.36m，坝顶宽 10.00m，河槽处趾板底高程 1 544.00m，最大坝高 107.60m，坝基砂砾石覆盖层最大厚度为 46.70m，覆盖层内夹砂层平均厚度为 5.92m。

坝体设计方案是在河床覆盖层内设置一道混凝土防渗墙，并用连接板与趾板、面板相连，混凝土防渗墙墙顶高程 1 544.80m，最大断面处墙底高程为 1 504.00m，防渗墙总长 120.11m，最大墙深40.80m。坝体断面分区分为垫层区、过渡区、主砂砾石区、次砂砾石区和下游堆石区。在过渡区下游的主砂砾石区内，设有烟囱式砾石排水区，该区通过坝基

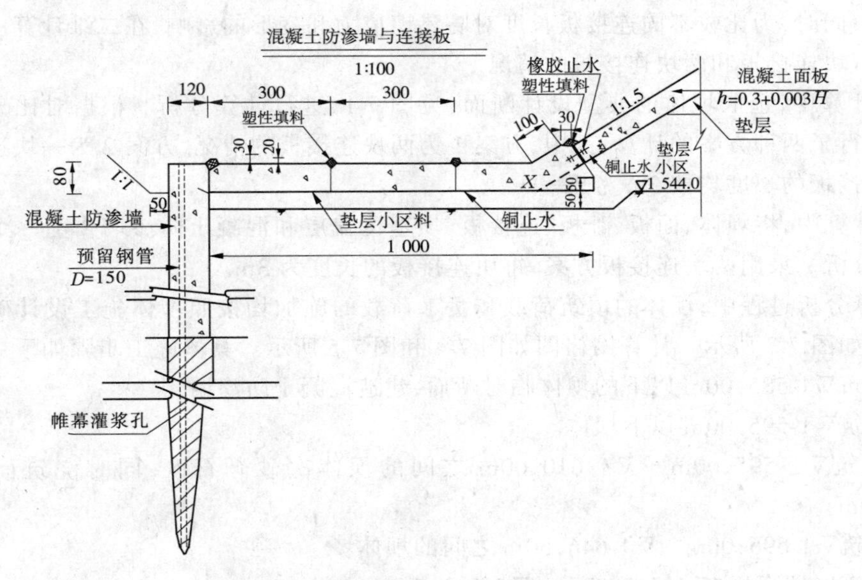

图 7-2　防渗墙与连接板细部结构(单位:cm)

排水层与下游堆石体相连,砾石排水区上游侧设置反滤层。坝顶上游侧设 6.3m 高 L 形混凝土防浪墙,上游坝坡 1:1.5,在 1 560.00m 高程以下的面板上,加设顶宽 10m、坡度 1:2的土石压坡体。下游局部坝坡 1:1.25,综合坝坡为 1:1.80。坝体的典型设计断面如图 7-1 所示。

7.4　数值分析方法

在计算分析中,坝体和地基砂砾石以及坝体的下游堆石等土石材料均采用邓肯—张双曲线非线性弹性 E—B 模型;基岩、混凝土面板、混凝土防渗墙和连接板等材料采用线弹性模型。计算中采用逐次增量法来模拟材料的非线性特性。

面板与垫层、趾板与地基、连接板与地基、防渗墙与地基之间的接触面均采用薄层单元来模拟。计算程序中薄层单元的形式与常规的实体单元相同,对于面板与垫层之间的接触面,薄层单元取垫层材料的力学特性;趾板与地基以及连接板与地基之间的接触面,薄层单元取地基砂砾石材料的力学特性;而对于地基中混凝土防渗墙与周边砂砾石层的接触面,考虑到防渗墙造孔时因采用泥浆固壁,在墙壁周围会形成一层泥皮,薄层单元应取泥皮的力学特性。在正常受力情况下,薄层单元在计算过程中按普通实体单元参与计算,但接触面之间的剪应力超出抗剪强度后,则采用降低模量的方式进行剪切破坏处理;当接触面之间的法向正应力为零或为负值时,程序中同样也要进行受拉破坏的处理(薄层接触面单元的计算公式参见第 4 章)。

7.5　计算方案

为充分了解坝体在各个运行工况下的应力和变形规律以及坝体与坝基覆盖层和混凝土防渗墙之间的相互作用关系,在计算分析中分别进行了二维和三维非线性有限元应力变形计算。同时,为比较不同连接板长度对防渗墙应力和变形的影响,在二维计算中还对比分析了一块连接板和两块连接板的情况。

二维计算中,选取坝体的典型设计断面(见图 7-1)进行计算分析。根据对比分析的需要,共进行了两种方案的计算,其中,方案 1 为两块连接板的情况,方案 2 为一块连接板的情况,连接板的长度均按 3m 考虑。

三维计算中,将坝体、面板、趾板、连接板、坝基覆盖层和混凝土防渗墙作为一个整体进行计算分析。采用两块连接板方案,每块连接板的长度为 3m。

在计算分析过程中,坝体的填筑荷载和蓄水荷载的施加均按照坝体施工设计确定的步骤进行,如图 7-3 所示。计算网格图如图 7-4 和图 7-5 所示。具体施工步骤如下:

(1)填筑∇1 585.00m 以下的坝体临时断面,建造混凝土防渗墙。

(2)填筑∇1 595.00m 以下坝体。

(3)填筑∇1 595.00m～∇1 610.00m 之间的坝体次砂砾石区,同时浇筑面板至∇1 595.00m。

(4)填筑∇1 595.00m～∇1 646.50m 之间的坝体。

(5)浇筑二期面板(∇1 595.00m～∇1 646.5m)。

(6)水库蓄水至∇1 610.00m。

(7)修建防浪墙,填筑至坝顶高程。

(8)水库蓄水从∇1 610.00m 至∇1 645.00m。

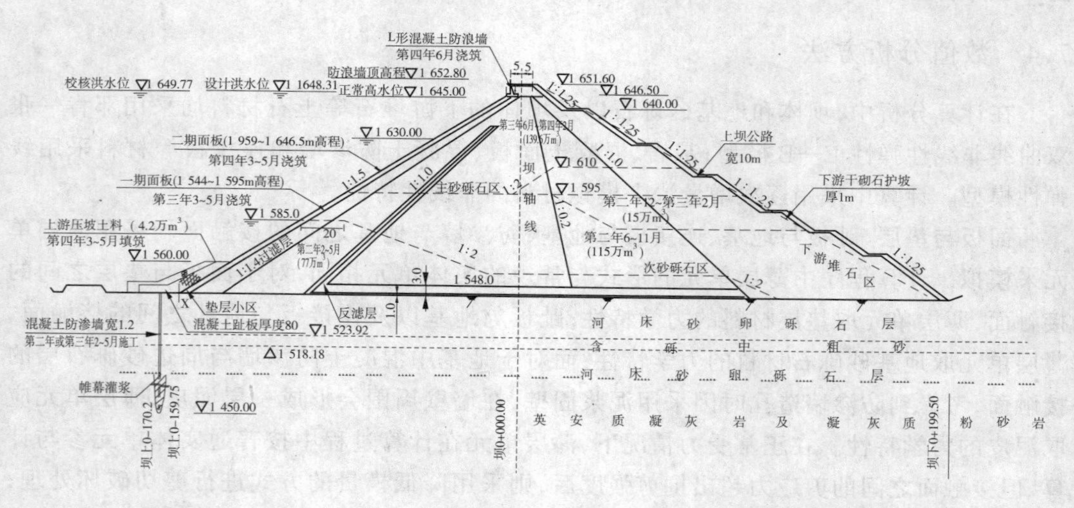

图 7-3　施工顺序示意(单位:m)

计算分析中所采用的材料参数取自大型三轴试验的成果,如表 7-1 所示。

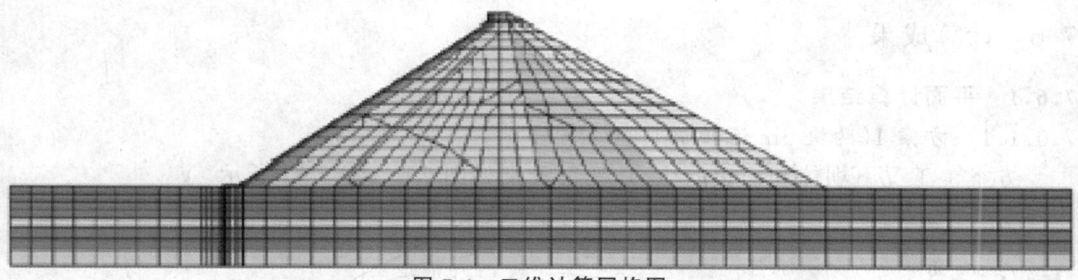

图 7-4　二维计算网格图

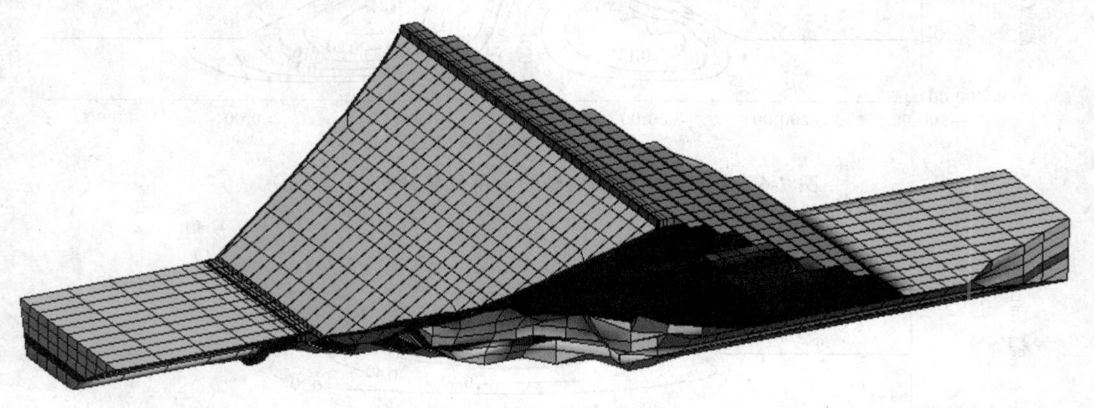

图 7-5　三维计算网格图

表 7-1　材料的邓肯—张模型（E—B）参数

材料名称	γ_d (g/cm^3)	K	K_{ur}	n	R_f	K_b	m	φ (°)	$\Delta\varphi$ (°)
主砂砾石	2.19	1 260	1 890	0.40	0.891	522	0.17	53.2	10.4
次砂砾石	2.16	930	1 395	0.28	0.823	415	0.05	51.4	9.3
下游堆石料	2.10	900	1 350	0.37	0.866	465	0.15	54.4	10.7
砾石排水区	2.02	600	900	0.24	0.891	250	0.29	53.2	10.4
过渡料	2.20	1 400	2 100	0.42	0.950	665	0.40	51.2	7.9
垫层料	2.20	1 500	2 200	0.42	0.950	675	0.40	51.2	7.9
面板	2.35	280 000	280 000	—	—	140 000	—	40.0	—
沥青混凝土	2.25	408	489.6	0.63	0.91	240	0.30	28.4	0
沉渣	1.60	800	1 200	0.50	0.871	400	0.30	36.0	1.7
坝基砂砾石	2.14	1 200	1 800	0.44	0.84	450	0.20	48.5	7.2
坝基中粗砂	1.84	850	1 275	0.33	0.745	405	0.04	46.5	3.2
防渗墙	2.35	315 000	315 000	—	—	150 000	—	40.0	—
趾板、连接板	2.35	280 000	280 000	—	—	140 000	—	40.0	—
基岩	2.70	29 700	29 700	0.00	0.00	15 000	0.00	50.0	0.0
泥皮	1.20	100	150	0.45	0.901	50	0.25	10.0	0.5

7.6 计算成果

7.6.1 平面计算结果

7.6.1.1 方案 1(两块 3m 连接板)

方案 1 工况下坝体和面板的应力、变形分别如图 7-6～图 7-17 所示。

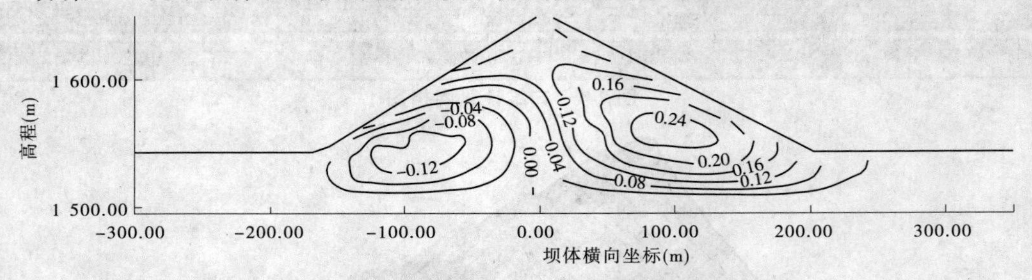

图 7-6　蓄水期坝体和地基的水平位移分布(单位:m)

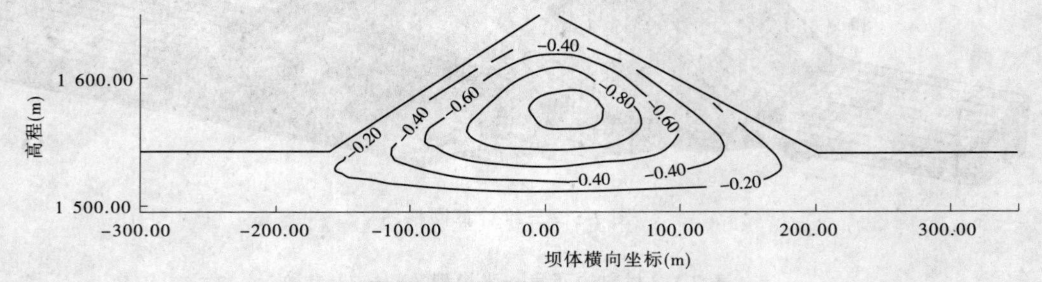

图 7-7　蓄水期坝体和地基的垂直位移分布(单位:m)

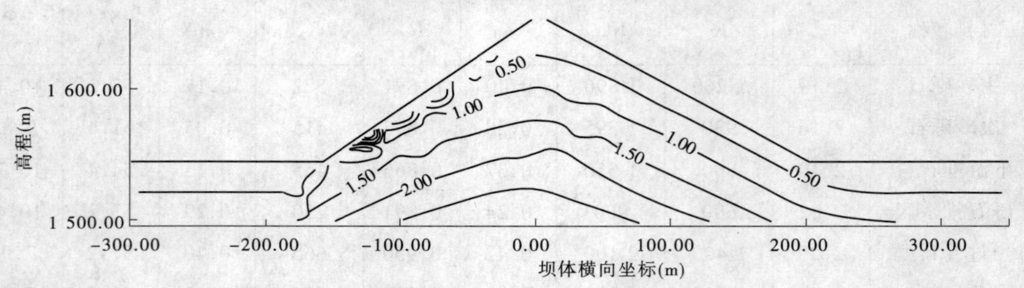

图 7-8　蓄水期坝体和地基的大主应力分布(单位:MPa)

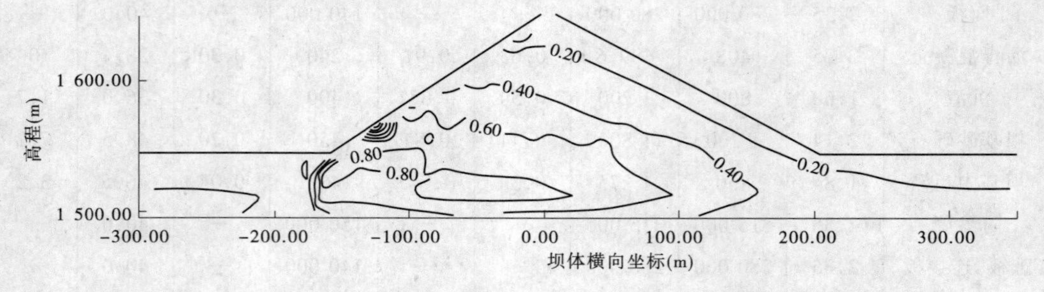

图 7-9　蓄水期坝体和地基的小主应力分布(单位:MPa)

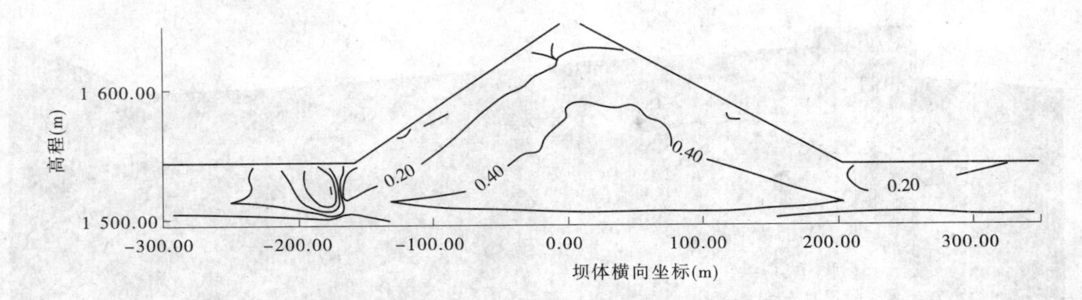

图 7-10　蓄水期坝体和地基的应力水平分布

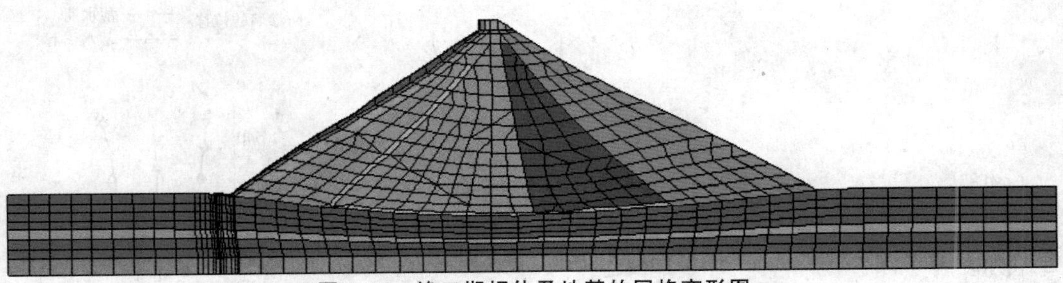

图 7-11　竣工期坝体及地基的网格变形图

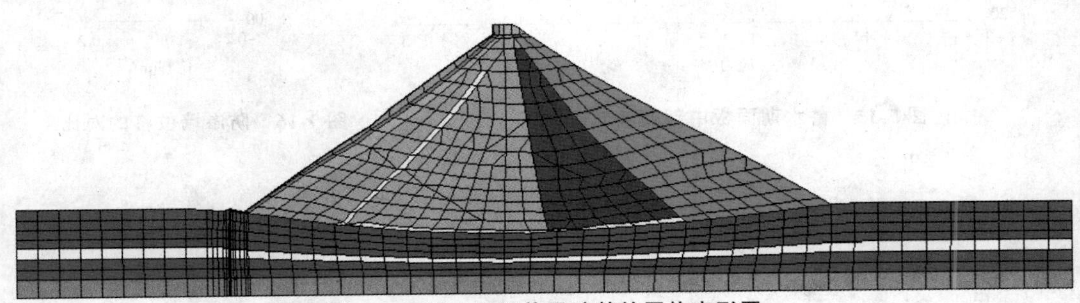

图 7-12　蓄水期坝体及地基的网格变形图

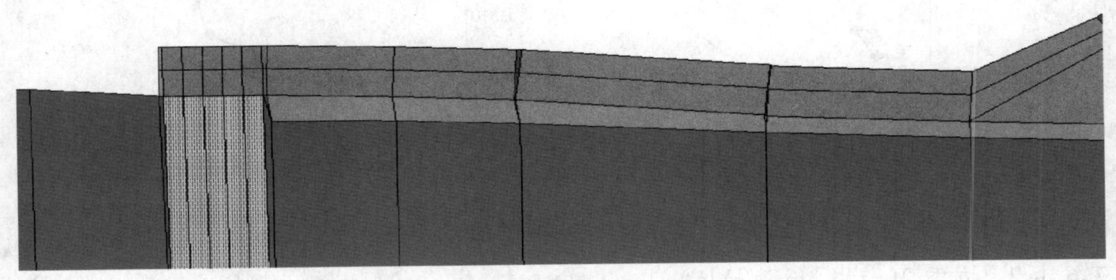

图 7-13　竣工期连接板的变形图

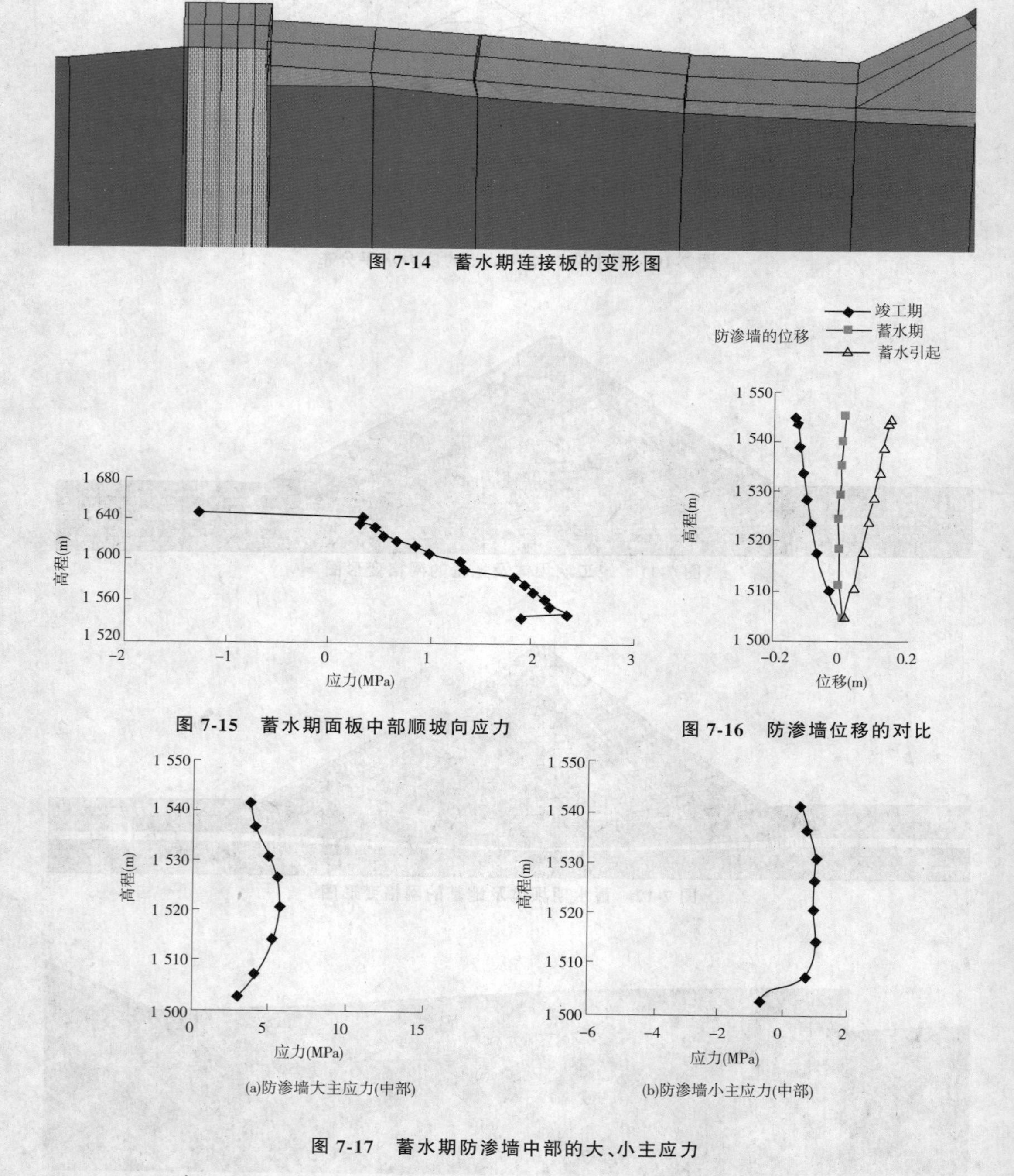

图 7-14 蓄水期连接板的变形图

图 7-15 蓄水期面板中部顺坡向应力

图 7-16 防渗墙位移的对比

图 7-17 蓄水期防渗墙中部的大、小主应力

7.6.1.2 方案 2(一块 3m 连接板)

方案 2 工况下坝体和连接板的变形分别如图 7-18～图 7-21 所示。

从平面计算分析结果看,竣工期坝体和地基的水平位移和垂直位移大致呈对称分布。竣工期,上游坝体的水平位移方向朝向上游,下游坝体水平位移方向朝向下游。与修建于

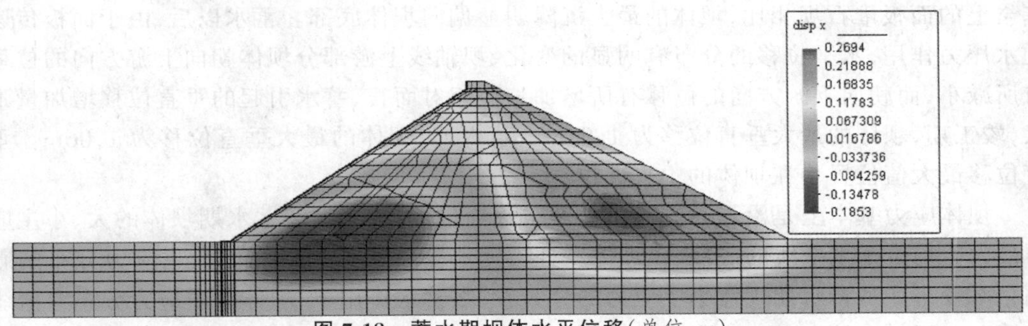

图 7-18　蓄水期坝体水平位移(单位:m)

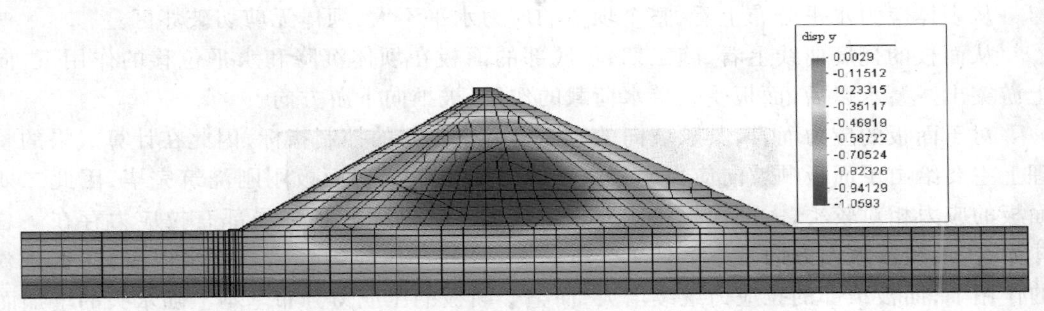

图 7-19　蓄水期坝体垂直位移(单位:m)

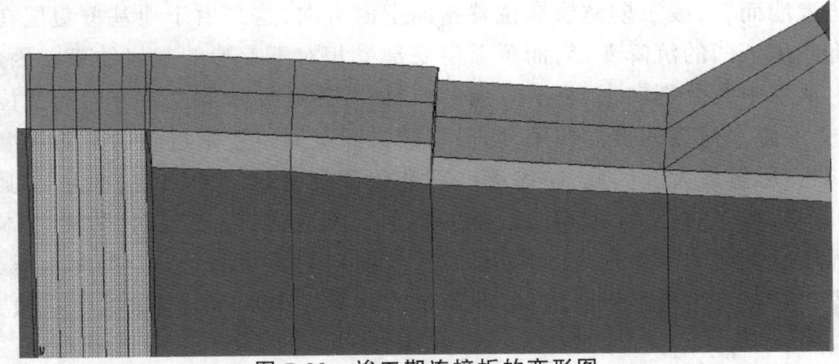

图 7-20　竣工期连接板的变形图

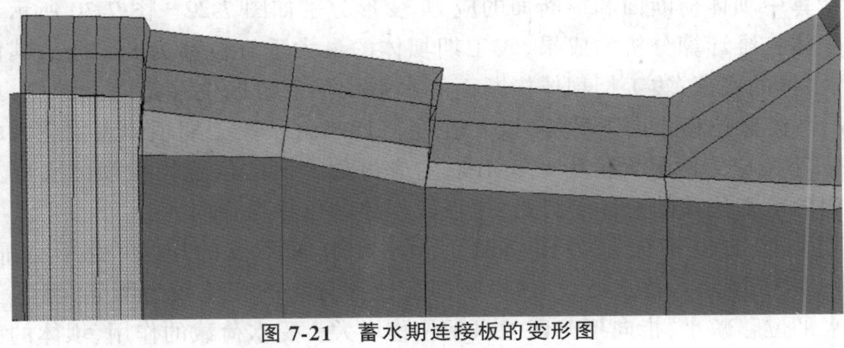

图 7-21　蓄水期连接板的变形图

基岩上的面板堆石坝相比，坝体的最大沉降明显偏向坝体底部。蓄水以后，由于面板传递的水压力作用，水平位移的分布有明显的变化，坝轴线上游部分坝体朝向上游方向的位移有所减小，而朝向下游方向的位移有所增加。但相对而言，蓄水引起的垂直位移增加量不大，竣工期，坝体的最大垂直位移为 1.04m。蓄水期，坝体的最大垂直位移为 1.06m。垂直位移最大值位置均在坝体的中央部位。

坝体应力基本上是沿坝高方向由上至下逐渐增大，竣工期和蓄水期坝体的大、小主应力最大值均位于坝中线的底部，比坝体土柱重略小。蓄水作用对坝体大主应力分布的影响相对较小。从蓄水期坝体小主应力的分布看，在蓄水作用下，坝体小主应力分布等值线较竣工期明显上抬，垫层区、过渡区以及部分上游主堆石区的小主应力有较大的增加。

从坝体应力水平分布上看，整个坝体的应力水平不大，坝体无剪切破坏区。

从面板的挠度曲线上看，施工期，坝底部的面板在坝体沉降和水平位移的作用下，向上游突出。蓄水以后，面板受上游水荷载的作用，被推向下游方向。

对于面板的应力而言，其顺坡向的应力是一个主要的控制指标，因此在计算成果的整理上主要给出了面板顺坡向应力的分布。竣工期由于二期面板刚刚浇筑完毕，因此二期面板的应力相对较小，一期面板的应力相对较大。二期面板顶部局部有拉应力存在。总体而言，面板沿坡面方向基本上处于受压状态，且底部压应力较大。蓄水以后，在水荷载的作用下，面板顶部的拉应力继续增大，而整个面板的压应力分布基本上随水头的增加而增大。

对于防渗墙而言，竣工期防渗墙位移指向上游方向，这是由于地基覆盖层在上部坝体的作用下将产生下凹的沉降变形，而覆盖层底部受相对不变形的基岩约束。因此，地基覆盖层将产生从坝中线分别向上、下游方向的位移，并因此导致向上游方向的变位。蓄水以后，防渗墙受上游水荷载的推力作用，防渗墙被推回至原位置附近。由于防渗墙底端受基岩约束，顶端变形量最大。因此，防渗墙底部和顶部均有拉应力出现，而且以顶部的拉应力相对较大。从墙体的受力状态看，墙体主要承受压应力，在竣工期，防渗墙体主要受地基覆盖层沉陷所引起的摩擦拖曳力作用，而蓄水期则主要是承受上游的库水压力。

从方案 2 的计算结果可以看出：各计算量的分布规律基本上与方案 1 一致，只是在数值上有些差异。

7.6.2　三维计算结果

三维计算中坝体横断面和纵断面的应力、变形分别如图 7-22～图 7-30 所示。

根据坝体三维计算分析的成果，竣工期坝体的最大垂直位移为 88.0cm，其位置处于河床中央、坝体的底部；竣工期坝体横断面的水平位移上游区位移指向上游侧，最大值约为 30.3cm，下游区位移指向下游侧，最大值约为 18.5cm。竣工期坝体大主应力的最大值为 2.0MPa，小主应力的最大值为 0.8MPa，主应力最大值的位置均在坝体底部。坝体沿坝轴线方向的水平位移的总体趋势是：岸坡段坝体的位移均指向河谷。

蓄水期坝体的位移矢量如图 7-31 所示，蓄水期面板的应力、变形分布分别如图 7-32～图 7-35 所示。蓄水后，坝体横断面上位移分布的变化较为明显，坝体上游区指向上游的水平位移减小，指向下游区的水平位移增大。受水荷载的作用，坝体的沉降有所增加，蓄水期坝体的最大沉降为90.8cm。同时，坝体底部的应力也略有增大，蓄水期坝体

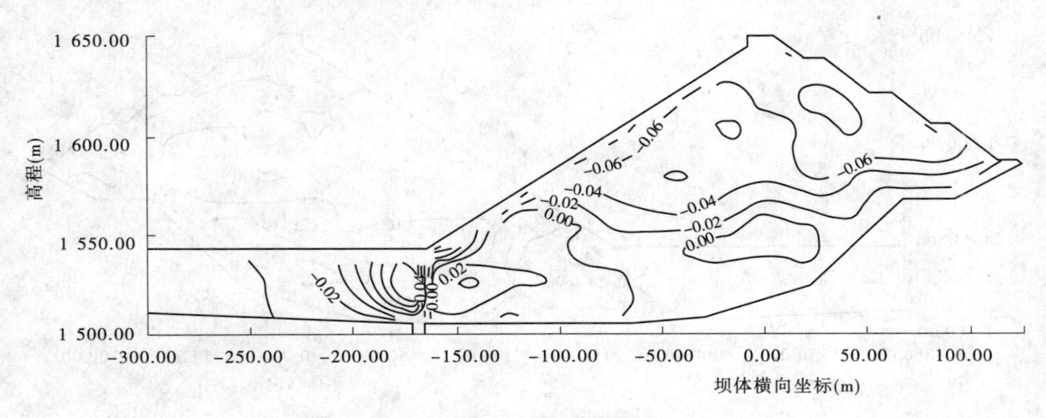

图 7-22　0 + 204 断面蓄水期水平位移分布(单位:m)

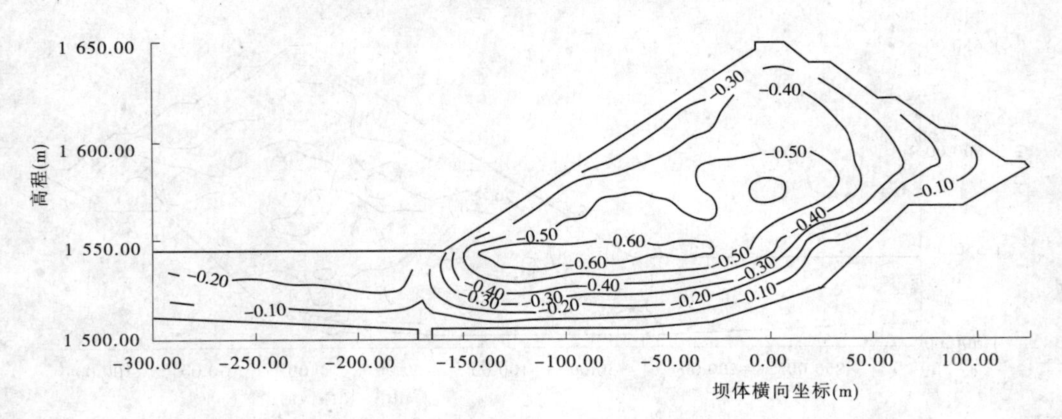

图 7-23　0 + 204 断面蓄水期垂直位移分布(单位:m)

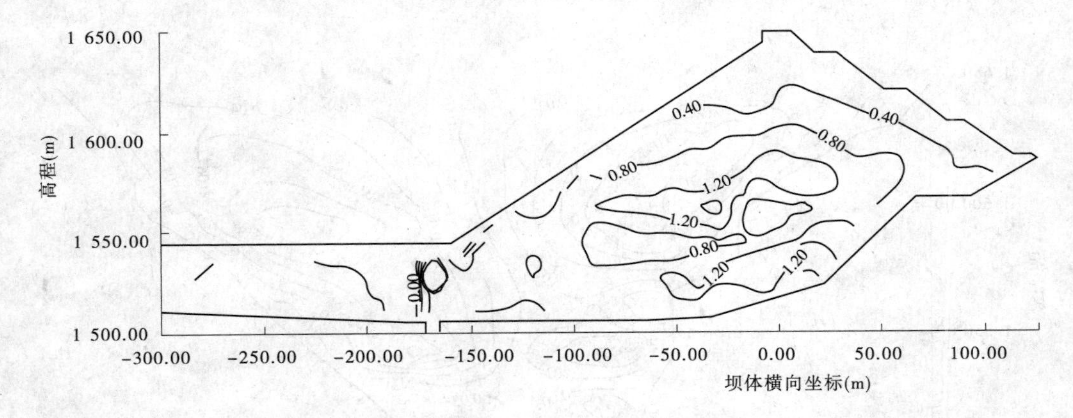

图 7-24　0 + 204 断面蓄水期大主应力分布(单位:MPa)

大主应力的最大值为2.1MPa,小主应力的最大值为0.8MPa。除坝体水平位移分布外,其他的坝体应力和位移分布规律与竣工期相比大致相同。

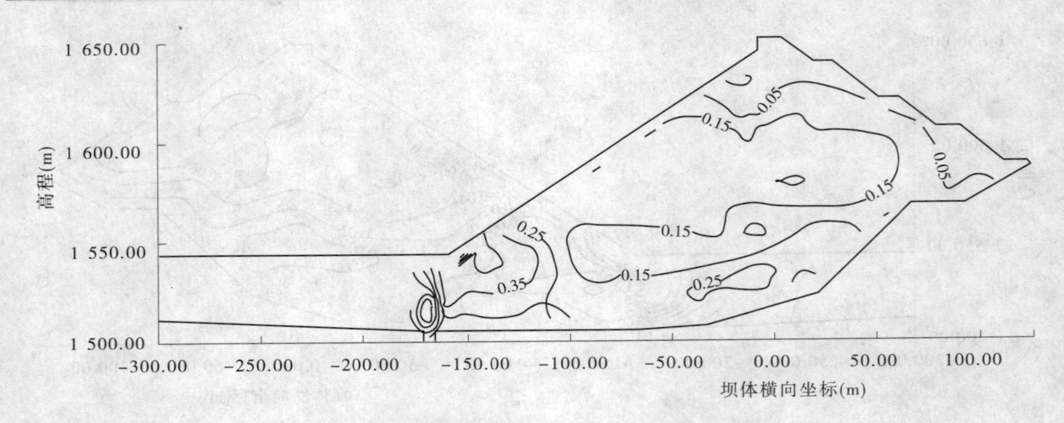

图 7-25　0 + 204 断面蓄水期小主应力分布(单位:MPa)

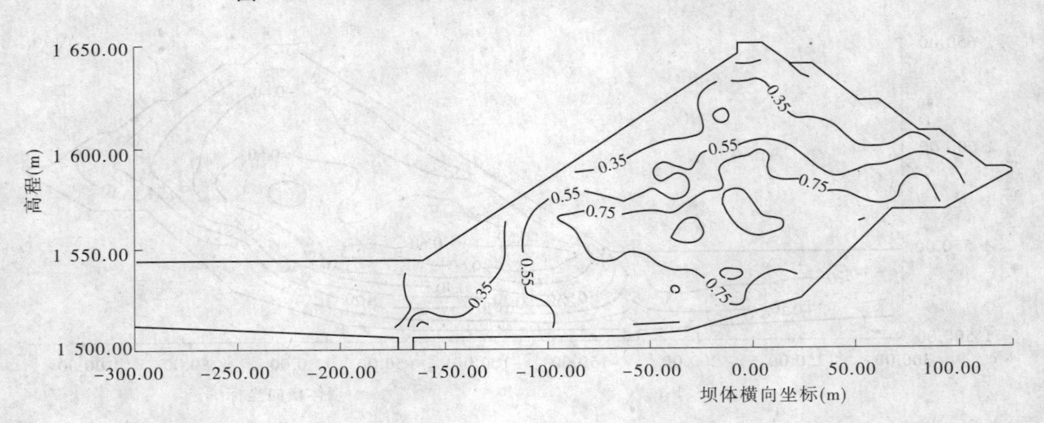

图 7-26　0 + 204 蓄水期应力水平分布(单位:MPa)

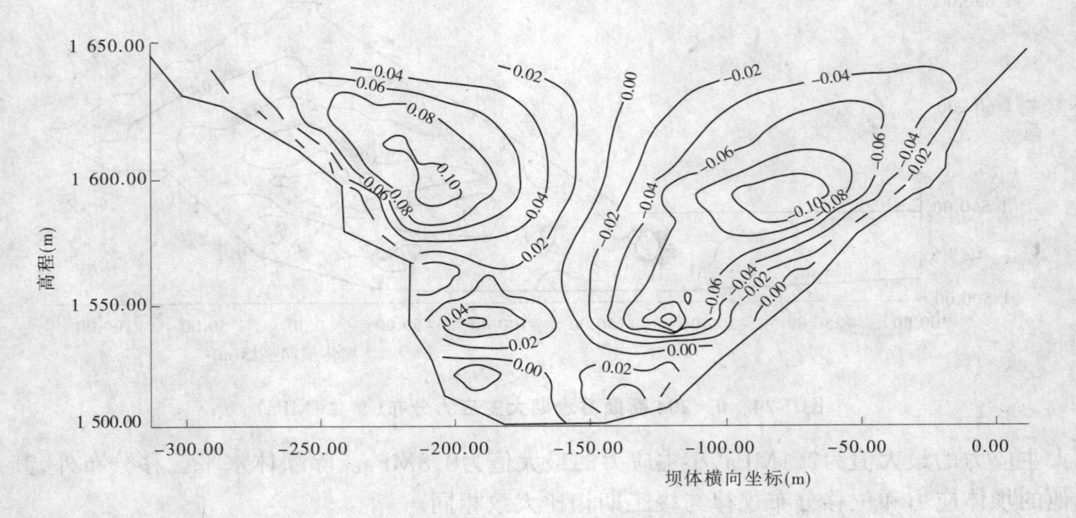

图 7-27　纵剖面蓄水期水平位移分布(单位:m)

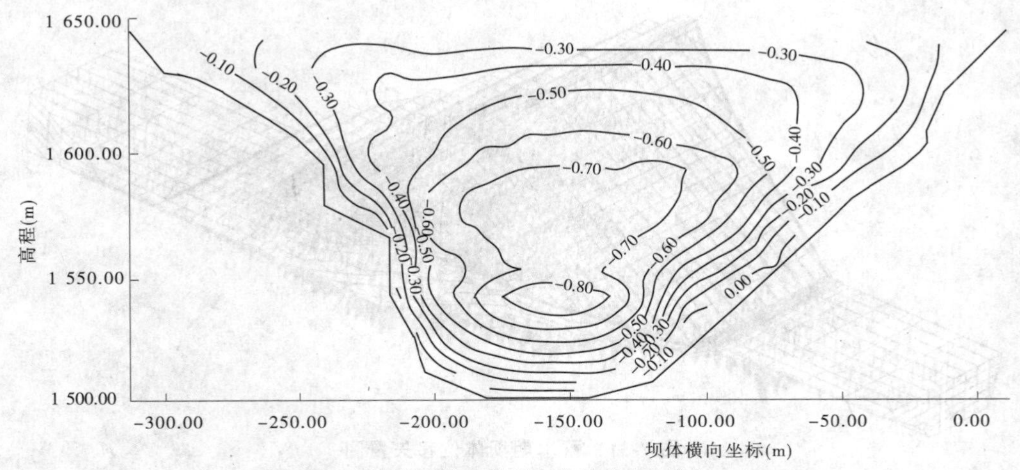

图 7-28　纵剖面蓄水期垂直位移分布(单位:m)

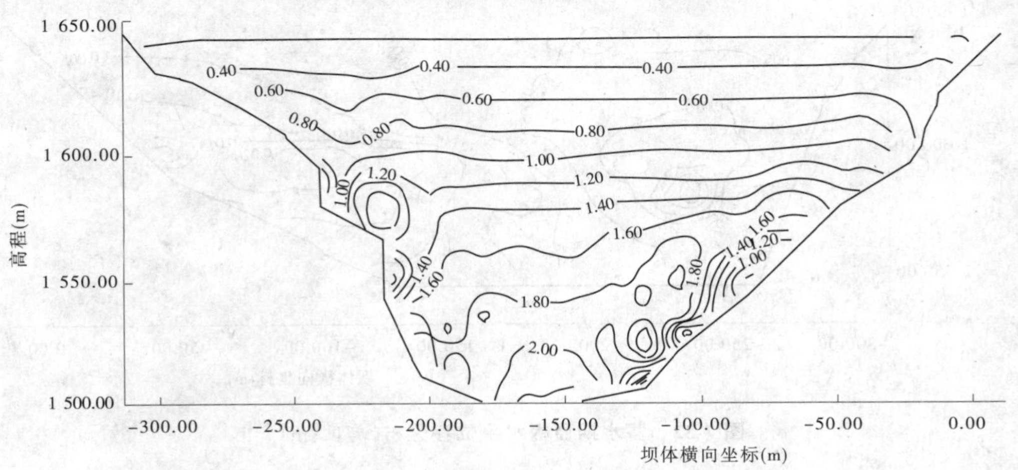

图 7-29　纵剖面蓄水期大主应力分布(单位:MPa)

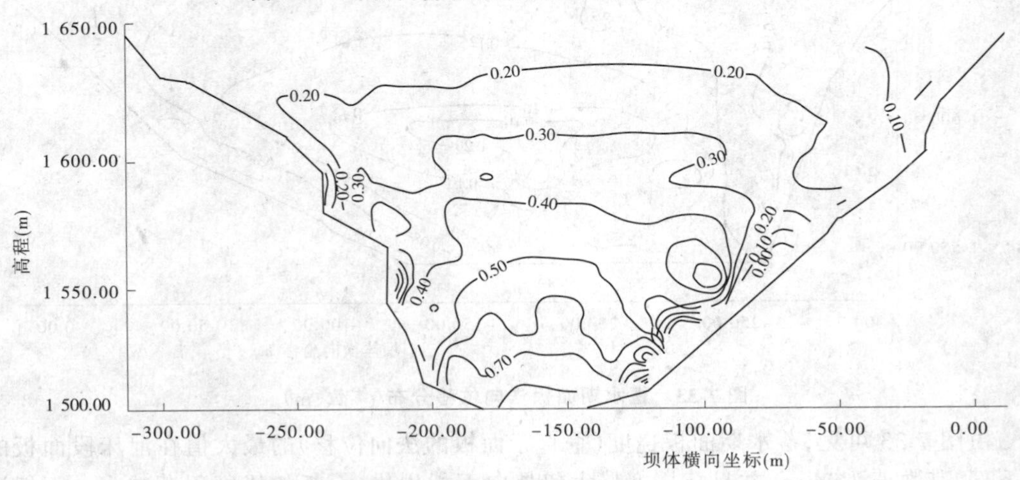

图 7-30　纵剖面蓄水期小主应力分布(单位:MPa)

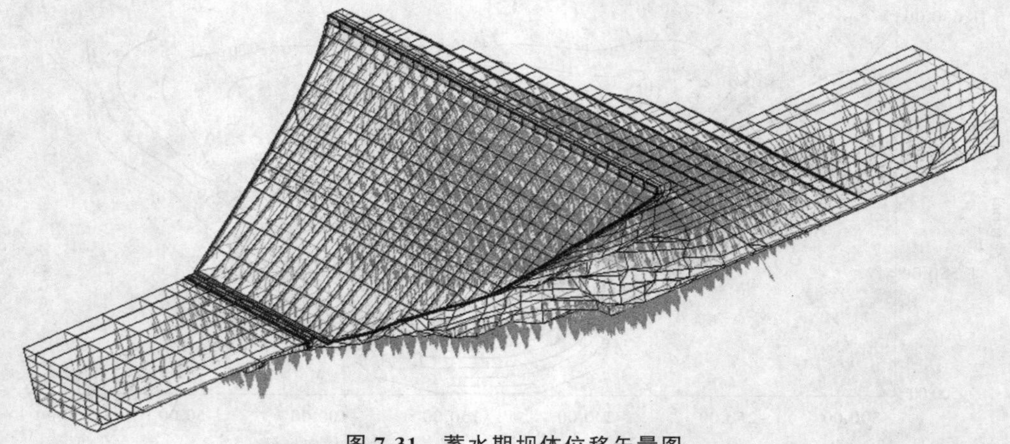

图 7-31 蓄水期坝体位移矢量图

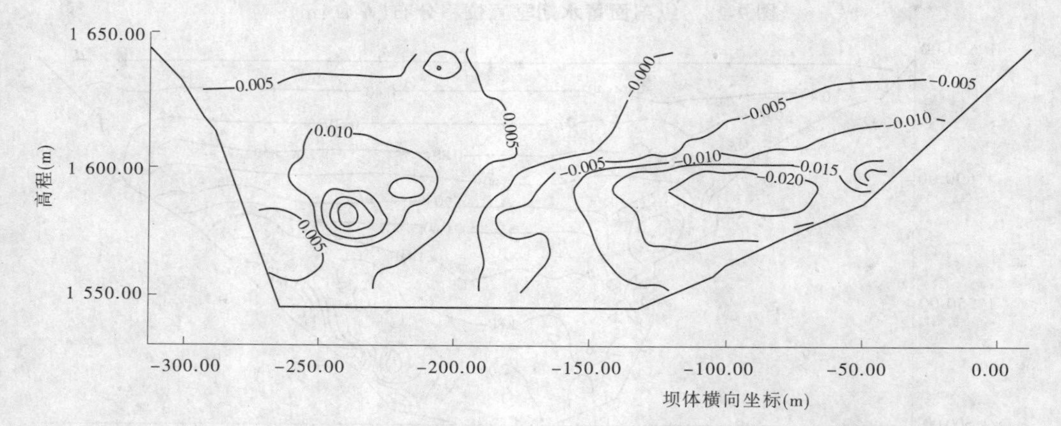

图 7-32 蓄水期面板水平位移分布(单位:m)

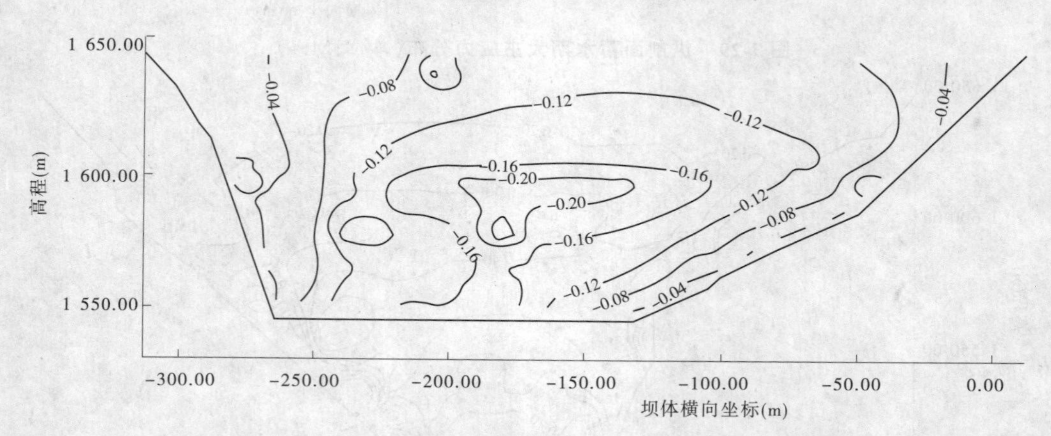

图 7-33 蓄水期面板法向位移分布(单位:m)

由图 7-33 可见,蓄水期面板挠度(垂直于面板的法向位移)的最大值在河床段面板的中下部,其数值为24cm,并且从挠度最大值处向面板周边,面板的挠度逐渐减小。面板沿坝轴向水平位移分布呈从两岸指向河床中部的趋势。

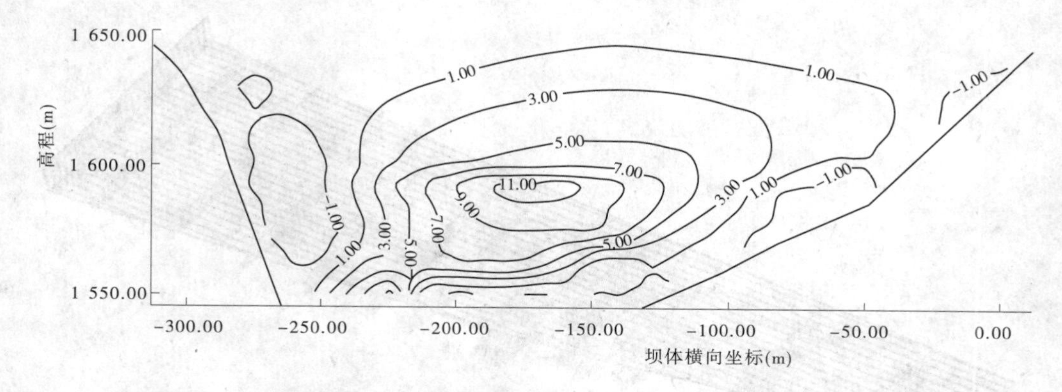

图 7-34　蓄水期第一排面板单元沿坝轴线方向应力分布(单位:MPa)

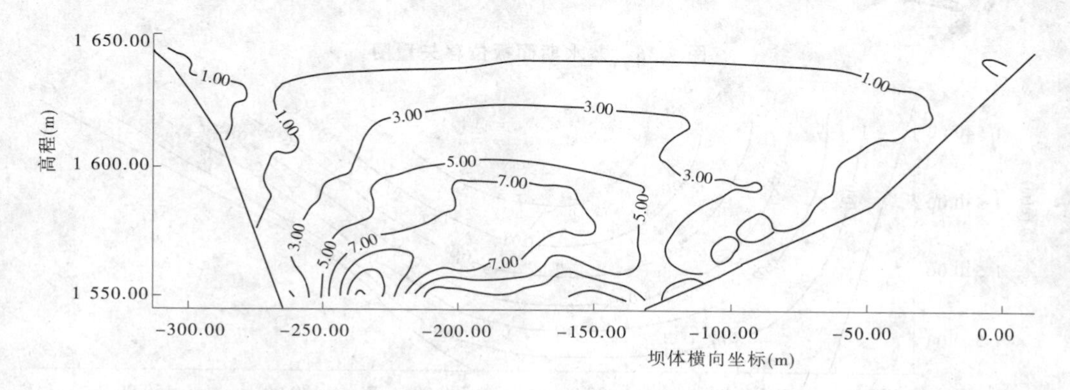

图 7-35　蓄水期第一排面板单元沿坝坡方向应力分布(单位:MPa)

从蓄水期面板的应力分布上看,面板在水荷载的作用下主要呈双向受压状态,河床段面板顺坝轴线方向主要承受压应力,压应力最大值为 12.5MPa 左右,而两岸坡处的面板则基本上处于受拉状态。从拉应力区的分布范围上看,左岸坡面板的拉应力区相对较大。

从蓄水期面板顺坝坡方向的应力分布看,由于面板在水压力的作用下发生一定程度的弯曲变形,因此面板中部压应力较大,而面板顶部则主要承受拉应力。面板承受的压应力最大值为 10.4MPa,拉应力最大值约为 1.3MPa。蓄水期面板的位移矢量分布如图 7-36所示。

由图可见:竣工期防渗墙位移指向上游方向,最大值约为 7.0cm。蓄水以后,防渗墙受上游水荷载的推力作用,被推向下游侧,防渗墙墙体位移指向下游方向,其最大值约为 15.5cm。图 7-41 和图 7-42 的位移矢量以及图 7-43 的蓄水期防渗墙变形图可以清楚地显示出这一位移趋势。

从防渗墙的应力分布上看,防渗墙的大主应力数值基本上为压应力,而小主应力则基本为拉应力,竣工期墙体大主应力的最大值为 6.08MPa,小主应力最大值为 1.68MPa;蓄水期墙体大主应力的最大值为 10.9MPa,小主应力最大值为 2.20MPa。由于墙体大主应力方向与墙的高度方向大致相同,因此墙体沿高度方向基本承受压趋势。

竣工期及蓄水期,混凝土防渗墙的位移和应力分布如图 7-37～图 7-40 所示。

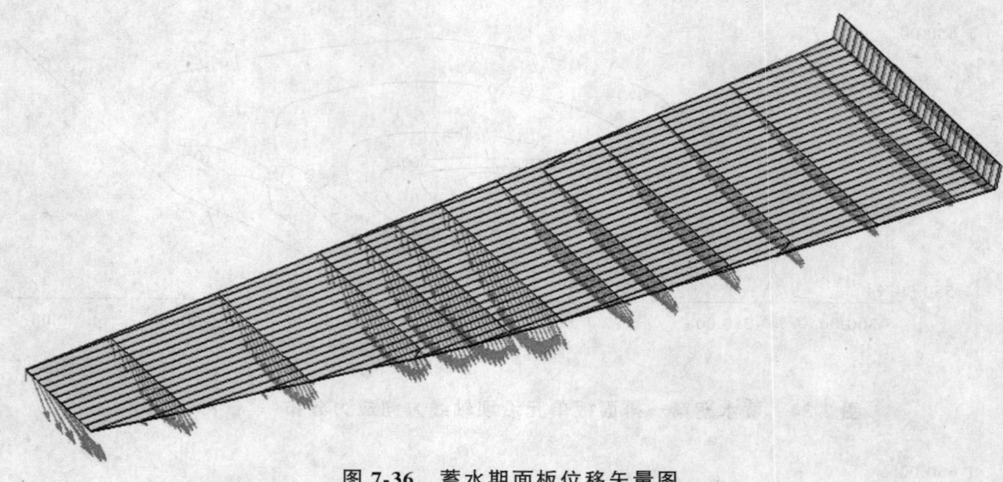

图 7-36　蓄水期面板位移矢量图

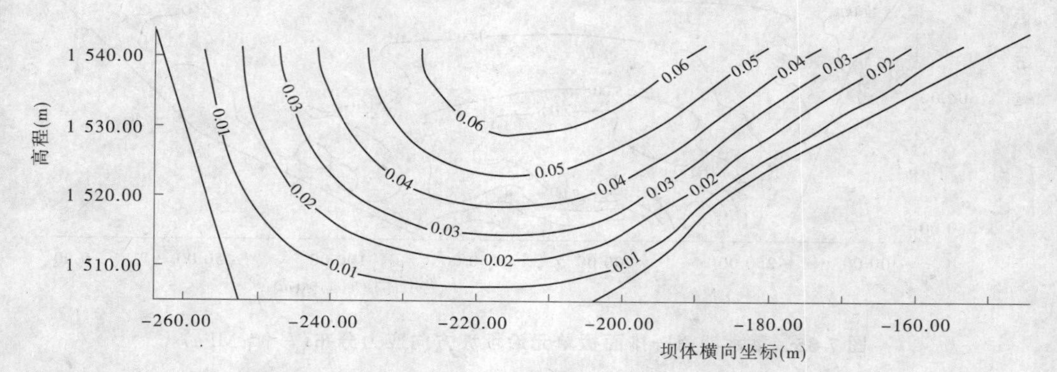

图 7-37　竣工期防渗墙位移(向上游)(单位:m)

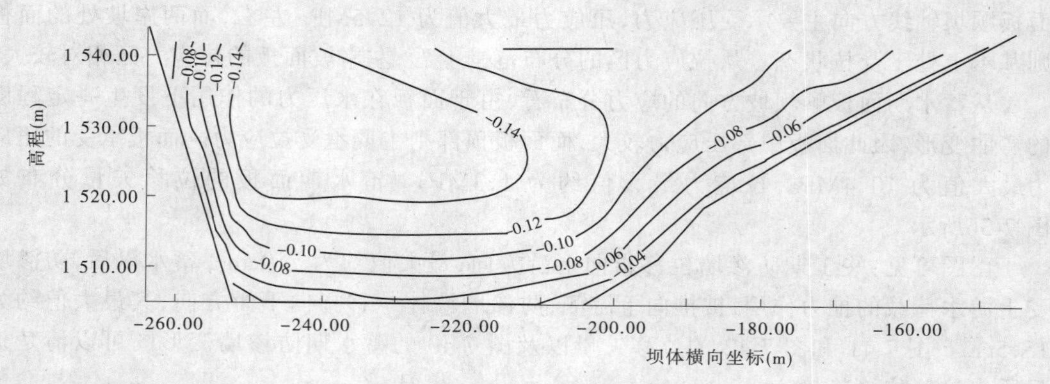

图 7-38　蓄水期防渗墙位移(向下游)(单位:m)

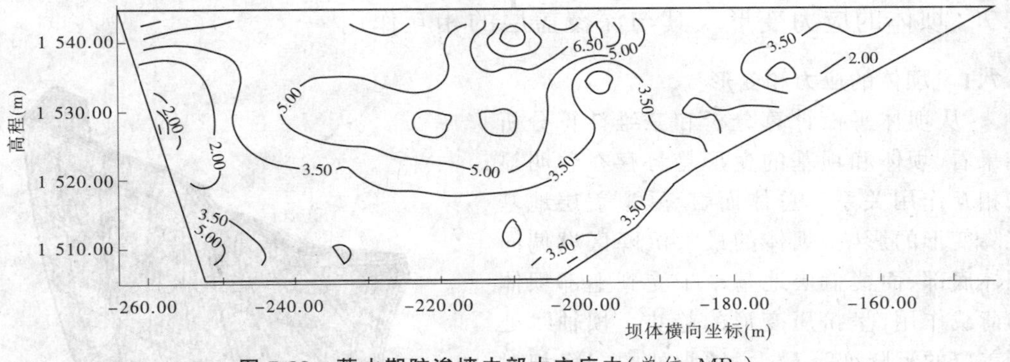

图 7-39　蓄水期防渗墙中部大主应力(单位:MPa)

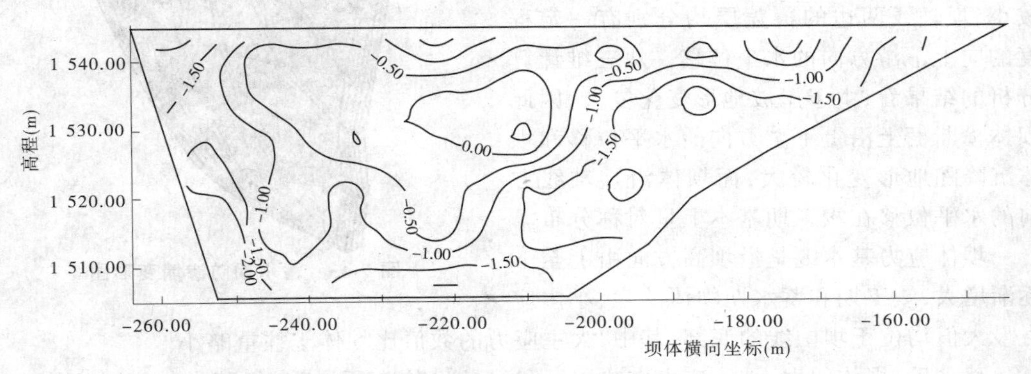

图 7-40　蓄水期防渗墙中部小主应力(单位:MPa)

图 7-41　竣工期防渗墙位移矢量图

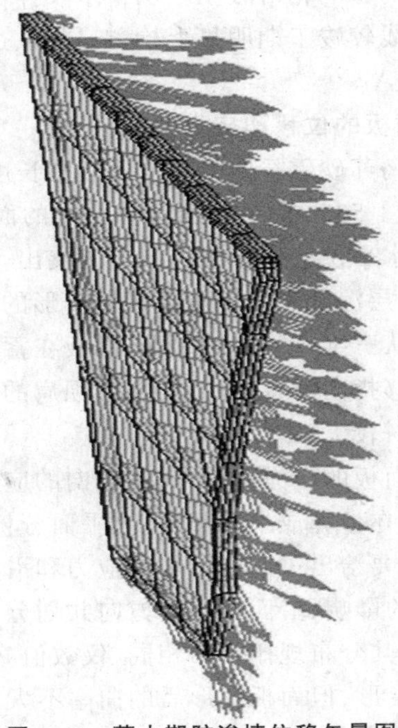

图 7-42　蓄水期防渗墙位移矢量图

7.7　坝体的应力变形及其与深覆盖层的相互作用

7.7.1　坝体的应力和变形

从坝体平面计算分析和三维计算分析结果看,坝体和坝基的变形趋势存在着明显的相互作用关系。总体而言,受覆盖层地基沉降变形的影响,坝体的最大沉降区域偏向坝体底部,而覆盖层地基由于受到上部坝体的荷载作用,呈挤压变形的趋势。坝轴线处覆盖层的沉降变形最大,坡脚处的沉降相对较小,坝轴线两边的覆盖层均分别有一定程度的向上下游方向的水平位移。从三维计算分析的结果看,由于岸坡地形变化复杂,因此坝体横断面上沿上下游方向的水平位移和坝体沉降随地形变化较大,而坝体沿坝轴线方向的水平位移在竣工期基本上呈对称分布。

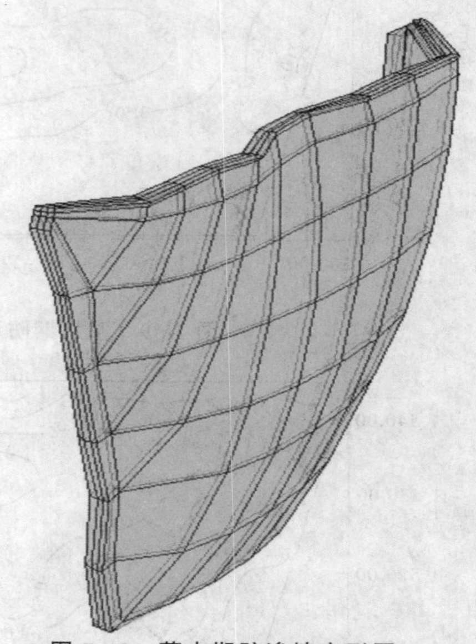

图 7-43　蓄水期防渗墙变形图

坝体应力基本上是沿坝高方向由上至下逐渐增大,竣工期和蓄水期坝体的大、小主应力最大值均位于坝中线的底部,其中,大主应力的数值比坝体土柱重略小。

蓄水后,坝体的大、小主应力在垫层区和过渡区均有所增加,但蓄水作用对坝体大主应力分布的影响相对较小。从蓄水坝体小主应力的分布看,在蓄水作用下,坝体小主应力分布等值线较竣工期明显上抬,垫层区、过渡区以及部分上游主堆石区的小主应力有较大的增加。

7.7.2　面板的位移和应力分布

察汗乌苏砂砾石面板坝的面板总长度为 151.5m,面板分两期施工,其中一期面板高程 1 544～1 595m。从平面计算所得的面板的挠度曲线上看,施工期,坝底部的面板在坝体沉降和水平位移的作用下向上游突出。同时,由于面板分期施工,在一期面板浇筑完成后,受覆盖层沉降和后期填筑坝体变形的共同作用,在一期面板顶部将产生一定程度的脱空现象。从三维计算的结果看,面板在蓄水期呈向坝内弯曲的变形趋势。两岸坡处的面板水平位移指向河床中心,受两岸坝肩的约束,岸坡处面板的沉降位移较小,而面板中部的沉降相对较大。

对于面板的应力而言,其顺坡向的应力和沿坝轴线方向的应力是一个主要的控制指标。因此,在计算成果的整理上,平面分析主要给出了面板顺坡向应力的分布;三维计算分析中,主要给出了面板顺坡向应力和沿坝轴线方向应力。在面板应力的计算中,为考虑面板弯曲的影响,沿面板厚度方向共划分了 3 排单元。但从面板上、中、下三部分的应力曲线上看,其分布规律基本相同,仅数值略有差异。这说明尽管面板在施工期和蓄水期发生了挠曲变形,但面板变形后的曲率不大,弯矩较小,因此不会产生由于弯矩过大而引起的沿面板厚度方向过大的应力变化。从面板的受力状况上看,面板并非是一个纯粹的受弯构件，面板除受自重和水荷载作用外，还需承受其下部砂砾石的变形作用和由于相对刚性的混凝土面板与散粒体砂砾石之间位移差所导致的接触面上剪应力的作用，整个面板的综合受力基本上表现为小偏心受压状态。

从平面分析中面板的应力分布上看，竣工期由于二期面板刚刚浇筑完毕，因此二期面板的应力相对较小，一期面板的应力相对较大。二期面板顶部由于受防浪墙和坝顶沉陷的共同影响，局部有拉应力存在。总体而言，面板沿坡面方向基本上处于受压状态，且底部压应力较大。蓄水以后，在水荷载的作用下，面板顶部的拉应力继续增大，而整个面板的压应力分布基本上随水头的增加而增大。

从三维计算分析的结果看，面板应力的空间分布特点为：面板中部呈双向受压状态(顺坡向和沿坝轴线方向)。沿坝轴线方向，两岸坡处的面板承受拉应力，且左岸坡面板的拉应力区略大；沿坝坡方向，面板的顶部存在局部拉应力区。

7.7.3　覆盖层对上部坝体应力和变形的影响

从坝体及地基的网格变形图上(见图 7-11、图 7-12)可以看出，坝基覆盖层对上部坝体的变形有着明显的影响。对于修建于基岩上的坝体，基岩的沉降变形微乎其微，因此坝体的变形主要是坝体在其自重和水荷载作用下的变形。而对于修建于深覆盖层上的坝体，可压缩的地基层在上部坝体的作用下将导致坝体建基面产生一个下凹的变形，因此坝体最大沉降的位置明显下移，而且，在坝顶也会产生向内凹陷的变形趋势。

就面板而言，因为其以堆石体作为支撑，坝基覆盖层对坝体变形的影响也必然会导致面板位移和应力的变化。从竣工期面板的变形曲线上看，由于坝体和覆盖层的变形，一期面板顶部在竣工期可能会有一定程度的脱空。从趾板与连接板的变形图中(图 7-13、图 7-14、图 7-20、图 7-21)可以看出，由于趾板直接置于覆盖层上，而覆盖层在坝体和水荷载的作用下将产生一定的变形(尤以蓄水期为甚)，因此趾板所顶托的面板也会产生相应的变形，变形的趋势主要是以向下的沉降变形为主。不过，尽管如此，从面板位移和应力的数值上看，这种由覆盖层变形所引起的面板位移和应力变化仍在工程可以接受的范围之中。

7.8　坝体、覆盖层与面板、趾板和防渗墙的相互作用关系

如前所述，地基覆盖层在上部坝体的作用下将产生下凹的沉降变形。由于覆盖层底部受相对不变形的基岩约束，因此地基覆盖层将产生从坝中线分别向上、下游方向的位移，并导致防渗墙向上游方向的变位，这种变形趋势在竣工期最为明显。蓄水以后，防渗墙受上游水荷载的推力作用，防渗墙被推回至原位置附近。

由于防渗墙底端受基岩约束，顶端变形量最大，因此防渗墙底部和顶部均有拉应力出现，而且以顶部的拉应力相对较大。从墙体的受力状态看，墙体主要承受压应力，在竣工期，防渗墙体主要受地基覆盖层沉陷所引起的摩擦拖曳力作用；而蓄水期则主要承受墙顶上的库水压力。

从连接板的变形图上可以看出，受坝基沉降变形的影响，在竣工期，连接板与混凝土防渗墙之间一般均会产生张拉缝，但尚不会出现错动。蓄水以后，由于连接板受其下部地基砂砾石沉降变形的影响较大，因而在连接板与防渗墙之间将会产生较大的错动变形。

由此可见,连接板与防渗墙之间的差异变形主要是由于蓄水造成的。

对于面板与趾板之间的周边缝,由于其变形为三向变形,平面计算不能准确地反映这种位移。根据三维计算分析的结果,面板周边缝的位移比常规修建在基岩上的面板堆石坝的周边缝位移略大。从坝体和地基覆盖层的受力特点上看,地基的沉降将会造成较大的周边缝张开位移。因此,在设计和施工中应注意对周边缝止水的处理,不过,从周边缝位移的量级上看,目前的止水工艺水平还可以适应这样的变形量。

7.9　连接板长度对防渗墙应力变形的影响

修建于深厚覆盖层上的面板堆石坝,其坝基防渗墙与趾板的连接是否可靠,对工程的安全至关重要。从以往的工程设计上看,有的工程采用了连接板将防渗墙与趾板连接起来,但也有工程采用趾板与防渗墙直接相连。就对坝基不均匀沉降的适应性而言,采用连接板方案较为有利,但由此也会增加接缝的数量,从而有可能造成整个连接系统可靠性的降低。因此,在实际工程中应结合工程的具体情况加以选择。不过,无论是否采用连接板,趾板与坝基防渗墙之间均应保持一个适当的距离,以尽可能地协调趾板与防渗墙的相互作用关系。

从竣工期地基覆盖层的变形趋势上看,距坝中线越远的部位受坝基沉降变形的影响越小。而在水库蓄水的情况下,由于水平放置的连接板将直接承受库水压力的作用,所以,连接板(或趾板)长度越长,其受力面积越大。因此,在这两方面因素的影响下,防渗墙的变形与连接板(或趾板)长度之间呈现出以下的相关关系:连接板(或趾板)长度越长,竣工期防渗墙向上游的变位越小,但在蓄水期向下游方向的变位越大;反之,连接板(或趾板)长度越短,竣工期防渗墙向上游的变位越大,但在蓄水期向下游方向的变位越小。由此可见,防渗墙的变形与连接板(或趾板)的长度密切相关,而且,针对不同工程的具体情况,应该客观地存在一个对于防渗墙应力、变形状态最优的长度,这个长度可以通过多方案的计算对比分析得出。

对于防渗墙的应力状态,在竣工期,由于墙体受到来自其下游侧的坝基砂砾石的推挤作用,将会导致墙体产生下游面受拉、上游面受压的受力趋势。蓄水以后,防渗墙在水荷载的作用下向其原位置复位,这种受力趋势将在一定程度上得以抵消。不过,以上的分析是基于防渗墙自身沿上、下游方向的变形得出的。应该注意的是,对于深覆盖层中的防渗墙,其周边砂砾石的沉降变形所造成的对墙体的摩擦拖曳力也是一个不可忽视的外部荷载,而且,随着墙体变位的不同,墙体所受的主动、被动土压力也不同。另外,在蓄水期,墙顶还会承受较大的库水压力。因此,防渗墙的综合受力状态较为复杂,总体而言,以受压为主。

从竣工期和蓄水期防渗墙的应力分布图可以看出,防渗墙的顶部和底部会产生拉应力区,而且,以顶部的拉应力最大。因此,在工程设计与施工中,对这些部位应予以特别重视。

7.10　小结

本章主要结合具体工程实例,分别采用平面和空间非线性有限元计算分析方法,对深厚覆盖层上面板堆石坝的应力变形特性进行了较为细致的分析计算。对于修建在深覆盖层上的面板堆石坝,其结构设计中涉及了多种结构元素的相互作用,因而计算分析中应采取坝基、坝体整体建模的方式对坝体和坝基的应力变形情况和相互作用性状进行细致地分析;同时,对结构元素中的各种接触面和接缝进行合理的考虑(具体计算分析方法参见第4章)。

通过本章的分析论证,可以得出:对于修建在深覆盖层上的面板堆石坝,应尽可能地避免采取大量开挖的处理方式。其较为合理的结构形式是采用垂直防渗处理方案,利用混凝土防渗墙作为地基防渗措施,将趾板直接置于砂砾石地基上,并用趾板或连接板将防渗墙与面板连接起来,接缝处设置止水,从而形成完整的防渗系统。在这种情况下,工程设计的关键是要保证防渗墙、连接板和趾板的变形协调和强度方面的要求。

就深覆盖层与上部坝体的相互作用关系而言,坝基覆盖层在上部坝体的作用下将产生沉降变形和沿坝中线向上、下游方向的位移,而这种变形趋势又对坝体的整体应力变形性状产生明显的影响,从而导致坝体最大沉降区域的下移,坝顶产生向内凹陷的变形,并有可能引起一期和二期面板顶部与坝体间产生局部脱开。不过,这种影响是可以通过合理的设计将其限定在一定范围之内,从而保证工程的安全运行。

与修建于坚硬基岩上的常规面板堆石坝相比,深覆盖层地基上的面板堆石坝坝体位移、面板变形以及周边缝的位移均有所增加。坝基防渗墙与趾板之间也存在一定的变形差异,这种差异变形可以采用连接板的方式进行过渡。

由于深覆盖层与上部坝体的相互作用,趾板与防渗墙之间连接板的长度对防渗墙的应力和位移有着明显的相关关系,连接板长度过长和过短都将对防渗墙的应力和位移产生不利影响。一般而言,针对不同工程的具体情况,应该客观存在一个对于防渗墙应力、变形状态最优的长度,这个长度可以通过多方案的计算对比分析得出。

第8章 堆石压实标准和结构分区对面板堆石坝应力变形特性的影响

8.1 概述

在面板堆石坝的设计中,坝体的变形控制是一项最重要的考虑因素,面板的应力、接缝的位移等无不与此密切相关。因此,在面板堆石坝中,堆石体必须达到尽可能高的变形模量,以保证其在自重和水荷载作用下具有尽可能小的变形。堆石的变形模量主要取决于堆石母岩的性质、堆石的级配和施工压实的情况。欲使堆石体获得较高的变形模量,就需要选用新鲜、坚硬、级配优良的堆石,以一定的压实功能将其压实至较高的密实度。

就坝体的断面设计而言,堆石体分区的主要目的就是要控制坝体变形、渗流,并在此基础上实现对材料的充分利用。面板堆石坝所承受的主要荷载是堆石体的自重和水荷载,大坝的防渗主体是混凝土面板以及相应的接缝止水。为防止面板和接缝止水系统的破坏,坝体堆石分区的原则应该是:从坝体上游至下游,堆石变形模量递减,以保证水库蓄水后,坝体的变形尽可能地减小。与此相对应,针对坝体从上游面至下游坡的不同分区,材料的类型、级配、密度以及压实标准也应有所区别。坝体堆石的不同分区,相应的不同压实标准,将直接影响堆石材料的变形特性。本章将主要通过数值分析研究,对堆石压实标准和坝体结构分区作用对坝体的应力、变形特性的影响进行分析和论证。

8.2 堆石体的结构分区设计和压实标准

对于常规的面板堆石坝,其堆石材料分区一般分成三个主要区域:1区为防渗补强区,位于面板底部周边缝附近;2区为垫层区,位于面板下游侧;3区为堆石区,其中,3A区为过渡区,3B区为主堆石区,3C区为次堆石区(参见第3章)。2区的垫层料为人工级配料,其中周边缝下常采用粒径更细的小区料(2A)。3A区、3B区、3C区的用料应满足变形模量递减和渗透性递增的原则。以下将以洪家渡面板堆石坝工程为例,给出面板堆石坝(硬岩堆石)堆石体结构分区和压实标准设计的一般准则。

8.2.1 垫层料

洪家渡面板堆石坝垫层料为灰岩开挖料,经人工破碎筛分后配制,其设计应满足以下要求:

(1)具有较高的变形模量和最大的密实度,以满足支承面板的要求,使水荷载引起的变形最小;

(2)具有足够的细料($d<5$mm),使渗透系数介于$10^{-4}\sim10^{-3}$cm/s之间,满足半透水性的要求;

(3)最大粒径不能太粗,以避免产生应力集中,保证面板应力分布均匀;

(4)具有较高的抗剪强度,满足上游坝坡稳定要求;

(5)不均匀系数不应过大,防止施工中产生粗细骨料之间的明显分离;

(6)颗粒组成不应过细,以避免垫层料与堆石料之间反滤结构复杂化。

为了达到上述要求,垫层料要求有较好的级配,设计确定的垫层料平均级配如表8-1所示。

表 8-1　垫层料平均级配曲线

粒径	D_{max} (mm)	P_{5mm} (%)	$P_{0.1mm}$ (%)	d_{20} (mm)	d_{70} (mm)	C_u
含量	80	45	7	0.6	22	84

垫层料设计干密度为2.205g/cm^3,孔隙率为19.16%,填筑层厚为40cm,碾压遍数为6遍,加水量<10%。级配包线 $D_{max}=40\sim80$mm,$P_{5mm}=35\%\sim55\%$,$P_{0.1mm}=4\%\sim10\%$。将垫层料包络线中大于60mm的颗粒筛去,即得周边缝下的特别级配区材料级配曲线。

8.2.2　过渡料

过渡料位于垫层料与主堆石料之间,其作用主要是拦截可能从垫层料中带出的颗粒,保证从垫层料向主堆石料粒径的过渡;减小垫层料与主堆石料之间的强度差,达到变形模量的过渡。要求过渡料应具有良好的级配,压实后具有低压缩性、高抗剪强度,并能对垫层料有反滤作用。

洪家渡工程过渡料采用以洞挖灰岩料筛分的方法制备,不足部分人工加料配制。设计确定的过渡料级配如表8-2所示。

表 8-2　过渡料平均级配曲线

粒径	D_{max} (mm)	P_{5mm} (%)	$P_{0.1mm}$ (%)	d_{20} (mm)	d_{70} (mm)	C_u
含量	300	25	0	29	93	76.92

注:与垫层料的 $d_{20}/d_{70}=1.32<4$。

过渡料设计干密度为2.19g/cm^3,孔隙率为19.66%,填筑层厚为40cm,碾压遍数为6遍,加水量为10%。级配包线 $D_{max}=200\sim350$mm,$P_{5mm}=20\%\sim30\%$,$P_{0.1mm}=0\sim5\%$。

8.2.3　主堆石料

主堆石区是面板坝的主体,是承受水荷载及其他荷载的主要支撑体,因此对主堆石料的一般要求是低压缩、高密度、高抗剪强度、自由排水、施工期及运行期均不产生孔隙水压力、岩石新鲜、坚硬耐风化。

洪家渡工程主堆石料采用料场爆破开采料,其级配可通过爆破工艺在一定程度上进行调整,设计中考虑了以下因素:

(1)为提高堆石密度,面板坝一般采用薄层碾压,层厚80cm左右。因此,最大粒径应小于800mm。

(2)对于硬岩爆破料,粒径小于5mm的含量一般应小于20%,否则,重车难以在表面上行走。但粒径小于5mm的含量应大于10%。

(3)粒径小于0.1mm的含量应在10%以下,以便较好地满足自由排水的要求,使渗透系数在1～10cm/s之间。

(4)要求较高的变形模量和抗剪强度。

(5)在料场开采或建筑物开挖之前,彻底清除覆盖层和不合格岩层,使堆石料新鲜、坚硬。

主堆石料平均级配曲线如表8-3所示。

表8-3　主堆石料平均级配曲线

粒径	D_{max} (mm)	P_{80mm} (%)	P_{5mm} (%)	$P_{0.1mm}$ (%)	d_{20} (mm)	d_{70} (mm)	C_u
含量	600	50	17	0	7.4	210	—

注:与垫层料的 $d_{20}/d_{70}=0.08<4$。

主堆石料设计干密度为2.181g/cm³,孔隙率为20.02%,填筑层厚为80cm,碾压遍数为8遍,加水量为10%～20%。级配包线 $D_{max}=800\sim500$mm,$P_{80mm}=35\%\sim54\%$,$P_{5mm}=0\sim20\%$,$P_{0.1mm}=0\sim5\%$。

8.2.4　次堆石料

次堆石料位于坝体的次要部位,其变形对坝体变形影响不大,可采用建筑物开挖料,对级配要求不严。材料的设计干密度为 $\gamma_d=2.12\sim2.181$g/cm³,相应孔隙率 $n=22\%\sim20.02\%$,铺层厚度为160cm,碾压遍数8遍,加水量为15%。

从上述堆石压实设计看,坝体堆石的碾压施工一般考虑以下几种填筑参数:堆石的铺层厚度、碾压遍数、加水量。堆石的铺层厚度越薄,越容易被压实,但相应的施工成本也越高,填筑的强度也越低。堆石的碾压遍数越多,压实度越高,但碾压遍数达到一定程度后(6～8遍),压实度趋于稳定。碾压中的加水,可以降低压实难度,并可减小竣工后的沉降,但对吸水率较低的坚硬岩石,加水效果不甚明显。除以上填筑参数外,堆石的级配和最大粒径对于压实的效果也有较大的影响。一般而言,堆石的不均匀系数 C_u 越大,压实效果越好,但也越容易出现颗粒的分离。堆石粒径越大,压实越不容易。

近些年来,随着面板堆石坝坝高的增加和施工技术的进展,在坝体堆石的填筑施工中,越来越强调碾压密实度的提高(变形模量的提高)。在施工机具的选择上,可以通过使用重型压实机具或采用新型压实机具来提高堆石的压实效果,如25t自行式振动碾、20t牵引式振动碾、冲击压实碾等。

8.3　压实标准对坝体应力变形的影响

作为一种有着坚固颗粒的散粒体材料,堆石体在经过碾压后,一般都具有较高的密度和较小的孔隙比,其压缩性一般较低。从试验研究中可以发现,堆石的压缩模量与填筑的干密度密切相关,随着堆石干密度的增加,堆石体的压缩模量也急剧增加(参见第2章2.2节)。而从堆石材料三轴试验数据的统计中也可以发现,堆石材料邓肯模型参数 K(弹性模量数)和 K_b(体积模量数)也是随堆石填筑密度的增加而增大(参见第2章2.7节)。因此,在数值分析研究中,可以通过对比不同材料参数(对应不同的压实密度)情况下的坝体应力变形变化趋势,研究不同压实标准对坝体应力变形的影响。

计算分析选取一个典型的分析模型,计算分析模型的基本特征参数如下:①坝高:120m。②坝体分区:面板、垫层区、过渡区、主堆石区、次堆石区。③面板厚度:50cm。④垫层宽度:2m。⑤过渡区宽度:3m。⑥河床宽度:48.0m。⑦岸坡:1∶1。⑧建基面:水平(高程:0.0m)。⑨上游蓄水位:110m。

计算分析中,主堆石的计算参数选自第 2 章中的表 2-1(均取自灰岩堆石料,不同的干密度),次堆石参数统一按主堆石参数的 80% 选取。各计算方案的具体参数如表 8-4 所示。

表 8-4　材料的邓肯—张模型 (E—B)参数

材料名称	γ_d (g/cm^3)	K	K_{ur}	n	R_f	K_b	m	φ (°)	$\Delta\varphi$ (°)
方案 1	2.10	565	1 130	0.503	0.814	146	0.277	47.6	5.6
方案 2	2.19	1 050	2 100	0.43	0.87	620	0.24	53.0	9.0
方案 3	2.23	1 400	2 800	0.59	0.925	630	0.56	59.7	15.1
方案 4	2.28	1 750	3 500	0.43	0.768	1 200	0.41	58.1	14.5

图 8-1 所示为不同计算方案情况下,坝体最大沉降的变化趋势,图 8-2 所示为面板最大法向位移的变化趋势。从图 8-1 和图 8-2 中可以看出,坝体填筑密度的变化,对于坝体和面板的变形有着直接的影响,坝体的变形随着填筑密度的提高而降低,当堆石填筑密度在较低的水平时,填筑密度的变化对坝体变形有着显著的作用;但当堆石填筑密度处于较高水平时,填筑密度增加所引起的对坝体变形减小的作用逐步减弱。当然,就堆石本身而言,其在一定压实功能下的密实度也是有一定限制的,而当提高压实功能时,又要注意到堆石块体的破碎对堆石体特性的影响。

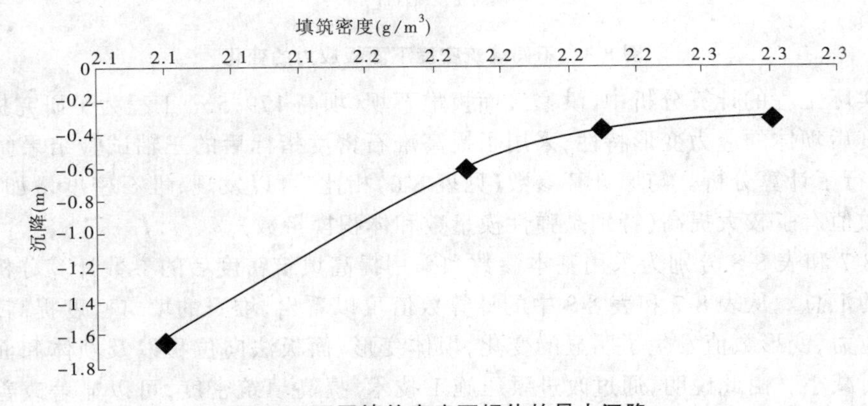

图 8-1　不同填筑密度下坝体的最大沉降

从面板的最大法向位移看,其变化趋势与坝体位移的变化趋势基本一致,同样也是

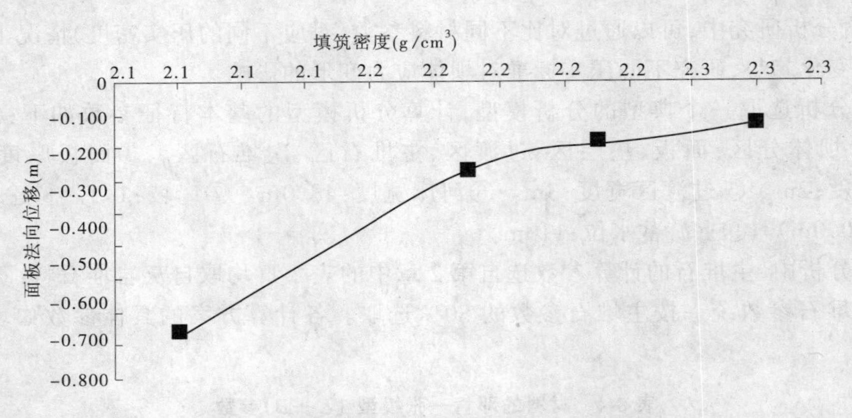

图 8-2 不同填筑密度下面板的法向位移

随堆石填筑密度的增加而减小。

由于面板以其后面的堆石体为依托,因此面板应力数值的大小与坝体的变形直接相关。图 8-3 给出了面板应力随填筑密度的变化趋势。从图 8-3 中也可以看出,随着堆石体填筑密度的增加,面板的应力也随之减小。

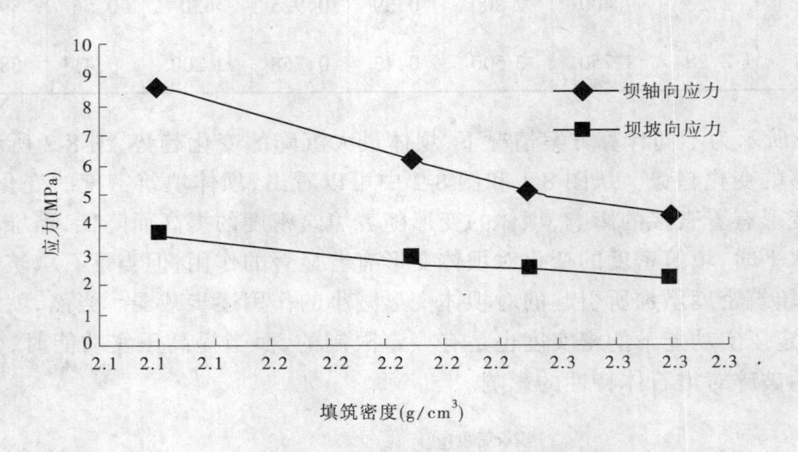

图 8-3 不同填筑密度下面板应力的变化

在实际工程的计算分析中,洪家渡面板堆石坝(坝高 179.5m)工程为了研究提高堆石压实密度后坝体的应力变形特性,采用了提高堆石密度指标后的三轴试验结果(如表 8-5 所示)进行了计算分析。与原计算参数(见表 8-6)相比,可以发现,堆石密度增加后,模型参数的数值有了较大提高(特别是弹性模量数和体积模量数)。

表 8-7 和表 8-8 分别为采用基本参数和采用提高填筑密度后的参数计算分析所得主要结果的汇总。从表 8-7 和表 8-8 中的计算数值可以看出,堆石的填筑密度提高后,坝体的总体应力、变形数值发生了明显的变化,坝体变形、面板法向位移以及坝体和面板的应力均有所减小。由此说明,通过改进碾压施工技术、提高填筑密度,可以显著改善坝体和面板的应力变形性状,从而提高了面板坝的整体安全性。

表 8-5　洪家渡面板坝材料补充试验参数(邓肯 E—B 模型)

坝料类型	γ_d (g/cm^3)	φ_0 (°)	$\Delta\varphi$ (°)	K	K_{ur}	n	R_f	K_b	m
垫层料	2.25	60.1	16.2	1 340	2 680	0.59	0.882	605	0.18
过渡料	2.23	59.7	15.1	1 400	2 800	0.59	0.925	630	0.56
主堆石料	2.22	57.0	13.1	1 700	3 400	0.55	0.929	560	0.47
次堆石料	2.16	52.8	9.6	1 250	2 500	0.63	0.918	530	0.30

表 8-6　洪家渡面板坝材料基本参数(邓肯 E—B 模型)

材料名称	γ_d (g/cm^3)	K	K_{ur}	n	R_f	K_b	m	φ_0 (°)	$\Delta\varphi$ (°)
垫层料	2.205	1 100	2 250	0.40	0.865	680	0.21	52	10
过渡料	2.190	1 050	2 150	0.43	0.867	620	0.24	53	9
主堆石料	2.181	1 000	2 050	0.47	0.87	600	0.40	53	9
次堆石料	2.120	850	1 750	0.36	0.29	580	0.30	52	10

表 8-7　坝体应力应变分析成果(方案 1)

<table>
<tr><th colspan="3">各部位应力与位移</th><th>竣工期</th><th>蓄水期</th></tr>
<tr><td rowspan="5">坝体</td><td colspan="2">最大垂直位移(cm)</td><td>78.2</td><td>81.4</td></tr>
<tr><td rowspan="2">最大水平位移(cm)</td><td>上游</td><td>16.8</td><td>7.4</td></tr>
<tr><td>下游</td><td>19.1</td><td>24.0</td></tr>
<tr><td rowspan="2">主应力(MPa)</td><td>σ_1</td><td>4.39</td><td>4.72</td></tr>
<tr><td>σ_3</td><td>1.35</td><td>1.62</td></tr>
<tr><td rowspan="5">面板</td><td colspan="2">最大挠度(cm)</td><td>31.1</td><td>45.5</td></tr>
<tr><td rowspan="2">顺坡向</td><td>压应力(MPa)</td><td>11.17</td><td>8.17</td></tr>
<tr><td>拉应力(MPa)</td><td>0.0</td><td>0.93</td></tr>
<tr><td rowspan="2">坝轴向</td><td>压应力(MPa)</td><td>5.18</td><td>8.98</td></tr>
<tr><td>拉应力(MPa)</td><td>1.85</td><td>2.19</td></tr>
</table>

表 8-8 坝体应力应变分析成果(方案 2)

<table>
<tr><th colspan="3">各部位应力与位移</th><th>竣工期</th><th>蓄水期</th></tr>
<tr><td rowspan="5">坝体</td><td colspan="2">最大垂直位移(cm)</td><td>61.3</td><td>64.1</td></tr>
<tr><td rowspan="2">最大水平位移(cm)</td><td>上游</td><td>16.4</td><td>1.7</td></tr>
<tr><td>下游</td><td>6.5</td><td>20.5</td></tr>
<tr><td rowspan="2">主应力(MPa)</td><td>σ_1</td><td>3.7</td><td>4.2</td></tr>
<tr><td>σ_3</td><td>1.0</td><td>1.2</td></tr>
<tr><td rowspan="5">面板</td><td colspan="2">最大挠度(cm)</td><td>28.6</td><td>39</td></tr>
<tr><td rowspan="2">顺坡向</td><td>压应力(MPa)</td><td>7.9</td><td>8.4</td></tr>
<tr><td>拉应力(MPa)</td><td>0.01</td><td>1.1</td></tr>
<tr><td rowspan="2">坝轴向</td><td>压应力(MPa)</td><td>4.8</td><td>8.8</td></tr>
<tr><td>拉应力(MPa)</td><td>1.5</td><td>2.1</td></tr>
</table>

8.4 次堆石区材料特性对面板应力变形的影响

在面板堆石坝断面分区设计中,坝体下游的次堆石区(3C 区)是作为主堆石体的辅助支撑部分,起稳定边坡的作用。一般认为,这一部分堆石材料的材料特性和填筑标准较主堆石区可以适当降低。但是,数值计算分析的结果和工程实际的运行实践均表明,尽管在通常情况下次堆石区对坝体上游面的面板影响相对较小,但如果主、次堆石区的材料性质相差过大,次堆石区的变形也将会严重影响面板的应力、变形形态,而且,对于高面板堆石坝,由于坝高的增加,次堆石区的影响也会随之凸显。以下将通过盘石头面板堆石坝和洪家渡面板堆石坝的计算分析结果,研究次堆石区材料特性对面板应力、变形的作用。

坝体材料的计算参数如表 8-9 所示,图 8-4 为盘石头面板堆石坝的坝体材料分区示意图。

表 8-9 盘石头面板堆石坝材料计算参数(邓肯 *E*—*B* 模型)

材料名称	γ_d (g/cm³)	K	K_{ur}	n	R_f	K_b	m	φ (°)	$\Delta\varphi$ (°)
垫层料	2.15	1 050	2 100	0.44	0.871	465	0.13	52.8	11.7
过渡料	2.15	755	1 510	0.46	0.901	406	0.00	52.9	10.2
主堆石料	2.10	1 050	2 100	0.27	0.886	590	0.25	54.2	12.4
次堆石料	2.02	255	510	0.37	0.739	97	0.19	43.9	10.0

从表 8-9 的材料参数看,由于盘石头面板堆石坝次堆石区采用了软岩材料(泥岩、页岩),次堆石区的材料参数与主堆石区相差较大(弹性模量数仅为主堆石的 1/4)。因此,在坝体横断面的变形上,坝体变形明显偏向坝体下游侧,最大沉降位于次堆石区范围中,坝体沿上下游方向的水平位移也基本上呈指向下游侧的变形趋势,而且,坝体顶部指向下

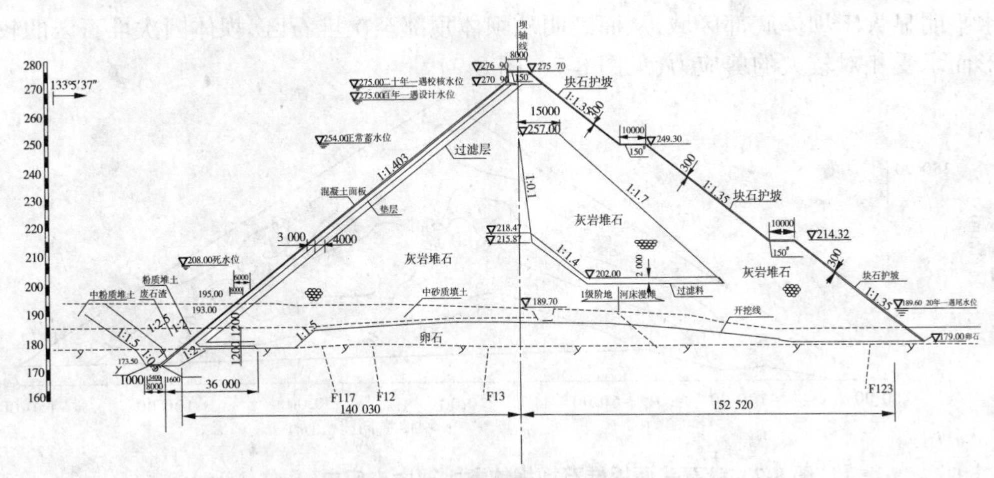

图 8-4 盘石头面板堆石坝坝体材料分区(单位:mm)

游的水平位移相对较大。由此可以明显地看出下游次堆石区变形对上游坝体的牵制作用(见图8-5、图8-6)。

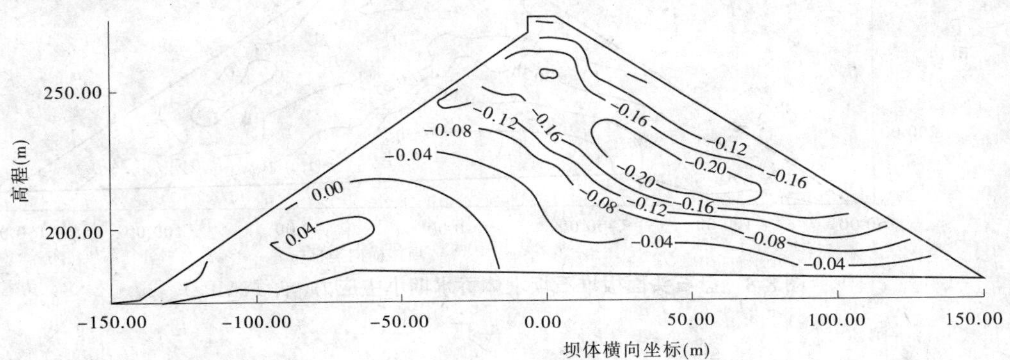

图 8-5 盘石头面板堆石坝坝体蓄水期水平位移(单位:m)

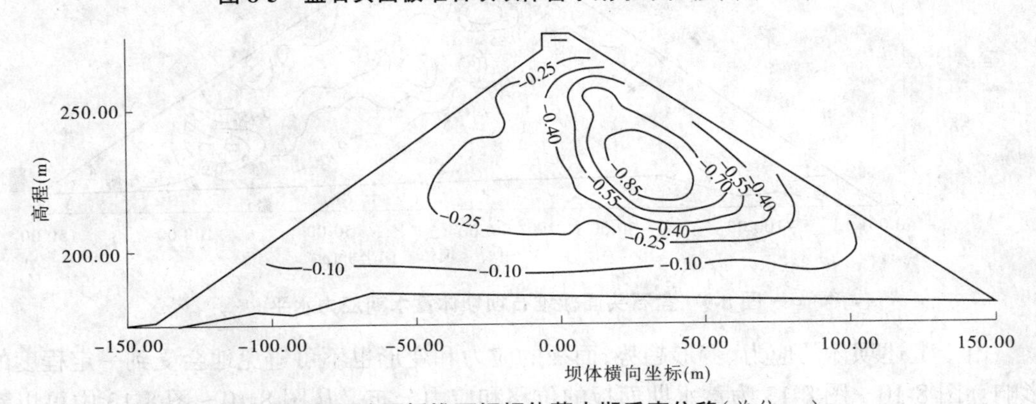

图 8-6 盘石头面板堆石坝坝体蓄水期垂直位移(单位:m)

从坝体的应力看,由于主、次堆石材料性质相差悬殊,坝体的大主应力分布在主、次堆石区交界线处出现了明显的突变现象。从整个次堆石区到上部坝体的上游面,坝体的应力水平明显大于坝体底部区域，从而表明从坝体顶部至次堆石区，坝体因次堆石区的较大变形而承受相对较大的剪应力（见图 8-7～图 8-9）。

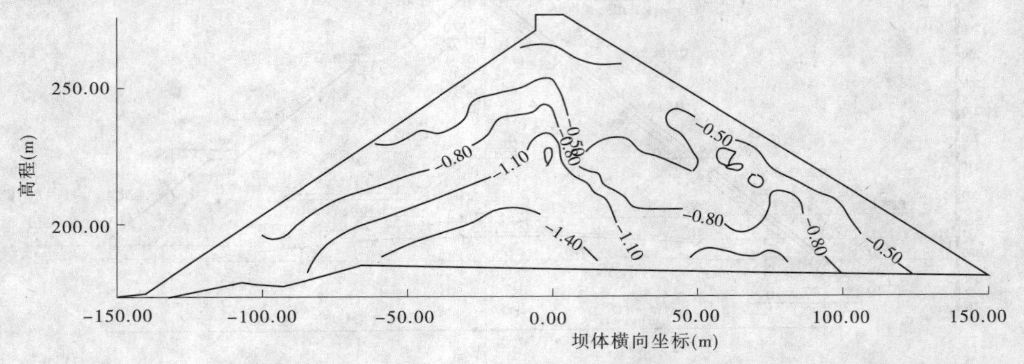

图 8-7　盘石头面板堆石坝坝体蓄水期大主应力（单位：MPa）

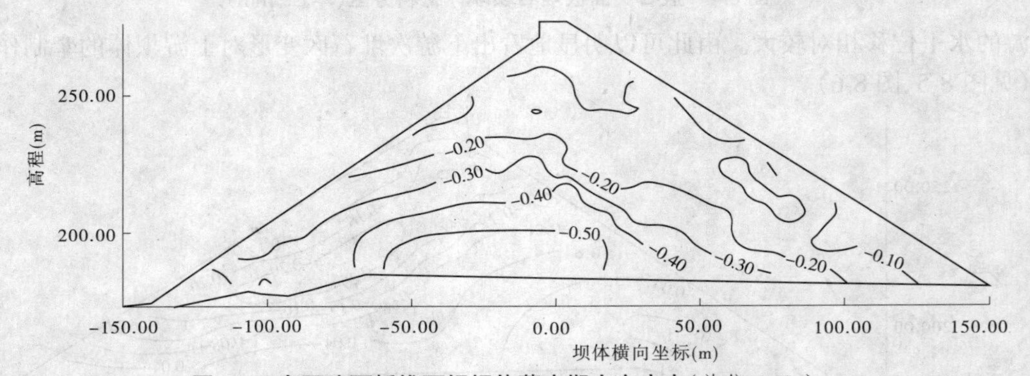

图 8-8　盘石头面板堆石坝坝体蓄水期小主应力（单位：MPa）

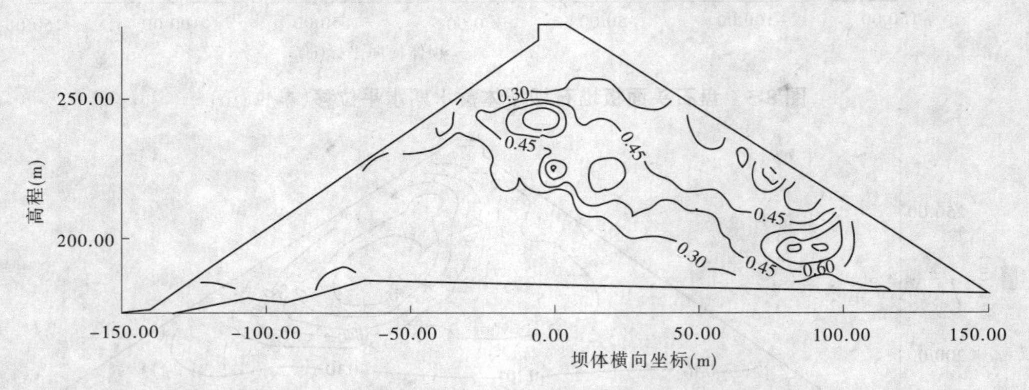

图 8-9　盘石头面板堆石坝坝体蓄水期应力水平

由于上述坝体的应力、变形趋势，面板的应力和变形也不可避免地会受到一定程度的影响。图 8-10～图 8-13 为蓄水期面板的位移和应力分布。从图 8-10～图 8-13 中可以看出，由于坝体在次堆石区较大变形的影响下产生了“后仰”的变形趋势，因而整个面板沿坝坡方向基本上承受拉应力，且拉应力区的范围明显大于常规情况下的面板堆石坝。不过，由于盘石头面板坝坝高相对较低，河谷又较宽阔，面板的变形数值并不是很大，所以，尽管面板的拉应力区范围较大，但拉应力数值并不大。

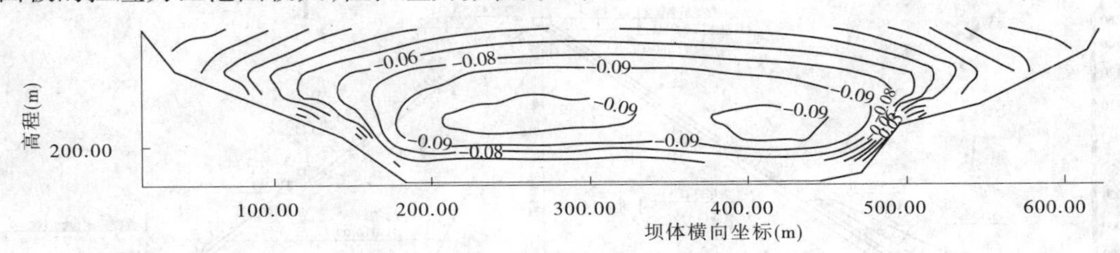

图 8-10　盘石头面板堆石坝蓄水期面板法向位移分布(单位:m)

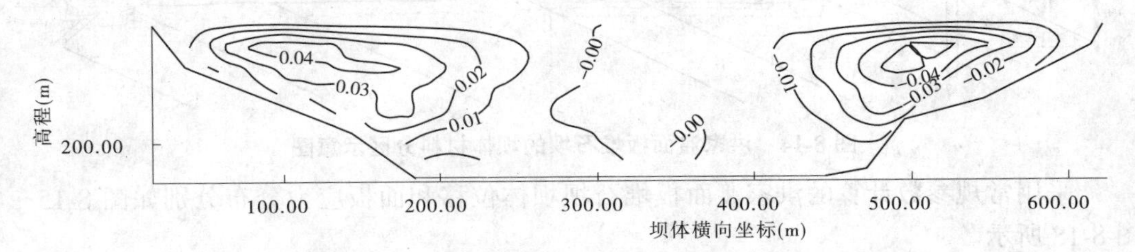

图 8-11　盘石头面板堆石坝蓄水期面板水平位移分布(单位:m)

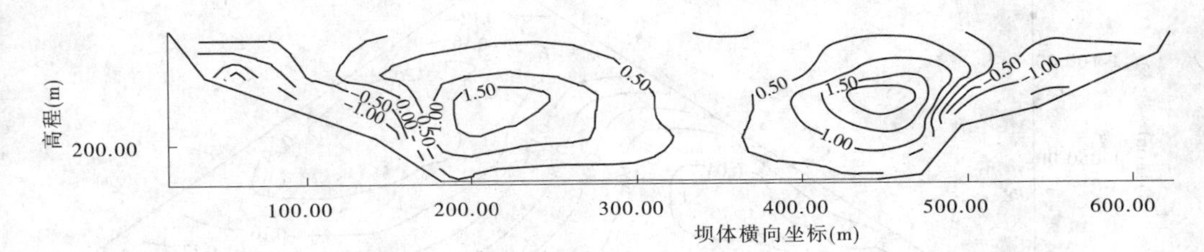

图 8-12　盘石头面板堆石坝蓄水期面板坝轴向应力分布(单位:MPa)

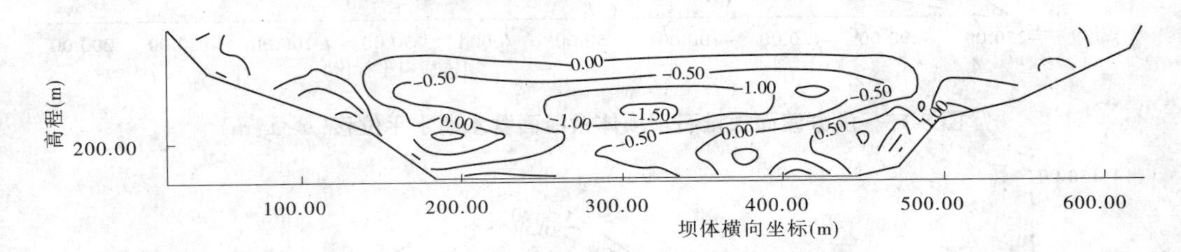

图 8-13　盘石头面板堆石坝蓄水期面板坝坡向应力分布(单位:MPa)

图 8-14 为洪家渡面板堆石坝的坝体材料分区示意，坝体材料的计算参数如表 8-10 所示。

表 8-10　洪家渡面板坝材料参数(邓肯 *E*—*B* 模型)

材料名称	γ_d (g/cm^3)	K	K_{ur}	n	R_f	K_b	m	φ (°)	$\Delta\varphi$ (°)
垫层料	2.205	1 100	2 250	0.40	0.865	680	0.21	52	10
过渡料	2.190	1 050	2 150	0.43	0.867	620	0.24	53	9
主堆石料	2.181	1 000	2 050	0.47	0.87	600	0.40	53	9
次堆石料	2.120	850	1 750	0.36	0.29	580	0.30	52	10

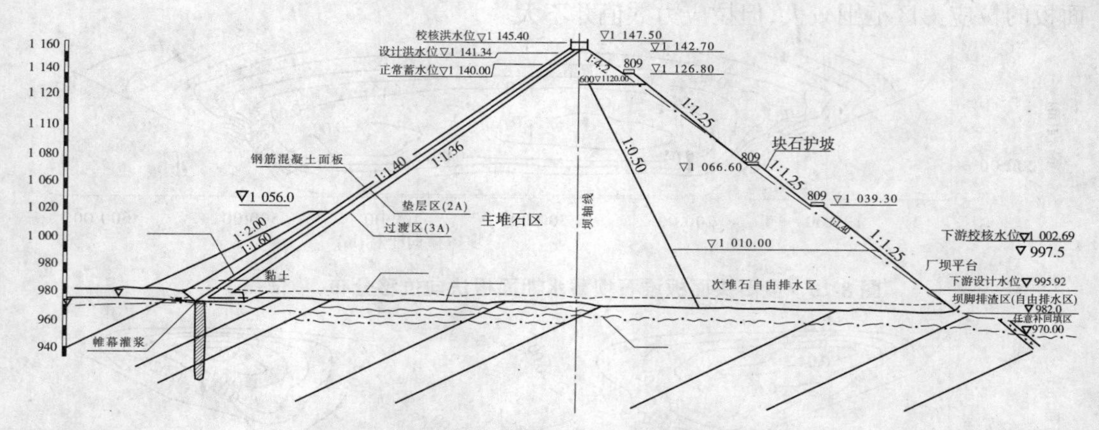

图 8-14　洪家渡面板堆石坝的坝体材料分区示意图

采用常规参数计算的洪家渡面板堆石坝坝体位移和面板应力分布分别如图 8-15～图 8-18 所示。

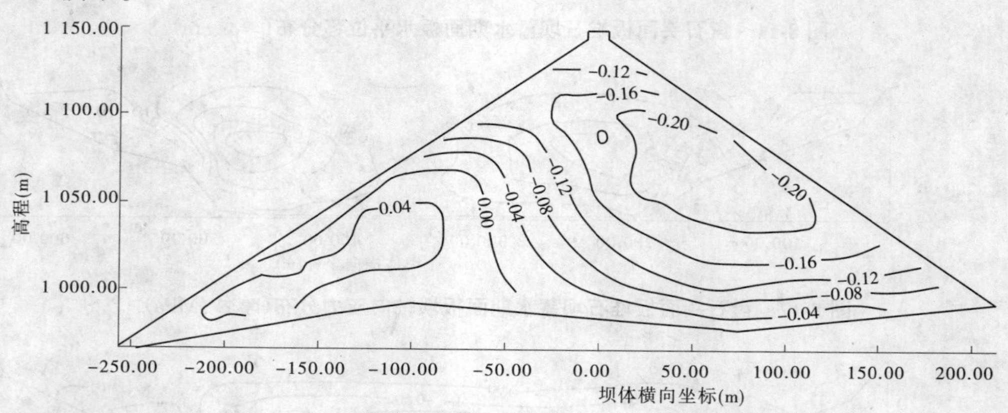

图 8-15　洪家渡面板堆石坝坝体横断面蓄水期水平位移(单位:m)

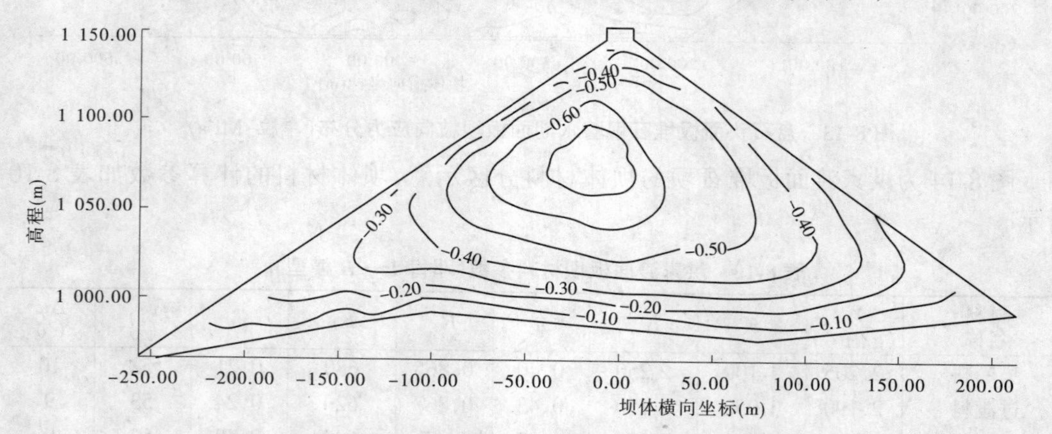

图 8-16　洪家渡面板堆石坝坝体横断面蓄水期垂直位移(单位:m)

由于洪家渡面板坝坝高较高(179.5m),为比较次堆石区材料特性对高坝坝体位移和

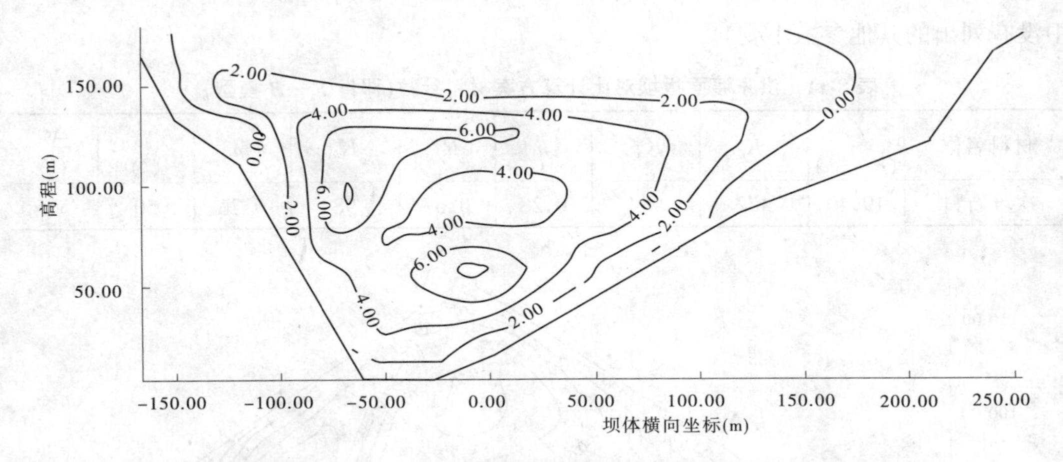

图 8-17　洪家渡面板堆石坝蓄水期面板沿坝轴线方向应力分布(单位:MPa)

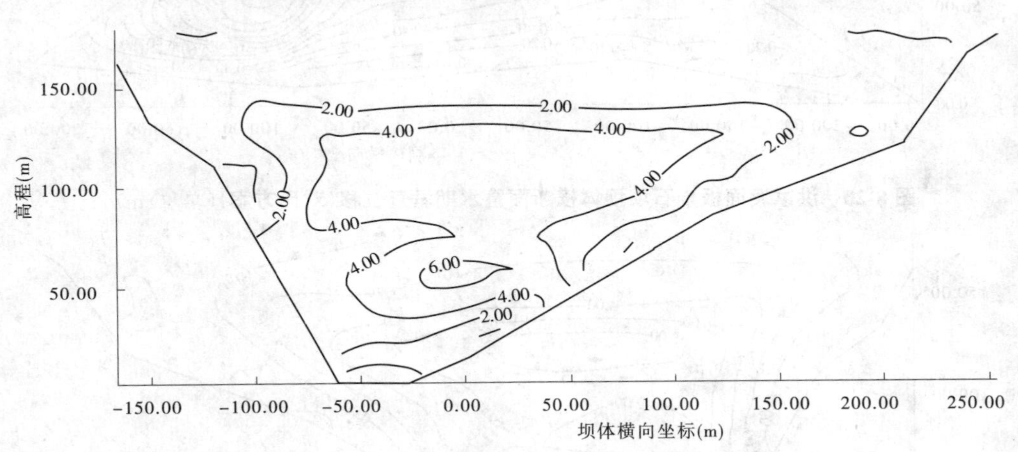

图 8-18　洪家渡面板堆石坝蓄水期面板沿坝坡方向应力分布(单位:MPa)

面板应力的影响,在试验参数计算分析的基础上,进行了降低次堆石区材料参数的对比计算分析,计算结果如图 8-19～图 8-22 所示(在对比计算方案中,次堆石材料见表 8-11,表

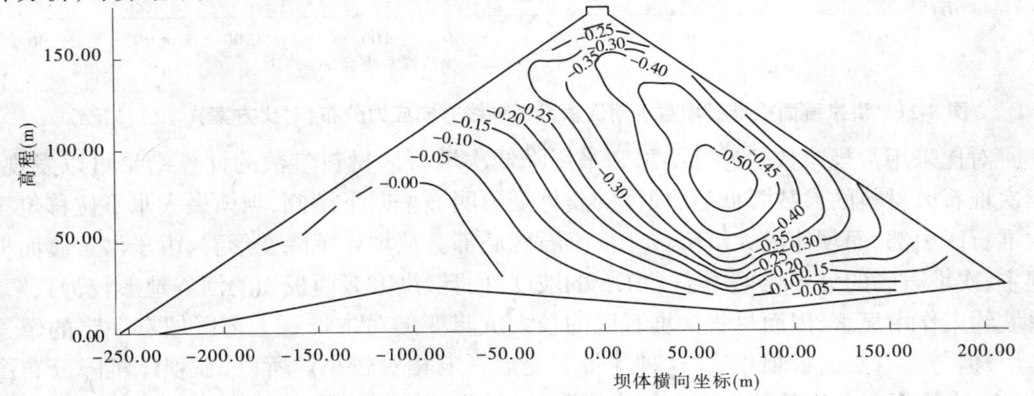

图 8-19　洪家渡面板堆石坝坝体横断面蓄水期水平位移(对比方案)(单位:m)

中没有列出的其他参数不变)。

表 8-11　洪家渡面板坝对比计算方案材料参数(邓肯 E—B 模型)

材料名称	γ_d (g/cm³)	K	K_{ur}	n	R_f	K_b	m	φ (°)	$\Delta\varphi$ (°)
次堆石料	19.40	472	944	0.28	0.67	98	0.26	50	5.5

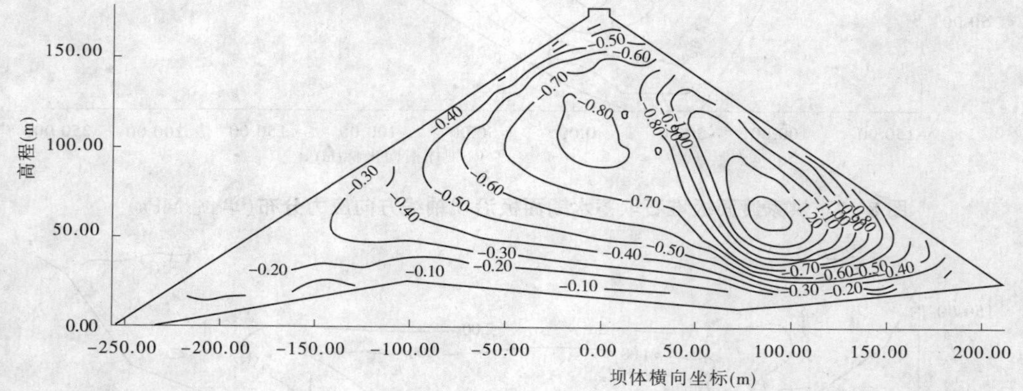

图 8-20　洪家渡面板堆石坝坝体横断面蓄水期垂直位移(对比方案)(单位:m)

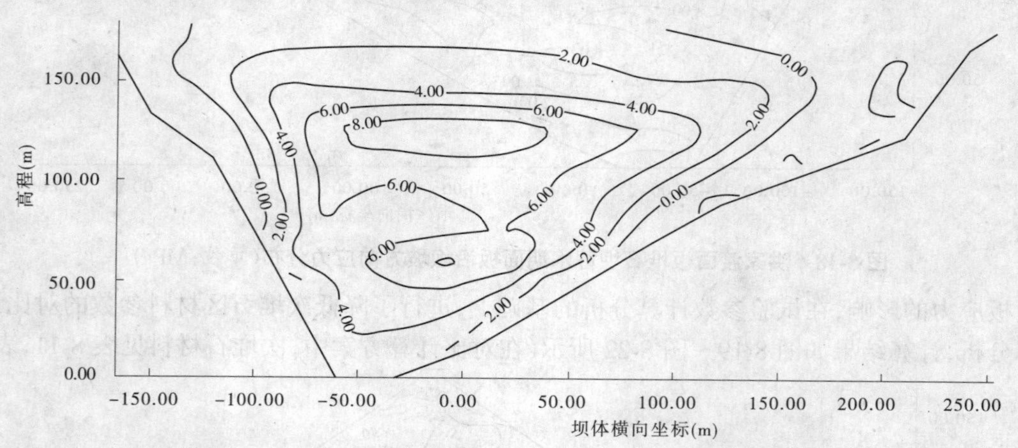

图 8-21　洪家渡面板堆石坝蓄水期面板沿坝轴线方向应力分布(对比方案)(单位:MPa)

对比采用常规参数的计算结果和采用降低次堆石区材料参数的计算结果可以发现,当次堆石区材料的参数降低后,坝体的整体变形明显偏向下游侧,坝体最大水平位移位于次堆石区中部,而坝体最大沉降位于次堆石区底部。从坝体沉降变形看,由于洪家渡面板坝主、次堆石区的分界线采用了 1:0.5 的坡度,而且,洪家渡面板坝的河谷地形较为狭窄,岸坡约束作用显著,因而尽管次堆石区的较大沉降变形对主堆石上部区域有一定的牵连作用,但与盘石头面板坝相比,这种连带的变形影响相对较小。所以,在坝体沉降分布图上,主、次堆石区分别呈现出两个较大沉降的区域,两个区域并未连通。不过,从坝体位移的数值上看,主堆石区上部的水平位移和沉降均较常规计算参数的计算结果有较为明显

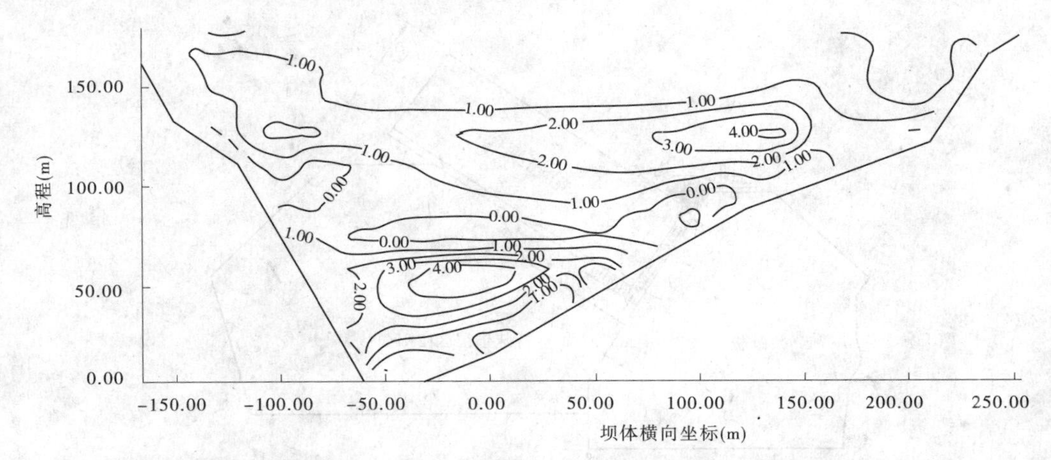

图 8-22　洪家渡面板堆石坝蓄水期面板沿坝坡方向应力分布(对比方案)(单位:MPa)

的增大。

从面板的应力分布与计算数值上看,次堆石区参数降低后,面板沿坝轴向的压应力有所增大,但分布规律与常规计算参数的结果基本相同。就应力分布而言,次堆石区材料参数的变化对面板沿坝坡方向应力影响较大,从图8-22中可以看出,由于坝体顶部在次堆石区较大变形的影响下,向下游侧的变形明显增大,因此面板的顶部、中部和底部均出现了拉应力区。不过,对于洪家渡面板坝的具体情况而言,由于其河谷狭窄,岸坡的约束作用使坝体的这种"后仰"变形趋势得到了一定程度的限制,因此而在计算中并未出现如盘石头面板坝那样大面积受拉的情况。

8.5　特殊垫层区对周边缝位移的影响

在面板堆石坝的断面分区设计中,垫层区(2区)底部面板周边缝下游侧通常会布置一个颗粒更细的分区,称为特殊垫层区(2A区),如图8-23所示。这一区域的材料性质对于周边缝的变形也会产生直接的影响。通常,在水荷载的作用下,面板相对于趾板将产生沿水荷载方向的沉降变形、沿坝坡方向的张开变形和沿趾板线方向的剪切变形,周边缝变形的量值主要取决于堆石的模量、坝高、水库水位以及接缝沿趾板线的位置。当坝体填筑碾压密实时,周边缝的位移一般不会很大,例如,澳大利亚塔斯马尼亚建造的13座面板堆石坝中,除Crotty坝外,其余12座坝的周边缝位移观测值为:最大张开位移为20mm,最大沉降位移为23mm。而对于Crotty坝,其最大断面底部处的周边缝沉降变形达到了90mm[45]。究其原因,主要是由于周边缝底部的堆石材料未能进行很好地压实。由此可见2A区材料对于控制面板周边缝变形的重要性。

图8-24为洪家渡面板堆石坝采用常规计算参数时(参见表8-10)周边缝的位移分布(未考虑2A区),图8-25为将周边缝下游侧2A区材料特性提高20%后的周边缝位移分布。

8.6　冲碾压实技术在面板堆石坝中的应用

从前面几节的分析、论述中可以看出,在坝址地形条件、坝高、筑坝材料基本确定的情

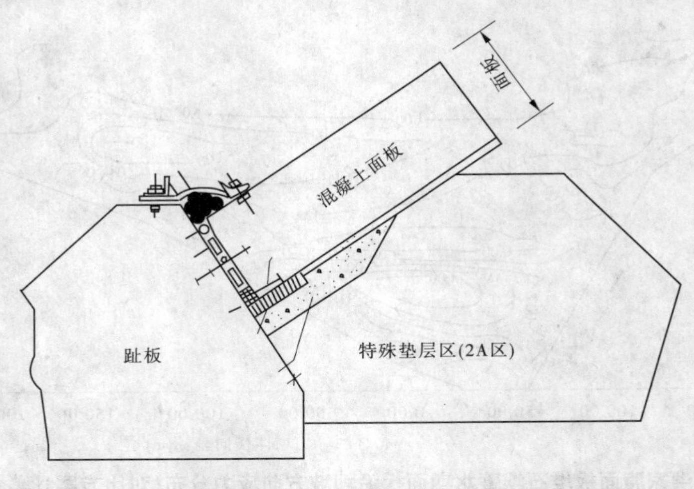

图 8-23 特殊垫层区示意图

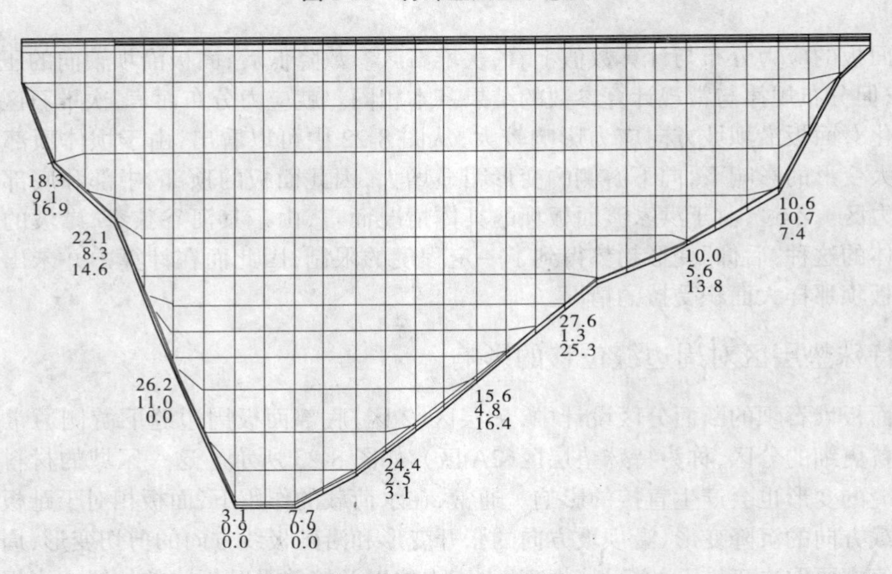

图 8-24 洪家渡面板坝周边缝位移分布(未考虑 2A 区)

况下,提高堆石的碾压密实度是控制坝体变形、改善面板坝工作性状的重要手段。目前,在面板堆石坝的填筑施工中,主要采用的是振动碾压技术,其碾压堆石的压实度一般在80%~90%。而在高速公路、机场跑道碾压施工中,主要应用冲碾压实技术,该技术具有压实功能大、施工速度快(一般为振动压实的3~5倍)、压实效果好等一系列优点,是一项值得在面板坝堆石碾压施工中采用的新型施工技术[47]。

振动碾压是靠碾压机具的高频振动使堆石体处于运动状态,从而减少堆石颗粒间的阻力,在静重和压力波的共同作用下使堆石体得到压实。冲碾压实则是靠碾压机具的冲击力、振动压力波以及碾子的静重使堆石颗粒紧密压实,其碾压机具的主体为三至六边形等边多边形压实轮。从冲碾压实技术与振动碾压技术的比较看:①振动碾压为低幅/高频交替运动,其振动频率为25~30Hz,振幅一般为2mm。其激振力为其自重的2~3倍

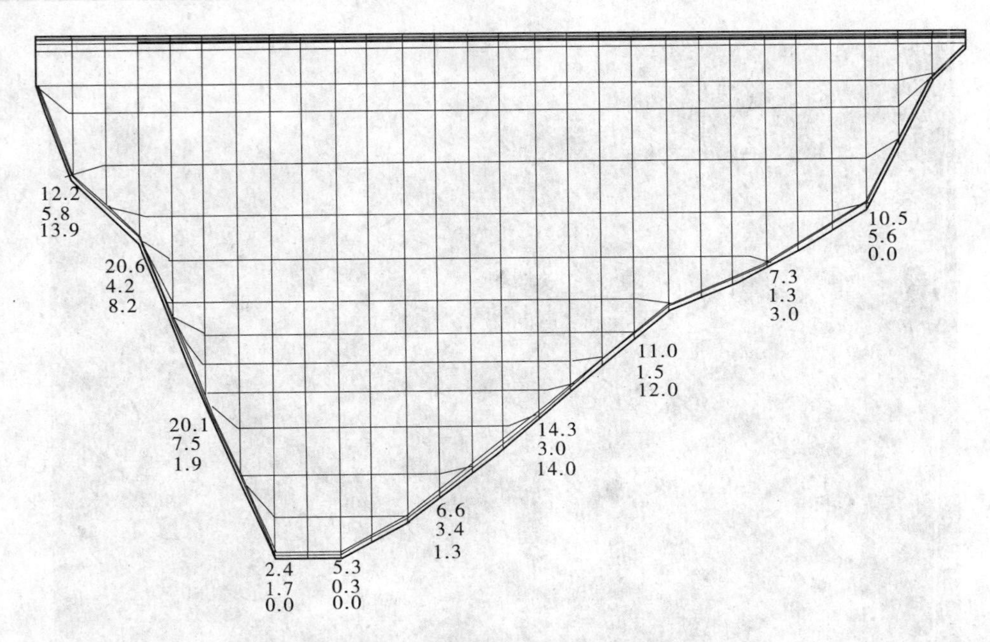

图 8-25　洪家渡面板坝周边缝位移分布(考虑 2A 区)

(300～500kN)。由于其影响范围相对较小,一般均需要通过薄层(层厚一般为0.4～1.6m)碾压 6～10遍才能获得较好的压实效果。②冲碾压实为高幅/低频交替运动,碾压过程中将产生一系列高冲击、高振动的撞击力,其振幅高达22cm,频率仅为2Hz。研究表明,这样的大振幅振动将会带动更多的堆石颗粒参与振动,从而达到更大的影响范围。计算表明,冲碾压实力会随压实机型号的不同在 2 000～4 000kN 之间变化,其有效压实深度为 1.5～2.5m,压实度可高达 90%～105%。

洪家渡面板堆石坝是目前国内面板堆石坝填筑施工中首次采用冲碾压实技术的工程,其冲碾碾压施工的范围主要位于坝体次堆石区。从本章 8.4 节的计算分析中可以看出,对于高面板堆石坝,次堆石区的材料特性和压实标准对于面板的应力和位移均会产生较为明显的影响。为避免因次堆石区过大变形所造成的对面板的不利影响,设计中决定次堆石区采用与主堆石区相同的填筑参数并适当提高干密度标准。但是,大坝次堆石区填筑施工的实际情况是:按 1.6m 的铺层厚度振动碾压难以达到次堆石区设计干密度 2.12g/cm^3 的要求,为此只能将次堆石区填筑铺层厚度降为 1.2m,若要求次堆石区按主堆石区密实度要求设计,一方面坝体堆石的造价需增加较多,而且填筑层厚需进一步降低至 0.8m,这样将严重影响到填筑施工的工期;而如果在次堆石区施工中采用冲碾压实技术,按 1.6m 层厚,先用振动碾碾压 8 遍,要求达到干密度 2.09g/cm^3,再经冲击碾碾压后即可使次堆石区填筑密实度达到主堆石区干密度 2.181g/cm^3 的要求,这样既使堆石造价的增加大为减少,又保证了施工进度。图 8-26 即为洪家渡面板坝工程次堆石区碾压施工中所采用的冲击碾。

从洪家渡面板堆石坝工程实施冲击碾压施工的应用成果看,采用冲碾压实技术取得了较好的效果。表 8-12 所示为次堆石在经过 24 遍冲碾压实后的干密度检测结果,从表

图 8-26　洪家渡面板坝工程次堆石区碾压施工中所采用的冲击碾

中可以看出,次堆石区大部分区域的干密度达到和超过了主堆石区的设计干密度指标。从现场检测的级配曲线上也可以看出,次堆石区材料的颗粒级配基本都在主堆石料的级配包络线内,说明采用次堆石开挖料经冲碾压实后可以基本满足主堆石料级配要求。

表 8-12　次堆石冲碾压实干密度检测值

检测时间（日/月）	15/01	23/01	30/01	10/02	12/02	16/02	01/03	11/03
干密度（g/cm^3）	2.180	2.196	2.154	2.108	2.194	2.182	2.199	2.187

大坝基本竣工后的坝体和面板应力、变形的检测结果也表明,次堆石区的填筑密度提高后,坝体和面板的整体变形较小,面板的应力状态也基本处于合理的范围中。

8.7　小结

本章重点研究了面板堆石坝结构分区以及各填筑分区碾压标准对坝体和面板应力变形特性的影响。从面板堆石坝的工作特点看,面板和接缝止水是大坝防渗的主体,它们的工作性状与堆石体的变形有着密切的关系。合理的材料分区布置及适当的填筑压实标准控制,对于改善面板坝的工作性状、提高大坝的整体安全性将起到至关重要的作用。

面板坝的主要填筑材料——堆石是一种由较为坚硬的颗粒所组成的散粒体材料,经过适当碾压的堆石体,一般都具有较高的密实度和较小的孔隙比,因而具有较低的压缩性。而且,由于堆石材料不存在渗透固结问题,面板坝堆石体的大部分沉降变形在施工期即可完成,因此坝体填筑施工的碾压控制就成为面板坝变形控制的一个重要问题。从坝体断面分区布置看,一个经济、合理的断面分区布置应使得坝体的材料从上游面到下游面满足变形模量递减和透水能力递增的原则,相应地,坝体堆石的填筑密度也可以从上游到下游逐步减小。但是应该指出的是,这种分区间变形模量和填筑密度的递减主要是考虑经济上的因素,就工程结构特性而言,分区间变形模量和填筑密度不应相差过大。

资料研究表明:堆石坝的变形与坝高的二次方、材料压缩模量的一次方及河谷形状有关。因此,在坝址、坝高和填筑材料确定的情况下,提高填筑密度是改善坝体和面板应力、变形特性的重要途径。从计算分析的结果看,当堆石材料的填筑密度从一个相对较低的数值提高到较高的数值时,坝体和面板的变形有明显的改善;但当堆石填筑密度提高到一定程度后,坝体和面板变形的减小趋势将会逐渐趋缓。

从坝体断面分区布置看,次堆石区的过大变形将会对面板的应力和变形产生一定的影响,对于高面板堆石坝,这一影响尤其明显。计算分析和工程实践均表明,在坝体的断面分区设计中,变形特性相差很大的堆石填筑分区将有可能导致混凝土面板发生拉伸裂缝。因此,以往的坝轴线下游堆石体材料特性对面板工作性状影响不大的概念不适用于高混凝土面板堆石坝。对于高面板堆石坝,为减少上、下游方向不均匀沉降,主、次堆石区的堆石料特性差异不宜过大,并应尽可能地保持变形模量一致。对于高混凝土面板堆石坝,一般不宜采用软岩堆石料填筑次堆石区。当采用软岩堆石料或材料性质相对较弱的堆石作为次堆石区填筑坝料时,应特别注意:①不要将软岩料布置在高压应力区,以避免造成次堆石区较大的压缩变形;②主堆石区与次堆石区的分界应采取相对保守的坡比,其坡度不应陡于 1:0.5;③高坝的次堆石区应布置在坝体下游相对较高的位置,至少其底部应保留一定厚度的低压缩性堆石体。国外也有资料建议,对于坝高超过 170m 的超高坝,一般不允许在坝高较高处改变坝料性质。

对于高面板堆石坝,为了提高次堆石区的压实密度、改进堆石碾压效果并提高施工工效,冲碾压实技术是一项值得尝试的新型施工技术(当然,其应用并不仅限于次堆石区的碾压)。洪家渡工程的实践表明,通过冲碾压实的次堆石区,其填筑干密度达到甚至超过了主堆石区的压实标准,因而坝体的整体应力变形性状得到较大的改善。

对于面板周边缝的位移,周边缝下游侧的特殊垫层区(2A 区)是一项重要的控制措施之一。这一区域的材料应采用更为细致的级配控制,并通过平板振动碾将其碾压到坚实、致密的程度。

第9章 坝体分期施工及蓄水过程对面板堆石坝应力变形特性的影响

9.1 概述

在面板堆石坝的施工中,一般均采取分期施工的方式将坝体的填筑分成不同的阶段。这样的施工方式,一方面是为了满足施工期度汛的要求;另一方面,合理的施工分期也可以提高坝体填筑施工的经济性。但是,从面板堆石坝的应力、变形分析角度看,不同的坝体填筑施工分期和水库蓄水过程,对于坝体和面板的应力、变形特性必然会产生一定的影响。如何合理地设计、调配坝体填筑施工顺序,有效地利用汛期蓄水对坝体堆石的预压作用,从而改善面板坝的整体应力、变形性态,是面板堆石坝施工设计中需要解决的重要问题之一。

对于坝高较低的面板堆石坝,因其填筑方量相对较小,坝体一般可以采用全断面填筑上升、上下游同时压实的方式进行施工。即使是需要采用临时断面挡水度汛,其临时断面顶部与底部的高差也不会太大。因此,在以往的面板堆石坝施工导则中,对于坝体临时断面施工时新、老填筑体的高差未做限制,只是要求临时断面的内部坡比满足1:1.3即可。近些年来,随着面板堆石坝筑坝技术的发展,新建的面板堆石坝坝高逐渐攀升。随着坝高的增加,坝体的填筑方量随之增大,施工工期也将延长,由此带来的施工分期和挡水度汛的问题使得高面板堆石坝的受力状态更趋复杂。本章将主要针对上述问题,就面板堆石坝坝体填筑的分期施工,以及水库蓄水的升降过程对坝体和面板应力、变形特性的影响进行分析、研究。

9.2 临时度汛断面施工对坝体应力变形的影响

在现代面板堆石坝的施工实践中,截流以后,大坝施工期的度汛方式一般有以下几种:

(1)坝体以临时断面挡水度汛;

(2)坝体先期过流,后期挡水度汛;

(3)坝体从两岸向河床填筑,河床预留度汛缺口;

(4)围堰挡水。

在上述施工度汛方式中,以坝体临时断面挡水的情况较为常见。对于高面板堆石坝,利用坝体临时断面挡水度汛必须要采用分期填筑的方式进行坝体的施工。图9-1所示为巴西的几座面板堆石坝的填筑分期情况[37]。

从图9-1可以看出,由于面板堆石坝自身的特点,其分期填筑的布置方式较为灵活,坝体的度汛挡水断面既可以是提升坝体上游部分所形成的临时断面(阿里亚坝、塞格雷多坝),也可以是最终被包含在坝体内部的临时断面(辛戈坝、依塔坝)。从施工角度而言,采用坝体上游侧的临时断面,可以直接利用2B区材料的半透水性质控制渗透比降,因而具

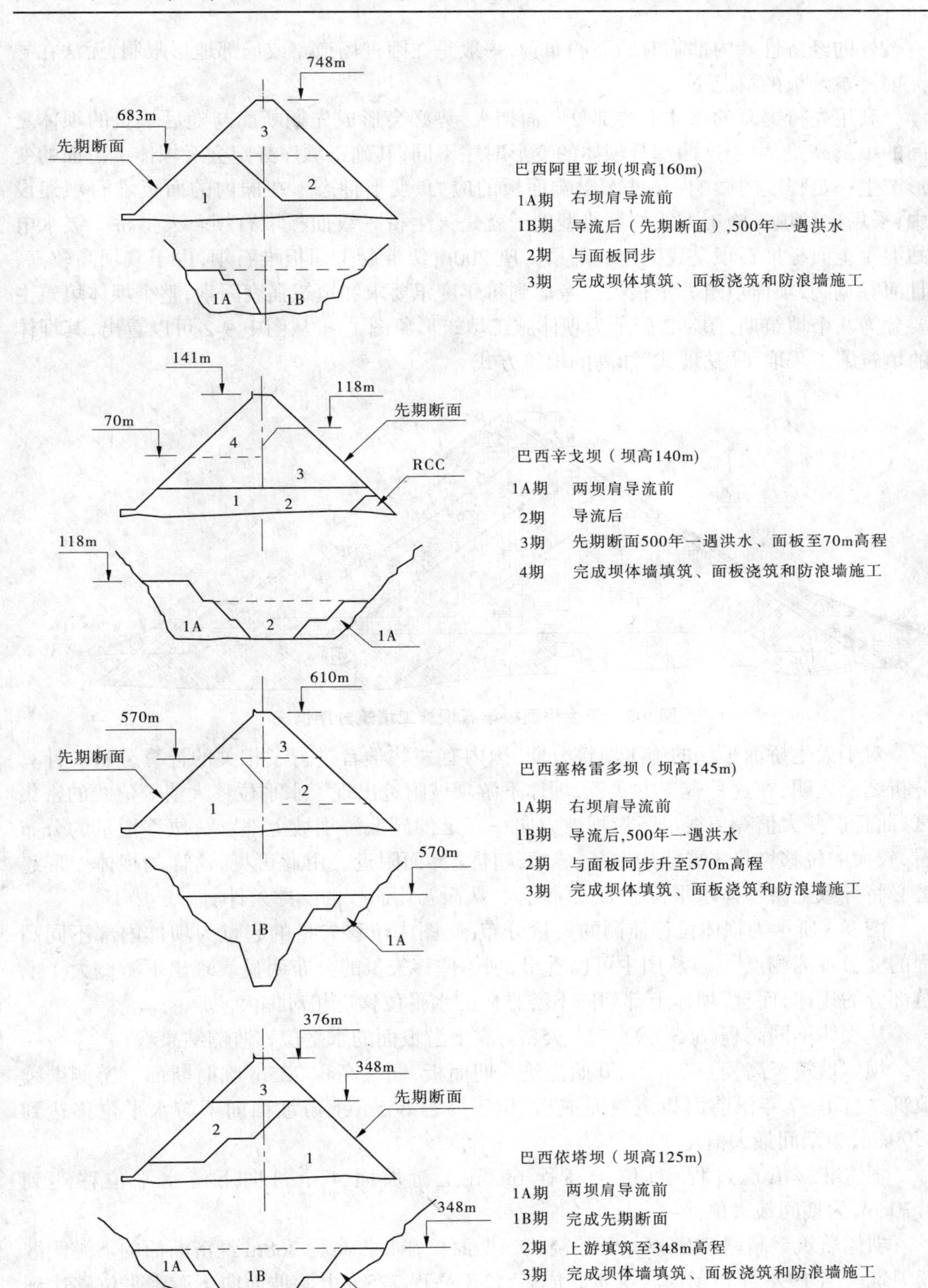

图 9-1　巴西的几座面板堆石坝的填筑分期情况

有较好的经济性。内部临时断面的布置,一般是在因进场道路或局部地形限制,无法在导流前浇筑趾板的情况下采用。

利用先行提升的坝体上游部分断面挡水,势必会形成先期断面与随后填筑的坝体之间的填筑高差,由于这两部分坝体的变形时序不同,其施工顺序必定会对坝体上游面的变形产生一定程度的影响,并进而影响面板的应力、变形性态。在国内的面板堆石坝建设中,采用这种填筑施工方式的最典型例子就是天生桥一级面板堆石坝。天生桥一级水电站混凝土面板堆石坝是我国建成的第一座 200m 级混凝土面板堆石坝,由于其坝高较高,且河谷宽阔,坝体填筑方量很大。考虑到每年度汛要求和填筑强度因素,整个坝体填筑主要分为八个填筑期,图 9-2 所示为坝体施工填筑形象图[48]。从图中 9-2 可以看出,其坝体的填筑施工采取了"贴坡式"加高的填筑方式。

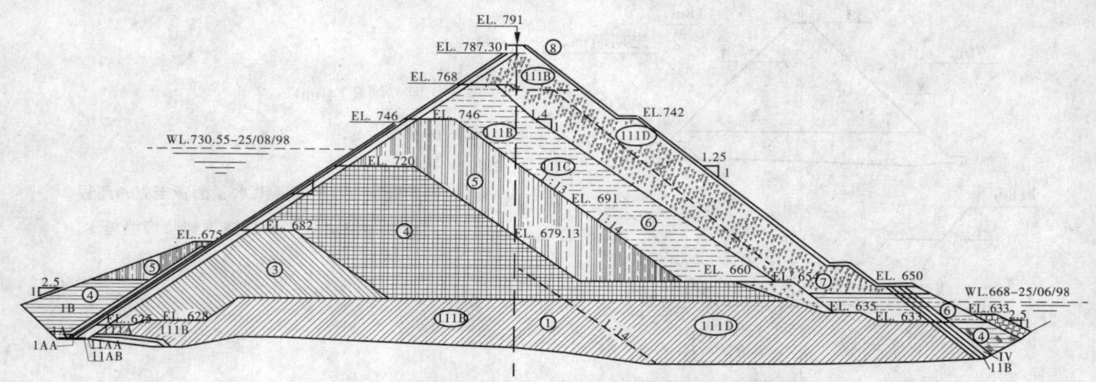

图 9-2　天生桥面板堆石坝施工填筑分期情况

对于天生桥面板坝的施工填筑分期,国内有一些学者进行了相关的计算分析。计算分析结果表明:在这种施工方式下,坝体下游坝坡附近出现了水平位移大值等值线的密集区,而且这些大值等值线沿下游坝坡方向一直延伸到上游坝坡上部。从位移增量的分布看,较大的位移增量主要集中在新、老填筑体交界面附近。由此可见,这样的坝体变形趋势必将导致上游坝体水平位移的过量增大,从而恶化面板的支撑条件。

图 9-3 所示为坝体位移监测的矢量分布图,图中位移矢量的起点为坝体内部不同高程的变形观测测点[48]。从图中可以看出,坝体位移矢量的分布明显表现出下游侧大于上游部分的规律,而且,坝体上部朝向下游方向的水平位移也相对偏大。

从坝体不同高程(665、692、725、758m)靠上游坡面的水平位移监测结果看:

坝体填筑至高程 692m 后,开始浇筑一期面板,同时高程 725m 临时断面下游侧继续填筑。当 1997 年汛前面板浇筑完成后,位于高程 665m 上游坡面向下游水平位移达到 3.99cm,为期间最大值。

坝体继续填筑过程中,位于高程 692m 上游坡面 4 个月向下游水平位移达到 3.30cm,为期间最大值。

坝体填筑至高程 748m 后,开始浇筑二期面板,同时,高程 768m 经济断面的下游侧继续填筑。当 1998 年汛前面板浇筑完成后,位于高程 725m 上游坡面向下游水平位移达到 2.20cm,为期间最大值。

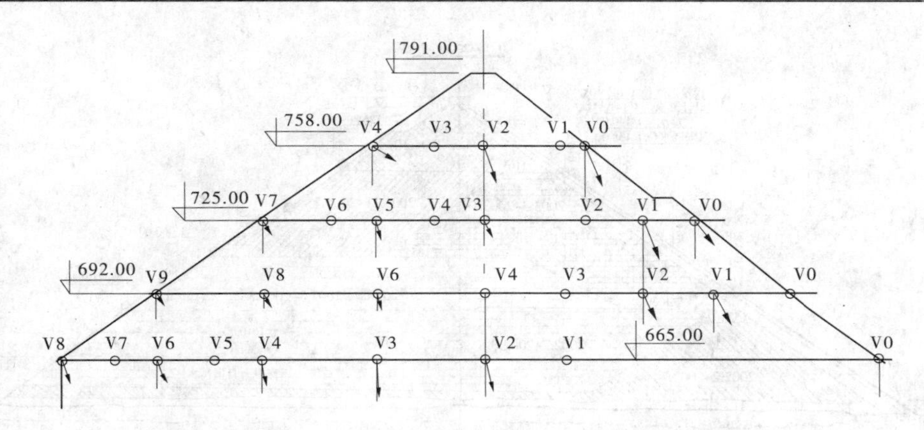

图 9-3　天生桥 0+630 断面测点组位移矢量分布图(单位:m)

坝体填筑至高程 787.3m 后,开始浇筑三期面板,此间坝体已接近最大坝高,且变形较大,故位于高程 725m 上游坡面向下游水平位移在前期 4 个月内就达到 25.20cm。

由于坝体上游侧临时断面填筑体的变形与后期从下游面贴坡填筑上升的填筑体变形时序不同,再加之主、次堆石体材料和碾压参数的差异,因而造成上、下游侧的不均匀沉降。当后期坝体填筑上升速度较快时,施工期沉降变形会进一步加大,不均匀沉降也就表现得更为明显。

由于不同填筑材料之间存在着相互支撑的依托作用,上述不均匀沉降的产生,将造成新填筑坝体对上游坝体变形的"拖曳"作用,从而使靠近上游侧的坝体产生较大的向下游方向水平位移,这一现象在坝体顶部尤为明显。由此会造成垫层区的开裂和面板拉应力的增加。

从天生桥面板坝填筑施工的经验可以看出,对于高面板堆石坝,坝体度汛挡水的临时断面不应与后期填筑的坝体有过大的高差,在可能的情况下,应尽量保持坝体全断面均衡上升。同时,在施工进度的控制上,面板浇筑前应尽可能使已填筑的坝体有一定的变形稳定期。

吸取了天生桥面板坝的经验,国内近期修建的几座高面板堆石坝均注意了坝体填筑的均衡上升。图 9-4 所示为洪家渡面板堆石坝的施工填筑分期情况;图 9-5 所示为三板溪面板堆石坝的断面设计(坝体填筑全断面均衡上升)。

图 9-6 和图 9-7 所示分别为洪家渡面板坝坝体填筑完成时相应于二期和一期面板浇筑后的水平位移增量。从图中可以看出,坝体竣工期水平位移增量分布正常,没有水平位移大值集中的现象。

图 9-8～图 9-10 为三板溪面板堆石坝坝体填筑至约 430m 高程时相对于一期面板浇筑后的位移增量分布,以及坝体填筑到顶时相对于二期面板浇筑后的位移增量分布。由图中可以看出,在坝体填筑采用上、下游均衡上升的施工方式后,坝体的水平位移和竖直位移增量均不大,坝顶部未出现后倾的现象。

9.3　面板分期施工对面板应力的影响

对于大多数面板堆石坝工程,面板的浇筑大部分均采取分期施工的方式(一般分为两期),对于高面板堆石坝,面板的分期可能还会更多(3 期或以上)。从面板应力变形分析的角度看,面板的分期施工,将可能出现先期浇筑的面板与后期施工的面板在变形程度上

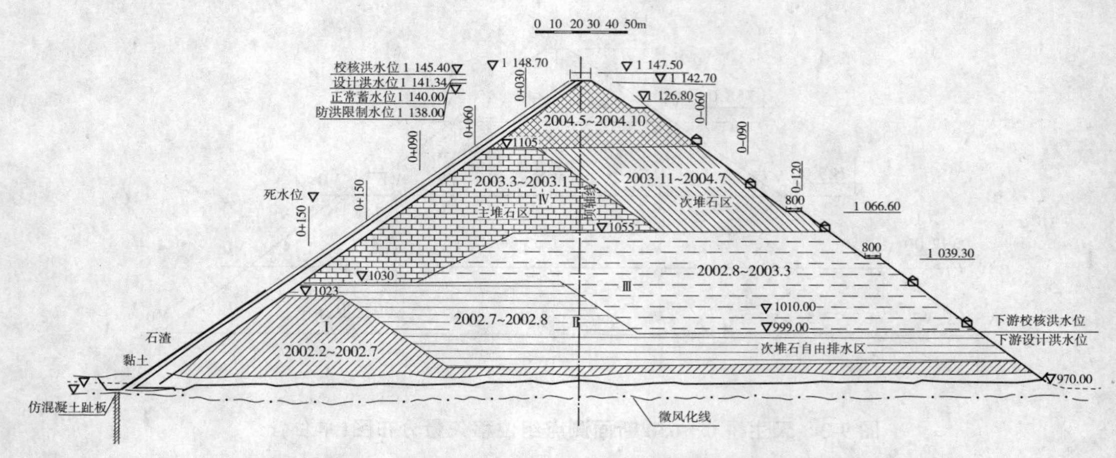

图 9-4　洪家渡面板堆石坝施工填筑分期情况(单位:m)

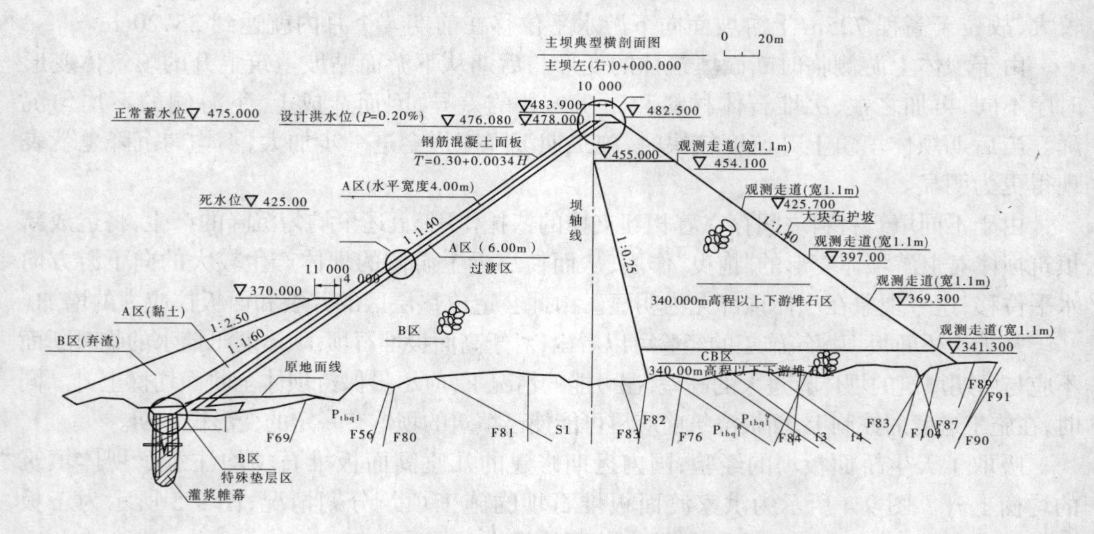

图 9-5　三板溪面板堆石坝断面布置

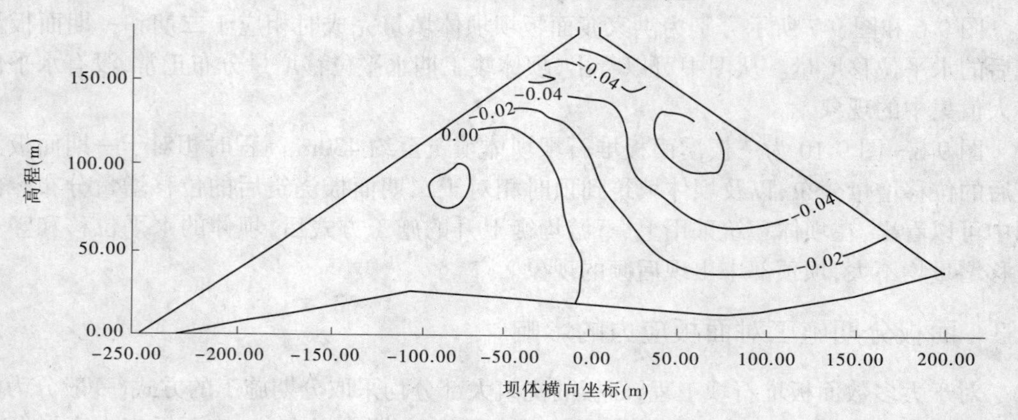

图 9-6　洪家渡面板坝竣工期相应于二期面板浇筑完成后的水平位移增量分布(单位:m)

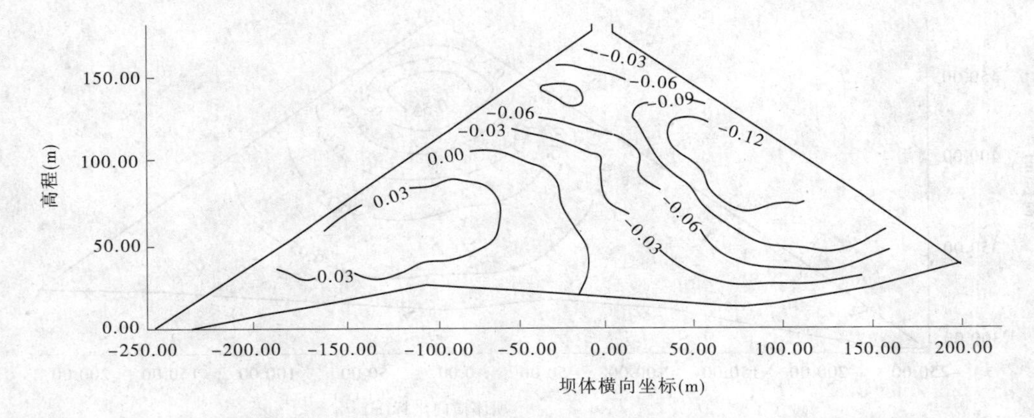

图 9-7 洪家渡面板坝竣工期相应于一期面板浇筑完成后的水平位移增量分布(单位:m)

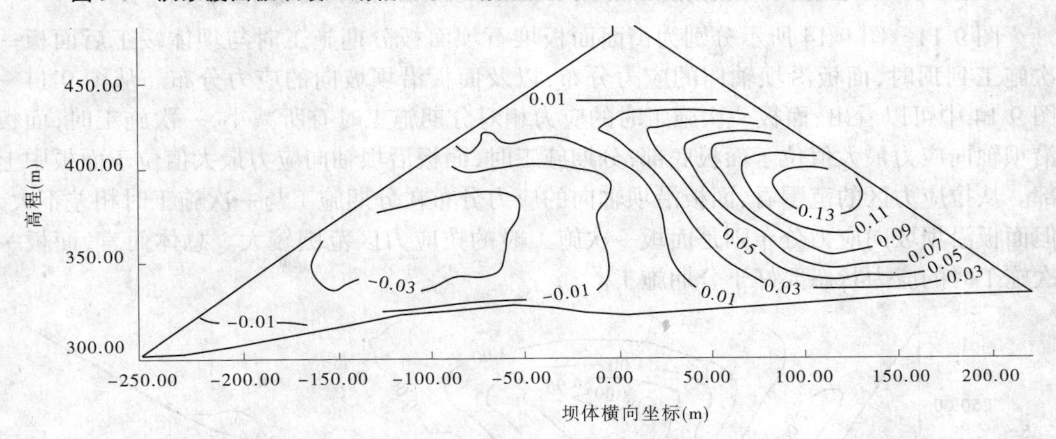

图 9-8 三板溪坝体填筑至约 430m 高程时相对于一期面板浇筑后的水平位移增量分布(单位:m)

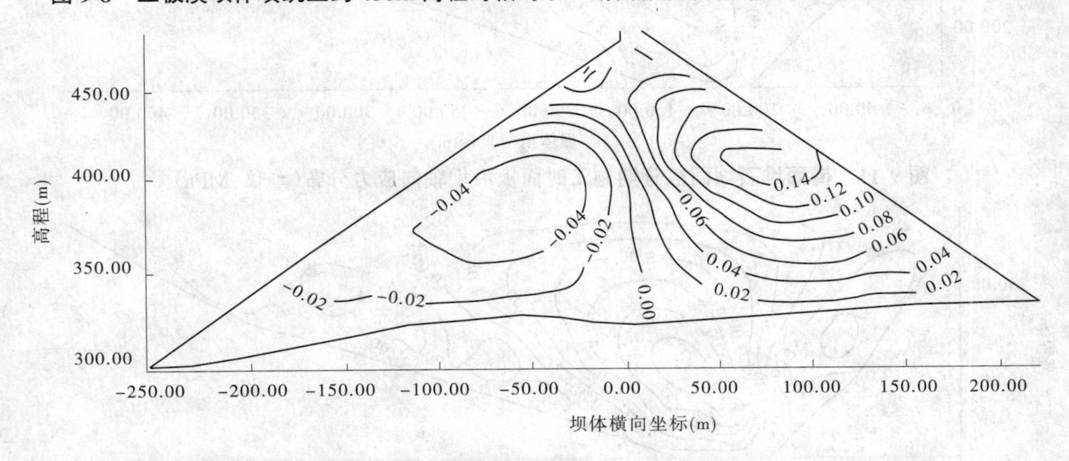

图 9-9 三板溪坝体填筑到顶时相对于二期面板浇筑后的水平位移增量分布(单位:m)

的差异,从而对面板的应力造成影响。为比较这方面的差异,下面以福建街面面板堆石坝为例,对比分析面板分期施工与一次浇筑完成时,面板应力分布与数值的变化。

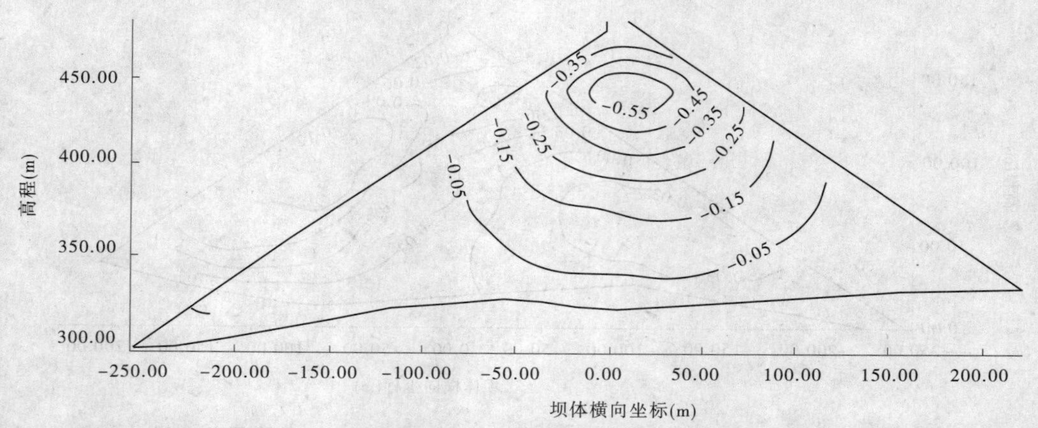

图 9-10　三板溪坝体填筑到顶时相对于二期面板浇筑后的竖向位移增量分布(单位:m)

图 9-11～图 9-14 所示分别为街面面板堆石坝面板分期施工时与坝体竣工后面板一次施工到顶时,面板沿坝轴向的应力分布,以及面板沿坝坡向的应力分布。从图 9-11～图 9-14 中可以看出:面板一次施工时的应力相对分期施工时有所减小,一次施工时,面板沿坝轴向应力最大值位于面板底部;分期施工时,面板沿坝轴向应力最大值位于面板中上部。从拉应力区的范围看,面板沿坝轴向的应力分布在分期施工与一次施工时相差不大,但面板沿坝坡向应力分布则是面板一次施工时的拉应力区范围较大。总体而言,面板一次施工时的应力状态要好于分期施工。

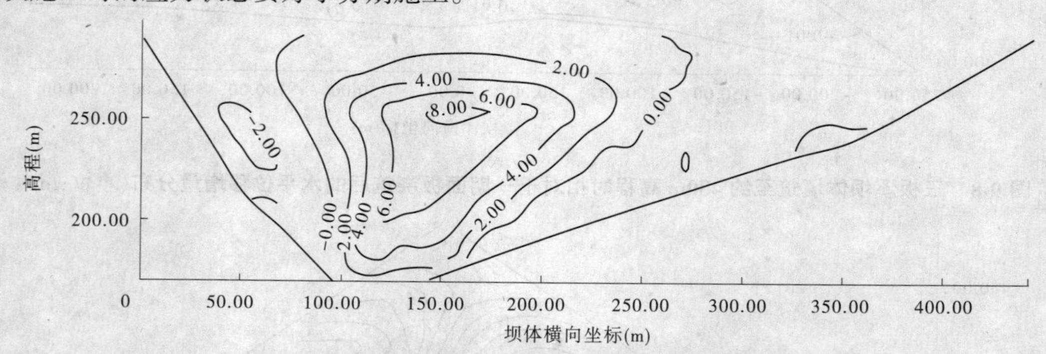

图 9-11　街面堆石坝面板分期施工时面板沿坝轴向应力分布(单位:MPa)

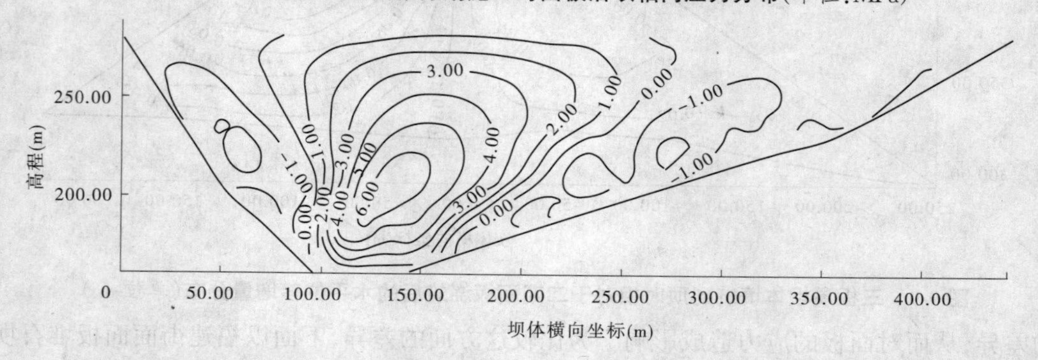

图 9-12　街面堆石坝面板一次施工时面板沿坝轴向应力分布(单位:MPa)

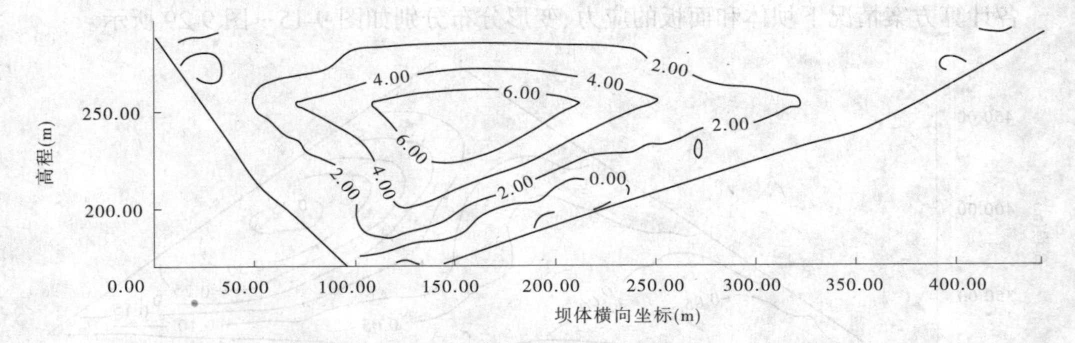

图 9-13　街面堆石坝面板分期施工时面板沿坝坡向应力分布(单位:MPa)

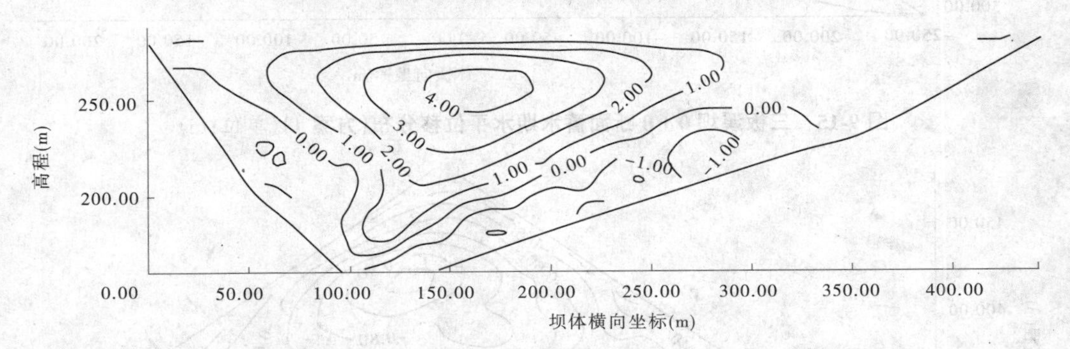

图 9-14　街面堆石坝面板一次施工时面板沿坝坡向应力分布(单位:MPa)

9.4　施工期库水位升降变化对面板坝应力变形的影响

在高面板堆石坝的施工过程中,施工期的挡水度汛是不可避免的。因此,在坝体的填筑施工过程中,上游坝体以及先期浇筑的面板均有可能遭遇汛期前后库水位的升、降过程。这种施工期的水位升降所引起的坝体上游侧荷载的变化必定会对坝体的应力变形造成一定程度的影响。为分析施工期库水位升、降变化对面板坝应力、变形特性的影响,以下将以三板溪工程为例,进行具体的研究。

三板溪面板堆石坝最大坝高 185.5m,坝顶高程 482.5m,坝顶宽度 10m,坝顶长度 423.342m。坝体上下游坝坡均为 1:1.4,河床趾板建基面高程为 297m,最大坝底宽度约 498m。

为研究施工期坝体的挡水过程对坝体和面板应力变形的影响,计算分析中共进行了 3 种方案的计算:

方案 1　坝体按设计的施工步骤分步填筑到顶,在三期面板浇筑完成后,分步施加蓄水荷载至正常蓄水位。

方案 2　一期坝体填筑完成(上游坝顶高程 390m,面板尚未浇筑),施工期洪水位至 386.12m 高程,然后水位再退至 297m 高程(上游坡脚),随后坝体顺序填筑至坝顶,面板全部浇筑完成后,水位逐级蓄水至正常蓄水位。

方案 3　四期坝体填筑完成(上游坝顶高程 438m,一期面板已浇筑,二、三期面板尚未浇筑),施工期洪水位至 392.22m 高程,然后水位再退至 297m 高程(上游坡脚),随后坝体顺序填筑至坝顶,面板全部浇筑完成后,水位逐级蓄水至正常蓄水位。

各计算方案情况下坝体和面板的应力、变形分布分别如图 9-15～图 9-29 所示。

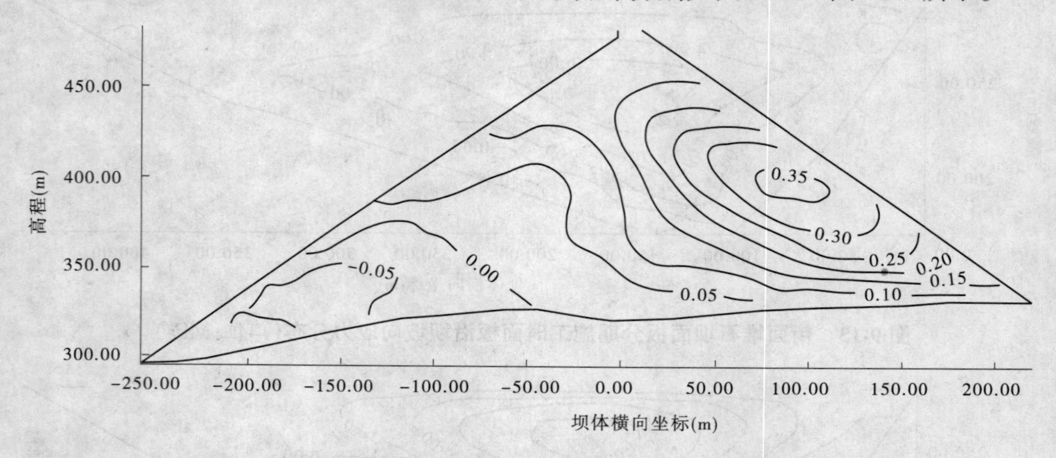

图 9-15　三板溪坝 0+0 断面蓄水期水平位移分布(方案 1)(单位:m)

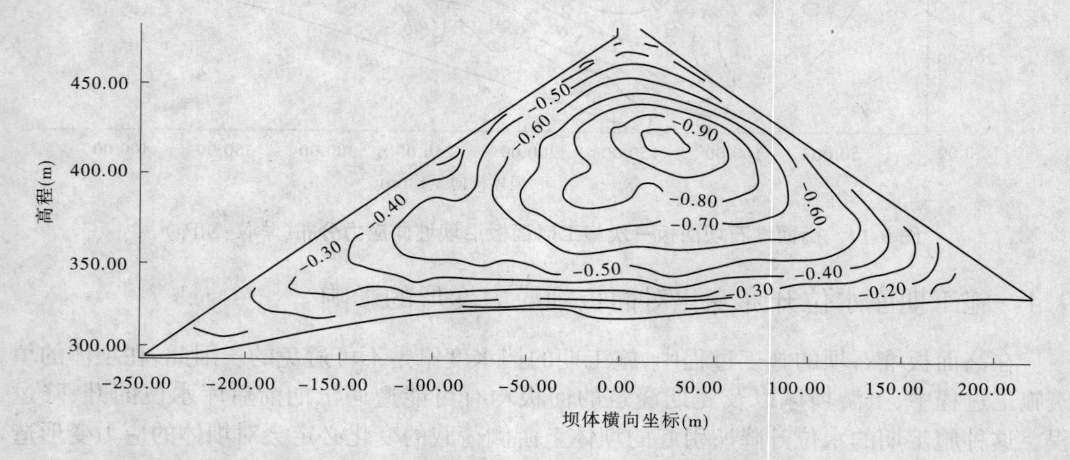

图 9-16　三板溪坝 0+0 断面蓄水期垂直位移分布(方案 1)(单位:m)

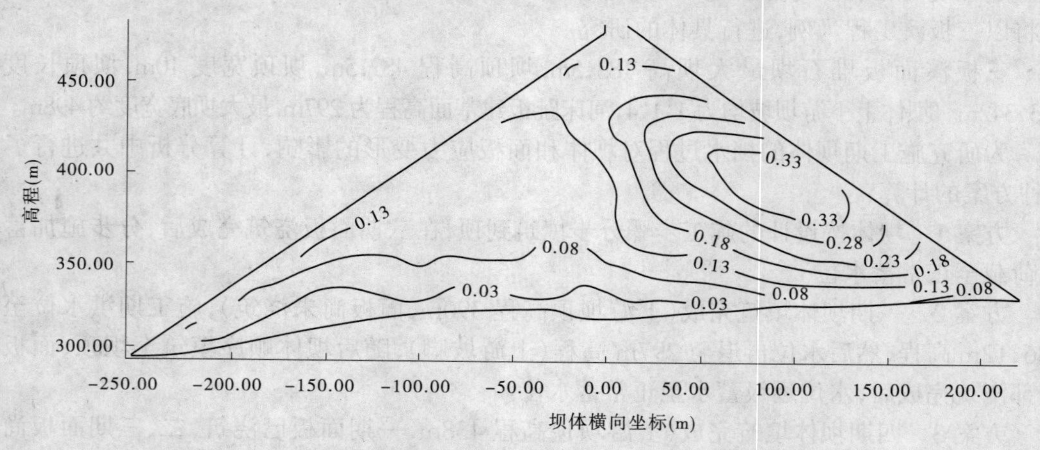

图 9-17　三板溪坝 0+0 断面蓄水期水平位移分布(方案 2)(单位:m)

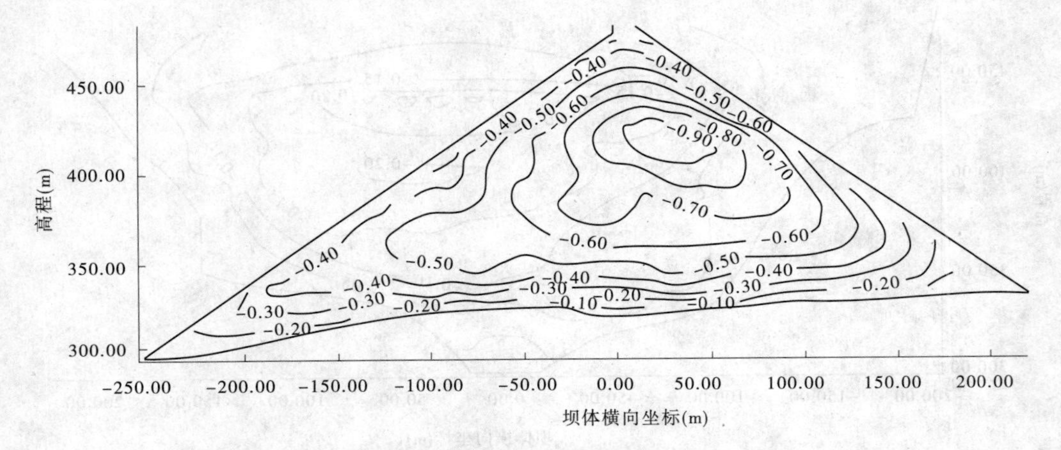

图 9-18　三板溪坝 0+0 断面蓄水期垂直位移分布(方案 2)(单位:m)

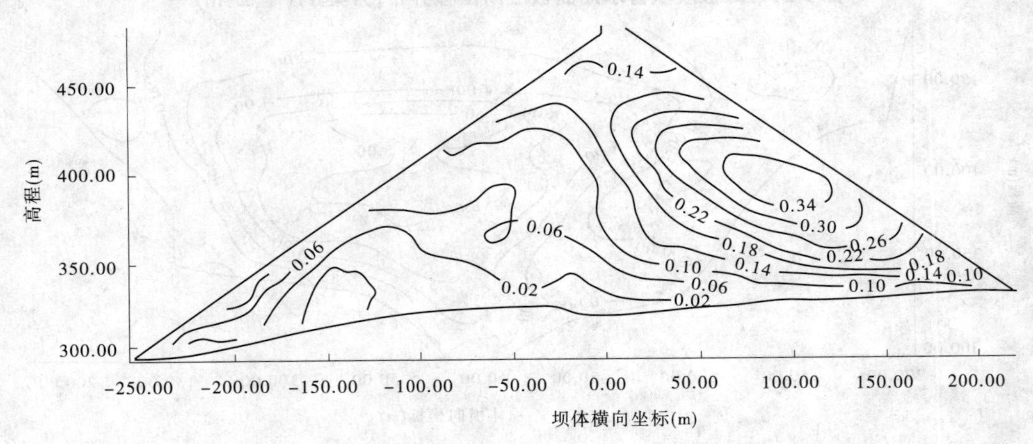

图 9-19　三板溪坝 0+0 断面蓄水期水平位移分布(方案 3)(单位:m)

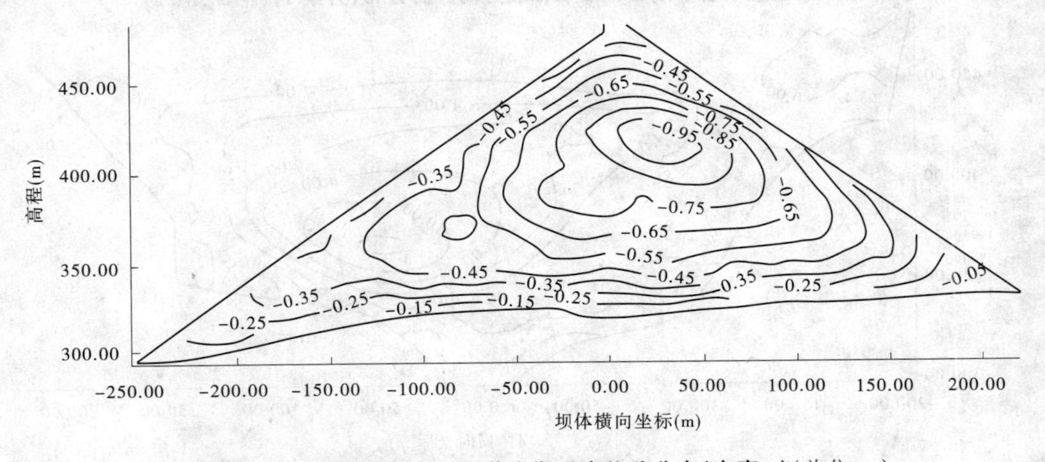

图 9-20　三板溪坝 0+0 断面蓄水期垂直位移分布(方案 3)(单位:m)

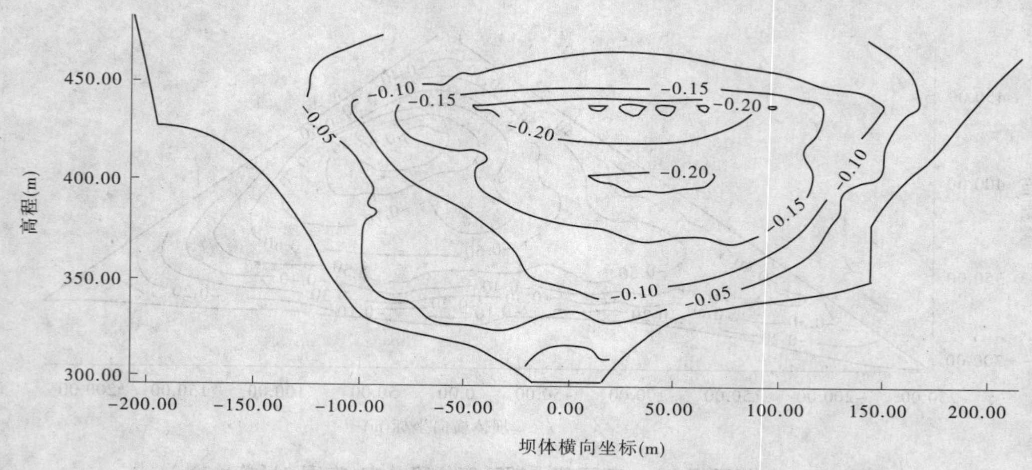

图 9-21 三板溪坝蓄水期面板法向位移分布(方案 1)(单位:m)

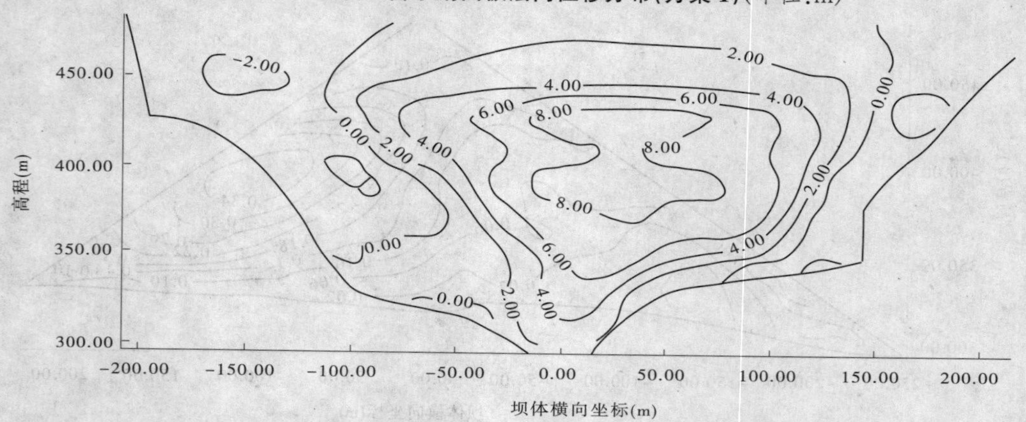

图 9-22 三板溪坝蓄水期面板沿坝轴线方向应力分布(方案 1)(单位:MPa)

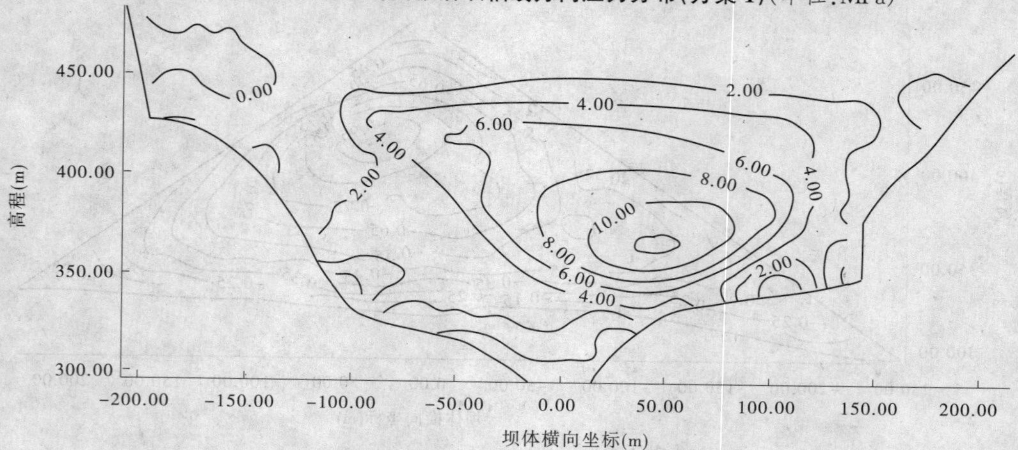

图 9-23 三板溪坝蓄水期面板沿坝坡方向应力分布(方案 1)(单位:MPa)

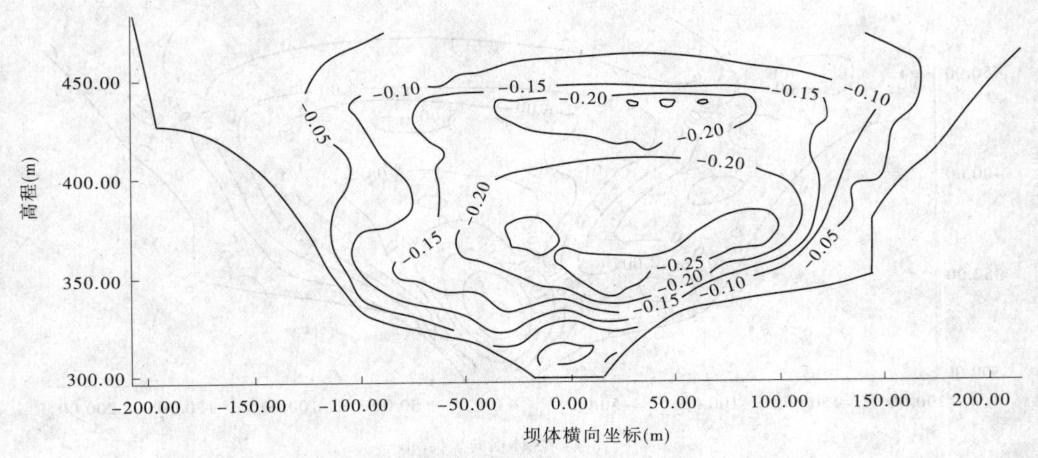

图 9-24　三板溪坝蓄水期面板法向位移分布(方案 2)(单位:m)

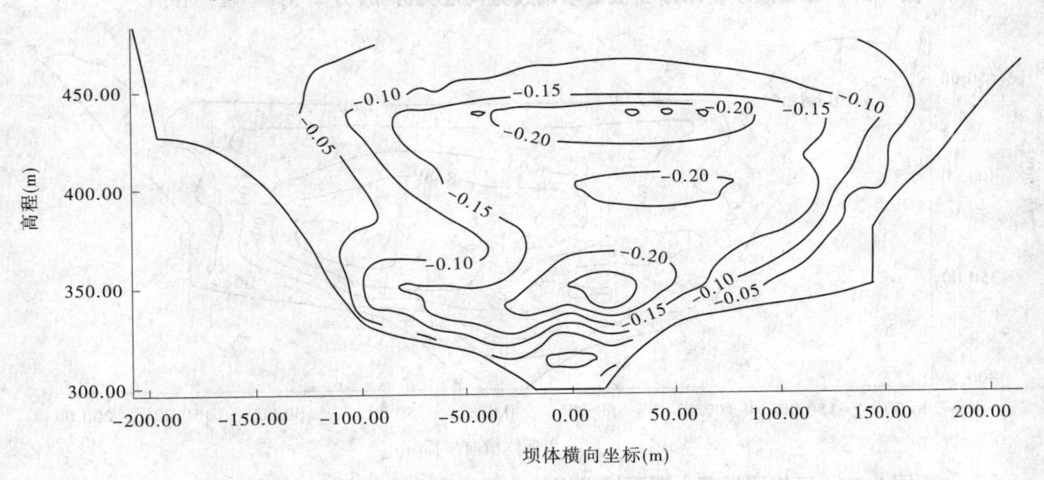

图 9-25　三板溪坝蓄水期面板法向位移分布(方案 3)(单位:m)

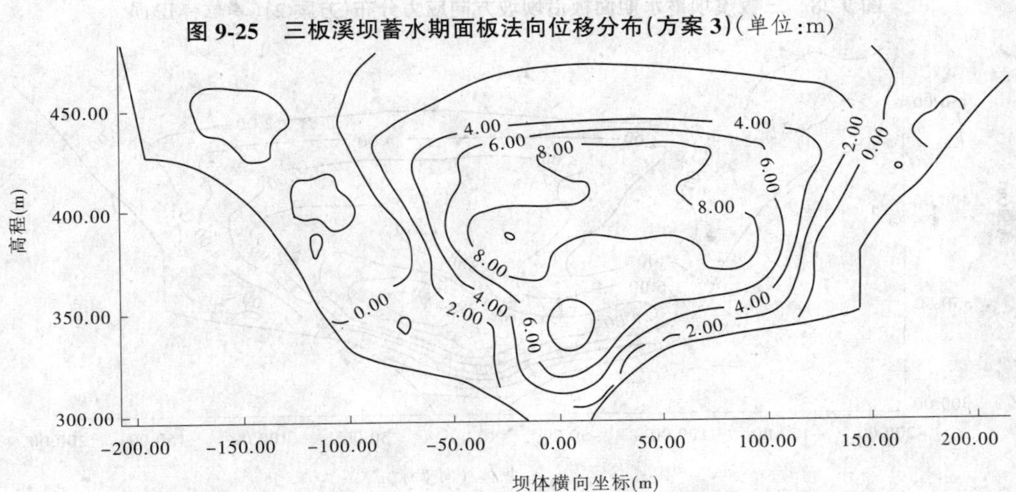

图 9-26　三板溪坝蓄水期面板沿坝轴线方向应力分布(方案 2)(单位:MPa)

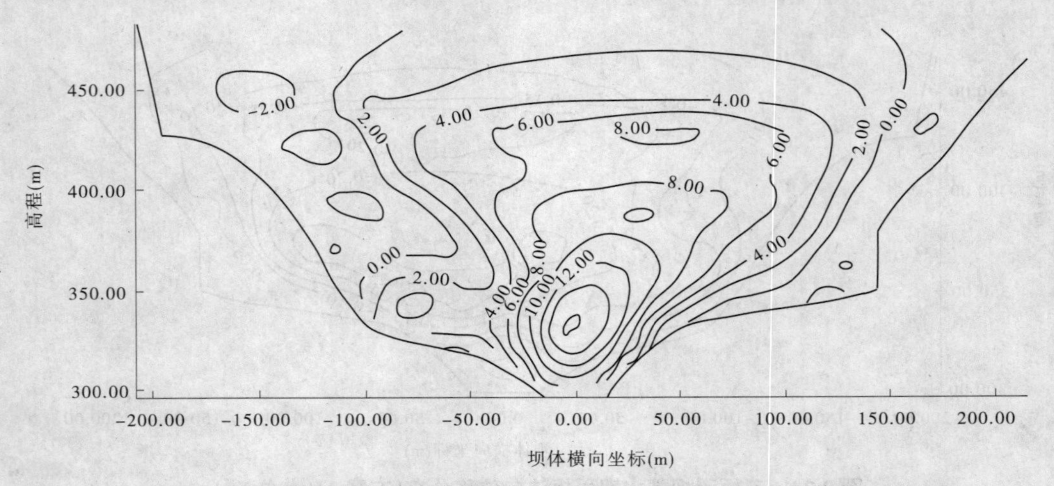

图 9-27　三板溪坝蓄水期面板沿坝轴线方向应力分布(方案 3)(单位:MPa)

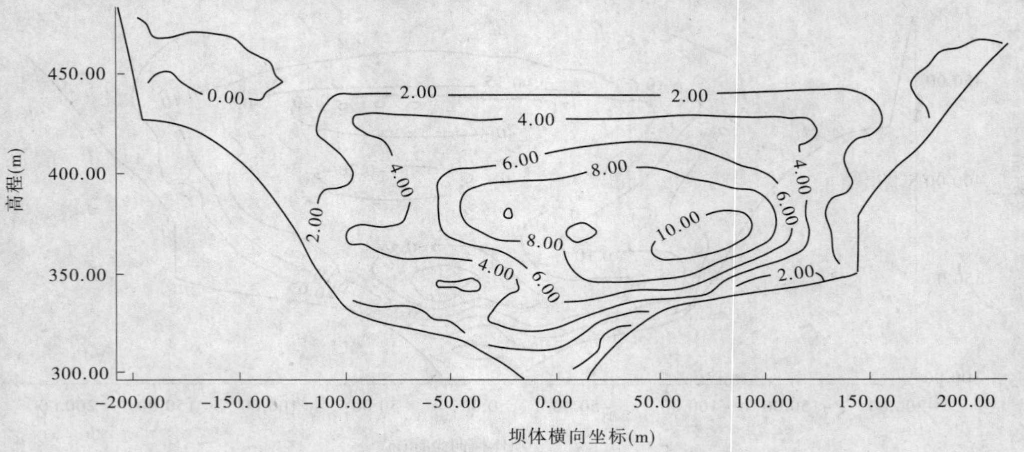

图 9-28　三板溪坝蓄水期面板沿坝坡方向应力分布(方案 2)(单位:MPa)

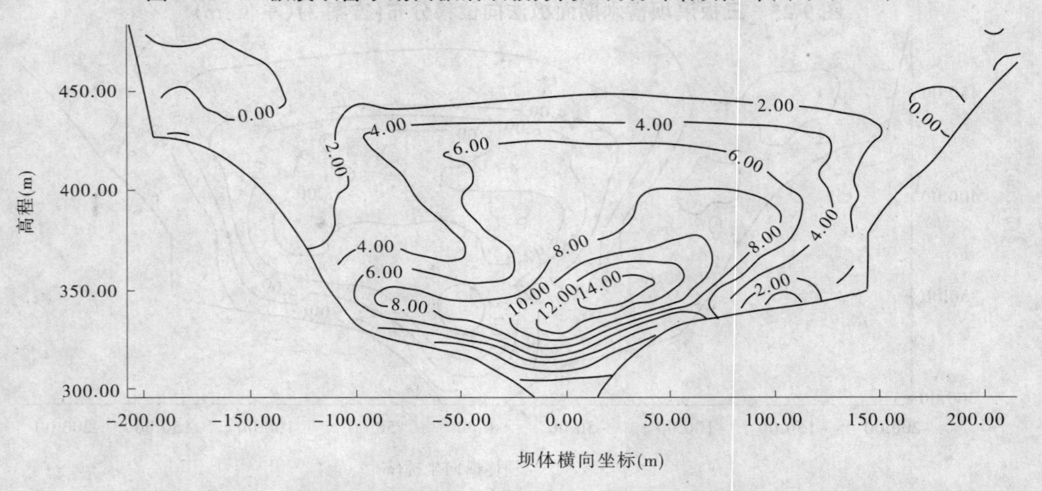

图 9-29　三板溪坝蓄水期面板沿坝坡方向应力分布(方案 3)(单位:MPa)

从各对比方案的计算结果可以看出,各计算方案坝体和面板的应力、变形分布规律大致相同,仅计算数值和局部区域的分布有所差别。

从方案2的计算结果来看,由于上游坝体底部经历了施工汛期挡水和退水过程,这部分坝体堆石承受了额外的水压力,所以,坝体这部分指向下游的水平位移增大。但面板浇筑完成后,由于最终水库蓄水而引起的面板位移却并未增大(局部位移反而略有减小)。因此,面板顺坡向的应力状态可以得到一定程度的改善。不过,这种应力改善的范围仅局限于面板的局部区域。

在方案3的情况下,上游坝体底部同样经历了施工汛期挡水和退水过程,但此时,一期面板已经浇筑,这部分坝体堆石和一期面板同时承受了额外的水压力,所以坝体这部分指向下游的水平位移和面板在最终水库蓄水作用下的应力均有所增大。因此,这种工况对于面板的应力状态有一定程度的不利影响。

9.5　小结

本章通过数值计算和观测资料的分析,研究了坝体分期施工及水库蓄水过程对面板堆石坝应力变形特性的影响。总体而言,影响面板堆石坝工作特性的主要因素是堆石体的变形。不同的施工填筑分期,由于堆石体变形时序的差异,坝体的最终变形也必将受到一定程度的影响。就改善坝体的变形性状而言,坝体的填筑最好是实现坝体上、下游全断面均衡上升,当因施工期度汛的要求而需先行填筑临时断面时,新、老填筑体的高度差不应过大。在高面板堆石坝的填筑施工中,其填筑施工的分期尤其应注意不能采取“贴坡式”上升的施工方式。

为减少坝体变形对面板应力的影响,面板的浇筑最好应等待坝体变形稳定一段时间后再施工。从改善面板的应力看,面板一次施工到顶要相对优于面板分期浇筑。

坝体在施工期的挡水度汛,汛期水荷载的作用可以起到对堆石体的预压作用,从而可以在一定程度上改善面板的应力状态。但是,当分期浇筑的面板在汛期挡水度汛时,水荷载的作用有可能会造成一期面板与后期浇筑的面板差异变形的增加,从而对面板的应力造成不利影响。

第10章　面板开裂机理分析及其防治措施

10.1　概述

在面板堆石坝的结构中，混凝土面板是大坝防渗的主体结构。由面板、趾板以及接缝止水所构成的防渗屏障，是保障面板堆石坝正常工作的最重要防线。从混凝土面板的特点看，由于面板的厚度较薄，与整个坝体堆石相比，面板在整体上呈现出一定程度的柔性；但是，就局部而言，由于混凝土的刚度与堆石体的刚度具有较大的差别，因此面板的变形难以实现与堆石体变形的协调，从而导致当堆石体的变形过大时，面板中将产生较大的拉、压应力。从面板的工作条件看，混凝土面板背靠堆石体上游面，表面分别与空气和库水接触，复杂的水、气条件和温度作用必然会引起混凝土材料内部的应力变化，进而导致混凝土面板的裂缝。当混凝土面板的表面裂缝发展成为贯穿裂缝时，就会造成面板的漏水，从而对大坝的运行和安全产生不利的影响。

面板堆石坝中混凝土面板产生裂缝的原因主要有：温度变化、材料干缩和面板的变形。通常，将堆石体沉降、岸坡约束等原因引起的面板变形所产生的裂缝称为结构性裂缝；将温度变化、混凝土材料干缩所产生的裂缝称为材料性裂缝。从裂缝的形态看，结构性裂缝一般是集中的较大裂缝，而温度和干缩所产生的裂缝一般为大量的、密集的、有规律的水平裂缝。

目前，国内外的大部分面板堆石坝工程普遍都会遇到面板裂缝的问题。如何分析、研究面板裂缝的开裂机理，并在此基础上提出混凝土面板裂缝防治的措施，这是面板堆石坝工程设计和施工中需要解决的重要问题之一。

10.2　面板的结构性裂缝

早期的面板堆石坝，由于采取抛填堆石的施工方式，坝体的变形较大，混凝土面板普遍出现结构性裂缝，由此导致面板的断裂、接缝的张开，进而引起坝体的大量渗漏。现代的面板堆石坝普遍采用较良好的级配材料填筑，施工中采用薄层振动碾压，坝体的填筑密度增大，沉降变形较早期的抛填堆石坝明显减小。此外，有效的接缝细部结构设计也使得面板能够在一定程度上适应堆石体的适度变形，因而在现代的面板堆石坝工程中混凝土面板的结构性裂缝明显减少。不过，尽管如此，由于面板的结构性裂缝规模相对较大，位置比较集中，对面板的破坏性也相对较大，因此在面板堆石坝设计和施工中，应特别注意避免面板结构性裂缝的产生。从以往的工程实践看，泰国的考兰面板堆石坝（坝高130m）、美国的贝雷面板堆石坝（坝高 95m）、墨西哥的阿瓜米尔巴面板堆石坝（坝高187m）、巴西的辛戈面板堆石坝（坝高 140m）均出现过较为明显的结构性裂缝。近些年来，随着面板堆石坝坝高的增加，以及陡峭岸坡、高趾墙等不利地形条件的作用，混凝土面板的结构性裂缝问题日显突出。

10.2.1　面板的受力变形特点

从数值计算分析和原型观测结果可以发现，面板在施工期的变形趋势为：面板中下部向上游侧鼓出，面板上部偏向坝体内侧。水库蓄水以后，面板在水压力的作用下向下游侧变形，底部面板基本上被推回至原坝坡位置附近，而面板的中上部则基本上均是向下游侧位移。图 10-1 和图 10-2 所示分别为面板堆石坝施工期和蓄水期的位移变化情况。从三维计算分析的结果看，面板由于受岸坡地形的约束，周边面板的变形相对较小，中部面板的变形相对较大；而且，从岸坡约束作用的程度看，坝高 1/3 以下部分的面板所受的岸坡约束相对更大一些。因此，面板在施工期的空间变形形态为中下部向上游凸出，顶部向下游倾斜，而蓄水期则为向坝内凹陷。图 10-3 所示为面板在蓄水期的空间变形状态。

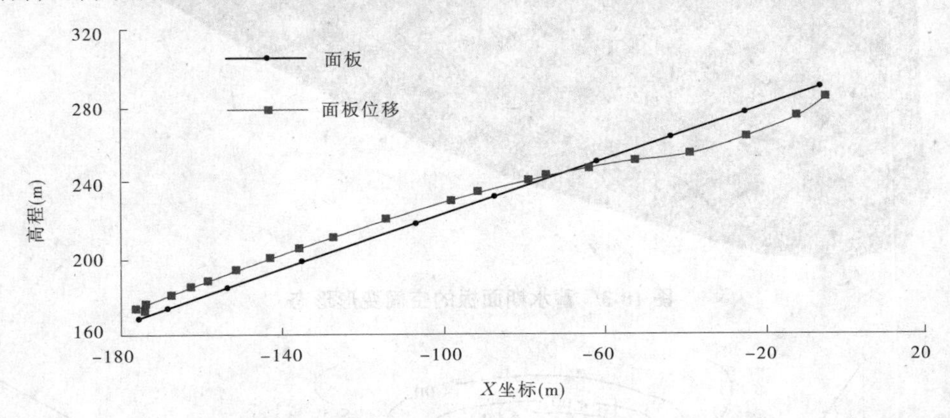

图 10-1　施工期面板的位移趋势

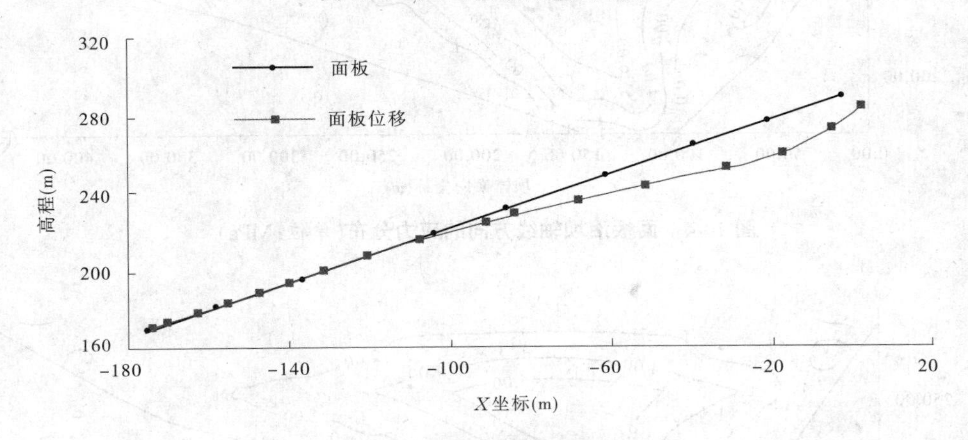

图 10-2　蓄水期面板的位移趋势

从面板的受力特点看，施工期面板上游侧基本没有外荷载作用，底部面板内侧则因受到堆石体沉降变形和水平位移的作用而承受一定的向上游方向的水平推力。总体而言，施工期面板所受荷载较小，其应力也不会太大（施工期面板挡水的情况除外）；蓄水期，面板主要承受水荷载作用，由于受到岸坡地形的约束作用，蓄水期面板中部主要呈双向受压状态，而靠近岸坡附近则承受拉应力（同时，面板的应力还会受到河谷地形起伏变化的影响）。图 10-4 和图 10-5 所示分别为面板沿坝坡方向和沿坝轴线方向的应力分布（压应力为正值，拉应力为负值）。

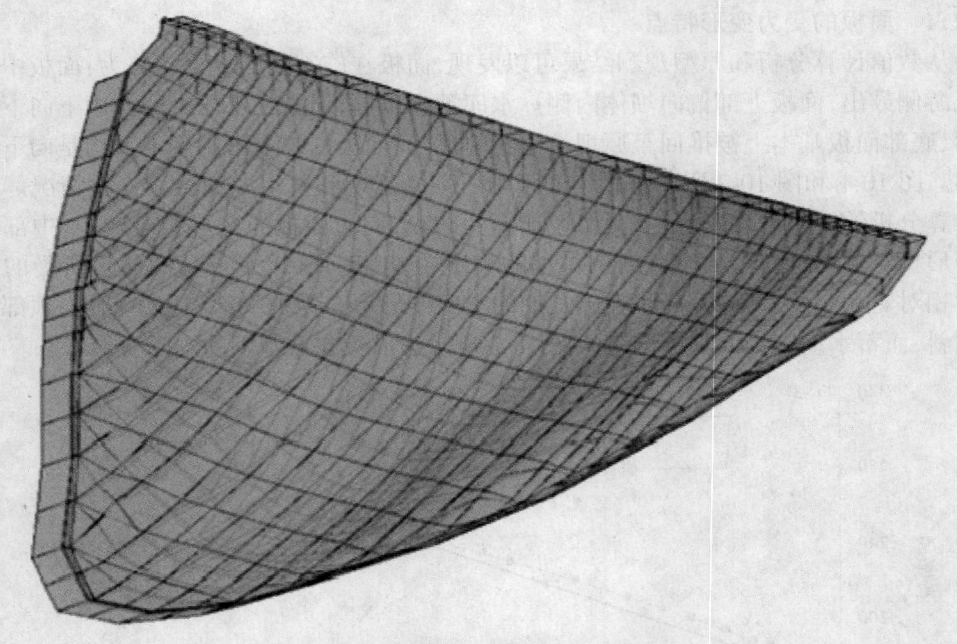

图 10-3　蓄水期面板的空间变形形态

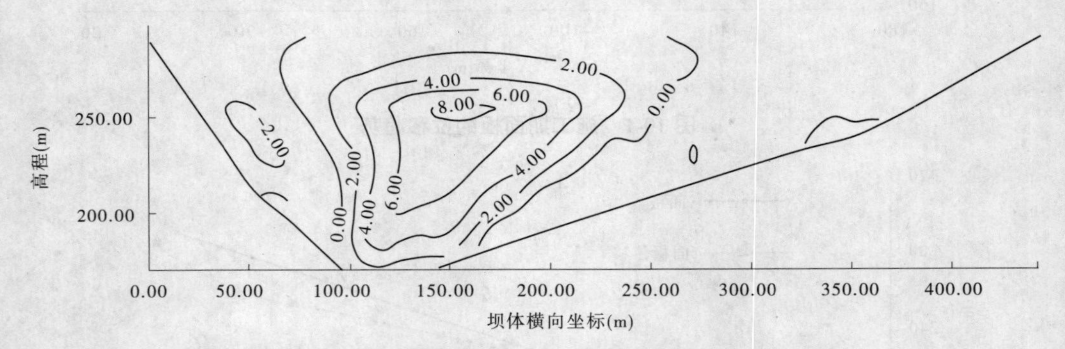

图 10-4　面板沿坝轴线方向的应力分布(单位:MPa)

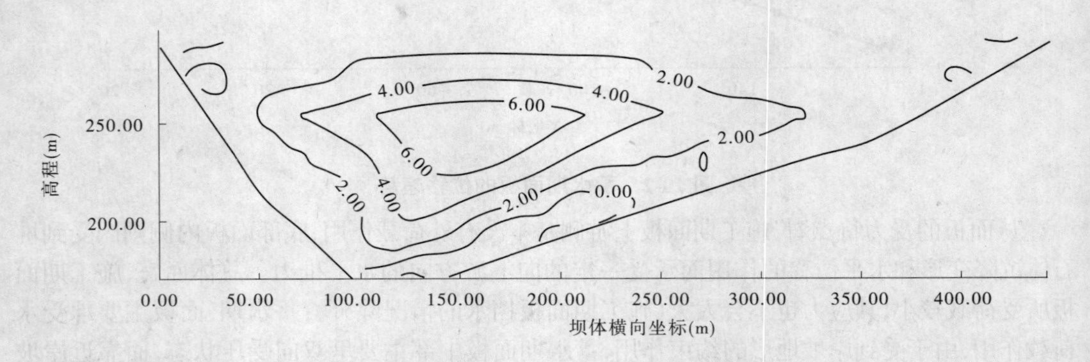

图 10-5　面板沿坝坡方向的应力分布(单位:MPa)

10.2.2　面板结构性裂缝的机理分析

从面板的变形特征中可以看出,无论在施工期还是在蓄水期,面板的变形在沿坝坡方向和沿坝轴线方向均表现出不同程度的不均匀性。由于面板浇筑于堆石体之上,面板无法自由变形。当面板在堆石体上发生沿面板法向的位移时,堆石体对于面板的约束可视为弹性约束;当面板与堆石体之间产生滑移变形时,堆石体对于面板的约束可视为摩擦约束。这两种约束都可以使面板产生拉应力,当面板内部的拉应力超过了混凝土的抗拉强度时,面板就会出现裂缝。

从面板沿坝轴线方向的变形和应力分布看,在岸坡地形的作用下,坝体堆石和面板沿坝轴向的变形趋势为从两岸坡指向河床中央,由此将对河床中部面板形成挤压作用。当坝体和面板的变形过大时,这种挤压作用将会造成河床中部面板块与块之间较大的压应力,当压应力超出混凝土的抗压强度时,面板边缘就会产生压裂破损。图 10-6 所示即为天生桥一级面板堆石坝河床中部断面在遭受挤压作用下面板分块边缘的破损情况[48]。

图 10-6　天生桥一级面板堆石坝面板分块边缘挤压破损情况

从面板沿坝坡向的变形和应力分布看,在水荷载的作用下,面板产生向下游侧的挠曲变形,一般情况下,面板的最大法向变形位于面板的中上部,面板沿坝坡方向产生内凹变形,因而面板的中部沿坝坡向的应力也是以压应力为主,而面板的顶部和底部则可能出现拉应力。当坝体的变形较大时,尤其是坝体顶部朝向下游侧的变形较大时,坝体整体呈“后仰”的变形趋势,面板的拉应力区则会向面板中部延伸,甚至会遍及面板的大部分区域。在这种情况下,面板最容易出现较大规模的结构性拉裂裂缝。图 10-7 所示为蓄水期盘石头面板堆石坝面板在坝体顶部水平位移较大的情况下沿坝坡方向的应力分布。由图中可见。面板的大部分区域均出现了拉应力。

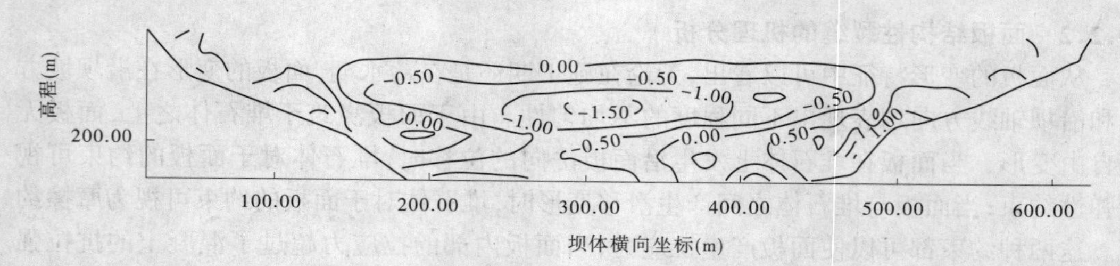

图 10-7　蓄水期盘石头面板堆石坝面板沿坝坡方向的应力分布(单位:MPa)

从面板堆石坝的观测资料上也可以看出,蓄水期面板的应力、应变分布趋势基本上表现出与数值计算分析相一致的规律。图 10-8 所示为天生桥面板堆石坝面板混凝土沿坝轴向应变观测结果(图中拉应变为正值,压应变为负值),图 10-9 和图 10-10 分别为洪家渡面板堆石坝一期和二期面板沿坝轴向和沿坝坡向的面板混凝土应变观测结果[48]。从图中可以明显地看出面板中部双向受压的受力特点。

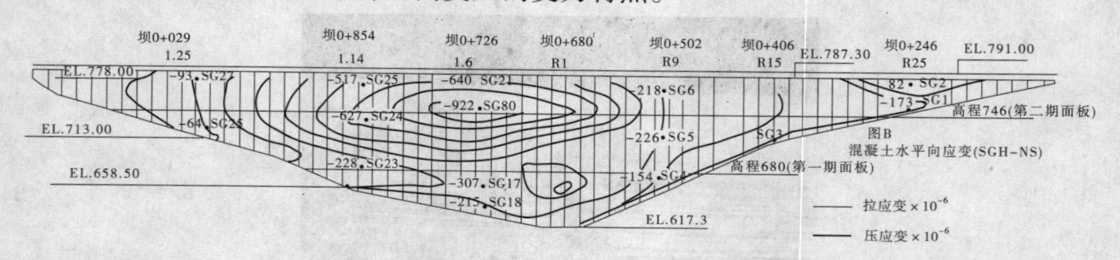

图 10-8　天生桥面板堆石坝面板混凝土沿坝轴向应变观测结果

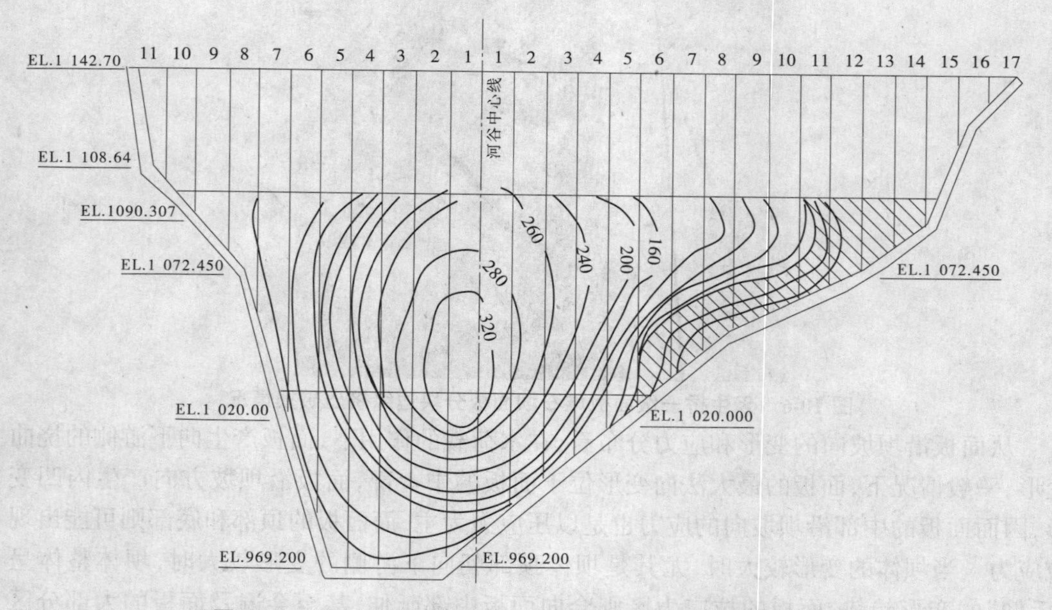

图 10-9　洪家渡面板堆石坝面板混凝土沿坝轴向应变($\times10^{-6}$)

(图中阴影部分为受拉区,其余部分为受压区)

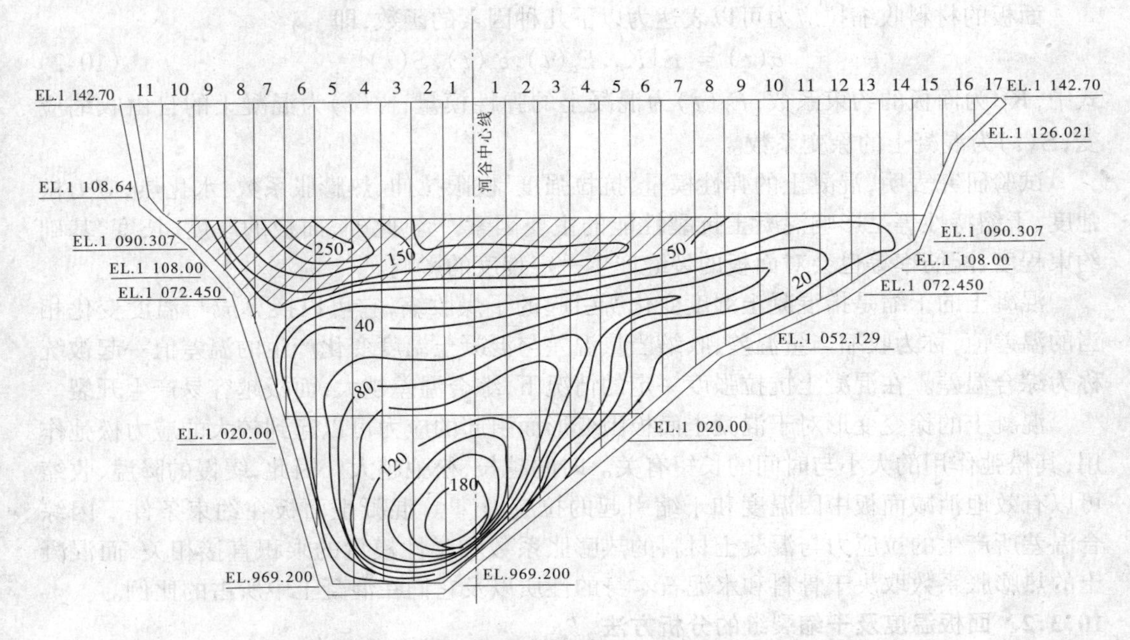

图10-10　洪家渡面板坝面板混凝土沿坝坡向应变($\times 10^{-6}$)
(图中阴影部分为受拉区,其余部分为受压区)

10.3　面板的温度及干缩裂缝

面板的干缩裂缝是指混凝土在凝固过程中因干燥和温度降低所导致的自身体积收缩而引起的裂缝;面板的温度裂缝是指混凝土面板因内、外温差所引起的温度应力而产生的裂缝。由于这两类裂缝均与材料自身的特性密切相关,因此可被称为材料性裂缝。从混凝土面板的工作环境看,面板是浇筑在斜坡堆石上的混凝土板,其厚度较薄,长度较长,结构暴露面很大,因此面板对于环境温度和湿度的变化较为敏感。从实际工程的观测结果看,混凝土面板的温度和干缩裂缝分布规律基本上是:裂缝方向主要为水平方向,一般横贯整个板块;裂缝宽度较小,大部分在0.1mm左右;裂缝主要集中在长面板的中下部;纯粹的干缩裂缝产状基本上是龟裂型,一般不会贯穿整块面板的宽度和厚度。

10.3.1　面板温度和干缩裂缝的产生机理及其影响因素

混凝土面板温度和干缩裂缝产生的原因是面板的环境因素与混凝土的自身内部因素综合作用的结果。当混凝土面板在自身和各种外部环境因素的作用下产生收缩变形,而这种收缩变形又受到面板边界的约束时,面板中就会产生分布的拉应力,这种内部拉应力是造成面板发生裂缝的破坏因素。另一方面,混凝土材料是由水泥和水通过水化作用,将松散的砂石骨料胶结形成的一种人工材料,其自身材料的性能和质量决定了混凝土的抗裂能力,这是抵抗面板裂缝的内部因素。当面板内的拉应力积累到一定程度,超过了混凝土的抗拉强度,面板就会出现开裂。用公式表达这一开裂条件,即为

$$\sigma_{\max}(t) > \sigma_t(t) \tag{10-1}$$

式中,$\sigma_{\max}(t)$为面板的最大收缩拉应力;$\sigma_t(t)$为面板混凝土的抗拉强度。

面板的材料收缩拉应力可以表达为以下几种因素的函数，即

$$\sigma(t) = F\{K_r, E_c(t), \varepsilon_c(t), S(t)\} \tag{10-2}$$

式中，K_r 为面板的约束系数；$E_c(t)$为混凝土的弹性模量；$\varepsilon_c(t)$为混凝土的自由收缩应变；$S(t)$为混凝土的徐变系数。

试验研究表明，混凝土的弹性模量、抗拉强度、极限拉伸、热膨胀系数、水化热、应力松弛度、干缩特性等是影响混凝土抗裂性能的主要因素[49]。此外，面板的厚度、长度、基础约束程度、配筋率等也会对面板的裂缝产生一定程度的影响。

混凝土的干缩是指混凝土湿度变化所引起的干燥收缩，它可以换算成与温度变化相当的温差值，称为收缩当量温差；收缩当量温差与混凝土温度变化产生的温差值一起被统称为综合温差。在混凝土抗拉强度一定的情况下，综合温差越大，面板越容易产生开裂。

混凝土的徐变变形对于混凝土面板因变形而引起的应力可以起到较大的应力松弛作用，其松弛作用的大小与时间的长短有关。时间越长，松弛越大。因此，缓慢的降温、收缩可以有效地消减面板中因温度和干缩引起的拉应力[50]。混凝土面板在约束条件下因综合温差所产生的拉应力与混凝土材料的热膨胀系数和弹性模量的乘积直接相关，而混凝土的热膨胀系数取决于骨料和水泥石本身的性质以及它们在混凝土中所占的比例。

10.3.2　面板温度及干缩裂缝的分析方法

混凝土面板的温度与干缩应力的分析研究一般可以采用解析计算法(简化条件下)和数值计算法。相比较而言，有限元数值计算分析方法可以考虑混凝土的水化热温升、徐变、弹性模量、自生体积变形等参数随龄期的变化，并考虑气温、水温、自重、水压、寒潮、干缩等诸多因素的影响，因此其计算结果相对而言更为全面[51]。

面板温度与干缩应力有限元数值计算分析方法的基本公式如下。

10.3.2.1　不稳定温度场的分析

根据热传导理论，含有内热源的混凝土结构不稳定温度场 $T(x,y,z,t)$在区域 R 内和边界 S 上应满足以下方程

$$\left.\begin{aligned} \alpha \nabla^2 T + \frac{\partial \theta}{\partial \tau} &= \frac{\partial T}{\partial \tau} \\ T\,|_{\tau=0} = T_0(x,y,z),\ T\,|_{s_1} &= T_b \\ -\lambda \frac{\partial T}{\partial n}\bigg|_{s_3} = \beta(T - T_a),\ \frac{\partial T}{\partial n}\bigg|_{s_2} &= 0 \end{aligned}\right\} \tag{10-3}$$

式中，α 为导温系数；λ 为导热系数；β 为表面放热系数；s_1、s_2、s_3 分别表示第一、二、三类边界；θ 为混凝土绝热温升；τ 为时间。

用有限元剖分结构所在域 R，设单元形函数矩阵为$[N]$，结点温度向量为$\{T\}$，则

$$T = [N]\{T\} \tag{10-4}$$

$$\frac{\partial T}{\partial \tau} = [N]\frac{\partial \{T\}}{\partial \tau} \tag{10-5}$$

由变分原理得

$$\left.\begin{aligned}&[P]\frac{\partial\{T\}}{\partial\tau}+[H]\{T\}=\{R\}\\&[P]=\sum_e\iiint_{R_e}[N]^{\mathrm{T}}[N]\mathrm{d}R\\&[H]=\sum_e\iint_{R_e}\alpha\nabla[N]^{\mathrm{T}}\nabla[N]\mathrm{d}R+\sum_e\int\alpha_{s_3}\alpha\bar{\beta}[N]^{\mathrm{T}}[N]\mathrm{d}S\\&\{R\}=\sum_e\iiint_{R_e}[N]\frac{\partial\theta}{\partial\tau}\mathrm{d}R+\sum_e\int s_{3e}\alpha\bar{\beta}T_a[N]^{\mathrm{T}}[N]\mathrm{d}S\\&\bar{\beta}=\beta/\lambda\end{aligned}\right\}\tag{10-6}$$

对时间进行离散，当采用两点间的一般差分公式时，有

$$\left([H]+\frac{1}{\eta\Delta\tau}[P]\right)\{T\}_{\tau+\Delta\tau}=\left([H]+\frac{1}{\eta\Delta\tau}[P]\right)\{T\}_{\tau}-\frac{1}{\eta}[H]\{T\}_{\tau}+\{R\}_{\tau+\Delta\tau}+\frac{1-\eta}{\eta}\{R\}_{\tau}\tag{10-7}$$

式中，$\Delta\tau$ 为时间步长；η 为表示算法的参数，当 $\eta=0$ 时为欧拉法，$\eta=1$ 时为后差法，当 $\eta=\frac{1}{2}$ 时为梯形法。

式(10-7)则为平面不稳定温度场计算的递推公式，已知 τ 时刻的温度场，则可推求出 $\tau+\Delta\tau$ 时刻的温度场。

10.3.2.2　面板混凝土的不稳定湿度场

混凝土的湿度场满足扩散方程

$$\left.\begin{aligned}&\frac{\partial h}{\partial\tau}=C\nabla^2h\\&h\mid_{\tau=0}=h_0(x,y,z),h\mid_{s_1}=h_b\\&\frac{\partial h}{\partial n}\Big|_{s_2}=0,\frac{\partial h}{\partial n}\Big|_{s_3}=\beta_1(h_s-h)\end{aligned}\right\}\tag{10-8}$$

$$C=C_1(T,t_e)\{0.05+0.95[1+3(1-h)^4]^{-1}\}$$

$$C_1(T,t_e)=C_0\left[0.3+\left(\frac{13}{t_e}\right)^{1/2}\right]\frac{T}{T_0}\exp\left(\frac{Q}{RT_0}-\frac{Q}{RT}\right)$$

式中，$Q/R\approx4\ 700\mathrm{K}$；$T$ 为绝对温度；h 为相对湿度；β_1 为湿度表面交换系数；C_0 为干燥参数；t_e 为等效龄期。

用有限元剖分结构区域 R，设单元的形函数为$[N]$，节点相对湿度向量为$\{h\}$，则有

$$h=[N]\{h\}\tag{10-9}$$

$$\frac{\partial h}{\partial\tau}=[N]\frac{\partial\{h\}}{\partial\tau}\tag{10-10}$$

由 Galerkin 变分原理并利用 Green 公式可推得

$$[M]\frac{\partial\{h\}}{\partial\tau}+[K]\{h\}=\{f\}\tag{10-11}$$

$$[M]=\sum_e\iiint_{R_e}[N]^{\mathrm{T}}[N]\mathrm{d}R$$

$$[K] = \sum_e \iiint_{R_e} C\nabla[N]^{\mathrm{T}}\nabla[N]\mathrm{d}R + \sum_e \int s_{3e}C\beta_1[N]^{\mathrm{T}}[N]\mathrm{d}S$$

$$\{f\} = \sum_e \int s_{3e}C\beta_1 h_a[N]^{\mathrm{T}}\mathrm{d}S$$

与温度场计算一样对时间进行离散,得到计算不稳定湿度场的递推公式

$$\left([K] + \frac{1}{\eta\Delta\tau}[M]\right)\{h\}_{\tau+\Delta\tau} = \left([K] + \frac{1}{\eta\Delta\tau}[M]\right)\{h\}_{\tau} - \frac{1}{\eta}[K]\{h\}\tau + \{f\}_{\tau+\Delta\tau} + \frac{1-\eta}{\eta}\{f\}_{\tau} \tag{10-12}$$

10.3.2.3　混凝土面板的应力

假定混凝土面板为线弹性体,在温度、干缩、外力的作用下,在 $t=\tau$ 时,混凝土面板的应变为

$$\{\Delta\varepsilon_n\} = \{\Delta\varepsilon_n^e\} + \{\Delta\varepsilon_n^T\} + \{\Delta\varepsilon_n^S\} + \{\Delta\varepsilon_n^C\} + \{\Delta\varepsilon_n^0\} \tag{10-13}$$

式中,$\{\Delta\varepsilon_n\}$为总应变;$\{\Delta\varepsilon_n^e\}$为弹性变形;$\{\Delta\varepsilon_n^T\}$为温差变形;$\{\Delta\varepsilon_n^{\mathrm{S}}\}$为干缩变形;$\{\Delta\varepsilon_n^{\mathrm{C}}\}$为徐变变形;$\{\Delta\varepsilon_n^0\}$为自生体积变形。

且有

$$\{\Delta\varepsilon_n^T\} = \alpha\Delta T[1\quad 1\quad 1\quad 0\quad 0\quad 0]^{\mathrm{T}} \tag{10-14}$$

$$\{\Delta\varepsilon_s\} = k_{sh}\Delta H[1\quad 1\quad 1\quad 0\quad 0\quad 0]^{\mathrm{T}} \tag{10-15}$$

在线性徐变情况下,混凝土的徐变变形为

$$\varepsilon_c = \sigma_0 C(x,t,\tau_0) + \int_0^{\tau}\frac{\partial\sigma}{\partial\tau}C(x,t,\tau)\mathrm{d}\tau \tag{10-16}$$

式(10-16)中,$C(x,t,\tau)$是混凝土的徐变度,x 是空间坐标,$C(x,t,\tau)$不仅是加荷龄期、持荷时间的函数,而且尚与混凝土的温度 T、湿度 h 有关,但由于温度 T、湿度 h 对混凝土徐变度的影响的资料较少,且考虑这种影响后,大大简化温度徐变应力分析的递推有限元算法将不再适用。因此,一般在应力分析中不计温度 T 和湿度 h 对徐变的影响,混凝土的徐变度一般取为

$$C(t,\tau_0) = \sum_{i=1}^{R}\varphi(t_i)(1-\mathrm{e}^{-k_i(t-\tau)}) \tag{10-17}$$

则可推出徐变变形增量为

$$\{\Delta\varepsilon_n^C\} = \{\eta_n\} + q_n[Q]\{\Delta\sigma_n\} \tag{10-18}$$

$$q_n = \sum_{i=1}^{R}\varphi_1 \tag{10-19}$$

$$\{\eta_n\} = \sum_{i=1}^{R}P_{in}\{W_{in}\} \tag{10-20}$$

$$h_{in} = 1 - f_{in}\mathrm{e}^{-k_i\Delta\tau_i},\ P_{in} = 1 - \mathrm{e}^{-k_i\Delta\tau_n}$$

$$f_{in} = (\mathrm{e}^{k_i\Delta\tau_n} - 1)/k_i\Delta\tau_n$$

$$\varphi_{in}^* = \varphi_{in}\left(\frac{\tau_{n-1}+\tau_n}{2}\right)$$

$$\{W_{in}\} = \{W_{in-1} - 1\}\mathrm{e}^{k_i\Delta\tau_{n-1}} + [Q]\{\Delta\sigma_{n-1}\}\varphi_{i,n-1}^* f_{in-1}\mathrm{e}^{-k_i\Delta\tau_{n-1}} \tag{10-21}$$

$$\{W_{i1}\} = \{\Delta\sigma_0\}\varphi_{i0} \tag{10-22}$$

$$\varphi_{i0} = \varphi(\tau_0), \Delta\tau_n = t_n - t_{i-1}$$

$$[Q] = \begin{bmatrix} 1 & -\mu & -\mu & 0 & 0 & 0 \\ & 1 & -\mu & 0 & 0 & 0 \\ & & 1 & 0 & 0 & 0 \\ & & & 2(1+\mu) & 0 & 0 \\ & & & & 2(1+\mu) & 0 \\ & & & & & 2(1+\mu) \end{bmatrix} \tag{10-23}$$

$$\{\Delta\varepsilon_n^e\} = [D_n]^{-1}\{\Delta\sigma_n\} = E_n^*[Q]\{\Delta\sigma_n\} \tag{10-24}$$

$$\begin{aligned}\{\Delta\sigma_n\} &= [D_n]\{\Delta\varepsilon_n^e\} \\ &= [D_n](\{\Delta\varepsilon_n\} - \{\Delta\varepsilon_n^T\} - \{\Delta\varepsilon_n^C\} - \{\Delta\varepsilon_n^S\} - \{\Delta\varepsilon^0{}_n\})\end{aligned} \tag{10-25}$$

$$\{\Delta\varepsilon_n\} = [B_n]\{\Delta\delta_n\}^e \tag{10-26}$$

式中,$[B]$为几何矩阵;$\{\Delta\delta_n\}^e$ 为单元结点位移。

将$\{\Delta\varepsilon_n\}$代入式(10-25)得

$$\{\Delta\sigma_n\} = [\overline{D}_n]([B]\{\Delta\delta_n\}^e - \{\Delta\varepsilon_n^T\} - \{\Delta\varepsilon_n^S\} - \{\Delta\varepsilon^0{}_n\} - \{\Delta\eta_n\}) \tag{10-27}$$

$$[\overline{D}_n] = \frac{[D_n]}{(1 + q_n E_n^*)} \tag{10-28}$$

由虚功原理知

$$[K_n]^e\{\Delta\delta_n\}^e = \{\Delta F_n\}^e + \{\Delta P_n\}^e \tag{10-29}$$

式中,$[K_n]^C$ 为单元刚度矩阵;$\{\Delta F_n\}^e$ 为 n 时段的外荷载增量;$\{\Delta P_n\}^e$ 为等效结点力增量。

且有

$$[K_n]^e = \iiint_V [B]^{\mathrm{T}}[\overline{D}_n][B]\mathrm{d}V$$

$$\{\Delta P_n\}^e = \iiint_V [B]^{\mathrm{T}}[\overline{D}_n](\{\Delta\varepsilon_n^{\mathrm{T}}\} + \{\Delta\varepsilon_n^{\mathrm{S}}\} + \{\Delta\varepsilon^0{}_n\} + \{\Delta\eta_n\})\mathrm{d}V$$

10.4　面板的抗裂措施

从上述的分析可知,混凝土面板的裂缝就分类而言主要可以分为结构性裂缝和温度及干缩裂缝。两类裂缝的成因不同,因而相应的抗裂措施也应有所不同。

10.4.1　结构性裂缝控制措施

对于混凝土面板的结构性裂缝,最关键的措施是对堆石体变形的控制,只有尽可能地减小坝体的变形量,减轻或消除坝体(特别是坝体上游坡面)的不均匀沉陷,面板的结构性裂缝方可得到有效地控制。关于面板堆石坝的变形控制以及影响面板坝坝体变形的主要因素,在本书的第 6 章至第 9 章中已经进行了详细讨论,本章中不再赘述。归纳起来,对于混凝土面板结构性裂缝的控制主要有以下几个方面:

(1)采取合理的坝体堆石材料分区。通过对坝体材料分区的优化布置,可以有效地减少坝体的沉降变形,控制坝体的不均匀变形,从而达到减少面板裂缝的目的。对于高面板堆石坝,尤其要注意次堆石区材料的控制,为减小坝体的不均匀沉陷和过大的坝顶水平位移,次堆石区的范围和高度均要有一定的限制,而且,主、次堆石区的界面也应尽可能采取较缓的坡比(1:0.5)。

(2)控制坝体填筑质量,提高坝体密实度。对于面板堆石坝的变形控制,提高坝体的填筑密度是最为有效的办法之一。为此,可以采取适当控制爆破开采料的级配、增加碾压设备的压实功能、改进填筑施工工艺、严格施工质量控制等系列措施。

(3)合理调整面板宽度。从前几章的分析可知,坝体和面板的应力变形受河床和岸坡的局部地形影响较大。因此,在面板宽度的设定上,可以根据数值计算分析的结果,在面板应力集中处,合理调整面板的宽度和面板板块间的接触特性,使较高的面板应力可以得到适当的释放。

(4)合理设定坝体填筑断面的高差。在坝体的碾压施工过程中,坝体临时挡水断面的填筑高度与下游未填筑的堆石体之间的高差不应过大,对于高面板堆石坝,应尽可能实现坝体填筑的全断面均衡上升。

(5)合理安排混凝土面板的浇筑时间。在坝体填筑到施工面板的高程后,应尽可能地安排新填筑的堆石体有一段沉降稳定时间,然后再进行面板的浇筑。如有可能,还可以尽量利用汛期堆石体挡水的过程对已填筑的坝体进行预压。

10.4.2 材料性裂缝控制措施

对于面板的材料性裂缝,主要措施是通过改善面板混凝土的材料特性,提高混凝土的抗裂性能,同时,通过施工控制手段,进一步加强面板混凝土抵抗收缩裂缝的能力。其中主要包括混凝土配合比的优化、混凝土浇筑施工过程中的质量控制、面板混凝土施工期的养护等。具体而言,混凝土面板材料性裂缝的主要控制措施有以下几点:

(1)提高混凝土的抗拉强度、增加混凝土材料的极限拉伸值。为此,应采用高标号硅酸盐水泥或普通硅酸盐水泥,尽量减小水灰比和用水量,使用高效减水剂及引气剂,适当掺加粉煤灰。

(2)控制面板混凝土的收缩。在掺加减水剂和引气剂的同时,还可以添加不同品种的微膨胀剂,以补偿面板混凝土的收缩。不过,这里需要注意的是,微膨胀剂的添加,只是补偿混凝土因干燥和降温引起的收缩,并不是使面板混凝土发生实质上的膨胀。

(3)降低混凝土面板的约束。在浇筑面板混凝土之前,应保证垫层区表面的平整,并加强保护。通过喷射乳化沥青层的方法,可以使面板与垫层区的摩擦系数降低。另外,面板浇筑前的架立钢筋应予切断,以减少垫层对面板的约束。

(4)提高面板混凝土的防裂能力。在面板混凝土中掺加聚丙烯纤维或钢纤维,可以进一步提升面板混凝土的抗裂性能,减小其弹性模量,并增加其极限拉伸值。

(5)加强面板混凝土的施工期养护。对于新浇筑的混凝土,采用适当措施对混凝土表面进行保温、保湿、防风、抗冻等养护和保护措施是防止面板材料性裂缝的有效措施,一般来说,混凝土面板的养护最好是持续到水库蓄水时。

10.5　小结

本章分别从坝体堆石变形所造成的面板结构性裂缝和面板混凝土材料收缩所产生的材料性裂缝两个方面，分析、研究了混凝土面板的裂缝产生机理，并在此基础上提出了防止和控制面板裂缝的措施。从面板裂缝的产生机制上看，混凝土面板的裂缝可以被分为结构性裂缝和材料性裂缝两种。但事实上，这两类裂缝相互之间也会产生影响，因此广义上讲，面板的裂缝是由于坝体变形、温度变化和混凝土干缩等因素综合作用的结果。对于面板的结构性裂缝，其防范措施主要是对坝体和面板变形的控制；对于面板的材料性裂缝，其防范措施主要是降低面板混凝土的综合温差、控制混凝土的体积收缩。总体而言，面板裂缝的控制是一项系统工程，应该在混凝土材料配比、坝体结构设计、施工质量控制三方面采取综合措施。

下篇 面板堆石坝的离心模型试验研究

对于诸如混凝土面板堆石坝这样的复杂岩土工程结构问题,离心模型试验是分析、解决问题的重要手段。通过将模型置于 N 倍重力加速度(Ng)的重力场中,可以使模型中每点的自重应力提升至与原型中对应点等量的程度,使模型满足重力相似条件,从而使模型表现出与原型基本一致的力学特征。近几十年来,离心模型试验在国内外均得到了长足的发展,充分显示出它作为一种新型的试验手段所具备的强大生命力。

在本书的下篇中,首先对离心模型试验在国内外的发展概况进行了简要的回顾,进而论述了离心模型试验的基本原理,在此基础上,推导了离心机中力场及等势线的分布规律,并由此分析了离心模型试验中存在的固有误差。研究结果表明:对于离心机中的模型,其所承受的离心力场与原型建筑物所承受的重力场有所不同,因此在离心模型试验中,应注意离心力场所引起的固有误差对模型试验造成的影响。在模型试验过程中,应结合模型箱的大小、模型的尺寸以及选定的模型律,通过合理的组合,对模型进行合理的摆放,这样,就可以有效地减小模型试验的误差。离心机转臂长、加速度值高、模型高度低,则模型中的力场分布相对较为均匀;反之,则会对试验结果产生不利影响。

对于离心模型试验在面板堆石坝工程中的应用,主要应解决以下几个方面的问题:①模型的设计与规划,如何用有限的容量模拟高坝断面;②模型材料的选择,包括堆石料、混凝土结构的模拟;③坝体填筑施工过程的模拟;④坝体内部变形的有效量测;⑤蓄水期坝体的模型试验;⑥坝体破坏时的变形与孔压分布观测;⑦模型试验的误差分析;⑧模型箱边界效应的消减。

关于面板堆石坝离心模型试验中面板、防渗墙等弯曲薄板的模拟问题,本书的下篇从分析薄板弯曲变形的特点着手,以抗弯性能相似为原则,推导了试验代用板材与原型薄板的相似关系,同时,给出了薄板应力量测和应力修正的方法。

下篇对于离心模型试验中原型堆石材料的缩尺问题进行了初步的分析,通过对相似级配法和等量替代法的对比分析,提出了等量替代与相似级配相结合的综合缩尺方法。

为解决离心模型试验中数字图像数据与常规数值数据的并行传输,作者结合无线网络技术的应用,采用了 801.11g 通信协议,在 LXJ－4－450 离心机系统中构建了无线数据采集局域网,由此扩充了离心模型试验数据采集的通道,提高了数据采集的稳定性,同时也为试验中的实时图像采集提供了基础。这一系统是目前国内最为先进的离心模型试验无线数据采集系统。

在面板堆石坝的离心模型试验中,坝体内部变形的观测以及考虑分级蓄水加荷的蓄水期离心模型试验一直是离心模型试验的难点,以前尚无成功的经验。对此,作者结合新疆察汗乌苏深覆盖层上面板堆石坝的离心模型试验,进行了较为深入的研究与尝试。通过在模型中预设标点,在离心模型试验中实时采集数字图像,并经过图像分析软件的分析、处理,试验中成功地获取了模型加载过程中的内部变形数据。在蓄水期的模型试验中,通过橡皮膜止水结合黏滞性液体的运用,有效地解决了蓄水期模型试验漏水的难题,成功地完成了蓄水期两级加荷的试验过程。

通过新疆察汗乌苏深覆盖层上面板堆石坝的离心模型试验,对察汗乌苏面板堆石坝的坝体结构设计形式进行了分析论证,同时,还对模型试验与数值计算的结果进行了对比。研究结果表明:离心模型试验与数值计算分析结果在坝体、面板、防渗墙的应力和变形分布上,均表现出较好的一致性,由此实现了物理模型与数值模型的相互验证,同时,也充分说明了离心模型试验的实用性。

目前,就离心模型试验技术在面板堆石坝工程中的应用而言,虽然尚有一些技术上的问题有待进一步的探索和完善,但是,随着试验技术的不断发展,以及离心模型试验与数值计算分析的日益紧密结合,它必将在岩土工程的理论研究和工程实践的应用中发挥越来越大的作用。

第11章 离心模型试验综述

11.1 概述

目前,在涉及到岩土工程结构问题的研究中,最为常用的工具是数值计算分析方法,但是,在有些情况下,由于岩土材料工程特性和结构形式的复杂性,再加之数值分析方法本身所固有的某些缺陷(例如:材料本构模型与实际的差异、计算条件的简化等),单纯依靠数值分析方法尚不足以对工程设计方案进行充分的论证,因此需要采用模型试验的方法(即物理模型的方法)对结构的应力、变形特征进行深入的研究。在水利工程中,坝工结构物原型的尺寸巨大,试验中只能采取利用小比尺的模型去分析、揭示原型的物理现象。由于岩土工程中土体的重力是影响其性状的最重要因素,因此常规的小比尺物理模型不能真实地再现原型的物理特性。解决这一问题的途径是增加模型的重力,使模型与原型达到一种相似的等效,从而在实验室内再现原型的应力、变形特征。而离心模型试验正是实现这一目的最为有效的方法。另外,与常规的结构模型试验不同,土工离心模型试验的一个重要特点是,可以采用原型材料进行试验,无须使用替代材料,因此它能够较为真实地反映土石材料的应力变形特性。

从20世纪30年代世界上第一台土工离心机建成以来,离心模型试验技术在国际上得到了长足的发展。目前,离心模型试验的范围几乎涉及到岩土工程研究的各个方面,包括:土力学基础理论(土体固结特性研究、土体强度研究、液化机理等)、土石坝工程、土质边坡与岩质边坡的稳定、堤坝渗流、土工建筑物的变形与稳定研究、土体水力劈裂、挡土墙土压力、地下结构与洞室开挖、基础工程与桩基承载力、基坑锚固、土体振动液化、土石坝动力反应及抗震措施等。近些年来,离心模型试验在环境土力学、爆破、抗震、冻土力学、港口工程及海洋平台等方面的研究也十分活跃,而且,其研究领域还进一步延伸至国防工程、航空航天等方面。

11.2 国内外土工离心机发展现状

利用离心机进行模型试验的思想,最早是法国人 E. Phillips 于1869年提出的[52]。但是真正将这一思路投入实际应用则是在60年后。在这方面的研究,前苏联起步较早。1932年,莫斯科水力设计院土力学实验室首次利用离心机研究了土工建筑物的稳定问题,随后又继续进行了一系列的土工离心模型试验。20世纪40～70年代,前苏联的不同研究机构为岩土工程研究建置了20余台离心机,对于离心模型试验的相似理论、试验设备的设计技术以及试验方法等做了许多较有成效的工作。

20世纪60年代后期,英国、美国、日本等国才开始建立土工离心模型试验机。虽然比前苏联晚了近30年,但是发展较快,在离心机的设计制造和模型监测方面采用了先进的电子技术。20世纪80年代后,土工离心模型试验又有进一步发展,法国、丹麦、西德、意大利和荷兰相继建立土工离心模型实验室,离心机的容量也有了较大的提高。表 11-1 所示为国外典型的土工离心机的主要技术指标,图 11-1～图 11-11 所示为一些离心机的结构示意图和照片。

表 11-1　国外典型土工离心机主要技术指标统计

机构	半径 R (m)	加速度 a (g)	载重 W (t)	容量 Q (g·t)
前苏联给排水、水工、工程地质所	1.0	70		
阿塞拜疆建筑材料与建筑研究所	5.0	500	1.5	750
英国剑桥大学	5.0	155	0.7	108
英国曼彻斯特大学西蒙工程实验室	3.2	200	3.5	700
日本港湾研究所	3.8	115	2.71	300
法国原子能委员会	10.5	100	2.0	200
德国鲁尔大学	4.12	250	2.0	500
意大利 ISMES 研究所	6.0	600	0.4	240
荷兰 Delft 岩土所	5.5	300	5.5	1 650
美国科罗拉多大学博尔德分校	5.49	200	2.0	400
美国加利福尼亚大学戴维斯分校				
(1) 摆动吊篮	0.99	175	3.6	630
(2) 鼓形	0.61	600	3.6	2 160
(3) 国家土工离心机	9.2	300	3.6	1 080
美国陆军工程师团	6.5	350	2.2	770
新加坡国立大学	2.0	200	0.2	40

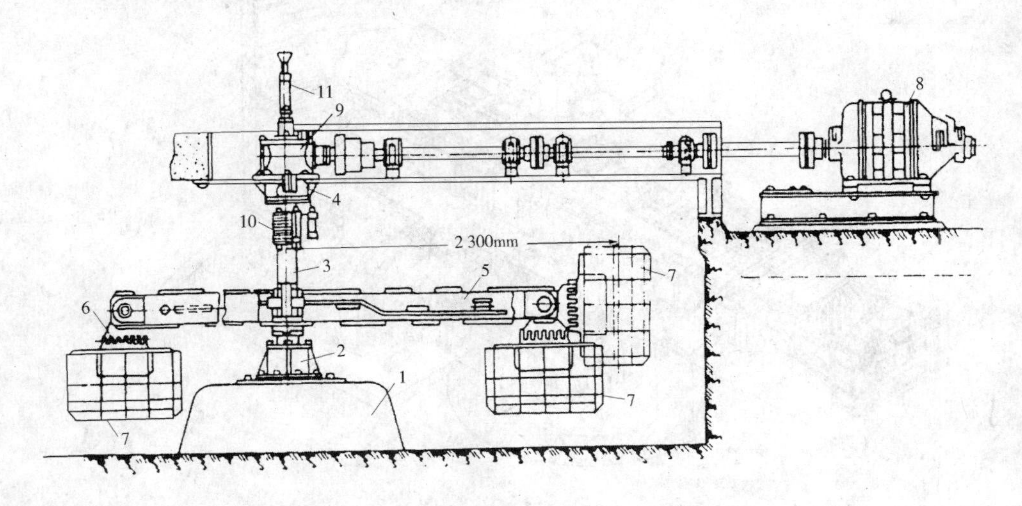

图 11-1　前苏联 ВОДГЕО 离心机结构示意图

1—基础;2—球形推力轴承;3—垂直轴;4—轴承;5—平衡臂;6—悬壁;7—模型箱;
8—130kW 直流电动机;9—直流传动装置;10—滑环;11—漏斗和供水管

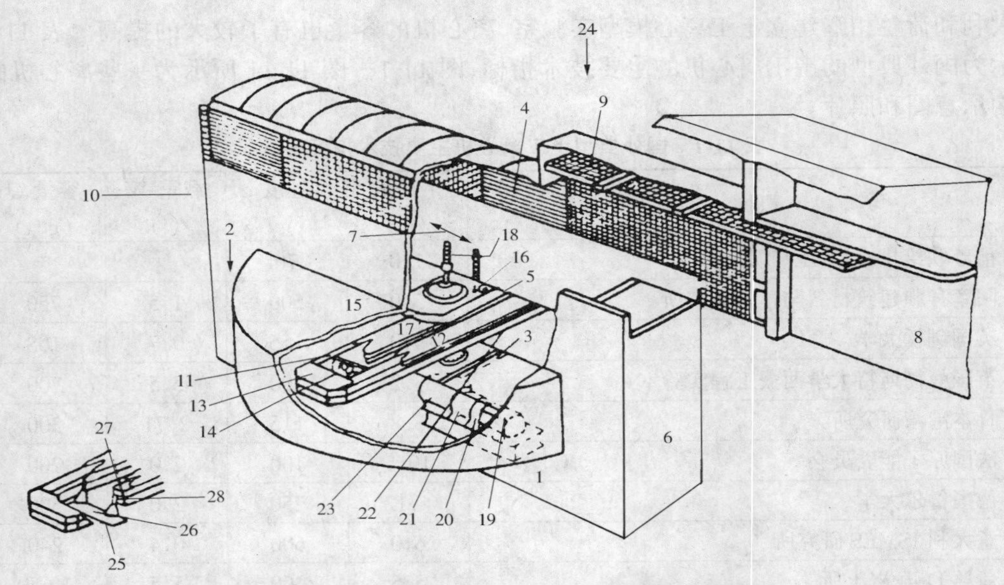

图 11-2　英国剑桥大学离心机结构示意图

1—地下巷道;2—进气管;3—出气口;4—通气缝;5—出气口;6—竖井;7—走廊;8—观察室;9—吊车;10—实验室;11—辐条;12—节点板;13—横板;14—支撑板;15—轴承;16—水平板;17—垫板;18—滑环塔;19—驱动马达;20—电磁制动器;21—涡流联接器;22—电磁制动器;23—齿箱;24—水塔;25—摆动吊篮;26—摆动台;27—转臂轴;28—扭力杆

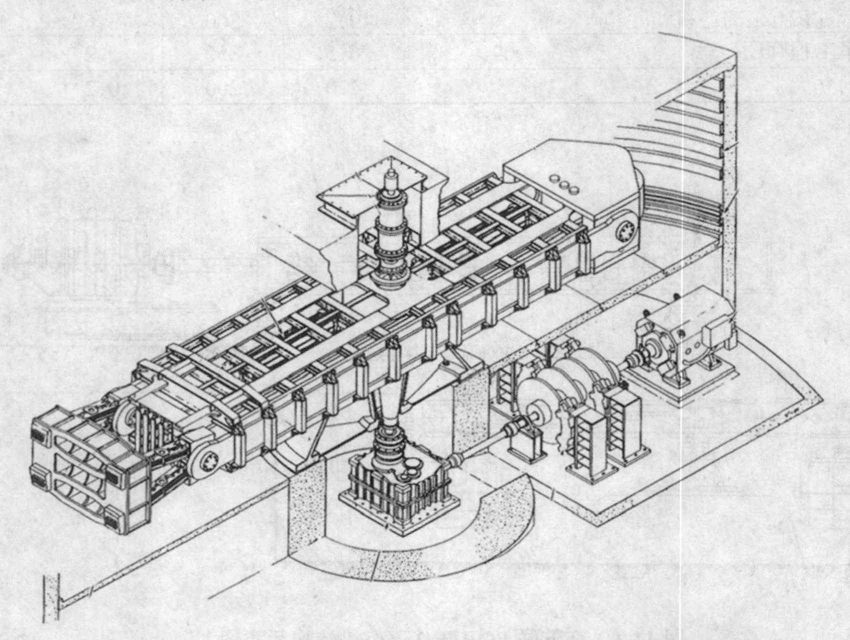

图 11-3　美国科罗拉多大学博尔德分校离心机结构示意图

中国国内的离心模型试验研究始于 20 世纪 50 年代,但当时仅仅局限于研究构想、收集资料和可行性研究阶段。20 世纪 70 年代,水利部长江水利委员会长江科学院建成了一台容量为 150(g·t)的土工离心试验机,并于 1983 年投入运行。进入 80 年代后,河海

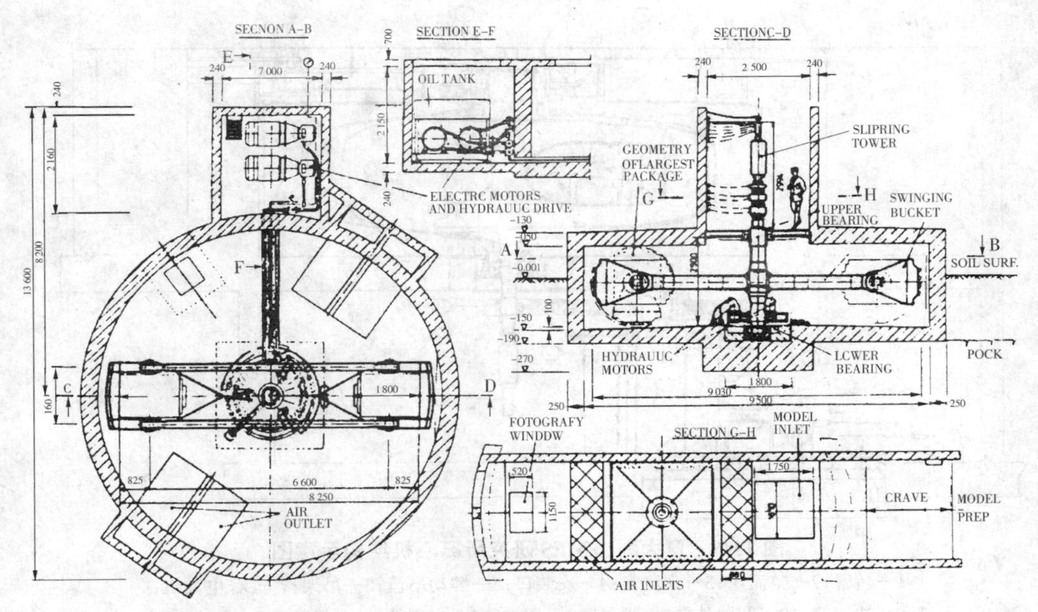

图 11-4　德国鲁尔大学离心机结构示意图(单位:mm)

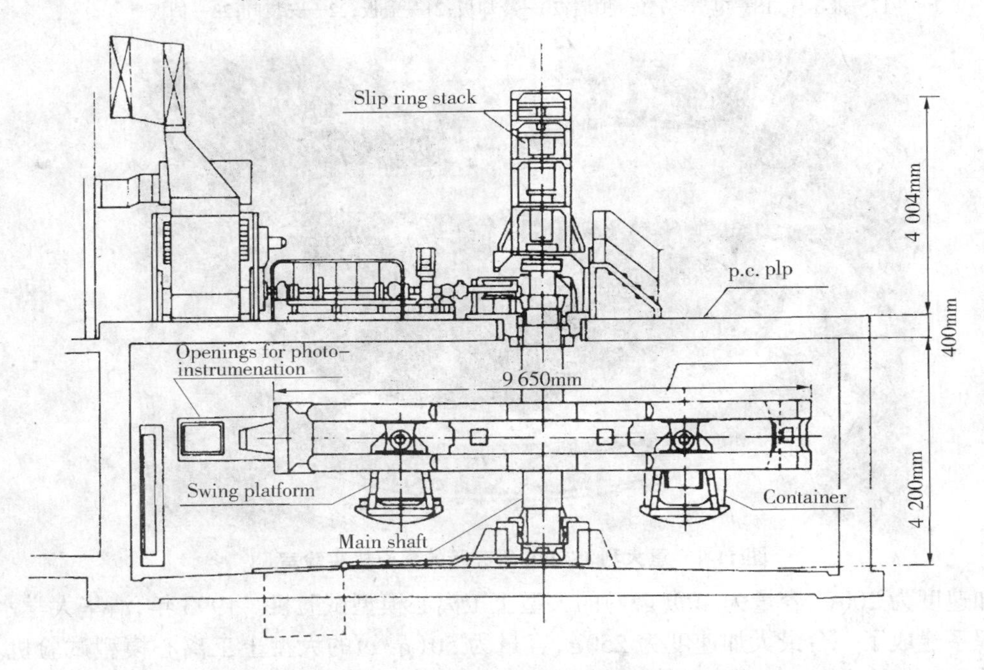

图 11-5　日本港湾研究所离心机结构示意图

大学、成都科技大学、南京水利水运科学研究院、上海铁道学院等也相继建造了一批中小型土工离心机,容量为20~100($g·t$)(见表11-2)。在国家"七五"科技攻关期间,中国水利水电科学研究院建造了一台最大加速度为300g、容量为450($g·t$)的大型土工离心模型试验机,并于1991年正式投入使用。与此同时,南京水利水运科学研究院也建成了一台

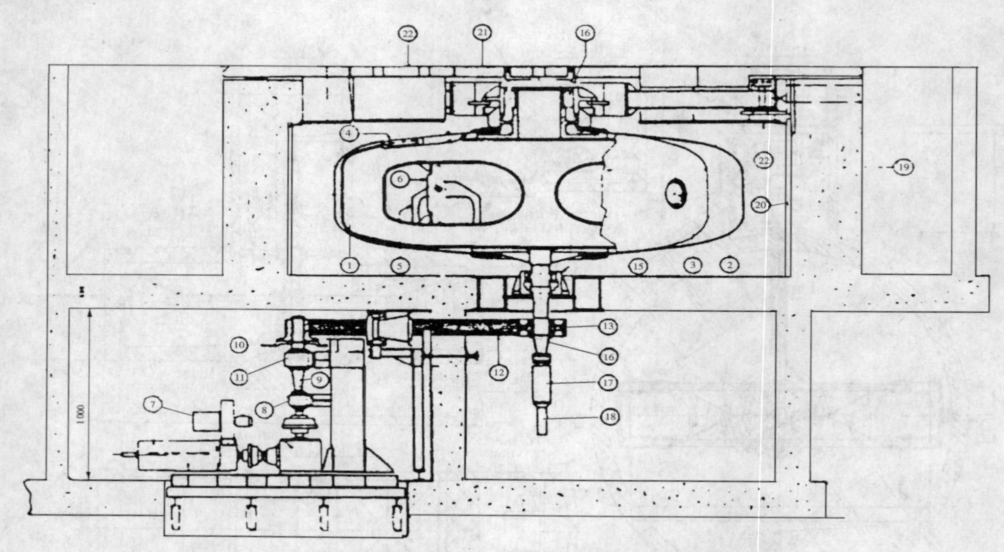

图 11-6　意大利 ISMES 研究所离心机结构示意图

1—转臂;2—整流罩;3—观测窗;4—安装口;5—摆动吊篮;6—吊架;7—DC 电动机;8—齿箱;9—快速箱;10—圆包轧;11—轴承;12—皮带;13—皮带轮;14—慢轴;15—大轴承;16—轴承;17—液压环;18—电滑环;19—护墙;20—冷却板;21—盖板;22—安装口;23—护板

图 11-7　意大利 ISMES 研究所的离心机实验室

最大加速度为 200g、容量为 400(g·t)的大型土工离心模型试验机。1993 年,清华大学水电工程系建成了一台最大加速度为 250g,容量为 50(g·t)的大型土工离心模型试验机。2001 年,香港科技大学建成了一台最大加速度为 150g、容量为 450(g·t)的大型土工离心模型试验机(参见表 11-2)。

随着国内一批大、中、小型离心机的相继建造完成,国内在土工离心模型试验的基础理论、试验方法以及工程技术应用等方面也开展了较为深入的研究,并取得了一批重要的成果。

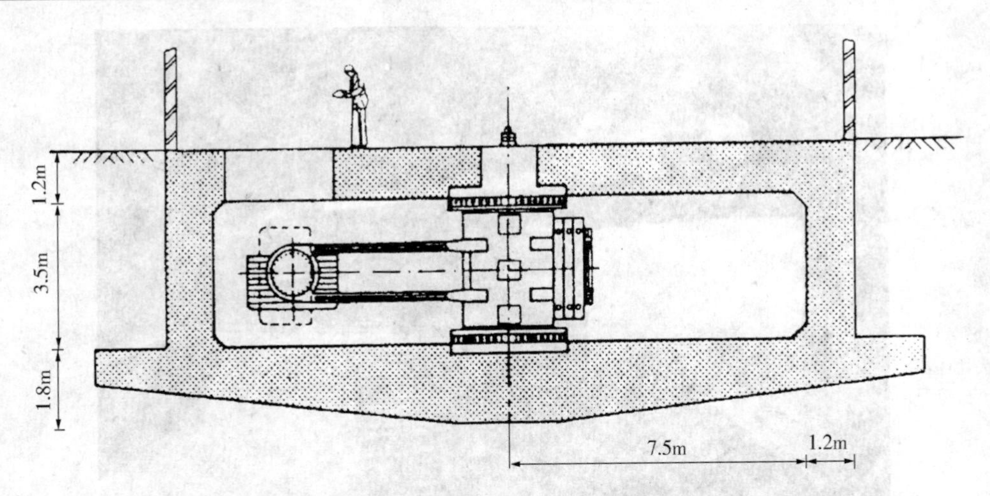

图 11-8　荷兰 Delft 岩土研究所离心机结构示意图

图 11-9　荷兰 Delft 岩土研究所离心机实验室

表 11-2　国内主要土工离心机参数指标统计

机构	半径 R (m)	加速度 a (g)	载重 W (t)	容量 Q ($g\cdot t$)
中国水利水电科学研究院	5.03	300	1.5	450
南京水利水运科学研究院	5.0	200	2.0	400
清华大学	2.0	250	0.2	50
四川大学	1.5	250	0.1	25
河海大学	3.4	250	0.1	25
香港科技大学	3.82	150	3.0	450

图 11-10 美国陆军工程师团的离心机

图 11-11 美国加利福尼亚大学戴维斯分校的离心机

11.3 中国水利水电科学研究院的土工离心模型试验机——LXJ-4-450

土工离心机一般由转臂、转台、模型箱吊篮、拖动及其控制系统、通电通水装置、数据采集系统等组成。

中国水利水电科学研究院的 LXJ-4-450 型土工离心模型试验机(见图 11-12),是我国在“七五”期间研制成功的,当时,该试验机的容量规模位居亚洲第一,可广泛适用于高土石坝、边坡、挡土墙、地基、地下厂房及隧洞等的模型试验。

图 11-12　LXJ－4－450 型土工离心模型试验机

LXJ－4－450 型土工离心模型试验机主机包括转臂、转台、吊篮及拖动装置等，转臂采用两根高合金空心钢梁和五个连接卡子构成，无焊点，受力条件好。转台在结构上起承上启下、减速增矩的作用，其主轴系统的设计充分考虑了承重、旋转和抗颠覆功能，运转平稳，传动灵活。试验吊篮与转臂采用自由悬挂连接方式，净空大，并采用经过特别设计的整流罩以减少空气阻力。吊篮容积大，强度高，质量轻，在 300g、1.5t 有效荷载下，底板平台的最大弯曲变形(包括侧板的弯曲变形)约 1mm。配重吊篮采用与试验吊篮等重、等重心距设计，使主轴的负重较轻，而且机器的平衡也能够尽量达到最优，从而减少了主轴轴承的负荷和磨损。通过采用长度及结构对称的转臂，使离心机具有良好的动平衡性能，同时，转臂内还可通过电、油、水、光等管线。LXJ－4－450 型离心机主要技术指标见表 11-3。

表 11-3　LXJ－4－450 型离心机主要技术指标

项目	指标
最大转动半径	5.03m
最大加速度	300g
有效负载	1.5t
有效荷载容量	450(g·t)
试验吊篮尺寸	$L\times W\times H$＝1.5m×1.0m×1.5m
电动机功率	700kW DC
电滑环	14 个
信号滑环	100 个
液压旋转接头	2 个，可通油、通水、通气

离心模型试验中常用的传感器有应变、孔隙水压力、土压力、位移及加速度传感器等，这些传感器均为电压信号输出，输出电压为 mV 级。LXJ－4－450 型离心机的数据采集系统主要为美国 HP 公司的安基仑数字数据采集器，该系统的主要任务是从高速旋转的离心机中，准确及时地采集、传输和记录模型试验的有关数据。控制室中的计算机通过控制线和滑环向放置于离心机转轴附近的数据采集器发送指令，数据采集器根据计算机指令对埋设在模型中的传感器信号进行采集，并将信号放大、滤波后转换成数字信号，然后通过数字信号线和滑环传到主控制室中的计算机进行处理。为实现试验过程中数字图像数据与常规数值数据的并行传输，系统中还采用了无线网络数据传输，通过固定于离心机主轴上的工控机所附带的无线网卡和试验大厅中的无线网桥，试验过程中所采集的图像数据和传感器数据可以不通过滑环，直接由无线网络分别传送至主控室中的图像处理计算机和数据处理计算机。无线网络数据传输的通信协议采用的是目前最为先进的 801.11g 协议。LXJ－4－450 型土工离心机控制系统如图 11-13 所示。这一系统具有较好的抗干扰能力，能够适应离心机运行所造成的复杂工作环境。

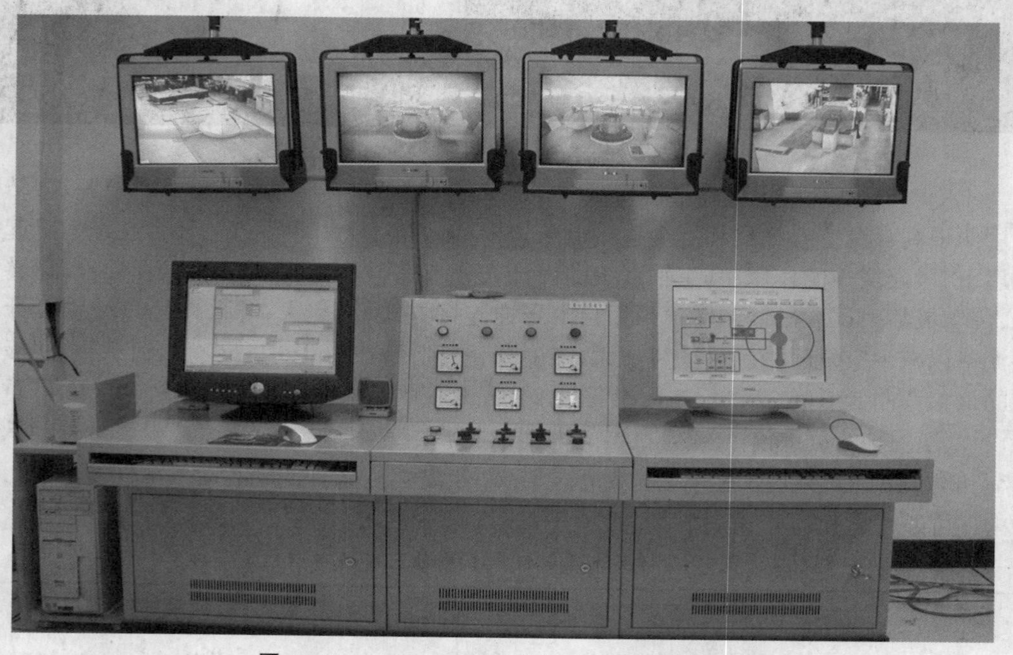

图 11-13　LXJ－4－450 型土工离心机控制系统

LXJ－4－450 型离心机传动调速系统的主要设备包括：主控制柜（主传动柜、辅助传动柜、开关柜）、操作台（工控机、控制仪表及按钮）等。该套设备为全数字化设备，变流模块为双向可逆，具有很强的传动软化功能。系统的主要器部件均为瑞士 ABB 公司产品。LXJ－4－450 型离心机主控制界面和变量监控界面分别如图 11-14、图 11-15 所示。

主控制柜包括直流调速模块（DCS502B－1500A－71）、交流器模块、逻辑控制板（PLC）、电源供电板、功率接口板、数字和模拟 I/O 板、通信板、励磁磁场单元、附件等。

操作台包括工控机（PⅢ－1G－256M/40G）、WINCC 离心机操作控制软件系统。

系统设备的主要技术指标见表 11-4。

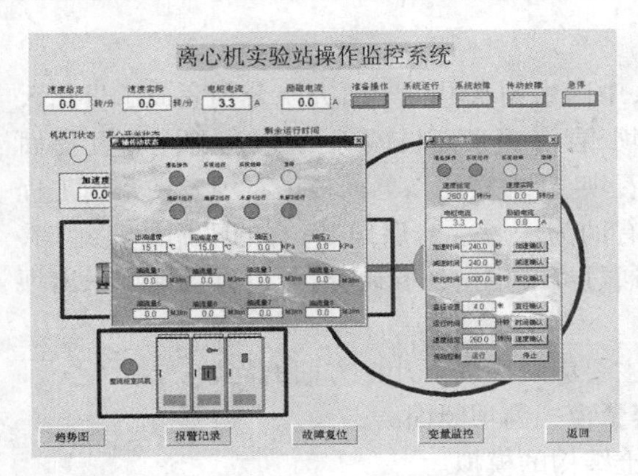

图 11-14　主控制界面

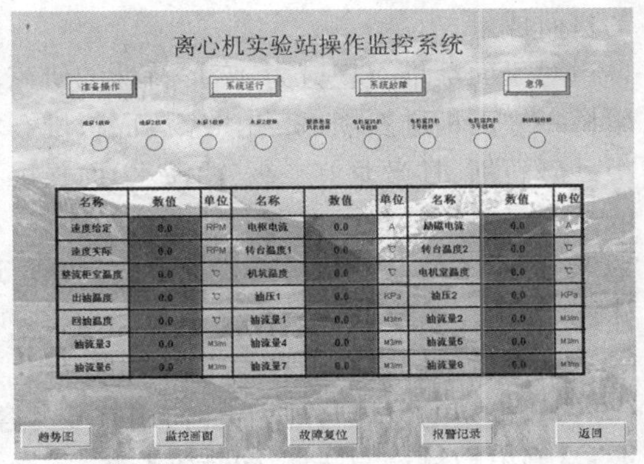

图 11-15　变量监控界面

表 11-4　LXJ－4－450 型离心机系统设备主要技术指标

项目	指标
额定电流	直流 0～1 500A
额定电压	直流 660V
励磁电流	34.2A
励磁电压	220V
稳速精度	≤1‰,零超调
传动软化功能	具有很强的传动软化功能
操作监控系统	可视化操作监控系统
变流模块	为双向可逆

11.4　土工离心机在土石坝工程中的应用

离心模型试验作为解决复杂工程问题的重要手段,与数值计算方法和其他常规的模型试验方法相比具有独特的优势,因此其应用范围越来越广,研究的程度也愈发深入。目前,离心模型试验研究的发展方向主要有两条:一种是进行机理方面的研究和理论上的探讨,另一种是进行实际工程的试验研究。相对而言,在国外的离心模型试验研究中,大部分情况是进行应力、变形、固结、振动等方面的机理研究,对实际工程研究相对较少。而在国内,由于有一批大型工程的开工建设,因而大型土工离心模型试验研究大部分针对实际工程应用,仅有部分高等院校在较小规模的离心机上进行一些机理方面的研究。

在土石坝的土工离心模型试验方面,中国是采用土工离心机研究高土石坝最多的国家。在“七五”、“八五”国家科技攻关中,中国水利水电科学研究院、南京水利水运科学研究院、成都科技大学等单位分别对小浪底斜心墙堆石坝(坝高 154m)、西北口混凝土面板堆石坝(坝高 95m)、瀑布沟心墙堆石坝(坝高 188m)、天生桥一级混凝土面板堆石坝(坝高 178m)、洪家渡面板堆石坝(坝高 179.5m)等工程进行了离心模型试验研究,取得了众多的科研成果。

对于面板堆石坝应力、变形特性的研究，中国水利水电科学研究院分别完成了贵州天生桥一级面板堆石坝、贵州洪家渡面板堆石坝、青海黑泉面板砂砾石坝、新疆乌鲁瓦提面板砂砾石坝、甘肃龙首二级（西流水）面板堆石坝、新疆察汗乌苏面板堆石坝等一系列工程的试验研究。这些工程有的处于狭窄河谷，有的为深厚覆盖层地基，有的采用了高趾墙，地形、地质条件以及结构形式都比较复杂。通过离心模型试验研究，可以有效地揭示出坝体、面板的应力变形特性。

离心模型试验在土石坝工程中的应用，主要应解决以下几个方面的问题：

（1）模型的设计与规划，如何用有限的容量模拟高坝断面。

（2）模型材料的选择，包括堆石料、混凝土结构的模拟。

（3）如何模拟坝体填筑施工过程。

（4）坝体内部变形的有效量测。

（5）蓄水期坝体的模型试验。

（6）坝体破坏时的变形与孔压分布观测。

（7）土体的渗流与固结过程。

（8）模型试验的误差分析。

（9）模型箱边界效应的消减。

11.5　小结

对于复杂的岩土工程结构问题，离心模型试验是分析问题、解决问题的重要手段。近几十年来，离心模型试验在国内外的蓬勃发展，充分显示出它作为一种新型的测试手段所具备的强大生命力。虽然在离心模型试验技术的发展过程中，尚有一些技术上的问题有待进一步的探索和完善，但它在岩土工程的理论研究和工程实践的应用中，必将发挥越来越大的作用。

第 12 章　土工离心模型试验基本原理及若干基本模拟方法

12.1　概述

利用相似模拟来研究物理现象以帮助解决理论与设计中的问题是工程上常用的方法,对于土工建筑物,如果模型能同时模拟土体各点的实际应力状态,其试验结果将为结构物的分析设计提供重要的依据。

重力是土石坝等土工建筑物最主要的受力变形与破坏的因素。根据 Rocha 和 Roscoe 所提出的模型相似性条件,模型材料以及模型内的应力状态必须要与原型相同。这是土工模型试验的特点,也是常规模型试验的困难之处。在地球重力场($1g$)的情况下,如将原型按几何相似缩小 N 倍,用原型材料制作成的模型,其各点的自重应力远低于原型中对应点的自重应力,而对土体而言,其应力、应变关系和强度均与其所受的应力水平和状态密切相关。因此,在 $1g$ 条件下的模型相似性差,无法正确反映出原型所产生的物理现象。但是,若将此模型置于 Ng 的重力场中,使模型材料加重 N 倍,则可以将模型中每点的自重应力提升至与原型中对应点等量的程度,使模型满足重力相似条件,从而使模型表现出与原型一致的力学特征。由于高速旋转的离心机可以形成一种可控的离心力场,因而大型土工离心机是提供人造重力场最方便且最为稳定可靠的试验装置。

12.2　离心模型试验基本原理

12.2.1　相似性原理

离心模型试验是利用离心力来模拟重力,从而使土工建筑物的自重提高到原型状态。离心模型原理的正确性主要基于以下两个物理原理:

(1)根据近代物理相对论的解释,牛顿重力与惯性力是等效的,所以原型所承受的重力与模型在离心机上所承受的离心惯性力的物理效应是一致的;

(2)材料的固有性质主要与电磁力有关,重力或离心力与电磁力相比微不足道,因此在离心力场中,土体的材料性质不会发生改变。

图 12-1 所示为一土石坝原型与 $1/N$ 缩尺的离心试验模型分别在 $1g$ 重力场和 Ng 离心力场下覆土应力示意图,图 12-2 所示为 $1/N$ 缩尺的离心坐标系统,图 12-3 所示为模型中 A 点在局部坐标系下的加速度分量示意图。当离心机加速至预定转速并保持此恒定旋转速度时,角加速度 $\mathrm{d}^2\theta/\mathrm{d}t^2=0$,$A$ 点的径向速度也近似为零($\mathrm{d}r/\mathrm{d}t\simeq 0$),此时,模型所承受的离心加速度为 $r(\mathrm{d}\theta/\mathrm{d}t)^2$,从而对模型形成了一个人造的力场。

根据弹性力学原理,对于原型和模型结构物,其受力后的应力变形状态可由以下控制方程描述:

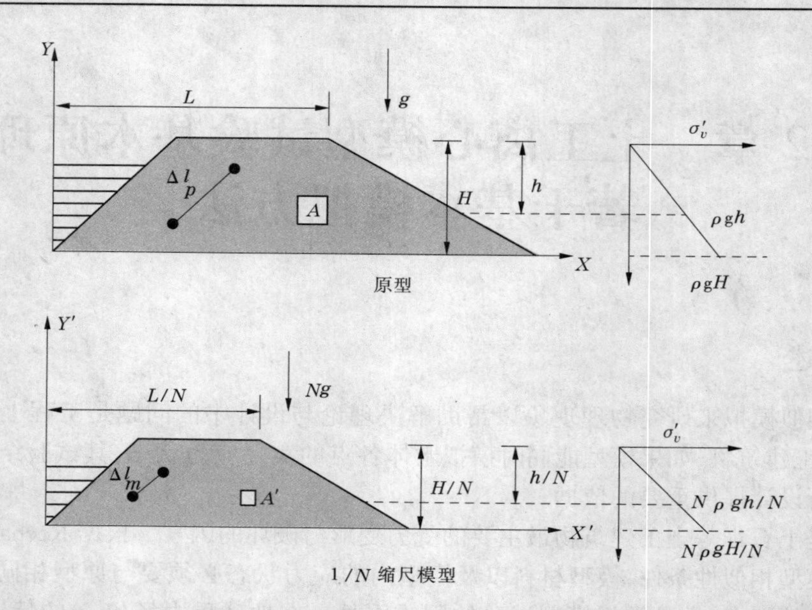

图 12-1　原型与 1/N 缩尺的离心试验模型分别在 1g 重力场和 Ng 离心力场下覆土应力示意图

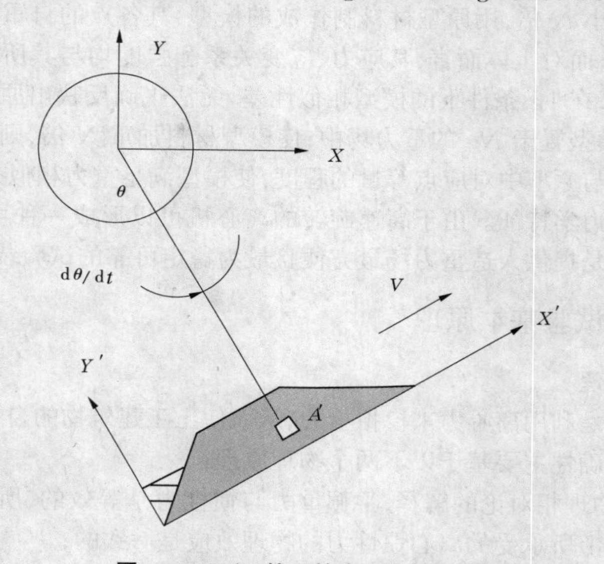

图 12-2　1/N 缩尺的离心坐标系统

平衡方程

$$\sigma_{ij,j} + f_i = 0 \quad (\Omega) \tag{12-1}$$

几何方程

$$e_{ij} = \frac{1}{2}(u_{i,j} + u_{j,i}) \quad (\Omega) \tag{12-2}$$

物理方程

$$\sigma_{ij} = d_{ijkl} e_{kl} \quad (\Omega + S) \tag{12-3}$$

边界条件

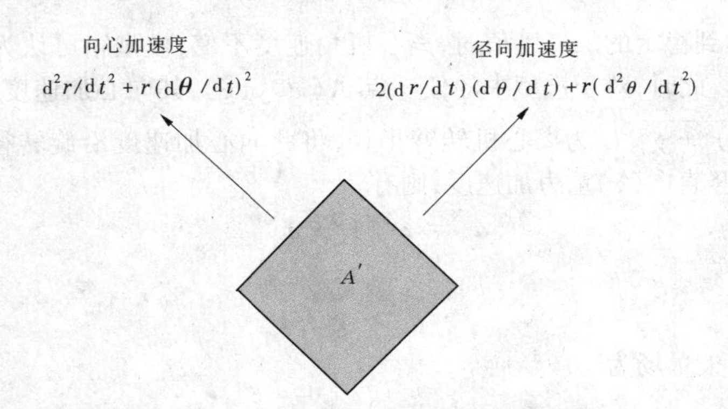

图 12-3　模型中 A 点在局部坐标系下的加速度分量示意图

$$u_i = \overline{u}_i \quad (S_u) \tag{12-4}$$

$$\sigma_{ij}n_j = \overline{p}_i \quad (S_\sigma) \tag{12-5}$$

式中，u_i 为位移张量；e_{ij} 为应变张量；σ_{ij} 为应力张量；d_{ijkl} 为本构张量；f_i 为体积力；Ω 和 S 表示域内和边界；S_u 表示位移边界；S_σ 表示应力边界。对于大部分的土工建筑物，最重要的体积力即是重力。

根据相似性原理，模型与原型相似的必要条件是描述原型与模型力学现象的两组数学方程应保持相同。设原型与模型各物理量之比为相似常数，以 α 表示（α_σ、α_e、α_l、α_d、α_f 分别表示物理量应力、应变、几何、本构和体力的相似常数），将其代入以上方程，则有

$$\frac{\alpha_\sigma}{\alpha_l}(\sigma_{ij,j}) + \alpha_f f = 0 \tag{12-6}$$

$$\alpha_e(e_{ij}) = \frac{\alpha_u}{\alpha_l}\frac{1}{2}(u_{i,j} + u_{j,i}) \tag{12-7}$$

$$\alpha_\sigma\sigma_{ij} = \alpha_d\alpha_e d_{ijkl}e_{kl} \tag{12-8}$$

从上式可以看出，若模型与原型的相似指标为 1，即

$$\frac{\alpha_\sigma}{\alpha_l\alpha_f} = 1, \frac{\alpha_e\alpha_l}{\alpha_u} = 1, \frac{\alpha_\sigma}{\alpha_d\alpha_e} = 1 \tag{12-9}$$

则模型的控制方程将与原型的控制方程保持一致。在离心模型试验中，以相应于原型的土料按 1∶n 的比尺制作模型（$\alpha_l = 1/n$），并保持模型与原型的边界条件一致，当模型的离心加速度达到 ng 时，模型的重力（体积力）扩大了 n 倍（$\alpha_f = n$）。此时，$\alpha_l = 1/\alpha_f$，因此由(12-9)可得

$$\alpha_\sigma = 1, \alpha_e = 1, \alpha_d = 1 \tag{12-10}$$

式(12-10)表明：对于以原型材料按 1∶n 比尺制作的模型，当离心机的加速度达到 ng，如果模型的加载条件与原型相同，在不计及尺度效应的情况下，离心模型所观测到的力学行为将与原型完全相同，两者的应力变形特征和破坏过程也将保持一致。

12.2.2　离心力场与离心模型试验的误差分析

模型在离心机中的运动将主要受到离心力场的作用，而原型所承受的是地心引力的重力场的作用，这两者之间有一定的差异。模型置于离心机吊篮中，离心机以角速度 ω

旋转,当离心机达到稳定的加速度值时,离心机角速度不变,模型箱可认为是在一平面内做匀速圆周运动。此时,对于模型中的任一点 $A(x,y,z)$,其向心加速度为 $a=\omega^2 R$,其中,$R=\sqrt{(L+x)^2+y^2}$,L 为离心机转臂半径,将此向心加速度沿旋转径向(x)和切向(y)分解,并考虑竖直向(z)重力加速度,则有

$$a_x = \omega^2(L+x)$$

$$a_y = \omega^2 y$$

$$a_z = g$$

因此,加速度矢量场为

$$\vec{a} = \bar{\omega}^2(L+x)\vec{i} + \bar{\omega}^2 y\vec{j} + g\vec{k} \tag{12-11}$$

通过矢量场的积分运算,可以得出离心力场的力线方程

$$L + x = k_1 y \quad (x-y\text{ 平面内的直线族}) \tag{12-12}$$

$$\frac{\bar{\omega}^2}{g}z + k_2 = \ln(L+x) \quad (x-z\text{ 平面内的对数曲线族}) \tag{12-13}$$

相应地,由矢量场还可求得对应于力线的等势线方程

$$V = -\frac{1}{2}\bar{\omega}^2[(L+x)^2+y^2] - gz + C \tag{12-14}$$

其中,k_1、k_2、C 为积分常数,力线与等势线的分布如图 12-4 所示[53]。

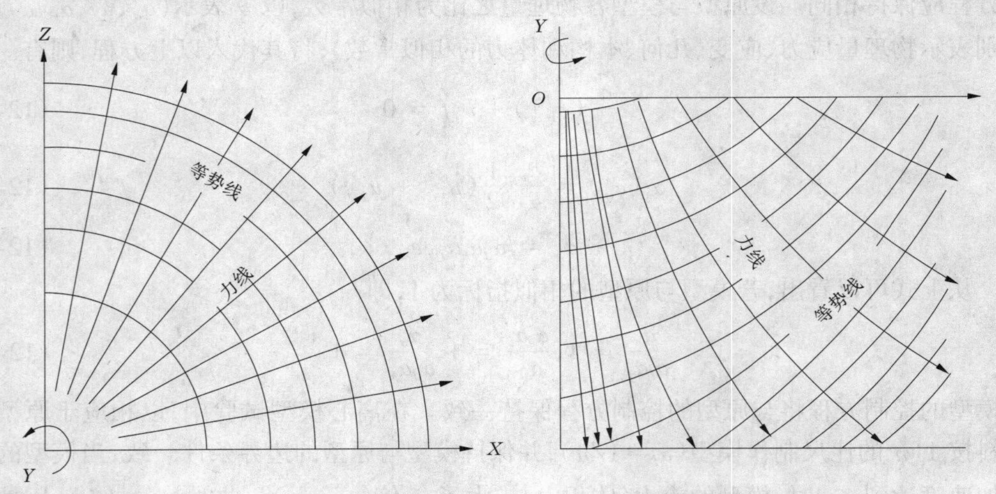

图 12-4 离心力场中的力线与等势线

由上式和图 12-4 可见,模型箱中力场的等势面是一组旋转的抛物面。离心力场是不均匀的,等势面也不平行,因而离心力场与重力场并不完全一致,由此,将会使模型试验产生误差。但是,当离心机转臂较长、速度较高时,其力线将接近为平行线,等势面也接近为平面。

从离心力场与重力场的差别看,离心模型试验的固有误差主要表现在以下几个方面。

12.2.2.1 径向加速度的误差

离心模型上任一点的径向加速度为

$$a = \sqrt{g^2 + (\omega^2 R)^2} \tag{12-15}$$

式中，ω 为离心机旋转角速度；R 为转动半径。

当 R 和 ω 值较大时，式(12-15)可近似地表示为

$$a = \omega^2 R \tag{12-16}$$

由式(12-16)可看出，当离心机旋转角速度 ω 值一定时，径向加速度 a 与转动半径 R 成正比，由于模型底部和顶部不在一个转动半径上（见图 12-5），故沿径向将产生一加速度梯度误差，其值为

$$\frac{\Delta a}{a} = \frac{\Delta R}{R} \tag{12-17}$$

若模型高度 $H_m = \Delta R = 1.0\text{m}$，转动半径 $R = 4.0\text{m}$，则模型顶部和底部加速度相对误差为 25%。若以模型中心点为基准进行比较，其顶部和底部的加速度均相差 12.5%。由于在模型上部和下部应力传递过程中有抵消部分误差的作用，故上述 12.5% 的加速度误差并不至于引起如此大的应力或变形误差。

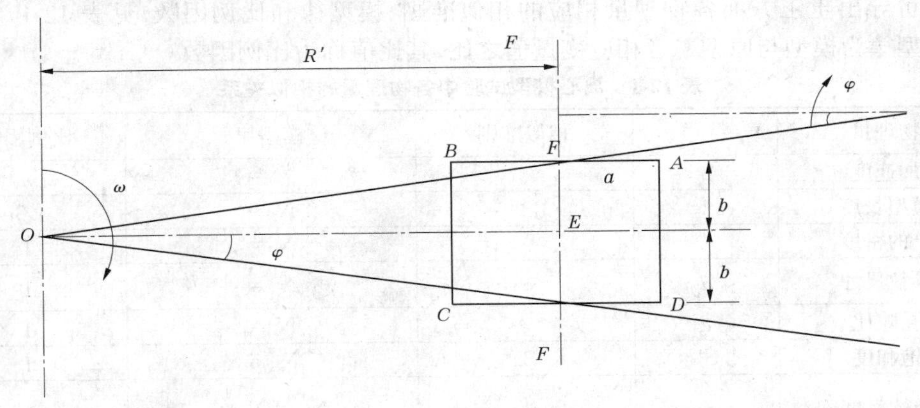

图 12-5　离心力场加速度辐射图

12.2.2.2　侧向加速度的误差

在转臂与吊篮旋转平面上，由离心机生成的加速度场呈辐射状分布（见图 12-5），所以模型 $ABCD$ 各点加速度方向均不相同。若模型上任一点 E 的转动半径为 R'，在半宽 b 上的相应点为 F，该点加速度有一偏角 φ，则将产生一侧向加速度 a_t。若 E 点的加速度为 a_r，则侧向加速度相对误差为

$$\frac{a_t}{a_r} = \tan\varphi = \frac{b}{R} \tag{12-18}$$

由式(12-18)可以看出，侧向加速度相对误差随模型半宽 b 的增大而增大。

12.2.2.3　科里奥利效应的影响

对于一个处于旋转运动系统中的物体，若物体相对于旋转体有相对运动，则相对于旋转系统而言，物体将产生一个附加的加速度——科里奥利加速度（简称科氏加速度）。设某一质点的相对速度为 v_r，则科氏加速度为

$$\vec{a}_k = 2\vec{\omega} \times \vec{v}_r \tag{12-19}$$

其中，$\vec{\omega}$ 为角加速度矢量。

科氏加速度可能产生的误差为

$$\frac{a_k}{a}=\frac{2\omega v_r}{\omega^2 R}=\frac{2v_r}{\omega R} \tag{12-20}$$

从以上几个方面的分析可以看出，对于离心机的固有加速度误差，ω、R 越大，加速度误差越小。因此，在模型试验过程中，可以结合模型箱的大小、模型的尺寸以及选定的模型律，通过合理的组合，再加上模型的合理摆放，就可以有效地减小模型试验的误差。另外，在离心机启动和制动过程中所产生的加速度，也会对模型带来某些影响，为将这些影响限制在最小的范围，必须合理控制机器启动的速度。

12.3 离心模型试验中各物理量的相似关系

设模型材料采用原型材料，模型的几何尺寸是原型的 1/n 倍，离心模型加速度增大 n 倍。取加速度 a、模型长度 l 及土的密度 ρ 为基本物理量，结合一般的土工原理和相似理论，可导出土工方面各物理量相应的相似准则、模型律和比例因数，见表 12-1[53]。其中，模型律为模型与原型二者相应变量值之比，其比值称为比例因数。

表 12-1 离心模型试验中各物理量的相似关系

物理量	符号	相似准则	模型律	比例因数
加速度	a		$N_a=$	n
模型长度	l		$N_l=$	$1/n$
土的密度	ρ		$N_\rho=$	1
颗粒尺寸	d	$\frac{d}{l}$	$N_d=$	1
孔隙比	e	e	$N_e=$	1
饱和度	S_r	S_r	$N_{S_r}=$	1
液体密度	ρ_l	$\frac{\rho_l}{\rho}$	$N_{\rho_l}=N_\rho=$	1
黏滞系数	η	$\frac{\eta}{\rho_l d\sqrt{al}}$	$N_\eta=N_\rho N_d N_a^{1/2}N_l^{1/2}=$	1
渗透系数	k	$\frac{k\eta}{d^2\rho_l a}$	$N_k=N_d^2 N_{\rho_l}N_a N_\eta^{-1}$	n
颗粒摩阻力	φ	φ	$N_\varphi=$	1
颗粒强度	σ_c	$\frac{\sigma_c}{\rho al}$	$N_\sigma=N_\rho N_a N_l=$	1
凝聚力	c	$\frac{c}{\rho al}$	$N_c=N_\rho N_a N_l=$	1
压缩模量	E	$\frac{E}{\rho al}$	$N_E=N_\rho N_a N_l=$	1
时间(惯性)	t_1	$t_1\sqrt{\frac{a}{l}}$	$N_{t_1}=N_l^{1/2}N_a^{-1/2}=$	$1/n$
时间(层流)	t_2	$t_2\sqrt{\frac{k}{l}}$	$N_{t_2}=N_l N_k^{-1}=$	$1/n^2$
时间(蠕变)	t_3		$N_{t_3}=$	1

在每个物理量相似准则的表达式中，当模型与原型有相同值时，二者就相似。由表 12-1 可以看出，离心模型试验满足大部分相似准则的要求，因而能够更真实地模拟原型结构物的性状。

需要指出的是，土工离心模型研究的对象，往往是较为复杂的物理现象。表 12-1 中的相似准则强调的是针对某一具体的物理量而言的，如研究层流的时间比尺是 $1/n^2$，研究惯性问题的时间比尺是 $1/n$，研究蠕变问题时，其时间比尺为 1。因此，模型试验中，有时不可能在一个模型中同时模拟固结与蠕变或层流与紊流等问题。具体的模型试验研究中，应视研究问题的主要影响因素，确定问题的性质属于哪种类型。

12.4　离心模型试验中堆石与混凝土结构的模拟

在土工离心模型试验中，模型材料选择的原则是尽可能地利用原型材料，在无法采用原型材料的情况下，应尽可能地保持模型材料与原型材料具有一定的相似关系。对于堆石坝模型，受模型尺寸的限制，其堆石坝筑坝材料和大粒径坝基材料一般都要根据原型材料颗粒级配情况按一定的比例进行缩尺。对于混凝土材料，如果是较大体积的结构，如重力式高趾墙等，则材料的选用也应尽可能采用与原型一致的材料。但是，对于混凝土面板和坝基防渗墙等薄板结构，由于其在离心模型中的厚度很薄，一般均需要按变形等效原则采用铝板或有机纤维板等代用材料模拟。

12.4.1　粗粒料的模拟

离心模型试验粗颗粒材料的模拟需要解决两个问题：一是模型箱的尺寸效应问题，即如何合理确定模型材料的最大粒径，以避免模型箱的边界影响；二是粒径效应问题，即对超粒径颗粒采取合适的缩尺方法，使模型材料不至于因缩尺而引起工程性质的明显改变。

已有的研究成果表明，若模型箱的最小尺寸大于 13～15 倍模型材料的最大粒径，则可基本消除模型箱边界对试验结果的影响。

目前，超粒径颗粒的缩尺方法大体上有三种，即剔除法、等量替代法和相似级配法。所谓剔除法，就是剔除超粒径颗粒，并将其剩余部分作为整体计算各粒径组的含量，这样可使材料的细粒含量相对增加。但是，若剔除量较多则有可能改变粗颗粒材料的性质，所以该方法一般适用于超粒径颗粒含量极小的土料。等量替代法是以模型允许的最大粒径以下的粗粒，按比例等量替代超粒径颗粒部分，经替代后的粗粒土虽保持了原粗、细颗粒含量，但却改变了土料的不均匀性。有关试验研究已证实，用等量替代法制备的试样较剔除法更符合实际情况。而相似级配法，就是根据所确定的最大允许粒径，按几何相似原则等比例将原土料粒径缩小，即使其颗分曲线按一定几何模拟比尺平移。这种缩尺方法保持了原土料的不均匀系数和曲率系数，但细粒含量有所增加，有可能改变土料的基本性质。

上述三种缩尺方法都得到不同程度的实际应用，但都有其一定的局限性和适用条件。为克服单独使用等量替代法或相似级配法缩尺的不足，近年来发展了一种综合缩尺方法，即当超粒径颗粒含量低于 40%时，可采用等量替代法；当超粒径颗粒含量高于 40%时，先以粒径小于 5mm 的细粒含量不大于 15% 为限，按相似级配法进行缩尺，再用等量替代法处理超粒径颗粒。有些研究已表明，按此法制备的试样，其工程性质与原材料比较接近。

12.4.2 弯曲薄板的模拟

砂砾地基中的混凝土防渗墙和面板堆石坝的钢筋混凝土防渗面板都是土工离心模型试验中经常遇到的弯曲薄板情况。混凝土防渗墙的厚度一般为 1m 左右，混凝土面板的厚度多为几十厘米，这类薄板在离心模型中的厚度一般只有几毫米，用原材料制模较为困难；而且，即使是能够采用原型材料，模拟这种薄板也不是一个简单的几何相似的问题，因为如此薄的混凝土板已很难保持其材料力学性质与原型一致。因此，如何科学地用代用材料模拟是离心模型试验需要解决的主要问题之一。

对于模型中的薄板材料，最主要的是确定代用板材的等效厚度。设所研究的含弯曲薄板土体的变形情况属于平面应变问题，则薄板挠曲变位 V 可表示为

$$V = \frac{\overline{M}}{EI} \tag{12-21}$$

式中，$\overline{M} = -\int[\int M(x)\mathrm{d}x]\mathrm{d}x + C_1 x + C_2$；$M(x)$ 为薄板截面弯矩；C_1、C_2 为取决于边界条件的积分常数；EI 为薄板抗弯刚度；E 为薄板弹性模量；I 为薄板截面惯性矩。

由于原型材料和代用材料薄板所承受的外荷载和边界条件完全相同，故相应的 $\overline{M}_p$ 和 $\overline{M}_m$ 值必然相等。可见，只要使原型材料和模拟材料薄板的抗弯刚度保持相等，即 $E_p I_p = E_m I_m$，就可使两者达到变形等效，若原材料和代用材料模拟薄板的抗弯曲刚度分别表示为

$$E_p I_p = E_p \frac{d_p^3}{12} \times 1 \tag{12-22}$$

$$E_m I_m = E_m \frac{d_m^3}{12} \times 1 \tag{12-23}$$

则令式(12-22)与式(12-23)相等，可求得如下确定模拟薄板等效厚度 d_m 的公式

$$d_m = \sqrt[3]{\frac{E_p}{E_m}} d_p \tag{12-24}$$

而在模型试验中，模型薄板的厚度 d_{mo} 与原型薄板厚度 d_{po} 有如下关系

$$d_{mo} = \frac{d_{po}}{n} \tag{12-25}$$

综合式(12-24)与式(12-25)，可得代用薄板模拟等效厚度为

$$d_{mo} = \sqrt[3]{\frac{E_p}{E_m}} \frac{d_{po}}{n} \tag{12-26}$$

12.5 数值计算分析与离心模型试验的结合

如前所述，数值计算分析与离心模型试验在岩土工程结构分析中均占有十分重要的地位，这两种方法角度不同，各有特点。事实上，在实际工程的运用中，它们也是两种互补

性很强的分析方法。就数值计算分析而言,它具有通用性强、方案变化灵活、提供数据量大等优点,但是,它同时也存在着土体本构模型的构建是否符合实际、复杂边界条件下建模困难等一系列问题。对于离心模型试验,由于它基本上采用了原型材料进行试验,可以在模型中再现原型结构物的自重应力,同时可以模拟应力梯度及主应力轴的变化,避免了人为构建本构模型的过程,还可以在基本接近原型应力状态下直观地研究岩土结构的变形情况和破坏过程。但是,离心模型试验也存在着试验设备复杂、试验投入大、周期长、方案变化费时费力、观测数据量相对偏少等缺陷。因此,对于一个复杂的岩土工程结构,采用联合使用数值计算分析与离心模型试验的方法,也就是数值模型与物理模型相结合的方法,将可能提供最为有效的解决方案。

数值计算分析与离心模型试验的联合应用主要有以下几种方式:

(1)在离心模型试验之前,先采用数值计算方法对结构物进行计算分析,从中确定结构物应力、变形的变化范围,以及结构中可能出现问题的大致位置。然后,以计算分析所得的数据为参考,指导离心模型试验的模型规划、测点的布置及观测方式的选择。

(2)对于结构体型较大的土工建筑物,由于模型箱尺寸所限,即使在经过几何缩尺后,仍有部分结构需要舍去。在这种情况下,可以通过数值计算的方法确定模型的取舍方式和部分边界条件。

(3)对于数值计算中应用的新的本构模型或计算方法,通过离心模型试验进行适用性校验,并以此为据对本构模型和计算方法做必要的调整,然后再用经过验证的本构模型或计算方法进行实际工程的数值计算分析。

(4)用离心模型试验进行数值计算分析的参数的校验。即通过一系列的模型试验,采用反分析的方法确定数值计算分析所需的参数,然后,用经过校验后的参数进行实际工程的计算分析。

(5)对于结构尺寸很大的建筑物,在离心机容量有限的情况下,可以联合应用数值计算分析与离心模型试验的方法,通过一组小比尺、低加速度值的离心模型试验和相应的一系列数值计算分析,并通过不等应力相似理论,在小比尺、低加速度值的模型试验与原型结构物之间建立非线性相似关系,从而实现以有限的离心机容量完成大尺寸结构物的模型试验。

12.6 小结

对于重力占主要荷载因素的土工建筑物,离心模型试验是最为有效的试验方法。通过将模型置于 Ng 的重力场中,可以使模型中每点的自重应力提升至与原型中对应点等量的程度,使模型满足重力相似条件,从而使模型表现出与原型基本一致的力学特征。

由于离心力场的特点,对于离心机中的模型,其所承受的离心力场与原型建筑物所承受的重力场有所不同,因此在离心模型试验中,应注意离心力场所引起的固有误差对模型试验造成的影响;在模型试验过程中,应结合模型箱的大小、模型的尺寸以及选定的模型律,通过合理的组合,同时对模型进行合理的摆放,这样,就可以有效地减小模型试验的误差。

在面板堆石坝的离心模型试验中，对于堆石材料和面板、防渗墙等薄混凝土板，需要采用适当的方法进行等效模拟。堆石、砂砾料等粗颗粒材料的缩尺可采用相似级配与等量替代相结合的方法，而薄板的模拟则应以弯曲变形相似的原则确定替代板材的厚度。

第13章　深覆盖层上面板堆石坝的离心模型试验

13.1　概述

近年来,随着我国水利水电开发范围的不断拓展,面板堆石坝工程中所面临的地形、地质条件也日益复杂。在土石坝工程设计中,坝基为深厚覆盖层的情况非常普遍,在这种情况下,坝体和坝基渗流控制方案,特别是深覆盖层地基的防渗处理措施及其与上部坝体防渗措施的连接形式是否可行、合理,往往是大坝工程设计和安全运行的关键所在。从工程运用的角度讲,一个可行、合理的坝体和坝基渗流控制方案,不仅要满足工程所需的防渗要求,同时还要满足应力变形等工程结构方面的要求,以确保整个结构体系在各种运行工况下不会因发生破坏而丧失防渗或承载能力。目前,国内已在深覆盖层地基上建成了数座50m级的面板堆石坝,但是,对于在深覆盖层上修建百米以上的高面板堆石坝尚缺乏经验,因此需要采用多种方式对坝体和坝基的防渗结构形式进行深入的研究和论证。

目前,对于面板堆石坝应力变形特性的研究主要是采用数值分析的方法。但是,对于修建于深覆盖层上的高面板堆石坝,由于相关工程经验的缺乏及其结构形式的复杂性,再加之数值分析方法本身所固有的某些缺陷(例如:材料本构模型与实际的差异、计算条件的简化等),单纯依靠数值分析方法尚不足以对工程设计方案进行充分的论证。因此,有必要采用物理模拟的方法(如离心模型试验),对坝体的应力变形特性做进一步的分析。

本项研究主要针对新疆察汗乌苏面板堆石坝工程,在数值分析研究成果的基础上,利用离心模型试验技术,系统地研究地基覆盖层与上部坝体的相互作用性状,包括坝体和覆盖层变形引起的面板变形、面板与趾板和防渗墙的相对变形关系以及防渗墙的受力变形特点,从物理模型的角度对工程设计方案的合理性和可靠性做出进一步的论证。

13.2　察汗乌苏面板坝的工程设计方案

察汗乌苏面板堆石坝是一座修建在深厚覆盖层上的砂砾石面板坝,坝基防渗的设计方案是在河床覆盖层内设置一道混凝土防渗墙,并用连接板与趾板、面板相连,混凝土防渗墙墙顶高程为1 544.80m,最大断面处墙底高程为1 504.00m,防渗墙总长120.11m,最大墙深40.80m。坝体断面分区分为垫层区、过渡区、主砂砾石区、次砂砾石区和下游堆石区。在过渡区下游的主砂砾石区内,设有烟囱式砾石排水区,该区通过坝基排水层与下游堆石体相连,砾石排水区上游侧设置反滤层。坝顶上游侧设6.3m高"L"形混凝土防浪墙,上游坝坡1∶1.5,在1 560.00m高程以下的面板上,加设顶宽10m、坡度1∶2的土石压坡体。下游坝坡设有10m宽的"之"字形上坝公路,局部坝坡1∶1.25,综合坝坡为1∶1.80。坝体的典型设计断面如图13-1所示。

工程目前确定的设计方案是:趾板与坝基混凝土防渗墙之间采用两块连接板连接,每

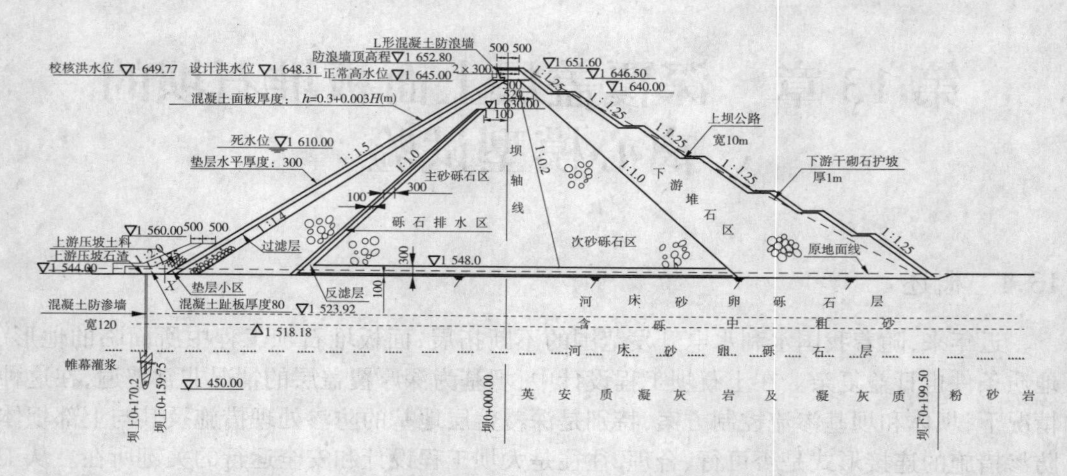

图 13-1 察汗乌苏面板堆石坝坝体典型断面图(单位:cm)

块连接板的长度为3.0m,连接板之间以及连接板与趾板和防渗墙之间设置止水。同时,为适应连接板、趾板的变形,在连接板和趾板底部设30cm厚的沥青混凝土。混凝土防渗墙与连接板和趾板的细部设计如图13-2所示。

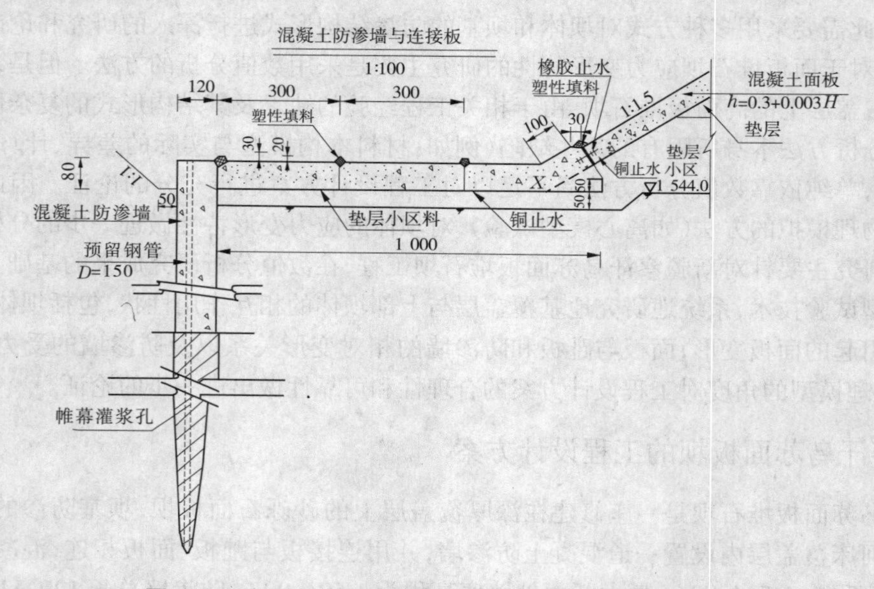

图 13-2 察汗乌苏面板堆石坝防渗墙与连接板细部(单位:cm)

13.3 离心模型试验方案的规划

13.3.1 试验目的

本项研究工作主要是针对察汗乌苏面板堆石坝工程,通过离心模型试验,深入研究深厚覆盖层上混凝土面板堆石坝在施工期、运行期情况下的应力、变形性状,论证防渗结构形式合理性,评价察汗乌苏深厚覆盖层面板堆石坝的整体安全性能。项目的具体研究内容如下:

(1)模拟坝体分期填筑施工的过程,通过离心模型试验,研究坝体在施工期的变形规律;一期面板在施工期的脱空情况,以及面板在坝体填筑完成后的变形情况;坝体填筑对覆盖层地基中防渗墙的应力和变形的影响;面板、趾板和防渗墙的相对变形关系。

(2)通过蓄水期坝体的离心模型试验,研究坝体和面板在水库蓄水作用下的应力、变形分布规律,其中重点研究面板和防渗墙在水荷载作用下的应力、变形分布规律,以及面板、趾板和防渗墙的相对变形关系。

13.3.2 模型断面与模型律的确定

根据研究的目的,本次试验采用了二维模型,试验采用的模型断面根据原型设计断面进行了适当简化。为真实反映察汗乌苏面板堆石坝坝址覆盖层的情况,在模型中考虑了地基的分层情况,模拟的覆盖层总厚度为 40m,包括了上层砂卵砾石层、中粗砂层和下层砂卵砾石层。对于堆石坝坝体的内部分区,主、次堆石区均按原型比例模拟,同时,为简化模型,在制作模型中未考虑反滤层及砾石排水区。为模拟坝基防渗墙的嵌固情况,坝基中模拟了一定厚度的基岩,防渗墙底部的约束按有限固端考虑。

坝体的原型设计断面如图 13-1 所示。原型坝高 107.6m,上游边坡为 1:1.5,下游边坡为 1:1.25。离心机模型箱的尺寸为:长×宽×高=1 350mm×395mm×900mm,目前,离心机经常运行的最大加速度为 200g 左右。表 13-1 所示为不同试验模型率情况下的模型尺寸以及相应的限制条件。为全面反映坝基覆盖层与坝体的相互作用,模型的总高度必须要模拟原型坝高及覆盖层的厚度之和(即 147.6m)。从数值计算的结果来看,就面板、防渗墙应力变形特性而言,其影响区域主要集中于坝体上游部分。因此,可根据重点研究的区域,并参考数值计算结果,适当略去下游坝体的部分断面。

表 13-1 模型率选取

模型率 N	模型高度 h (mm)	模型箱允许的最大原型断面宽度 L(m)	备注
170	950	230	超过模型箱高度
180	898	243	坝顶难以布置垂直位移传感器
190	851	257	允许值
200	808	270	建议值
210	770	284	离心机当前转速限制

根据表 13-1 的数据,并综合考虑模型制作的方便以及坝顶布置位移传感器的需要,本次离心模型试验最终确定的模型率为 200。根据此模型率,模型的最大坝高为 538mm(对应原型坝高 107.6m),模型覆盖层厚度为 200mm(对应原型覆盖层厚度 40m),模型总高度为 738mm(对应原型总高度 147.6m)。试验中,模型的边界条件与原型的边界条件保持基本相同。图 13-3 所示为模型试验所模拟的坝体断面。

13.3.3 模型材料

13.3.3.1 堆石料和坝基材料

为保证模型试验材料与原型筑坝材料工程性质的一致性,试验中所用的土石料均取

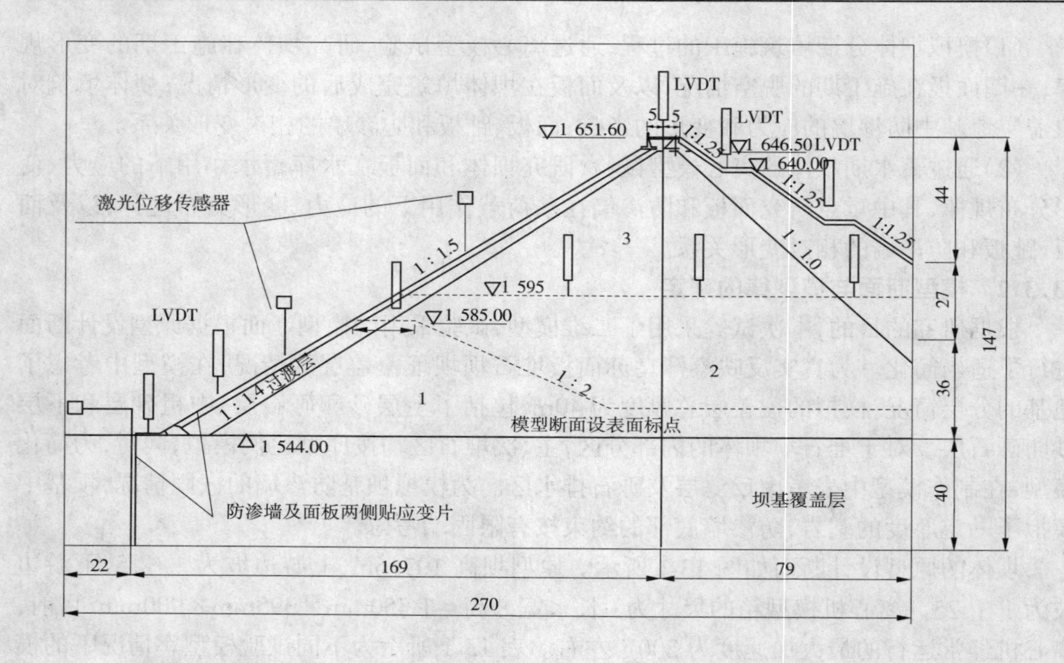

图 13-3　模型试验模拟的坝体断面

（图中标注尺寸为原型尺寸，单位：m，除以 $N=200$ 即为模型尺寸）

自工程现场。模型的地基砂砾石和中粗砂取自坝址区的河床覆盖层，坝体材料均取自堆石料场，垫层区料的材料与过渡区相同。坝体堆石和坝基材料的颗粒级配情况如图13-4所示。坝基材料的制备密度参照坝基现场干密度确定，坝体堆石料的制备密度根据各区材料设计压实干密度确定，模型试验实际采用的材料干密度数值参见表13-2。

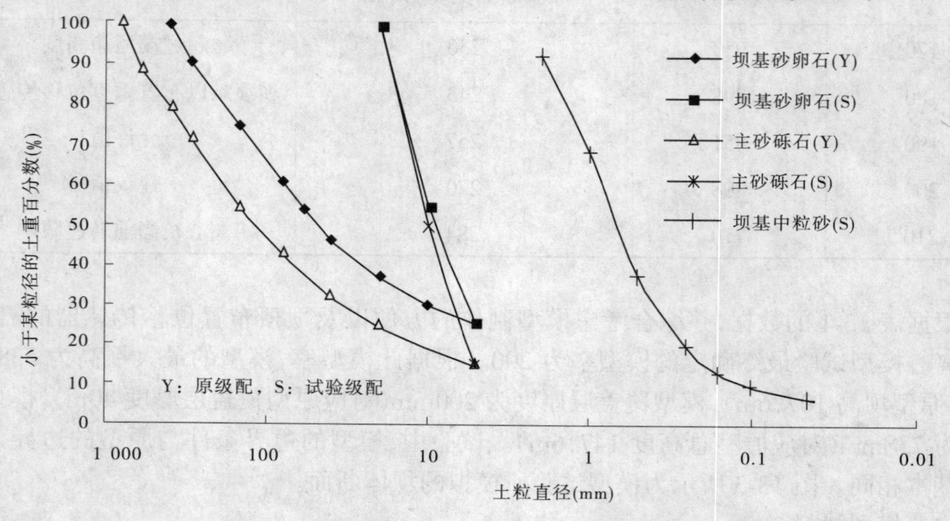

图 13-4　坝基砂砾石、坝体主砂砾石及中粗砂颗粒级配曲线

表 13-2　坝体、坝基材料基本性质指标

材料名称	过渡料	下游堆石料	主砂砾石	次砂砾石	坝基砂砾石	坝基中粗砂
颗粒密度(g/cm^3)	2.72	2.73	2.70	2.70	2.75	2.69
孔隙率(%)	19.0	23.0	18.0	20.0		
设计或天然干密度(g/cm^3)	2.20	2.10	2.19	2.16	2.14	1.85
模型制备干密度(g/cm^3)	2.09	2.10	2.02	1.98	2.11	1.84

实际工程中,坝基砂砾石最大粒径范围在 1 000～400mm 之间,而堆石料最大粒径多在 800～300mm 之间,试验所用材料必须在原级配基础上进行缩尺,以满足试验要求。根据各材料的特点,试验所确定的材料最大允许粒径为 20mm(过渡料、主砂砾石料及地基砂砾石)和 40mm(次砂砾石料、下游堆石料)。这样模型箱的最小尺寸为 10～20 倍的最大粒径,可基本满足消除模型箱边界影响的要求。由于过渡区、主砂砾石区、次砂砾石区、下游堆石料区及地基砂砾石层材料粒径小于 5mm 的细粒含量基本上都在 15%以上,所以这些材料的缩尺都选用等量替代法。坝基中粗砂的最大粒径小于最大允许粒径,试验采用原材料,无需缩尺。缩尺后各材料的颗粒级配曲线见图 13-4。模型试验中坝基砂砾石所使用的主要粒组如图 13-5 所示。

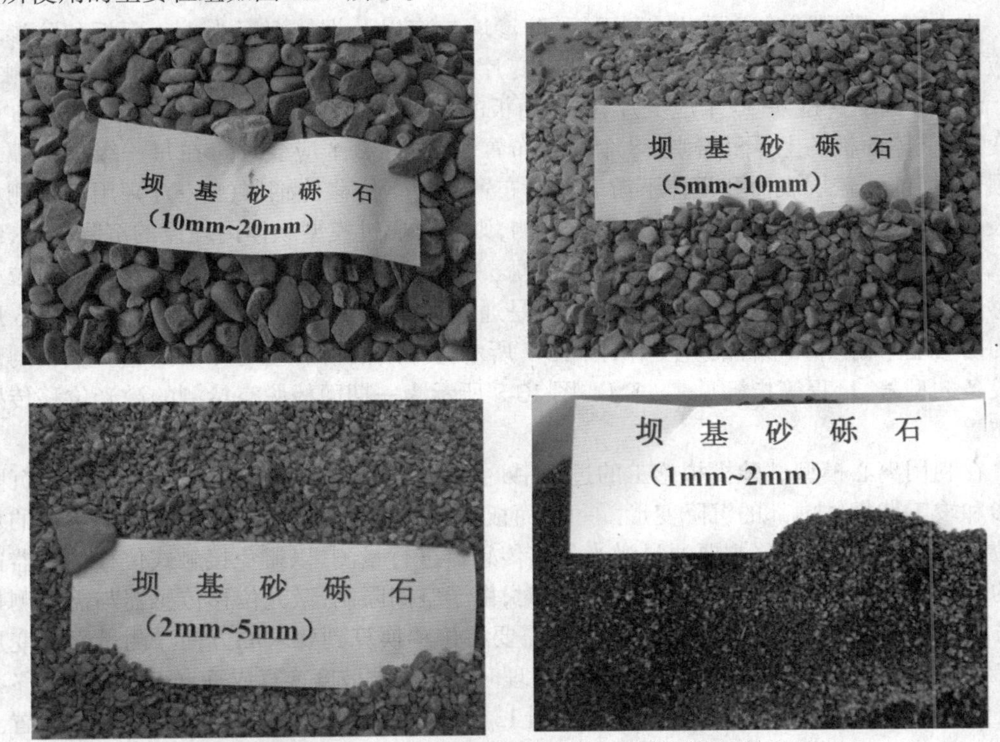

图 13-5　模型试验中坝基砂砾石所使用的主要粒组示意图

13.3.3.2　混凝土面板和防渗墙的模拟

原型中的混凝土面板、趾板、连接板和防渗墙在模型中均采用薄铝板模拟,在保证抗

弯刚度相同的条件下，根据铝板的弹性模量可由式(12-24)确定模型中各板的厚度。按照设计要求，混凝土面板、趾板、连接板的弹性模量为 2.8×10^4MPa，混凝土防渗墙的弹性模量为 3.15×10^4MPa。而模型中所采用的铝板弹性模量为 6.9×10^4MPa，因此模型中混凝土面板采用2mm的铝板模拟，混凝土防渗墙采用5mm的铝板模拟。

表13-3给出原型材料和替代材料的基本参数，模型面板的每块宽度按原型比例缩尺，面板的总宽度为39.5mm，略小于模型箱的宽度，以避免侧壁摩擦的影响。由表13-3给出的模型面板及防渗墙的几何尺寸，基本上可以达到与原型抗弯刚度相同、满足模型相似率的要求。

表13-3　原型及模型防渗墙和面板的基本参数

指标	原型		模型	
	混凝土防渗墙	钢筋混凝土面板	混凝土防渗墙	钢筋混凝土面板
弹性模量 E(GPa)	31.5	28	70	70
厚度(mm)	1 200	300～600	5	2
长度(mm)	40 000	一期90 000 总长182 000	200	一期450 总长910

13.3.4　量测系统的布置

本次离心模型试验主要以量测面板、防渗墙应变以及坝体沉降为主。面板和防渗墙的应变主要通过在面板和防渗墙上粘贴应变片的方式量测，其中，防渗墙的上、下游侧按5个高程布置了3排共60个应变片；一期面板的上、下游侧按4个高程布置了2排16个应变片；整体面板的上、下游侧按8个高程布置了2排32个应变片。在每一级坝体填筑的顶部、坝前覆盖层表面和坝体下游表面均布置了垂直位移传感器(LVDT)，用于量测坝体表面的变形。而对于坝体内部变形的观测，则主要通过模型坝体内埋设的沉降标点，结合数字摄像系统和后期的图像分析技术处理。施工期防渗墙顶部的水平位移由激光位移传感器量测。一期面板顶部的脱空观测也是通过两个激光位移传感器量测。图13-6所示为防渗墙下游侧所布置的应变片，图13-7所示为一期面板的应变片。试验所采用的量测设备的型号、量程等指标见表13-4。图13-8所示为一期面板脱空量测的激光位移传感器布置。

在利用离心模型试验模拟施工的过程中，主要观测坝体各填筑层填筑完成后的沉降变形和竣工期坝体内部的沉降变形。一期面板与坝体堆石之间的脱开度以及防渗墙的水平位移，防渗墙水平位移主要通过激光位移传感器进行量测，以避免接触式位移传感器造成的影响。在测量混凝土防渗墙水平位移时，由于空间限制，激光位移传感器与需要测量的方向形成53.3°夹角，在数据整理过程中需要将位移换算到要求的方向。测量面板变形时，激光位移传感器方向垂直于地面，数据整理时根据坝坡坡度换算成垂直于坝面的位移。

模型防渗墙及面板上应变片的布置见图13-9，由图可知，应变片基本上成对均匀布置。

在蓄水期的模型试验中，通过在上游布置的渗压计监控上游水位，由于难以在水中布置各类位移量测设备，上游面板的变形主要通过应变片的量测并结合材料力学公式进行反算，上游坝坡的变形则主要通过断面标点结合高分辨率图像分析进行量测。

图 13-6　防渗墙下游侧的应变片布置

图 13-7　一期面板的应变片

表 13-4　观测设备主要相关参数

主要技术参数	垂直位移传感器 LVDT	激光位移传感器 LS	渗压计 PPT	应变片 SG	高分辨率数码摄像机
型号	IWHR	Wrenglor	DRUCK PDCR81	BX120－3BA	Basler A101f
量程	0～40mm	40～60mm 50～100mm	0～15bar 0～35bar	>10 000με	—
精度/分辨率	0.01mm	5～20μm	0.001bar	—	1 300×1 030
灵敏系数(%)	—	—	—	2.08±1	

图 13-8　一期面板脱空量测的激光位移传感器布置

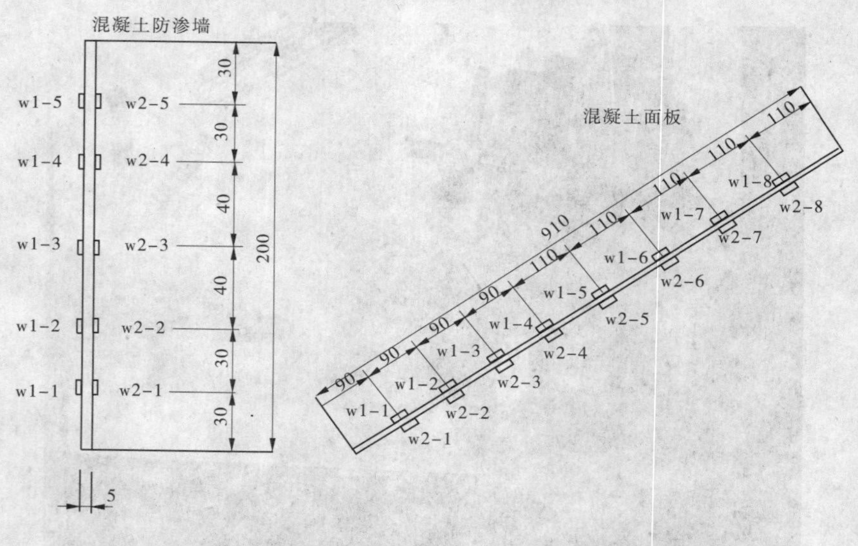

图 13-9　模型防渗墙及面板上应变片位置及编号(单位:mm)

13.4　离心模型试验过程

整个试验的过程分为坝基覆盖层天然状态模拟、坝体填筑施工期模拟和水库蓄水期模拟三个部分。其中,坝基覆盖层的模拟作为一个单独的试验步骤(开机运行 1 次);施工期分成 4 个试验步骤模拟了现场施工的几个主要阶段(开机运行 4 次);蓄水期分成 2 个试验步骤,分级施加库水荷载以模拟水库不同蓄水位的情况(开机运行 2 次)。

13.4.1　坝基覆盖层试验

根据坝基覆盖层情况,分上、中、下三层制作模拟地基层。上层为砂卵砾石层,原型厚度取为 20.08m,相应模型厚度为 10.04cm;下层也为砂卵砾石层,原型厚度取为 14.18m,

相应模型厚度为7.09cm；中层为含砾石的中粗砂层，原型层厚取为5.74m，相应模型厚度为2.87cm。地基覆盖层按工程实际的干密度和含水量要求制作。在铺设地基覆盖层时，模型中的防渗墙同时埋设于模型坝基中，防渗墙嵌入基岩一定深度，并采用乳胶黏结的方式模拟原型墙体与基岩的有限固端连接。在地基覆盖层的制作中，为考虑后期蓄水期试验中施加水荷载的需要，预先将地基防渗墙上游部分用橡皮膜将砂砾石包裹起来，橡皮模厚度约1mm，靠近模型箱侧壁的橡皮模，其外侧用土工织物适当保护，以防止在覆盖层砂石填筑击实过程中对橡皮膜造成损坏。坝基模型内中粗砂层顶部埋设了沉降测量标点。坝基模型制作完成后，地基内充水，使地基地下水位以下土料处于饱和状态，然后安装表面位移传感器。把制作好的模型吊装至离心试验机上进行试验。作为第一级模型试验，覆盖层地基首先在离心机200*g*加速度下压缩固结，使各土层密实均匀。离心机启动、加速达到额定加速度后，保持稳速过程运行一段时间，待坝基沉降稳定后，降速停机。试验中主要测量了坝基表面的沉降变形，防渗墙应变和位移未做量测。图13-10所示为坝基覆盖层模型试验的标点和量测仪器布置。

图13-10　坝基覆盖层模型试验的标点和量测仪器布置

13.4.2　坝体填筑施工期试验

13.4.2.1　一期坝体填筑的模型试验

在完成地基覆盖层压缩固结阶段的试验后，按设计的坝体材料分区和填筑干密度铺设第一期坝体堆石，模型堆石的高度为20.5mm。一期坝体填筑（临时挡水断面）模型试验的断面和传感器布置如图13-11所示。临时断面坝体顶部的填筑高程为1 585m，其下游坝坡为1:2。模型坝体内埋设了沉降标点；坝顶、坝前和下游坝坡等处共布置了5支垂直位移传感器（LVDT）；防渗墙前布置了激光位移传感器，用以量测防渗墙顶的水平变位；防渗墙上下游侧粘贴了3列应变片；坝体模型填筑前，安装了模型趾板。

13.4.2.2　二期坝体填筑的模型试验

在一期坝体填筑的模型试验基础上，继续进行二期坝体填筑的模型试验。试验模型断面和传感器布置如图13-12所示。

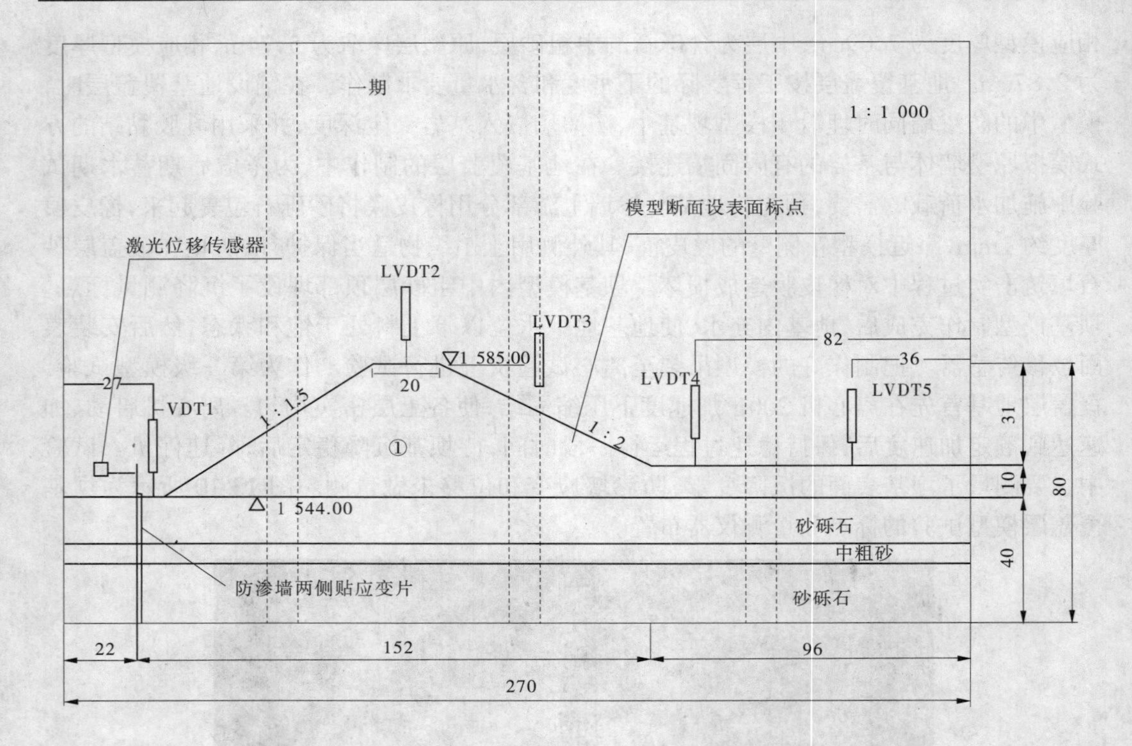

图 13-11　一期坝体填筑模型试验的断面和传感器布置

(图中单位为 m,除以模型律 200 后即为模型尺寸)

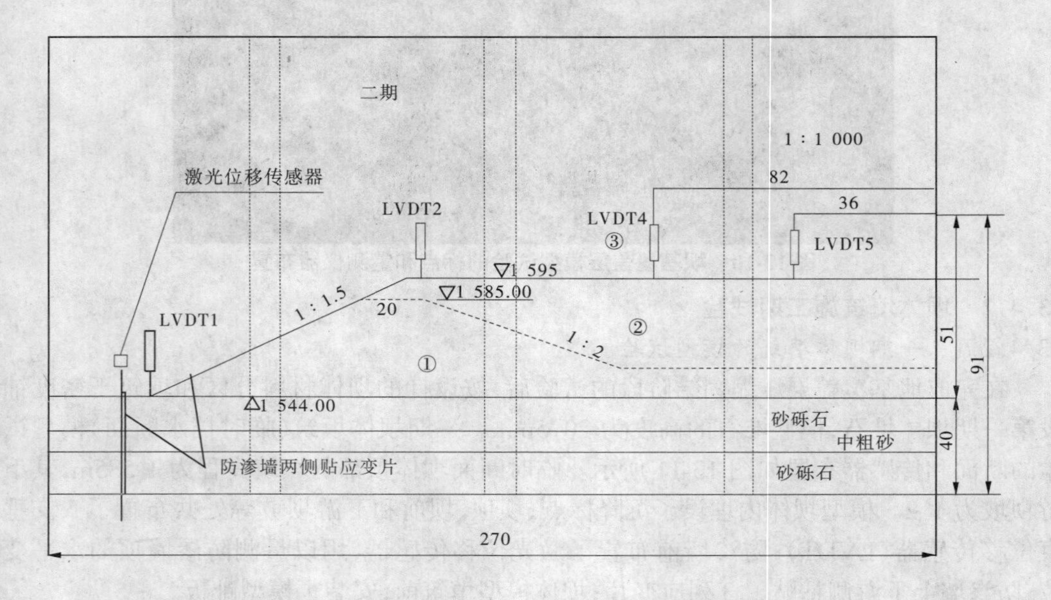

图 13-12　二期坝体填筑模型试验的断面和传感器布置

(图中单位为 m,除以模型律 200 后即为模型尺寸)

原型坝体顶部的填筑高程为 1 595m，相应模型坝高 25.5mm。模型坝体内埋设了沉降标点；坝顶、坝前和下游坝坡等处共布置了 4 支垂直位移传感器(LVDT)；防渗墙前布置了激光位移传感器，用以量测防渗墙顶的水平变位；防渗墙上下游侧粘贴了应变片。

13.4.2.3　三期坝体填筑与一期面板施工的模型试验

在二期坝体填筑的模型试验基础上，继续进行三期坝体填筑的模型试验。三期坝体填筑模型试验的断面和传感器布置如图 13-13 所示。

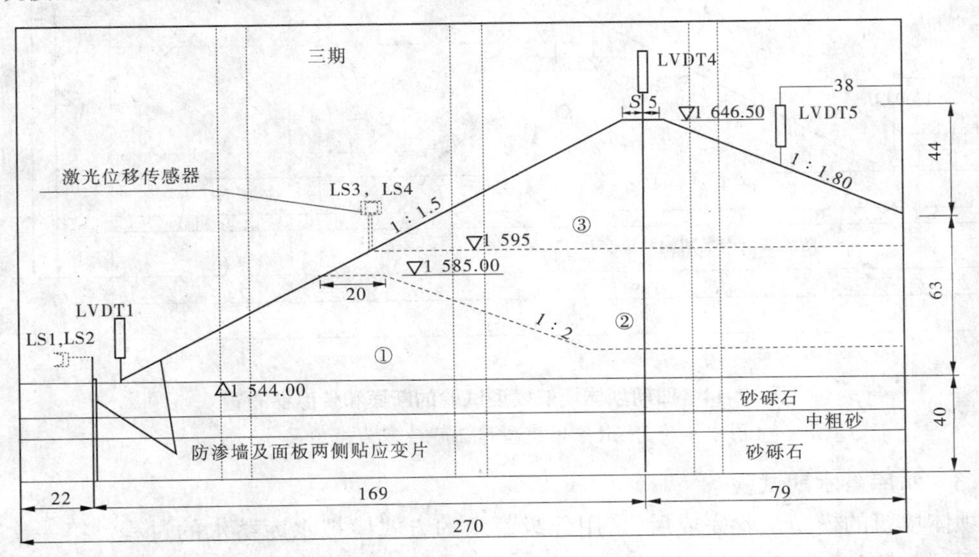

图 13-13　三期坝体填筑模型试验的断面和传感器布置

（图中单位为 m，除以模型律 200 后即为模型尺寸）

坝体顶部的填筑高程为 1 646.5m，一期面板浇筑至 1 595m 高程。模型面板采用 2mm 厚铝合金板模拟，沿模型箱宽度(400mm)方向分为 5 块，每块宽度为 80mm，为减少与模型箱的侧壁摩擦，两边的模型面板宽度略小，为 79mm。应变片布置在中间两块面板上，沿面板长度方向，上下两面共贴有 4 组应变片。模型坝体内埋设了沉降标点；坝顶、坝前和下游坝坡等处共布置了 3 支垂直位移传感器(LVDT)；防渗墙前布置了 2 支激光位移传感器，用以量测防渗墙顶的水平变位和覆盖层垂直位移；一期面板顶部布置了 2 支激光位移传感器，其量测点分别置于面板顶部和坝体上，用以测量一期面板的脱空；防渗墙上下游侧粘贴了应变片。

13.4.2.4　四期坝体填筑及二期面板施工的模型试验

在三期坝体填筑的模型试验基础上，继续进行四期坝体填筑的模型试验。四期坝体填筑模型试验的断面和传感器布置如图 13-14 所示。坝体顶部的填筑高程达到 1 651.6m(坝体填筑完成)，同时完成二期面板和防浪墙的安装。模型坝体内埋设了沉降标点；坝顶、坝前和下游坝坡等处共布置了 3 支垂直位移传感器(LVDT)；防渗墙前布置了激光位移传感器，用以量测防渗墙顶的水平变位；在整个面板上，沿不同高程分别布置了 3 支激光位移传感器，用以测量面板的挠曲变形；防渗墙上下游侧粘贴了应变片；坝体

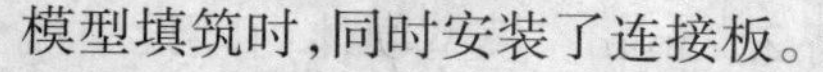
模型填筑时,同时安装了连接板。

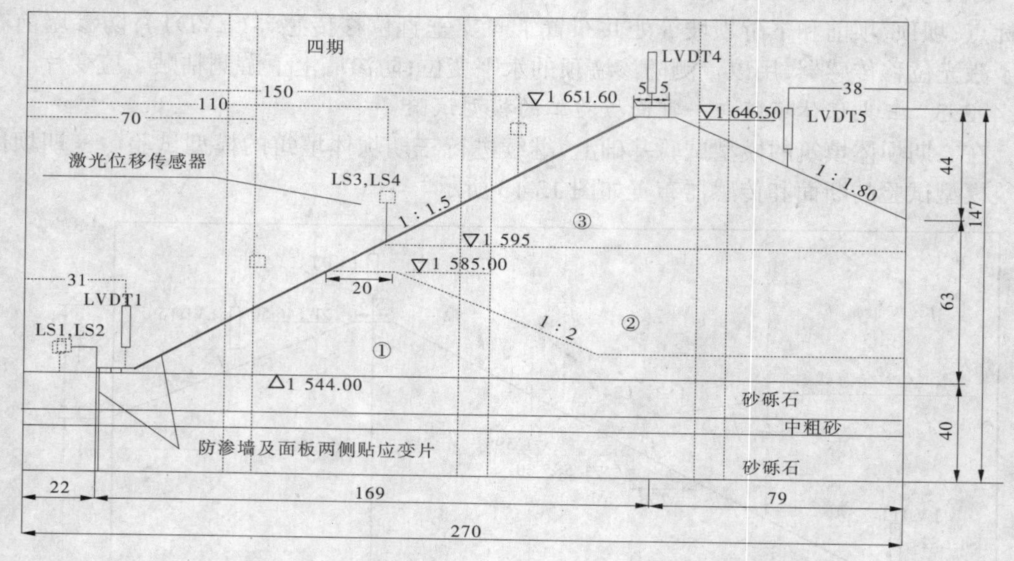

图 13-14　四期坝体填筑模型试验的断面和传感器布置

(图中单位为 m,除以模型律 200 后即为模型尺寸)

13.4.3　水库蓄水期试验

坝体填筑的模型试验完成后,采用分级蓄水的方式模拟水库蓄水的过程。第一次蓄水到原型 1 595.0m 高程,模拟一期面板挡水的情况;第二次加水至模型坝顶附近,模拟原型蓄水至正常蓄水位(1 645.0m)。蓄水期模型断面及传感器布置见图 13-15。由于在离心模型试验中,坝体上游的水压力与原型水压力完全相同,巨大的水压力使得模型侧壁及面板接缝处的防渗漏处理变得异常困难。为达到防渗目的,面板上游面涂刷弹性聚氨酯材料(CTPU－A,B 加催化剂)并与制作地基时预留的橡皮模袋紧密黏结,一般涂刷 3～4 遍,弹性聚氨酯层厚度可达 1mm,在接缝的部位多涂刷 3 遍。该涂层不透水,随催化剂掺量的不同(催化剂按照 CTPU－B 料的 1%～3%加入),密度为 1.35～1.45g/cm^3,拉伸强度 1.65～4.00MPa,延伸率 200%～800%。为进一步减少渗漏的可能性,同时不影响水的比重,在水中掺加了约 1%的甲基纤维素(CMC),上游水位的控制,采用放水量和渗压计联合控制的方法,确保在离心机高速旋转过程中上游水位与设计水位一致。

13.5　试验成果与分析

13.5.1　坝体变形趋势

在离心模型试验中,坝体变形的观测主要采用两种方式:对于每级试验坝体表面的变形可以通过激光位移传感器和 LVDT 量测;而对于坝体内部变形则主要通过模型内部所埋设的标点,由图像分析得出。

第四级坝体填筑的模型试验相当于坝体填筑施工完成后(竣工期)的情况。当离心机的加速度达到 200g 后,由传感器 LVDT4 量测到坝顶沉降为 0.87mm(相当于原型

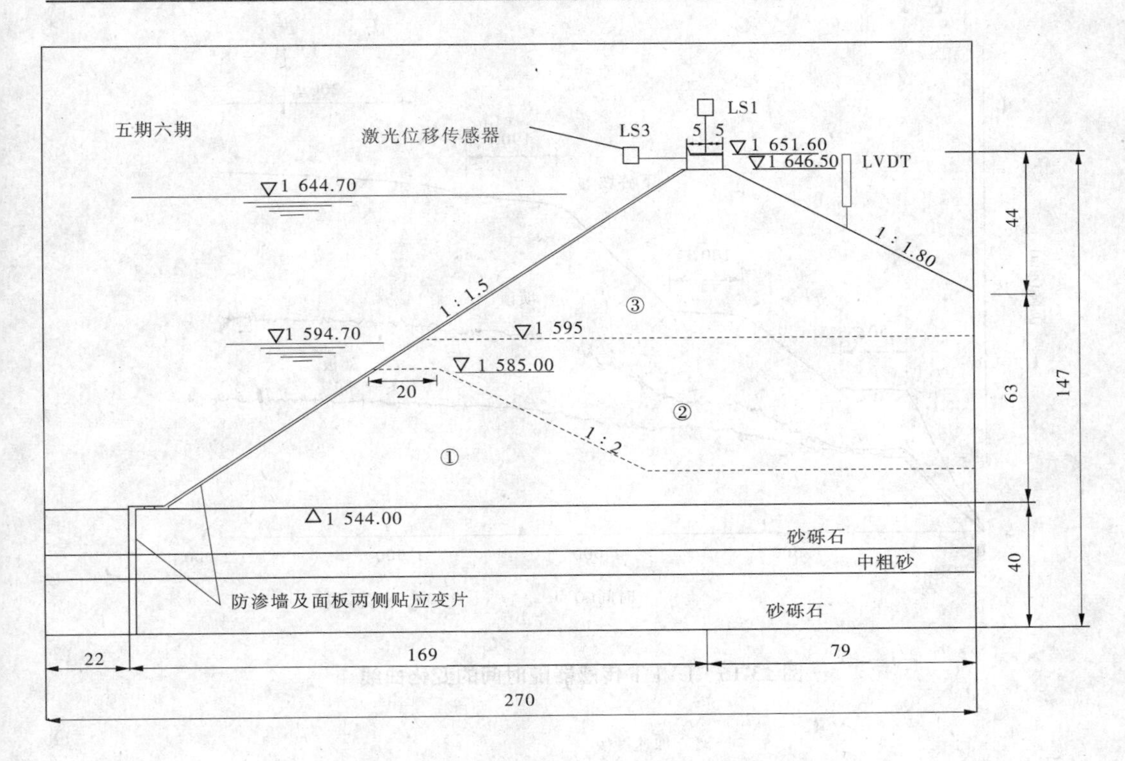

图 13-15　水库蓄水期模型试验的断面和传感器布置(单位:m)

(图中单位为 m,除以模型线 200 后即为模型尺寸)

0.17m);由布置在连接板顶部的 LVDT1 给出的沉降为 0.53mm(相当于原型约 0.11m);由模型下游面的 LVDT5 传感器量测到的沉降变形略大些,为 1.47mm(相当于原型 0.29m)。图 13-16 为 3 支 LVDT 传感器在试验过程中的变化曲线;图 13-17 所示为从图 13-16 中选出几个特征点,显示出坝体沉降随加速度增加的变化情况。由于沉降变化与试验时间和离心加速度值有关,图 13-17 中给出的是模型沉降,在 200g 下沉降值乘以模型率 200 后即为原型沉降量。

竣工期面板的变形由 3 支激光位移传感器量测。3 支激光位移传感器量测到的面板在垂直上游面方向的变形(法向变形)如图 13-18 所示。传感器 LS2 位于面板底部,其量测的面板变形为 0.22mm(相当于原型 0.04m),方向朝向上游侧;面板中部的变形为 0.16mm(相当于原型 0.03m),方向朝向下游侧;面板上部的变形为 0.11mm(相当于原型 0.02m)。通过这 3 支位移传感器的位移数值,可以看出,竣工期面板的位移总体趋势为:面板下部向上游侧隆起,面板的中部和上部则朝向下游侧变形。这样的变形趋势与数值计算的结果基本一致,而且,其规律也与以往的观测资料相同。

在蓄水期的模型试验中,在坝顶布置了 2 支激光位移传感器。通过激光位移传感器量测到的蓄水期(水位 1 644.70m)坝顶水平位移和垂直位移变化过程见图 13-19。由图 13-19 中可见,坝顶水平位移和垂直位移在离心机加速度 100g 之前同步增长,以后水平位移不断增加,在 200g 时逐渐趋于稳定,最终达到 0.59mm(相当于原型位移 0.12m)。

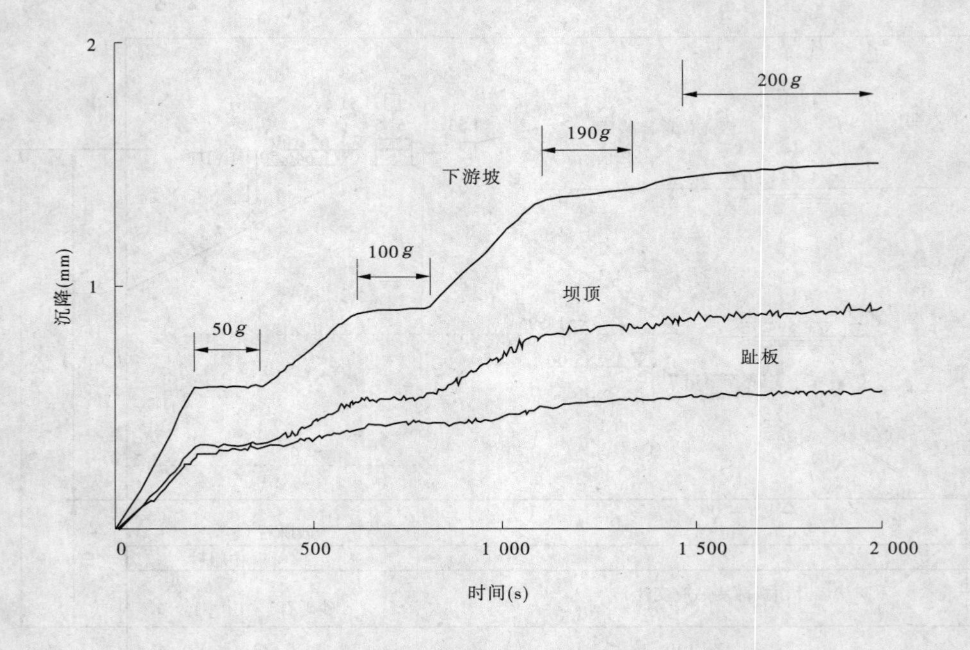

图 13-16　LVDT 传感器随时间的变化曲线

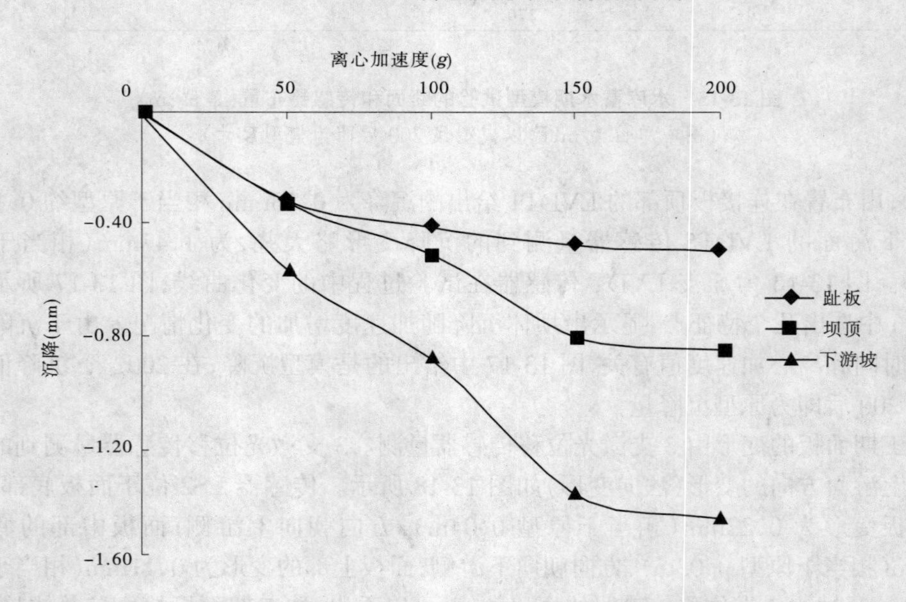

图 13-17　模型坝体在不同离心加速度情况下的沉降变形(模型比尺 1:200)

坝顶垂直位移在加速度 100g 后在上游水压力的作用下反而略有下降，200g 时达到 0.75mm(相当于原型位移 0.15m)。由 LVDT 量测到下游坝坡的沉降为 0.38mm(相当于原型 0.07m)，与坝顶沉降相比(见图 13-20)，沉降量略有减小，其规律与坝顶的沉降趋势基本一致。

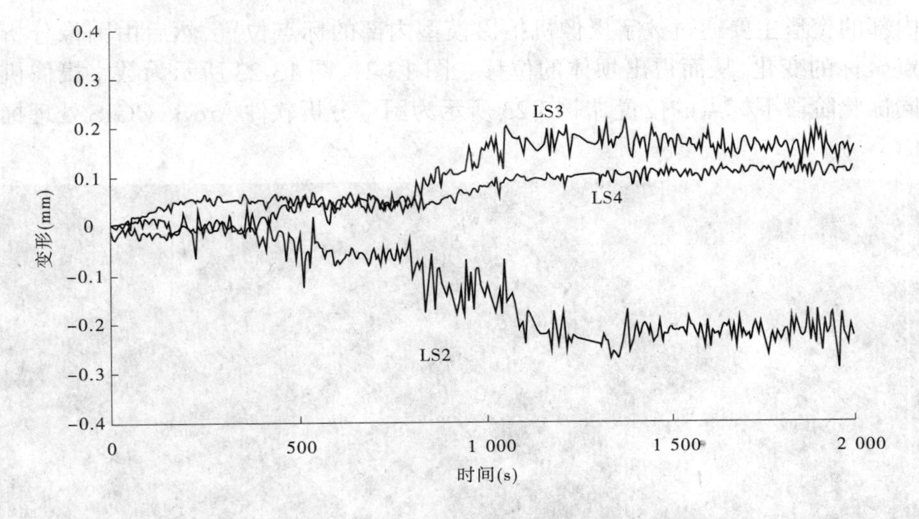

图 13-18　竣工期模型面板变形过程曲线

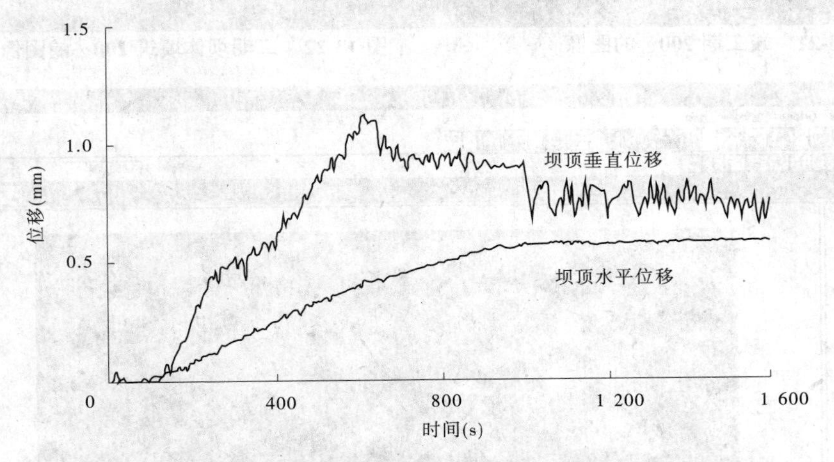

图 13-19　蓄水期(水位 1 644.70m)模型坝顶变形过程曲线

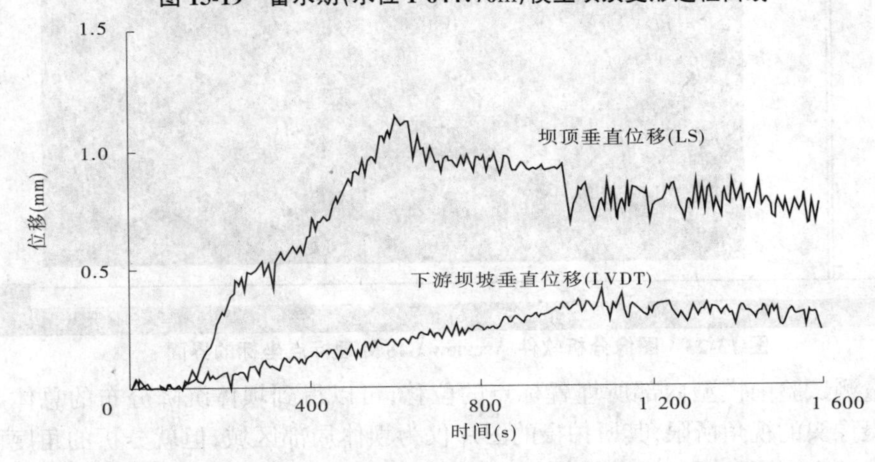

图 13-20　蓄水期(水位 1 644.70m)模型坝顶及下游坝坡变形过程曲线

坝体内部的变形主要通过数字摄像机拍摄模型内部的标点位置，然后由图像分析软件分析标点坐标的变化，从而得出坝体的位移。图 13-21、图 13-22 所示为数字摄像机所采集的不同试验阶段下标点的位置，图 13-23 所示为图像分析软件 Arcview GIS 处理标点坐标的界面。

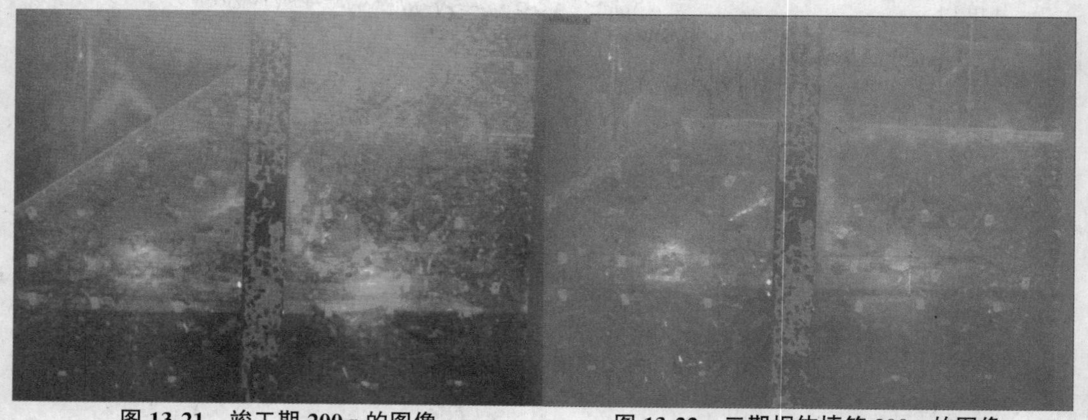

图 13-21　竣工期 200g 的图像　　图 13-22　二期坝体填筑 200g 的图像

图 13-23　图像分析软件 Arcview GIS 处理标点坐标的界面

通过量测试验中模型内部所埋置标点的位移，可以得到坝体沉降分布的总体趋势。由于数字摄像头的视角所限，其所拍摄的图片仅为坝体局部区域，但就分析的角度而言，这部分区域基本上涵盖了坝体变形的主要关键部位。图 13-24 和图 13-25 为坝体不同高程上的沉降分布曲线,图 13-26 和图 13-27 为坝体同一竖直位置上的水平位移分布。从各层标点的位移数值上看,竣工期坝体沉降值在接近坝轴线附近达到最大,边坡处沉降渐小。试验成果整理的三个高程上(1 524m 高程、1 544m 高程、1 595m 高程)的竣工期坝体沉降最大值分别为 0.53、0.85m 和 0.98m,蓄水期沉降最大值分别为 0.58、0.93m 和 1.14m。根据沉降曲线的外延趋势,可以估算出竣工期坝体的最大沉降为 1.20m 左右。总体而言,坝体沉降的分布规律与有限元计算分析结果基本一致,但数值略大。竣工期标点向上游侧的水平位移分别为 0.26(1 524m 高程)、0.28m(1 544m 高程)和 0.24m(1 595m 高程);蓄水期标点向上游侧的水平位移分别为 0.19(1 524m 高程)、0.21m(1 544m 高程)和 0.24m(1 595m 高程)。

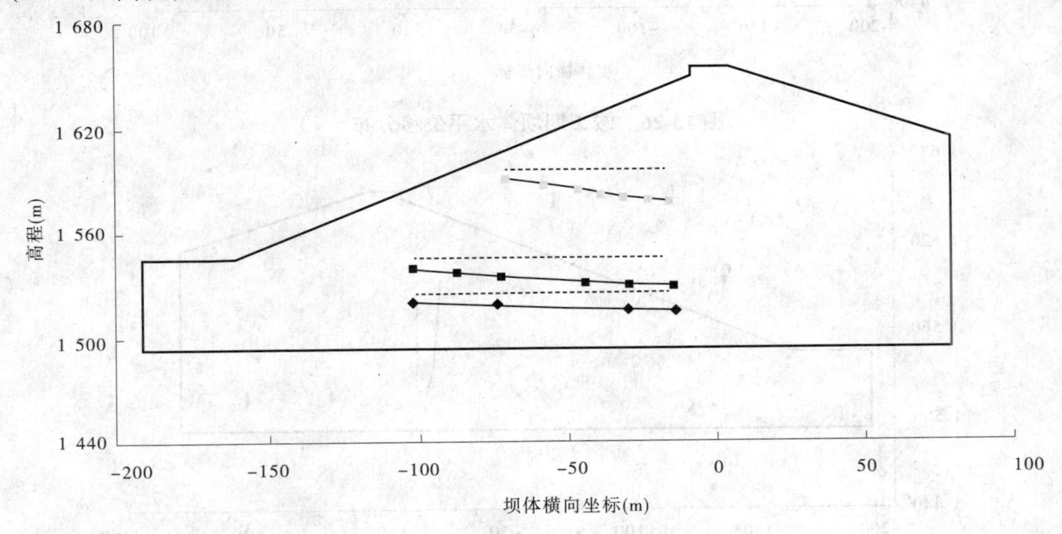

图 13-24　竣工期坝体沉降分布

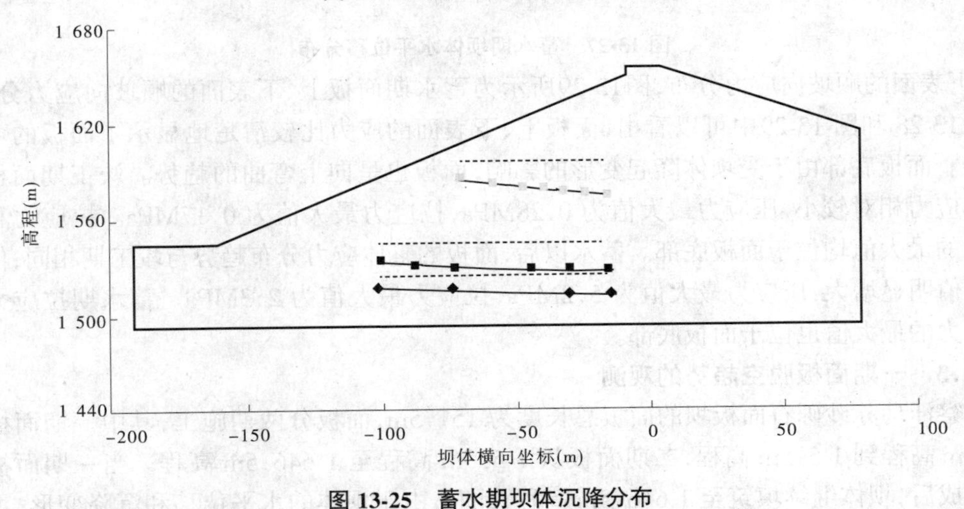

图 13-25　蓄水期坝体沉降分布

13.5.2　面板的应力

混凝土面板的应力主要是通过应变片的量测结果得出。图 13-28 所示为竣工期面板

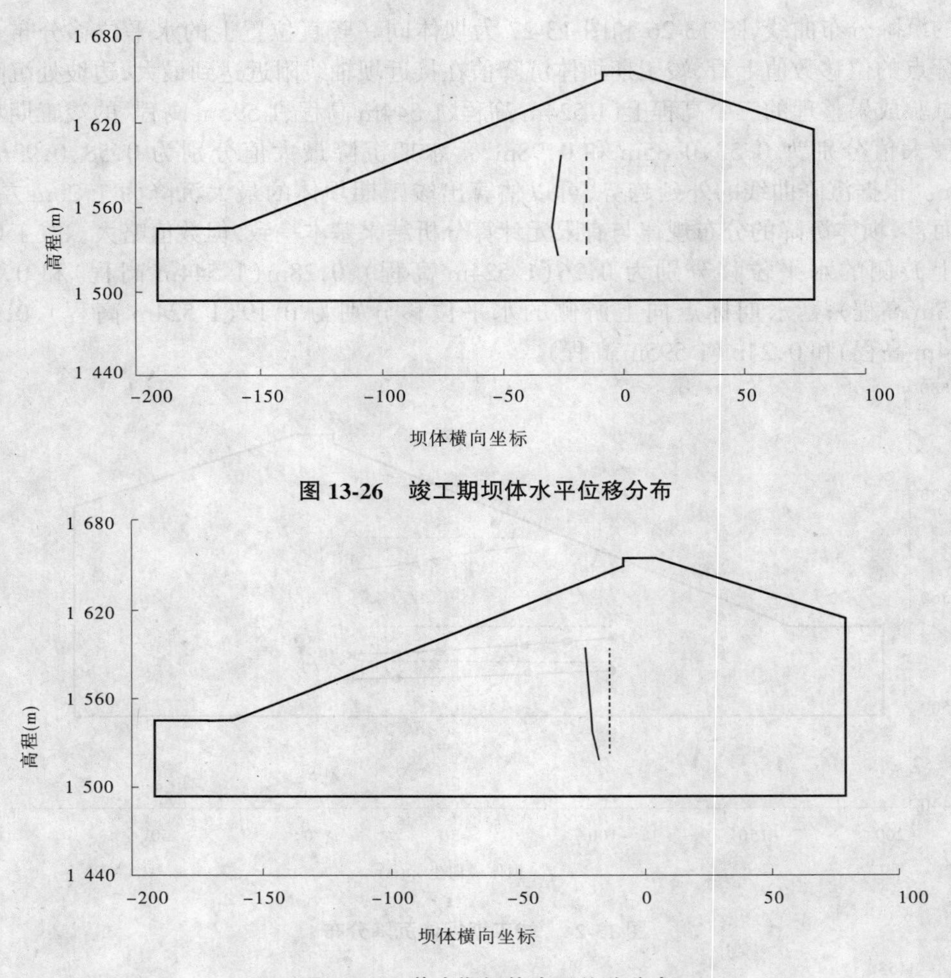

图 13-26　竣工期坝体水平位移分布

图 13-27　蓄水期坝体水平位移分布

上、下表面的顺坡向应力分布，图13-29所示为蓄水期面板上、下表面的顺坡向应力分布。从图13-28 和图 13-29中可以看出，面板上、下表面的应力比较清楚地显示了面板的弯曲趋势。面板底部由于受坝体隆起变形的影响，面板也呈向上弯曲的趋势。竣工期面板的整体应力相对较小，压应力最大值为 0.28MPa，拉应力最大值为 0.17MPa。拉应力和压应力的最大值均位于面板底部。蓄水以后，面板的整体应力分布趋势与竣工期相同，但应力数值明显增大：压应力最大值为 5.2MPa，拉应力最大值为 2.3MPa。蓄水期拉应力和压应力的最大值也位于面板底部。

13.5.3　一期面板脱空趋势的观测

察汗乌苏砂砾石面板坝的面板总长度为 151.5m，面板分两期施工，其中一期面板从 1544m 高程到 1 595m 高程，二期面板从 1 595m 高程至 1 646.5m 高程。当一期面板浇筑完成后，坝体继续填筑至 1 646.5m 高程，此时，由于坝体的水平位移和沉降变形，坝体上游面在一期面板顶部附近将产生指向坝内的变形趋势，而面板由于其刚度相对较大，从而会在面板顶部产生一定程度的脱空现象。从三期坝体填筑与一期面板施工的模型试验

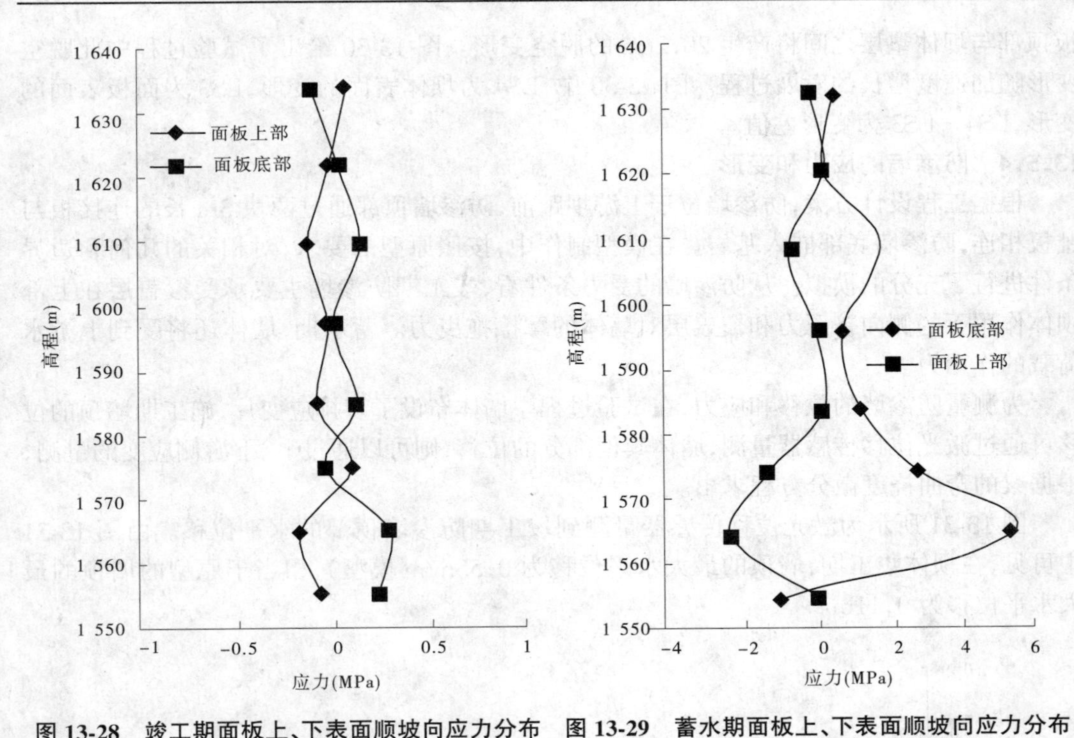

图 13-28　竣工期面板上、下表面顺坡向应力分布　图 13-29　蓄水期面板上、下表面顺坡向应力分布

结果可以清楚地观察到这一现象。图 13-30 所示为第三级坝体填筑阶段模型试验中 2 支激光位移传感器的量测结果。在这一级的试验中，激光位移传感器 LS3 和 LS4 分别照射在模型一期面板顶部和砂砾石斜坡上，当离心机加速度达到 200g 后，测得在一期面板顶部坝体和面板的法向位移差(垂直于坝坡方向)为 1.01mm，由此可以得出，原型中一期面

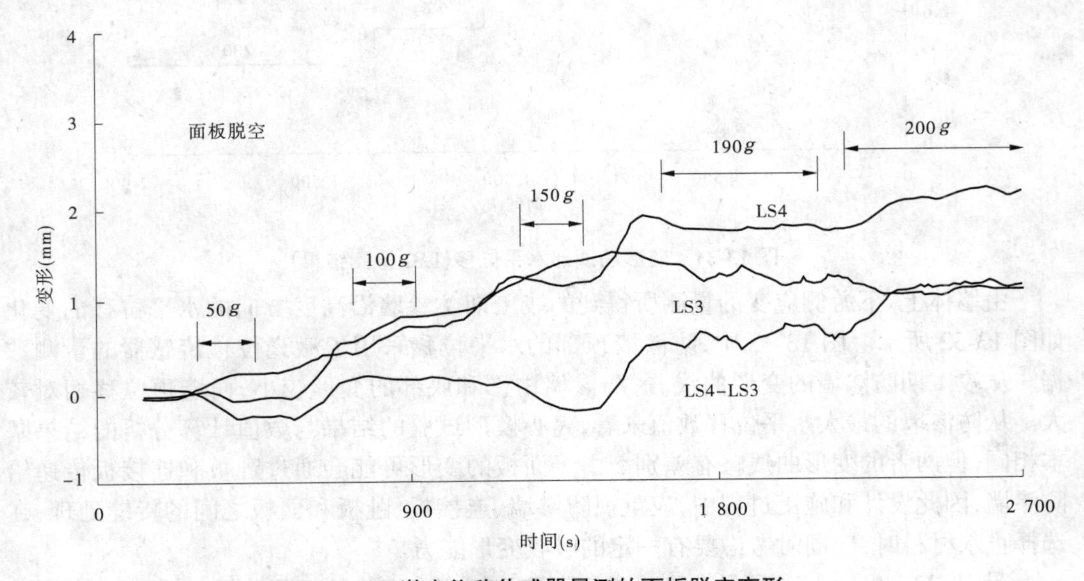

图 13-30　激光位移传感器量测的面板脱空变形

板顶部与坝体垫层之间将产生20.2cm的脱空变形。图13-30给出了试验过程中此脱空变形随加速度增长的发展过程。图13-30中，LS4为坝体表面的变形，LS3为面板表面的变形，LS4－LS3为变形差值。

13.5.4　防渗墙的应力和变形

根据工程设计方案，防渗墙位于上游坝趾前，防渗墙顶部通过两块3m长的连接板与趾板相连，防渗墙底部嵌入基岩。在模型制作中，按照原型的要求，对相关的几何和边界条件进行了充分的模拟。从防渗墙的受力条件看，竣工期防渗墙主要承受覆盖层在上部坝体作用下的侧向挤压力和覆盖层对墙体的摩擦拖曳力。蓄水期，墙体还将受到上游水荷载的作用力。

为测量防渗墙的位移和应力，在试验过程中墙体布设了多排应变片，施工期墙顶的位移可通过激光位移传感器量测，墙体其他部分的位移，则可以通过上、下游侧应变的量测，根据梁的弯曲挠度微分方程求出。

图13-31所示为激光位移传感器量测到竣工期防渗墙顶部的水平位移。由图13-31中可见，在坝体竣工期，墙顶的最大水平位移为0.55mm(模型)，相当于原型的墙顶的最大水平位移为0.11m。

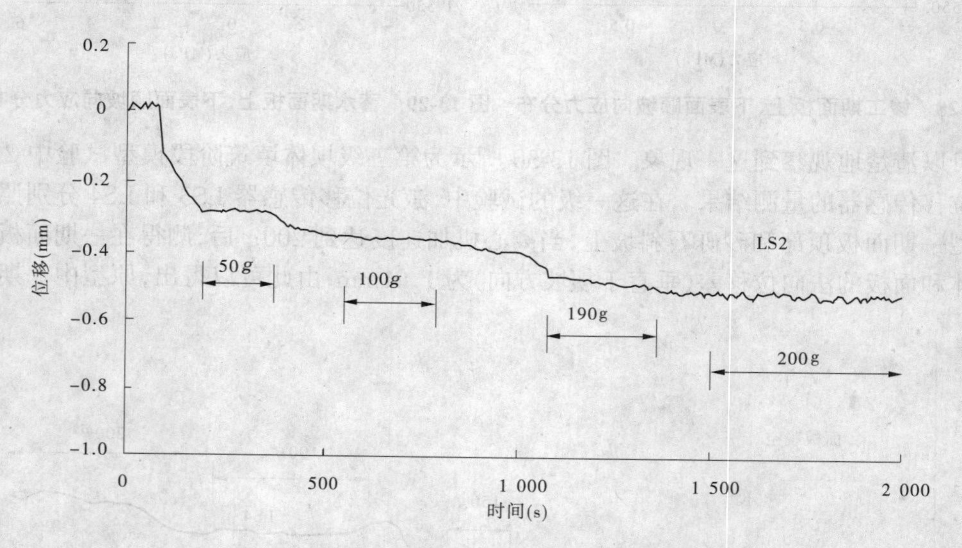

图13-31　防渗墙顶部水平位移(LS2量测结果)

由墙体上、下游侧应变的量测所得到的竣工期防渗墙沿高度方向的水平位移的变化如图13-32所示。图13-32中，防渗墙顶部的水平位移采用了激光位移传感器的量测数据。从竣工期防渗墙的变形曲线看，防渗墙中部和底部的变形较小，而墙顶位移相对较大。从防渗墙的最大水平位移数值来看，离心模型试验的结果与数值计算分析的结果基本相同，但两者的变形曲线略有差别。由于面板的变形可能会通过趾板和连接板传递给防渗墙，因此设计和施工过程中，应重视防渗墙、连接板、趾板和面板之间的接缝处理，在选择止水材料时，应同时考虑要有一定的吸收变形能力。

图13-33和图13-34所示分别为竣工期防渗墙应力变化的过程曲线(模型)。图13-35

所示为竣工期防渗墙由垂直方向荷载引起的应力 σ_g 和水平方向荷载引起的应力 σ_m 沿防渗墙高程的分布。

水库蓄水的模型试验分两级进行,其中第一次试验模拟蓄水位达到高程 1 595.0m(相对于原型),第二次试验模拟蓄水位达到高程 1 645.0m(相对于原型)。由于模型的压缩变形,实际蓄水位略低于以上高程位置。图 13-36 给出的是由应变量测而换算的防渗墙在蓄水期的变形曲线,图13-36中的位移数值已换算到原型尺度。由图13-36中可见,水库蓄水以后,在水压力的作用下,防渗墙向坝体下游侧变形。蓄水到 1 595.0m 高程(一期面板高度)时,防渗墙中部的水平位移减少到 0.03m(向上游);当库水位接近正常蓄水位时,防渗墙中部的水平位移减少到 0.003m;将蓄水期防渗墙的变形与竣工期防渗墙变形相减,可以得出在正常蓄水位工况下由于水压力引起的防渗墙水平位移(见图13-36)。在水荷载的作用下,防渗墙顶部以下6m处将向下游产生 0.08m 的水平位移。

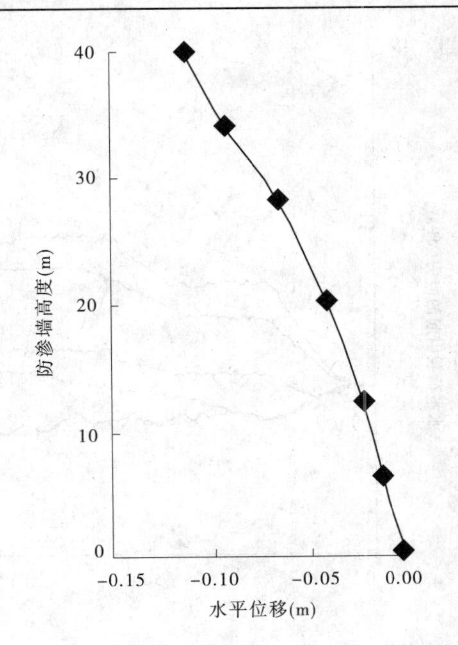

图 13-32 竣工期防渗墙沿高度方向水平位移分布(转换为原型)

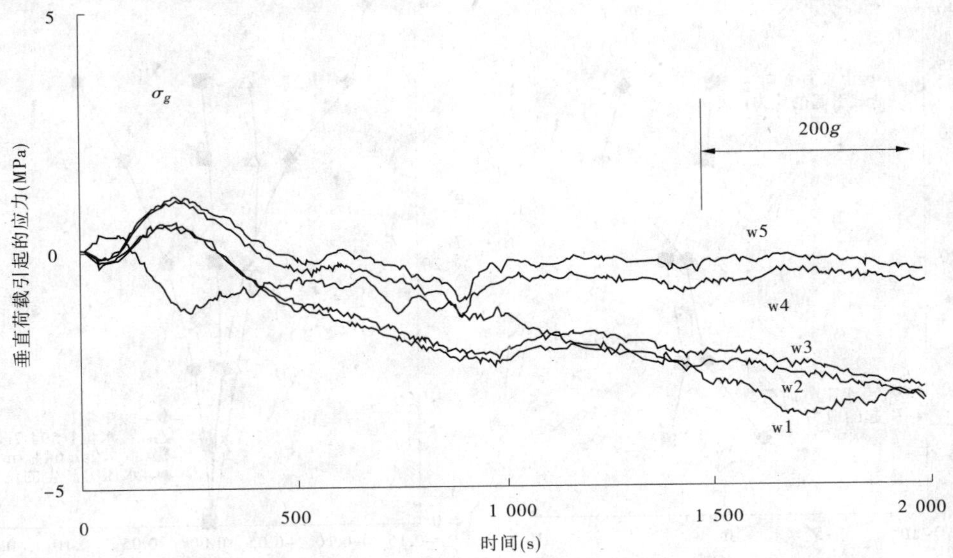

图 13-33 竣工期防渗墙垂直荷载引起的应力变化过程曲线(模型)

蓄水期防渗墙由垂直方向荷载引起的应力 σ_g 和水平方向荷载引起的应力 σ_m 沿防渗墙高程的分布如图 13-37 所示。

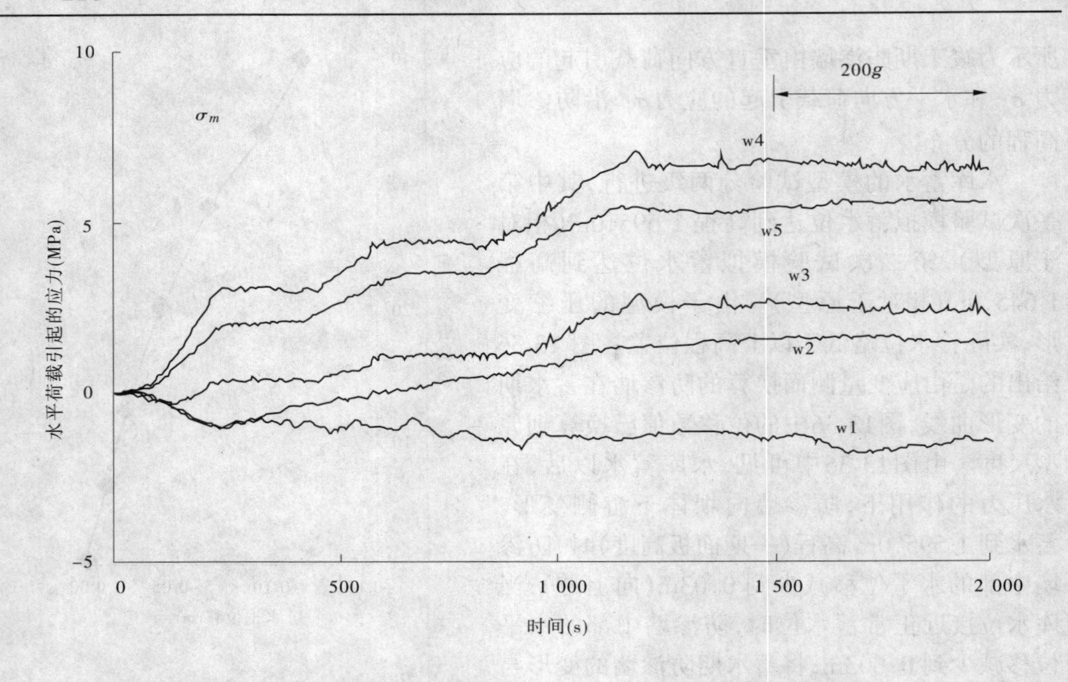

图 13-34　竣工期防渗墙水平荷载引起的应力变化过程曲线(模型)

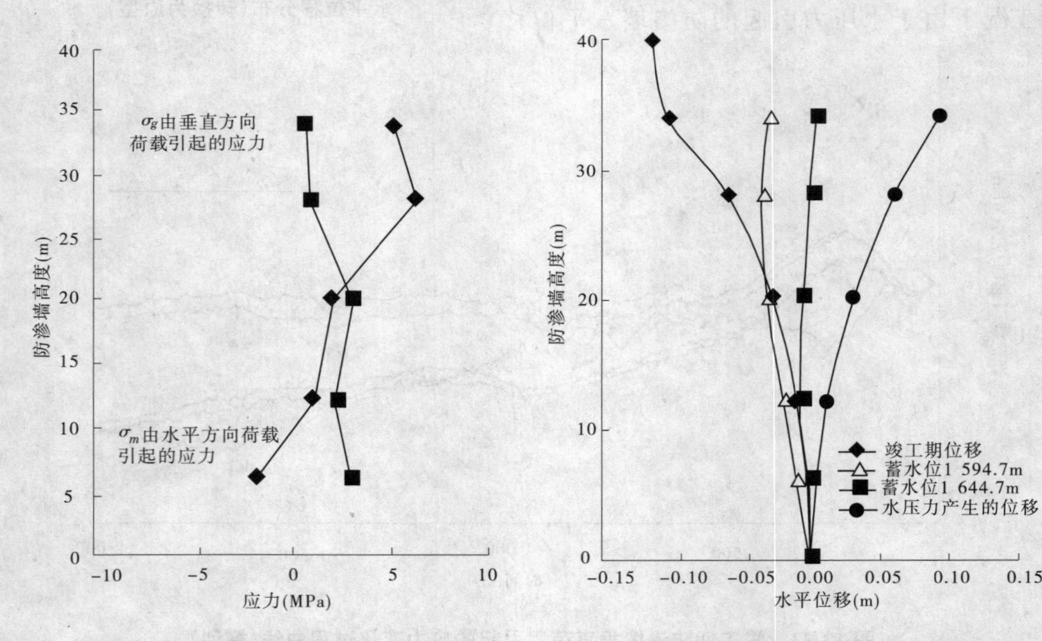

图 13-35　竣工期防渗墙应力沿高度分布(原型)

图 13-36　竣工期、蓄水期防渗墙沿高度方向水平位移分布(原型)

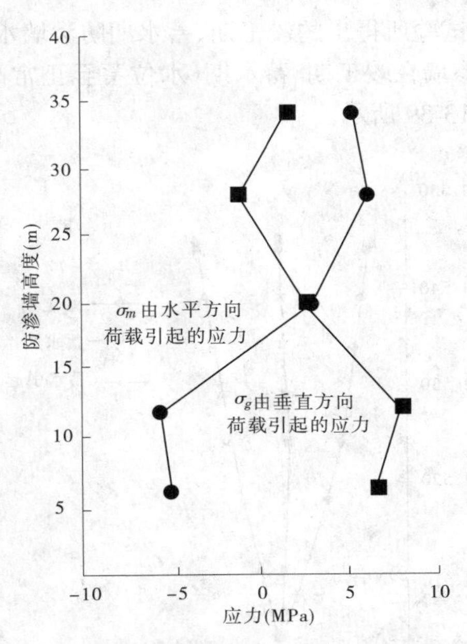

图 13-37　蓄水期防渗墙沿高度方向的应力分布(原型)

13.6　离心模型试验与数值计算的对比

13.6.1　坝体位移趋势的对比

离心模型试验中,坝体内部变形的观测主要是通过模型箱侧壁有机玻璃观察窗所获得的模型中预埋标点的数字图像,经图像分析软件处理后得出。图 13-24 所示为竣工期坝体不同高程上的沉降分布。根据沉降曲线的外延趋势,可以估算出竣工期坝体的最大沉降为 1.20m 左右。图 13-38 为数值计算分析所得的竣工期坝体不同高程上的沉降分布,竣工期坝体的最大沉降位于坝轴线附近,数值为 1.04m。对比数值计算分析与离心模型试验结果可以发现,总体而言,坝体沉降的分布规律与有限元计算分析结果基本一致,坝体最大沉降区的位置也基本相同,但离心模型试验所得数值略大,而且,由于模型尺寸和数字摄像头位置所限,其所得坝体位移标点的数据也比较有限。

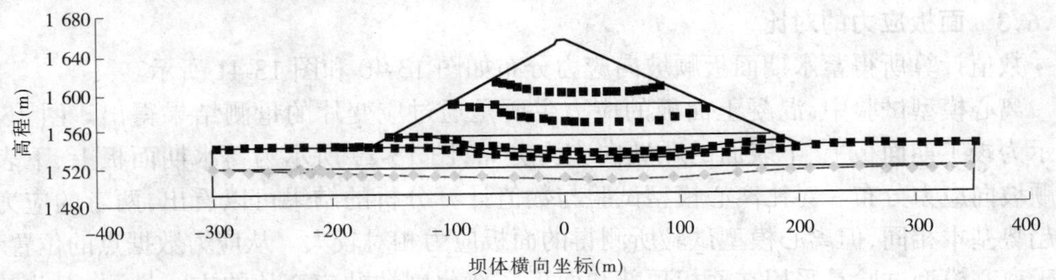

图 13-38　竣工期坝体沉降分布(数值计算)

13.6.2　防渗墙变形趋势的对比

离心模型试验中,防渗墙位移和应力通过在墙体上下游表面布设多排应变片的方式测量，图 13-36 为离心模型试验所得出的竣工期、蓄水期防渗墙水平位移沿墙体高度方向的分布。数值计算所得防渗墙在竣工期、蓄水期（水位蓄至正常高水位）以及由于蓄水作用所引起的墙体位移如图 13-39 所示。

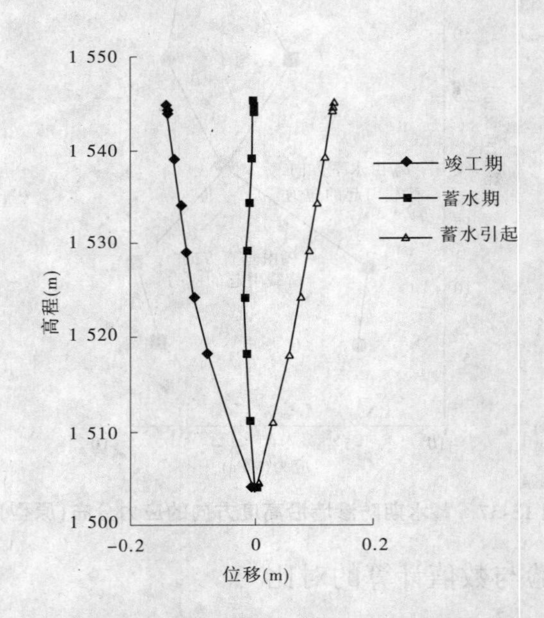

图 13-39　防渗墙沿高程方向水平位移分布(数值计算)

数值计算分析所得竣工期墙顶的水平位移为 0.13m。从防渗墙的最大水平位移数值来看，离心模型试验的结果与数值计算分析的结果基本相同（离心模型试验竣工期墙顶最大水平位移为 0.11m），但两者的变形曲线形状略有差别。数值计算中墙体的变形曲线为向上游侧凸出的曲线，而离心模型试验得出的墙体变形曲线为相对与上游侧呈凹陷状的曲线。造成这一差别的主要原因是墙底约束形式的不同。数值计算中，墙底部未作为固端，同时考虑了墙底沉渣，而在离心模型试验中，模型防渗墙基本上嵌入基岩，其约束近似于固端。当水库水位蓄至正常水位时，离心模型试验与数值计算所得的防渗墙变形曲线基本相同。

13.6.3　面板应力的对比

数值计算所得蓄水期面板顺坡向应力分布如图 13-40 和图 13-41 所示。

离心模型试验中，混凝土面板的应力主要是通过应变片的量测结果得出。图 13-28 所示为竣工期面板上、下表面的顺坡向应力分布，图 13-29 所示为蓄水期面板上、下表面的顺坡向应力分布。对比离心模型试验与数值计算分析的结果可以看出，两者的应力分布趋势基本相同，但离心模型试验所测得的面板应力相对较大。从应力数据点的位置看，由于离心模型试验是采用在面板顶部和面板底部分别粘贴应变片的方式量测，因此其应力数据点应位于面板表面。数值计算中，应力的计算是通过将面板划分成三层单元的方式而得出面板上部和下部的应力，其应力数据点的位置为单元的形心。因此，离心模型试验与数值计算分析的应力数据点位置略有差别。

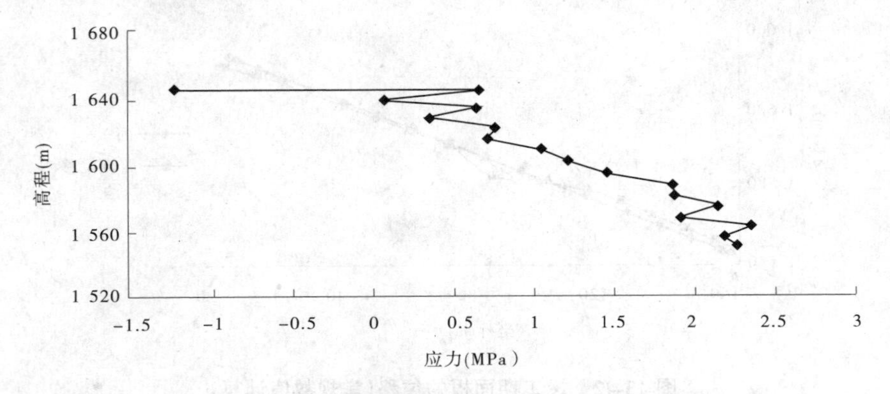

图 13-40　蓄水期面板底部顺坡向应力分布(数值计算)

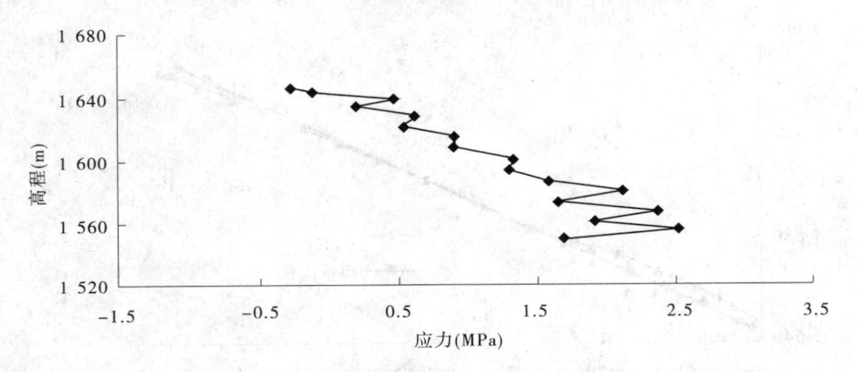

图 13-41　蓄水期面板上部顺坡向应力分布(数值计算)

13.6.4　面板与堆石间脱空位移的验证

察汗乌苏砂砾石面板坝的面板总长度为 151.5m,面板分两期施工,其中一期面板从 1 544m 高程到 1 595m 高程,二期面板从 1 595m 高程至 1 646.5m 高程。当一期面板浇筑完成后,坝体继续填筑至 1 646.5m 高程,此时,由于坝体的水平位移和沉降变形,坝体上游面在一期面板顶部附近将产生指向坝内的变形趋势,而面板由于其刚度相对较大,从而会在面板顶部产生一定程度的脱空现象。从三期坝体填筑与一期面板施工的模型试验结果可以清楚地观察到这一现象(见图 13-30)。离心模型试验所得一期面板顶部与坝体之间的最大脱空量为 20.2cm。

在常规的数值计算中,由于接触面单元无法模拟界面间的脱空,因而面板与坝体间的脱空位移无法计算,只是在面板变形曲线上反映出一个位移突变段,如图 13-42 所示。

在采用界面单元法的数值计算分析中,面板与坝体这两种不同介质间的接触界面特性可以得到较为真实的反映(参见第 4 章)。图 13-43 和图 13-44 所示为采用界面单元计算的面板位移。

采用界面单元的数值计算分析所得出的面板与坝体间的最大脱空位移为 15.8cm,脱空段长度约为 15m。与离心模型试验相比,数值计算所得出的数值略小。而离心模型试验因受量测手段的限制,仅能给出面板顶部的最大脱空量,无法得出面板沿坝面的脱空段长度。

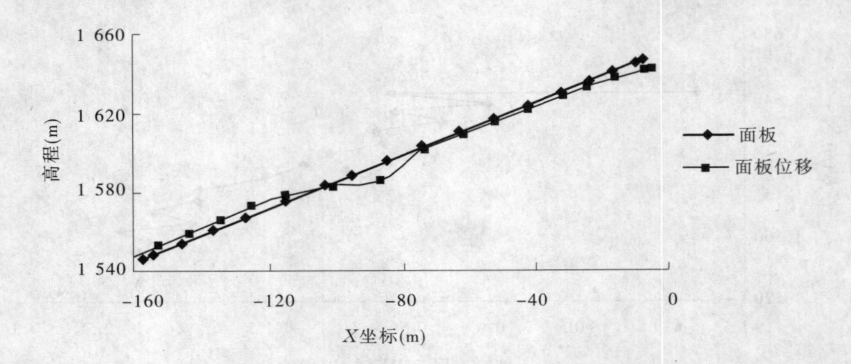

图 13-42 竣工期面板的位移(常规数值计算)

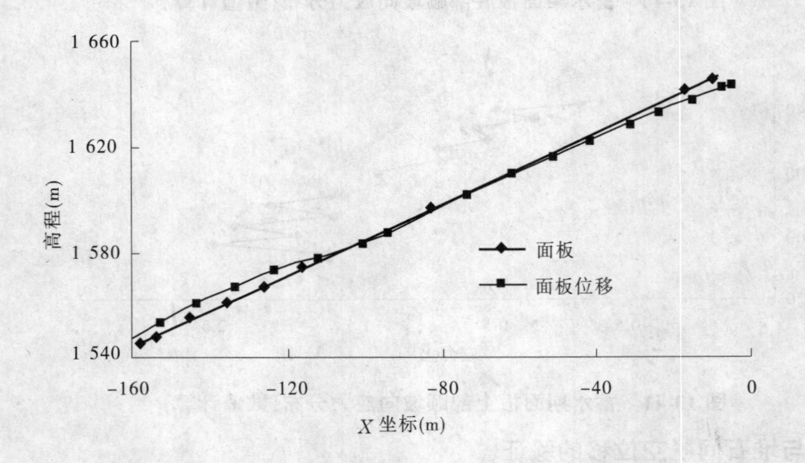

图 13-43 竣工期面板的位移(界面单元计算)

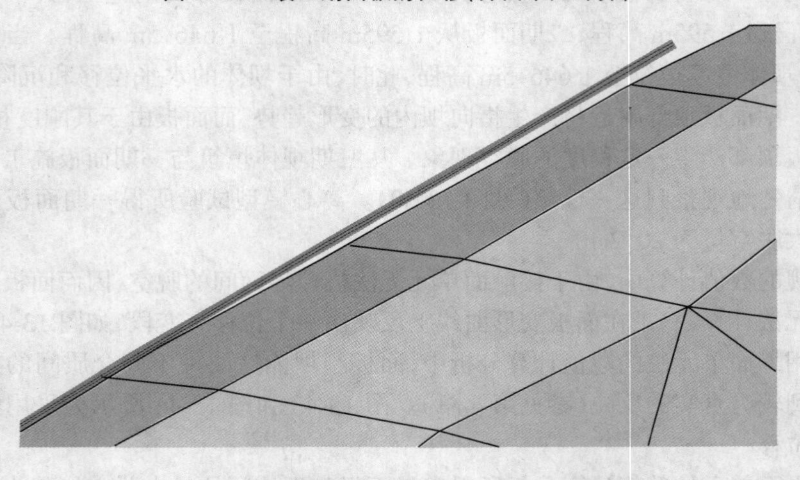

图 13-44 一期面板顶部及坝体变形图(局部放大)

13.7　小结

察汗乌苏面板堆石坝是一座修建于深覆盖层地基上的高面板堆石坝,与修建于基岩上的常规面板堆石坝相比,其结构形式相对较为复杂。在研究覆盖层与上部坝体的相互作用和坝体、地基的应力变形性状时,单纯依靠数值分析的方法是不够的。在进行数值计算分析的同时,有必要采用物理模拟手段(离心模型试验),对坝体各部分的结构在高应力下的相互作用关系进行试验分析研究,并同时对数值分析的计算结果进行对比验证。

本项研究采用了大型土工离心模拟试验,针对察汗乌苏面板堆石坝的坝体结构设计形式,分别进行了施工期和蓄水期的物理模型试验。在试验技术上,本次试验研究中从离心模型试验的相似原理出发,对原型材料和模型材料的相似模拟问题进行了有益的探讨,提出了坝基防渗墙、混凝土面板、坝体坝基料等的具体模拟手段。同时,为尽可能地全面揭示坝体、坝基结构物的相互作用关系,试验中采用了多种量测手段以及先进的数字图像技术和无线局域网技术,在试验数据的采集上也进行了探索。试验中模拟了坝体分期填筑的过程和分级蓄水的过程,通过试验分析,对工程的设计方案进行了论证。

从离心模型试验与计算分析的对比看,模型试验与计算分析在坝体、面板、防渗墙的应力和变形的分布趋势上,均表现出较高程度的一致性。从计算数值看,除在防渗墙的位移方面两者十分接近外,其余大部分情况下,离心模型试验所得出的数值偏大。究其原因,一个主要的因素是模型坝体的压实程度不够,对此,今后的试验中除需进一步改进模型的制作工艺外,对坝体填筑材料的级配也应做适当的调整。

通过对察汗乌苏面板堆石坝工程的离心模型试验,可以得到以下结果:

(1)施工期坝体的沉降分布为一向下弯曲的曲线,坝坡处的沉降较小,坝轴线附近的沉降位移最大。竣工期坝体累计最大沉降值约为 1.2m,位置略偏坝体下部。

(2)竣工期坝顶的沉降为 0.17m,距坝轴线约 40m 处的下游坝坡沉降为 0.29m,趾板处的沉降为 0.11m。

(3)在坝体填筑过程中,防渗墙呈现向上游的变位,竣工期墙体的最大水平位移约为 0.11m,最大水平位移发生在墙体顶部。蓄水以后,在水压力的作用下,防渗墙向下游变形,防渗墙顶部以下 6m 处向下游产生 0.08m 的水平位移。

(4)竣工期墙体由于垂直方向荷载引起的压应力为 3.1MPa,由于水平方向荷载引起的压应力为 6.32MPa。蓄水以后,由于水平方向荷载引起的压应力为 8MPa、拉应力为 5MPa。

(5)施工期一期面板顶部因其后部坝体的沉降而产生脱空现象,根据离心模型试验的结果,一期面板顶部与坝体垫层之间的脱空变形约为 0.20m。因此,在实际工程的施工中,可考虑在浇筑一期面板前,坝体填筑高度适当高于一期面板顶部高程。

(6)从模型试验的结果与数值计算结果的对比可以看出,数值计算分析与离心模型试验所得出的坝体应力变形规律是基本一致的。

(7)从面板的应力看,面板的整体应力趋势为压应力,但在面板底部因弯曲变形的作用而产生部分拉应力。从面板应力沿高程的分布来看,面板底部的压应力相对较大。蓄水期面板底部的最大压应力为 5.2MPa,拉应力为 2.3MPa。

(8)从模型试验后坝体、面板、趾板和防渗墙的相对位置观察,连接板、趾板虽都有向上游的移动,但未发现防渗墙顶、连接板、趾板和面板间有明显的脱空现象,这说明从结构受力变形的角度来看,坝体坝基防渗系统的防渗功能是可以保证的。

(9)综合以上结果可以认为,采用经前述研究拟定的设计方案,将察汗乌苏面板堆石坝直接修建在深厚覆盖层上,从结构受力变形的角度来看,是完全可行的。

第14章 总结与展望

14.1 研究内容总结

本书主要针对混凝土面板堆石坝的应力变形特性进行系统的分析研究,并由此分析探讨混凝土面板堆石坝在各种情况下的应力变形规律及其相关影响因素。在本书的研究中,除采用数值分析的方法外,还采用了大型土工离心模型试验的研究方法,在此基础上,对采用数值模型和物理模型相结合的方法解决混凝土面板堆石坝应力变形分析的思路进行了研究和探讨。

本书的研究成果主要包括以下几方面:

(1)在系统总结堆石材料工程特性的基础上,对其相关影响因素和分析模型进行了归纳和总结,并从工程实用的角度,对分析模型的应用进行了评述,同时还在试验资料的基础上,对堆石材料模型计算参数的统计分析进行了初步的探索。

(2)对面板堆石坝数值计算分析中接缝系统的模拟算法进行了较为系统的研究,提出了采用界面单元模拟面板与坝体堆石之间非连续接触界面的改进算法,并利用离心模拟试验对此计算方法进行了验证。

(3)从数值计算的角度,对面板堆石坝坝体断面材料分区的优化设计以及坝料参数的反演计算进行了分析研究。通过计算分析,提出了软岩堆石材料在面板堆石坝应用的一般原则,并提出了面板堆石坝参数反演计算和施工运行仿真分析的基本方法。

(4)对涉及面板堆石坝应力变形特性的各方面影响因素(包括:河谷形状、深厚覆盖层、堆石的压实标准、施工顺序及蓄水过程等)进行了系统地分析研究,在此基础上,从应力、变形分析的角度,对面板堆石坝,特别是高面板堆石坝设计、施工的基本设计准则提出了相关的建议。

(5)对面板堆石坝的离心模拟试验技术进行了较为深入的研究,构建了离心模型试验的无线数据传输系统和图像分析系统,并在此基础上,首次完成了百米级坝高、深厚覆盖层上面板砂砾石坝施工期和蓄水期的离心模型试验。同时,对数值计算分析的结果与离心模型试验的结果进行了对比分析,提出了数值分析模型与物理模型相结合的研究思路。

14.2 主要研究结论

(1)在面板堆石坝的数值计算分析方面,堆石材料的本构模型必须真实反映其非线性的应力—应变关系,线弹性模型对于堆石变形的计算是不适用的。在目前的面板堆石坝计算分析中,Duncan 模型的应用较为广泛,大量的工程计算实践也表明,其计算结果对于工程实用而言基本上是可信的。

(2)Duncan 模型的参数之间具有一定的相关性,因此在 Duncan 模型的应用中,应注意其参数的协调性。

(3)在面板堆石坝数值计算分析中,对于面板与堆石体的接触,宜采用薄层接触面单元;混凝土面板之间的接触,宜采用分离缝单元;而面板与趾板之间的接触,宜采用软单元。这样的模拟方式,基本上考虑了面板堆石坝界面接触中的主要因素,在大多数情况下均可得出较为满意的计算结果。而对于面板堆石坝界面接触的更精确模拟,可以采用界面单元方法。具体而言,在面板堆石坝计算分析中可采用有限单元与界面单元混合模式的分析方法,采用这种方法,可以有效地处理接触面和接缝界面的滑移、分离现象。

(4)在面板堆石坝的断面分区中,对于软岩堆石料利用原则是:保证软岩料区的底部边界线在大坝运行期处于干燥区,以便坝体排水畅通,并避免软岩遇水产生湿化变形;软岩料区的下游边界线应通过计算分析确定合理的坡度,以保证坝体下游边坡的稳定,并且在其外侧留有不小于 2m 新鲜硬岩填筑区,以防止软岩料的继续风化;软岩料区的上游边界线则应通过计算分析,在保证坝体施工期、运行期的沉降量以及面板的应力在合理范围内的前提下,尽量往坝体上游侧靠近,以期能够最大限度地利用软岩材料。对于高面板堆石坝,一般不宜在下游区采用软岩堆石。而且,在软岩材料的应用中,对于在次堆石区使用软岩材料的情况,应注意不使下游软岩堆石区的模量与坝体上游堆石区的模量差别过大。当坝体全断面利用软岩堆石料时,应注意对坝体总变形量的控制,同时要注意排水的设计。对于砂砾石面板坝,其断面分区的布置可以有多种形式,但最主要的问题是坝体的渗流控制。因此,对于砂砾石面板坝的分区布置,除需采用坝坡稳定分析和应力变形分析确定其范围和位置外,必要时还需要进行渗流计算分析,以保证坝体的渗透稳定和排水通畅。

(5)河谷的地形形状对于面板堆石坝的应力、变形有着较为明显的影响。在坝高与坝体材料确定不变的情况下,狭窄河谷中坝体和面板的位移数值明显小于宽阔河谷中的情况,而面板的应力则是在狭窄河谷的情况下较大。对于非对称河谷情况,坝体和面板的位移分布呈不对称分布,缓坡侧坝体的位移有向陡坡侧挤压的趋势。陡坡侧位移变化梯度相对较大,缓坡侧位移变化梯度相对较小。平缓岸坡侧面板拉应力区范围较大,陡岸坡侧面板拉应力区范围较小,但陡岸坡处面板应力变化的梯度相对较大。针对上述变形特点,在面板堆石坝的设计、施工中,对于狭窄河谷中的面板坝,应参考数值计算分析成果,通过调整面板宽度,合理确定面板的分缝,以适应面板变形的变化梯度。同时,应在周边缝附近设置特殊垫层区,并保证其较高的碾压密实度,以减小面板周边缝的变形。对于非对称河谷,还应特别重视缓坡侧面板纵缝的位移,相对而言,这部分的面板分缝更容易出现较大的张拉位移。

(6) 对于面板堆石坝的坝基覆盖层,如坝基覆盖层较浅,则可以采取部分挖除(趾板附近)的处理方式。当覆盖层较深时,其较为合理的结构形式是采用垂直防渗处理方案,利用混凝土防渗墙作为地基防渗措施,将趾板直接置于砂砾石地基上,并用趾板或连接板将防渗墙和面板连接起来,接缝处设置止水,从而形成完整的防渗系统。在这种情况下,工程设计的关键是要保证防渗墙、连接板和趾板的变形协调并满足强度方面的要求。深覆盖层坝基与上部坝体的相互作用,主要表现为坝基覆盖层压缩变形对上部坝体的影响。其直接后果将导致坝体最大沉降区域的下移、坝顶产生向内凹陷的变形,并有可能引起一期面板顶部与坝体间产生局部脱空的趋势。与修建于坚硬基岩上的常规面板堆石坝相比,深覆盖层地基上的面板堆石坝坝体位移、面板变形以及周边缝的位移均有所增加。坝基防渗墙与趾板之间也存在一定的变形差异,这种差异变形可以采用连接板的方式进行过渡。从防渗墙的应力、变形看,趾板与防渗墙之间连接板的长度与防渗墙的应力和位移有着明显的相关关系。其合理的长度,应针对具体工程情况,通过优化分析确定。

(7)在面板堆石坝的设计和施工中,控制坝体和面板变形的最直接途径是坝体的结构分区和填筑施工碾压标准。合理的材料分区布置以及适当的填筑压实标准控制,对于改善面板坝的工作性状、提高大坝的整体安全性将起到至关重要的作用。就工程结构特性而言,坝体材料分区间变形模量和填筑密度不应相差过大。对于高面板堆石坝,为减少上、下游方向不均匀沉降,主、次堆石区的堆石料特性差异不宜过大。对于高混凝土面板堆石坝,一般不宜采用软岩堆石料填筑次堆石区。当采用软岩堆石料或材料性质相对较弱的堆石作为次堆石区填筑坝料时,应特别注意:①不要将软岩料布置在高压应力区,以避免造成次堆石区较大压缩变形;②主堆石区与次堆石区的分界应采取相对保守的坡比,其坡度不应陡于1:0.5;③高坝的次堆石区应布置在坝体下游相对较高的位置,至少其底部应保留一定厚度的低压缩性堆石体。

(8)就面板堆石坝的施工而言,提高填筑密度是改善坝体和面板应力、变形特性的重要手段。从计算分析的结果看,当堆石材料的填筑密度从一个相对较低的数值提高到较高的数值时,坝体和面板的变形有明显的改善;但当堆石填筑密度提高到一定程度后,坝体和面板变形的减小趋势逐渐趋缓。因此,在面板坝的施工中,应结合工程的具体情况,在满足经济可行的条件下,合理确定堆石的压实密度,从而改善坝体的整体应力、变形性状。

(9)在面板堆石坝的填筑施工方式上,不同的施工填筑分期,由于堆石体变形时序的差异,坝体的最终变形也必将受到一定程度的影响。就改善坝体的变形性状而言,坝体的填筑最好是实现坝体上、下游全断面均衡上升,当因施工期度汛的要求而需先行填筑临时断面时,新、老填筑体的高度差异不应过大。在高面板堆石坝的填筑施工中,其填筑施工的分期尤其应注意不能采取“贴坡式”上升的施工方式。为减少坝体变形对面板应力的影响,面板的浇筑最好应等待坝体变形稳定一段时间后再施工。从改善面板的应力看,面板一次施工到顶要相对优于面板分期浇筑。坝体在施工期的挡水度汛,汛期水荷载可以起到对堆石体的预压作用,从而可以在一定程度上改善面板的应力状态。

(10)对于面板坝面板裂缝的控制,需要考虑结构方面的措施和混凝土材料方面的措施。广义上讲,面板的裂缝是由于坝体变形、温度变化和混凝土干缩等因素综合作用的结果。对于面板的结构性裂缝,其防范措施主要是坝体和面板变形的控制;对于面板的材料性裂缝,其防范措施主要是降低面板混凝土的综合温差、控制混凝土的体积收缩。总体而言,面板裂缝的控制是一项系统工程,应该在混凝土材料配比、坝体结构设计、施工质量控制三方面采取综合措施。

(11)在面板堆石坝应力、变形特性的研究中,离心模型试验是与数值计算分析相互补充、互相验证的方法。在离心模型试验中,应注意考虑模型试验中的固有误差,同时,在进行面板堆石坝的离心模型试验中,还应解决面板材料模拟、堆石材料缩尺、试验数据传输、内部变形观测、蓄水过程模拟等一系列问题。察汗乌苏面板堆石坝的离心模型试验研究结果表明:离心模型试验与数值计算分析结果在坝体、面板、防渗墙的应力和变形分布上,均表现出较好的一致性,由此实现了物理模型与数值模型的相互验证,同时也充分说明了离心模型试验的实用性。

14.3　进一步研究与展望

近些年来,随着水电建设事业的不断发展,面板堆石坝的设计、施工也将面临着新的挑战。未来的面板堆石坝,坝高会越来越高,坝址的地形、地质条件也会日趋复杂。由此,也会对面板堆石坝的应力变形分析提出更高的要求。从近期的发展看,面板堆石坝的应力变形分析研究将主要集中在以下几个方面。

14.3.1　面板堆石坝的长期变形研究

随着面板堆石坝坝高的不断增长,以及所采用的筑坝材料日益广泛,坝体的长期变形问题也日趋突出。对于面板堆石坝,其长期变形主要包括水库运行期蓄水荷载变化引起的变形以及堆石体的流变变形等。目前,关于坝体堆石流变变形的机理研究尚不成熟。一般认为,在堆石坝中,堆石颗粒之间接触紧密,颗粒接触点处的局部应力集中将可能导致颗粒的局部破坏,从而引起周围堆石体的应力重新分布,同时也可能会引起颗粒的重新排列。所有这些调整的过程,均需要一定的时间完成,因而就会造成变形随时间不断发展的过程。另外,随着时间的推移,堆石体内理、化条件的变化,也可能导致堆石体变形的发展。

就工程实践而言,目前最为关心的还是工程竣工后坝体的后期变形量及其对面板应力和位移形态的影响。对于蓄水荷载变化引起的变形,可以通过常规的方法进行计算分析。对于坝体堆石流变变形量的确定,则取决于计算分析中采用什么样的流变模型。目前,对于堆石的流变分析主要有两种方法:一种是采用理论模型,如 Maxwell 模型、Vogit 模型和 Merchant 模型等;另一种是采用经验函数模型,如指数衰减函数、幂函数、双曲函数和对数函数等。采用不同的流变模型可以得出不同的流变变形,即使是对于同一种流变模型,不同的参数取值也会导致不同的流变计算结果。因此,在堆石的流变变形研究中,材料特性试验不可或缺。今后的数值计算分析研究中,应充分结合试验研究的相关成果,研究开发堆石流变分析模型及相关参数的测定方法,对面板堆石坝的长期变形特性进行深入的研究。

14.3.2　堆石材料的湿化变形研究

堆石材料由干燥状态遇水变为湿态时所产生的变形称为堆石的湿化变形。堆石在湿化过程中所产生的附加变形将会使坝体位移和应力重新分布,在大多数情况下,它将会导致坝体的不均匀变形,从而对面板的应力产生影响。

由于面板堆石坝的防渗层位于坝体上游面,在面板未发生大的裂缝和止水系统完好的情况下,水库蓄水的升降不会造成堆石的湿化,因此常规的数值计算分析中一般不考虑堆石的湿化变形。但是,当因面板裂缝或止水破坏而导致库水渗漏时,在一定的条件下,堆石的湿化变形将有可能导致面板的进一步损坏。另外,对于高面板堆石坝,由于雨水入渗和下游尾水位变化所引起的堆石湿化变形也有可能对坝体的整体变形和面板的应力造成不利的影响。

14.3.3　高面板堆石坝离心模型试验技术研究

离心模型试验由于其自身的突出特点,使得它在面板堆石坝应力、变形特性研究中有着重要的意义。今后的离心模型试验,将进一步在模型材料(主要是堆石材料的合理级配控制、面板材料的合理模拟等)、试验量测手段(主要包括坝体内部变形的观测、接缝位移的测量等)以及如何在有限的离心机容量下解决高面板坝的模型试验等方面进行深入的研究。

参考文献

[1] 蒋国澄,傅志安,凤家骥.混凝土面板堆石坝工程.武汉:湖北科学技术出版社,1997
[2] 张光斗.混凝土面板堆石坝的设计与施工.水力发电学报,1994(1)
[3] Cooke J B. Progress in Rockfill Dams. in: The 18th Terzaghi Lecture. Journal of Geotechnical Engineering, ASCE, 1984 (110)
[4] Cooke J B. Rockfill and Rockfill Dams. in: Invited Lecture, Proceedings of International Symposium on High Earth - rockfill Dams. Beijing, Chinese Society of hydro - electric Engineering (CSHEE), 1993 (I)
[5] Galloway J D. The Design of Rockfill Dams. Transactions of ASCE, 1939(104)
[6] Transactions of ASCE, 1960
[7] Roberts C M. Discussion on "Salt Spring and Lower Bear Rive Concrete Face Dams". Transactions of ASCE, 1960 (125)
[8] Terzaghi K. Discussion on "Salt Spring and Lower Bear Rive Concrete Face Dams". Transactions of ASCE, 1960 (125)
[9] 2001World Atlas & Industry Guide. The International Journal on Hydropower & Dams, ISBN 0 9540496 16
[10] Cooke J. B. Sherard J L CFRD - Design, Construction and Performance(ed.). Proceedings of a Symposium at the ASCE Convention in Detroit, 1985
[11] CFRD - Design, Construction and Performance. Proceedings of a Symposium at the ASCE Convention in Detroit, 1985
[12] Journal of Geotechnical Engineering. ASCE, 1987 (118):10
[13] Transactions. 16th ICOLD, 1988 (II)
[14] International Journal of Water Power and Dam Construction, 1991(1)
[15] International Journal of Water Power and Dam Construction, 1992(4)
[16] Proceedings of International Symposium on High Earth - rockfill Dam. Beijing, CSHEE, 1993
[17] Proceedings of International Symposium on CFRD. Beijing, 2000
[18] 邬碍清,柳赋铮.岩石力学试验技术及其工程应用的进展.见:中国岩石力学与工程学会.第六届全国岩石力学与工程学术大会论文集.北京:中国科学技术出版社,2000
[19] 郭城谦,陈慧远.土石坝.北京:水利电力出版社,1992
[20] 王继庄.粗粒料的变形特性和缩尺效应.岩土工程学报,1994,16(4):89~95
[21] 张启岳.砂卵石料的强度和应力—应变特性.水利水运科学研究,1985(3):133~145
[22] 吴京平,诸瑶,楼志刚.颗粒破碎对钙质砂变形及强度特性的影响.岩土工程学报,1997,19(5):49~55
[23] 郭熙灵,胡辉,包承纲.堆石料颗粒破碎对剪胀性和抗剪强度的影响.岩土工程学报,1997,19(3):83~88
[24] Wang J Z. Test of coarse material under iso - stress ratio and study of its deformation characteristics. Proceedings of International Symposium on High Earth - Rockfill Dam. Beijing, 1993
[25] 左元明,沈珠江.坝壳砂砾料浸水变形特性的测定.水利水运科学研究,1989
[26] 李广信.堆石料的湿化试验和数学模型.岩土工程学报,1990,12(5)
[27] Duncan J M, Byrne P, Wong K S, et al. Strength, stress - strain and bulk modulus parameters for finite element analysis of stress and movement in soil masses . Report No. UCB/GT/80 - 01, University of California, Berkeley, 1980

[28] 柏树田,崔亦昊.堆石的力学性质.水力发电学报,1997(3):21～30
[29] 章根德.土的本构模型及其工程应用.北京:科学出版社,1995
[30] Duncan J M, Chang C Y. Nonlinear analysis of stress－strain for soil. Journal of Soil Mechanics and Foundation Division, ASCE, 1970,96 (SM5)
[31] 沈珠江.理论土力学.北京:中国水利水电出版社,2000
[32] 高莲士,汪召华,宋文晶.非线性解耦 $K—G$ 模型在高面板堆石坝应力变形分析中的应用.水利学报,2001(10)
[33] Lade P V, Duncan J M. Elasto－plastic stress－strain theory for cohesionless soil with curved yield surface. International Journal of Solids and Structure, 1977, 13(11)
[34] 殷宗泽.一个土体的双屈服面应力—应变模型.岩土工程学报,1988,10(4)
[35] Duncan J M, Seed R B, Wang K S, et al. FEADAM 84: A computer program for finite element analysis of dams. Department of Civil Engineering, Virginia Polytechnic Institute and State University, Blacksburg, Virginia
[36] 蒋国澄.软岩堆石料在混凝土面板堆石坝中的应用.面板堆石坝通讯,1994(2)
[37] Materon B, Mori R T. Construction Features of CFRD Dams. J. BARRY COOKE VOLUME——Concrete Face Rockfill Dam,2000
[38] Goodman R F, Taylor R L, Brekke T L. A model for the mechanics of jointed rock. Journal of Soil Mechanics and Foundation Division,1968, 94 (SM3)
[39] 殷宗泽,朱泓,许国华.土与结构材料接触面的变形及其数学模拟.岩土工程学报,1994,16(3)
[40] Kawai T, Chang N C. A discrete element analysis of beam bending problems in cluding the effects of shear deformation, Seisan Kenkyu, 1977
[41] 卓家寿,章青.不连续介质力学问题的界面元法.北京:科学出版社,2000
[42] 章青.卓家寿.盾构式输水隧洞的计算模型及工程应用.水利学报,1999(2)
[43] 龚晓南,等.土工计算及分析.北京:中国建筑工业出版社,2000
[44] 杨林德,等.岩土工程问题的反演理论与工程实践.北京:科学出版社,1996
[45] Sergio Giudici, Richard Herweynen, Peter Quinlan. HEC Experience in Concrete Faced Rockfill Dams, Past, Present and Future, CFRD 2000, Proceedings of International Symposium on Concrete Faced Rockfill Dam, Beijing, Sept. 18, 2000
[46] Guillermo Noguera, Luis Pinilla, Luis san Martin. CFRD Constructed on Deep Alluvium. J. BARRY COOKE VOLUME——Concrete Face Rockfill Dam,2000
[47] 杨泽艳,文亚豪,罗光其,等.面板堆石坝采用冲碾压实技术的研究和探讨.贵州水力发电,2003(1):45
[48] 梅锦煜,等.高混凝土面板堆石坝快速施工技术及工艺研究.中国人民武装警察部队水电指挥部,2004
[49] 喻幼卿,汪金元,李定或.WHDF 抗裂剂对面板混凝土抗裂性能的影响及其改良.见:水力发电国际研讨会论文集(上册).宜昌,2004
[50] 马锋玲,杨德福,王少江.高混凝土面板堆石坝面板混凝土抗裂和耐久性研究.见:水力发电国际研讨会论文集(上册).宜昌,2004
[51] 岳跃真,杨萍,黄淑萍,等.高混凝土面板堆石坝的仿真应力分析.CFRD 2000,见:混凝土面板堆石坝国际研讨会论文集.北京:2000
[52] Taylor R N. Geotechnical Centrifuge Technology. Blackie Academic & Professional, London, 1995
[53] 卞富宗,朱思哲,刘宏梅.土工离心模型试验的发展与应用.水利水电科学研究院,1990

Stress and Deformation Properties of CFRD

[**Abstract**]　Concrete faced rockfilll dam (CFRD) is one of the most competitive dam types in dam engineering. In the early stage of CFRD development, the design was mainly based on engineer's experience. Not much systematic research works were carried out. In recent years, with the progress of CFRD technology, the design and construction of CFRD has been gradually shifted from the experience - based method to the more scientific based method, which is mainly guided by theoretical analysis and laboratory testing.

For concrete faced rockfill dam, the stress and deformation properties are the most important issues that are vital to dam safety and operation. Although great progresses have been achieved in China's CFRD construction, there are also several failure cases. The breach of Gouhou CFRD, the collapse of concrete face slab of Zhushuqiao CFRD and the structural cracks in face slabs of Tianshengqiao No 1 CFRD remind us to pay more attentions to the stress and deformation properties of CFRD. With increasing dam height of CFRD and greater complexity in topographic and geologic conditions at the dam sites, the requirements on analysis method will be higher and higher. For high CFRD, how to predict its deformation tendency, how to optimize the dam design and how to keep a smooth stress status of face slabs have become the key issues of the design. Though certain achievements have been gained in the past researches, there is still lack of comprehensive and systematic study on the stress and deformation properties of CFRD. The research in this field will not only has important academic significance, but also has great practical values in engineering application.

Focuses on stress and deformation properties of CFRD, systematic research works were presented in this book. Stress and deformation status of CFRD under different conditions and the related influencing factors were analyzed by using numerical methods. Besides, geotechnical centrifuge modeling test was also applied. Based on these researches, the method of combining numerical analysis and physical modeling test to perform stress and deformation analysis of CFRD was further developed.

1　The main research works

The main research works in the book include the following aspects:

(1) Based on systematic summarization of the engineering properties of rockfill materials, the influencing factors of material properties and the application of constitutive models were studied. Different numerical models were evaluated from the point of engineering practices. Besides, a primary statistical analysis of model parameters of rockfill materials was carried out by collecting laboratory test data.

(2) Analytical methods for simulating the joint system of CFRD were studied. An improved numerical analysis method for simulating the contact interface between concrete slab and rockfill was developed and the new method was verified by centrifuge modeling test.

(3) By using numerical analysis, the optimal design for the zoning of CFRD and the back – analysis of rockfill parameters were studied. Based on the research, the general principles for using soft rockfill materials in CFRD were introduced. Besides, the general method for feedback analysis of CFRD and computer simulation for the construction and operation of CFRD were proposed.

(4) Systematic analysis of the different impacts on stress and deformation properties of CFRD were carried out, which include: river valley shape, deep alluvial foundation, rockfill compaction, construction sequence, reservoir impoundment procedures, etc. Based on these analyses, proposals for improving the design and construction of CFRD, especially for high CFRD, were introduced.

(5) The technology for applying centrifuge modeling test on CFRD analysis was studied. An innovative remote wireless data transmission system and image analysis system was developed. Based on this, a centrifuge modeling test for simulating dam construction and reservoir impoundment of a CFRD project with the height above 100 m and constructed on deep alluvial foundation was first accomplished. Besides, the verification and comparison of numerical analysis and centrifuge testing were carried out. Furthermore, the new method for combining numerical analysis and physical modeling test was proposed.

2 The main conclusions

Based on the research works of three aspects, viz. "Research on the numerical methods for stress and deformation analysis of CFRD", "Research on stress and deformation properties of CFRD" and "Research on centrifuge modeling test of CFRD", the following conclusions were drawn:

(1) In the numerical analysis of CFRD, the constitutive model of rockfill must consider the non – linear stress – strain relationship of the dam materials. Linear elastic model is not suitable for rockfill deformation analysis. For present computation of CFRD, Duncan's *E—B* model is widely accepted. Many analysis applications also show that, the result by using Duncan's *E—B* model is basically reliable for the practical purpose of CFRD engineering.

(2) The parameters of Duncan's model have a certain relationship with each other. In the application, attention should be paid on the consistency of parameters.

(3) For the contact interface of face slab and rockfill, the thin layer contact element is applicable. For the contact interface between face slabs, the separate gap element is suitable. For the peripheral joints between face slab and plinth, soft element can be used. These simulations have considered the main factors of CFRD's contact interface. Acceptable results

could be achieved in most of the cases. For more accurate simulation of the contact interface, the "interface element method" can be used. In the analysis, the combination of FEM and "interface element" is more applicable. By using this method, the sliding and separation of interface can be well simulated.

(4) In the zoning of CFRD, the principle for using soft rockfill material is: the soft rock material should be put in the dry area of the downstream part to keep the smooth drainage of the dam and to avoid additional deformation caused by wetting. The downstream slope of soft rockfill zone should be determined by slope stability analysis and be covered by at least 2m fresh hard rock to avoid further weathering of the soft rockfill. The upstream boundary of soft rock zone can be determined by FEM analysis. The upstream boundary should extend toward upstream as far as possible under the condition of keeping the deformations of dam and the stresses of slab within acceptable values. For high CFRD, the use of soft rockfill material must be very careful. When soft rock material is used in downstream zone, attention should be paid to avoid large modulus difference between downstream zone and upstream zone. When the dam is fully constructed by soft rockfill material, the total deformation of the dam should be carefully controlled and a proper drainage zone should be designed. For CFRD constructed by sandy and gravel materials, its zoning arrangement could be flexible. But the key issue is the seepage control of the dam. In the design of CFRD constructed by sandy gravel material, the zoning should be designed not only by slope stability analysis and stress and deformation analysis, but also by seepage analysis to keep the seepage safety and smooth drainage.

(5) The shape of river valley has a significant impact on the stress and deformation of CFRD. Under the condition of certain dam height and construction material, the deformation of the dam in a narrow valley is less than that in the wide valley, but the stress of slab for the dam in narrow valley is large than that of the dam in wide valley. For the asymmetric river valley, the displacement distribution of dam body and concrete slab will also be asymmetric. The displacement of the dam near the gentle abutment trends to move towards to the steep abutment. The gradient of displacement and stress of face slab are relatively large in the steep abutment and the tensile stress area of slab is relatively large in the gentle abutment side. By considering the above characteristics, the design and construction of the CFRD built in narrow valley should properly set the slab width and the number of vertical joints according to the results of numerical analysis. At the same time, a special cushion area should be set in upstream abutment area and to compact the area with rather high density. For the asymmetric river valley, attention should also be paid to displacement of the vertical joints near the gentle abutment, for this area is relatively more vulnerable to large open displacement.

(6) For the alluvial foundation of CFRD, if the alluvial is shallow, the method of excavation (mainly for the area near the plinth) can be used. If the alluvium is deep, a more ap-

plicable treatment is to use concrete diaphragm wall to cut the seepage in alluvium and put the plinth directly on the alluvial foundation. The diaphragm wall and plinth can be linked by connecting slabs. For this design, the key issue is to keep consistency in the displacements of the diaphragm, connecting slab, plinth and face slab and to meet the strength requirements. The main impact of alluvial foundation on dam body is the compression deformation of alluvium. This interaction could produce a series of impacts on the dam, which include: the shift of maximum settlement zone to the bottom area of the dam, the occurrence of depressed deformation near the crest, and the separation of the top of the first phase slab from the dam body. As compared with the normal CFRD built on bedrock, the displacement of rockfill, deformation of slab and the displacement of peripheral joints will increase by a certain amount. There are also certain differential displacements between the diaphragm wall and the plinth. Such differential displacements can be adjusted by the connecting slabs. The length of connecting slabs has a certain relationship with the stress and deformation of concrete diaphragm. The rational length should be determined by numerical analysis according to the conditions of each project.

(7) In the design and construction of CFRD, the most direct approach for deformation control of dam and slab is the material zoning and rockfill compaction. Rational setting of rockfill zones and proper selecting compaction standard will play an important role in improving the working status of the dam and enhancing its safety. For the structure properties of the dam, the difference of moduli and densities between different zones should be kept within a certain range. For decreasing the differential settlement of upstream and downstream part of the high CFRD, the material properties of upstream and downstream rockfill should not have great differences. Soft rockfill is generally not recommended to be used in the downstream part for high CFRD. When soft or relatively weak rockfill materials were used in the downstream part of the dam, special attention should be paid to the following aspects: ①For avoiding large compression deformation, soft rock materials should not be put in high stress level area. ② The boundary of upstream rockfill (3B) and downstream rockfill (3C) should have a relatively conservative slope, that is not steeper than 1∶0.5. ③ For high dams, 3C rockfill should be put in a relatively higher position and should not reach the top of the dam. Under this zone, a layer of low compressibility rockfill material should be placed with a certain thickness.

(8) For the construction of CFRD, to properly increase the rockfill density is one of the most important measures to improve the stress and deformation properties of CFRD. Computation results show that: when rockfill density rises from a relatively low value to a rather high value, the stress and deformation status of the dam is improved significantly. But when the rockfill density has reached a certain extent, the trend of deformation decreasing will slow down. Therefore, in the construction of CFRD, the rational compaction density of rockfill should be determined by the specific conditions and economic feasibilities of the project.

(9) During the construction of CFRD, due to the difference of deformation sequence, different construction phases may have certain impacts on the final deformation of the dam. For improving the stress and deformation status of CFRD, the best method is to keep the same top level of each construction layer from upstream part to downstream part. When there is necessity for using priority section, the height difference of the top of priority section and the rest part of rockfill should be limited to a certain value. For high CFRD, the construction manner of adding the rockfill from downstream slope is not recommended. For reducing the impact of rockfill deformation on the concrete slab, the concrete slab should be constructed after most of the rockfill deformations are stabilized. From the point of improving the structural stress status of slabs, to construct concrete slab in one stage is better than to divide the slab construction into several phases. During the construction, the temporary water retaining in flood season can further stabilize the deformation of rockfill, and it could be beneficial to the improvement of the stress status of the concrete slabs.

(10) For controlling the cracks of face slab, the integrated measures both on structural and material aspects should be considered. In general, the cause of cracks in concrete slabs is the integrated action of rockfill deformation, temperature change and concrete shrinkage. For the cracks caused by structural factors, the main preventive measure is the control of rockfill deformation. For the cracks caused by material factors, the main measures are reducing the synthetic temperature difference and controlling the shrinkage of concrete. To sum up, the control of face slab cracks needs integrated efforts. Comprehensive measures on concrete material, dam structure and quality control of construction should be applied.

(11) In the study of stress and deformation properties of CFRD, centrifuge modeling test is a powerful method, which can be a complementary and verifying tool of numerical analysis. In the centrifuge modeling test, the inherent errors should be considered. At the same time, the issues such as: slab simulation, rockfill size scale reduction, data acquisition, internal deformation observation, simulation of reservoir impoundment, etc. have to be taken into account. The model test results of Chahanwusu CFRD show good agreement in centrifuge modeling test and numerical analysis on stress and deformation distribution of rockfill dam, concrete slab and concrete diaphragm. This has fully proved the practicability of centrifuge modeling test.

后 记

本书的主要内容取材于作者的博士学位论文,论文的指导老师是汪闻韶院士和杜延龄教授。汪院士学识渊博、学风严谨,虽已耄耋之年,仍笔耕不辍。在作者的论文写作过程中,汪院士十分强调创新性和独创性,以及土力学研究中试验研究的重要性。先生的谆谆教诲和认真求实的科研精神使我获益匪浅。杜延龄教授在论文的选题和论文的总体结构安排上曾给予我悉心的指教,并对论文修改提出了有益的建议。在作者撰写论文期间,杜延龄教授的不断鼓励与鞭策,赋予我努力进取的巨大动力。在此,学生谨向二位前辈表示崇高的敬意和诚挚的感谢。

作者非常感谢中国水利水电科学研究院张文正教授、蒋国澄教授、朱思哲教授、柏树田教授等岩土所老前辈所给予的关心与指导。作者自参加工作起,即在张文正教授的指导下从事土工数值计算分析研究,多年的共事中,张文正教授的言传身教,成就了我从事科研工作的良好基础。蒋国澄教授和朱思哲教授也曾在面板堆石坝和土工离心模型试验方面给了我许多有益的指导和帮助。

作者感谢中国水利水电科学研究院汪小刚、周晓光、温彦锋、郑卫东、黄丽清、殷旗、邵宇等诸位同事给予我的关心与帮助,同时,特别感谢离心模拟试验室的全体同仁:侯喻京博士、梁建辉高工、韩连兵高工、茹履安教授、肖兆君高工和邢建营同学。在离心模型试验最为艰苦的时候,我们曾同甘苦、共患难,度过了许多不眠之夜。模型试验能有今日之成果,凝聚了集体的智慧和心血。作者庆幸能够在这样一个朝气蓬勃、积极向上的大家庭中与各位同仁们共事,同时也深深感谢朋友们伴随我度过了人生中一段难忘而美好的时光。

作者同样要感谢妻子与儿子对我工作的支持,他们的理解与关心,使我可以全身心地投入到本书的研究工作中。同时我也要感谢父母的关爱与鼓励,他们的殷殷期望和无私的爱永远是激励我不断进步的源泉。

本书的部分研究工作得到国家电力公司重点科研项目的资助和国家科技攻关项目的支持,在此特致谢意。

作 者

2005 年 11 月